1학년 영어듣기평가
분석 및 학습법

KB181392

1 시험 개요

- 1학기(4월), 2학기(9월)에 각각 1회씩 실시한다.
- 서울시에서는 보통 6월과 11월에 실시한다.
- 총 20문항으로 오지선다형 문제로만 출제된다.
- 시험 시간은 20분 이내이다.
- 모든 문제는 한 번씩만 들려준다. 따라서 집중해서 들어야 한다.

2 시험 난이도

- 〈전국 16개 시·도교육청 주관 영어듣기평가〉보다는 일반적으로 〈서울시 영어듣기평가〉가 조금 더 어렵게 출제된다.
- 대본에 사용되는 어휘 수와 발화 속도의 차이는 다음과 같다.

영어듣기평가별 대본 전체 어휘 수 비교

시험 학년	전국 16개 시·도교육청	서울 ○○교육지원청	서울 △△교육지원청
1학년	876	968	981
2학년	1,262	1,116	1,444
3학년	1,344	1,371	1,592

- 1학년 시험은 대체적으로 쉽게 출제되는 편이다. 하지만 2학년 시험에서는 난이도가 급격하게 올라간다. 따라서 너무 쉬운 문제만 풀어서는 안 된다.
- 서울시 영어듣기평가는 산하 각 교육지원청에 따라 난이도가 16개 시·도교육청의 시험과 비슷하거나 높은 경향을 보인다.

영어듣기평가별 발화 속도(WPM) 비교

시험 학년	전국 16개 시·도교육청	서울 ○○교육지원청	서울 △△교육지원청
1학년	111	139	158
2학년	114	145	157
3학년	124	146	158

* WPM은 1분 동안 발음되는 단어의 수를 의미한다.

- 각 시험별 학년이 높아짐에 따라 발화 속도는 크게 빨라지지 않는다.
- 16개 시·도교육청 시험의 발화 속도는 느린 편에 해당한다.
- 서울 교육지원청의 발화 속도는 대체로 조금 빠른 편이다.

문제 유형

- 전국 시·도교육청 듣기평가와 서울시 듣기평가 시험 간의 문제 유형은 순서만 다를 뿐 큰 차이는 없는 편이다.
- 문제 유형은 16개 시·도교육청 듣기평가에서 정선되어 있고, 서울시 문제 출제자도 이를 참고하여 내는 경향이 있다.
- 4월과 9월에 실시하는 두 시험 간의 유형 차이는 거의 없거나 혹은 2~3문항 정도 유형이 다르게 출제되기도 한다.
  주로 8번, 13번, 17번에서 유형이 다르게 출제되었다.
- 대본은 3개의 담화(Monologue)와 17개의 대화(Dialogue)로 구성되어 있다.
  ※담화(談話):어떤 단체나 공적인 자리에 있는 사람이 어떤 문제에 대하여 자신의 의견이나 태도를 공식적으로 밝히는 말.
- 대본의 길이는 담화는 5~6개 문장, 대화는 6~10개의 문장으로 구성되어 있다.

【 1학년 듣기평가 문제 유형_최신 기준 】

01 그림 지칭

담화에서 this나 I 등이 가리키는 것 추론하기

① ② ③ ④ ⑤

02 그림 묘사

대화에서 묘사하고 있는 것 고르기

① ② ③ ④ ⑤

03 날씨

일기예보를 듣고 특정한 날의 날씨 파악하기

① ② ③ ④ ⑤

04 말의 의도

대화를 듣고, 마지막 말의 의도 파악하기

05 언급하지 않은 것

담화에서 말하지 않은 내용 고르기

06 시각 / 금액

대화에서 약속 시각이나 알맞은 금액 파악하기

07 장래 희망

대화에서 남자나 여자의 장래 희망 파악하기

08 일치하지 않는 것

대화에서 언급된 내용과 일치하지 않는 것 고르기

09 바로 할 일

대화가 끝난 직후에 바로 할 일 파악하기

10 대화 화제 / 담화 화제

무엇에 관한 대화/담화인지 핵심 내용 파악하기

11 교통수단

화자가 이용했거나 이용할 교통수단이 무엇인지 고르기

12 이유

남자나 여자가 어떤 행동을 한 이유 등을 파악하기

13 장소 / 관계

현재 대화를 하고 있는 장소나 두 사람의 관계 추론하기

14 그림 위치

지도나 그림을 보고 찾아갈 장소나 물건의 위치 파악하기

15 부탁한 일

여자나 남자가 상대방에게 부탁하거나 요청한 일 파악하기

16 제안한 것

상대방에게 제안하거나 충고한 것이 무엇인지 파악하기

17 과거에 한 일

과거나 미래의 특정일에 한 일, 할 일 등을 고르기

18 어색한 대화

들려주는 대화 쌍을 듣고 어색한 대화 쌍 고르기

19 직업

대화에서 남자나 여자의 직업 추론하기

20 심정

대화에서 여자나 남자의 심정 추론하기

21 이어질 말

대화에서 마지막 말에 이어질 가장 적절한 말 고르기

4 대학수학능력시험 듣기평가와의 연계성

- 듣기평가 문제 유형은 궁극적으로 대학수학능력시험의 듣기평가 문제 유형과도 일치한다.
- 아래 표는 중학영어듣기평가 문항과 대학수학능력시험 듣기평가 문항과의 연계성을 나타낸 표이다.
- 같은 유형끼리는 같은 색으로 표시하였다. 대학수학능력시험의 듣기 문제 유형 중 90%가 전국 시·도교육청 듣기평가 문제 유형과 중복된다는 것을 알 수 있다. 대화 길이만 늘어났을 뿐 문제 유형은 같은 것이다.
- 듣기 문항은 대체적으로 유형이 정해져 있어서 유형 연습만 제대로 한다면 대학수학능력시험 듣기 평가도 아주 쉽게 대비할 수 있음을 알 수 있다.

【 듣기 문제 유형 상호 연계표_중학영어듣기평가 VS 대수능 듣기평가 】

번호	중학영어듣기평가 문항 분석			대학수학능력시험 듣기평가 문항 분석
	1학년	2학년	3학년	
01	그림 지칭	날씨	그림 묘사	적절한 응답 ①
02	그림 묘사	그림 묘사	언급되지 않은 것 ①	적절한 응답 ②
03	날씨	언급하지 않은 것 ①	전화한 목적	목적
04	말의 의도	과거에 한 일	심정 / 말의 의도	의견
05	언급하지 않은 것	장소	그림 상황	두 사람의 관계
06	시각 / 금액	말의 의도	장소	그림 묘사
07	장래 희망	세부 정보	부탁한 일	할 일
08	일치하지 않는 것	바로 할 일	언급되지 않은 것 ②	이유
09	바로 할 일	언급하지 않은 것 ②	★담화 화제	금액
10	★대화 화제	★담화 화제	어색한 대화	언급하지 않은 것 ①
11	교통수단	일치하지 않는 것	할 일	일치하지 않는 것
12	이유	목적	날짜 / 요일	표 정보
13	장소 / 관계	금액 / 시각 / 날짜	그림 위치 / 표 정보	적절한 응답 ③
14	그림 위치	두 사람의 관계	과거에 한 일	적절한 응답 ④
15	부탁한 일	부탁한 일	세부 정보	상황에 맞는 말
16	제안한 것	이유	시각 / 금액	★주제
17	과거에 한 일 / 어색한 대화	그림 상황	적절한 응답 ①	언급하지 않은 것 ②
18	직업	언급하지 않은 것 ③	적절한 응답 ②	
19	이어질 말 ①	이어질 말 ①	적절한 응답 ③	
20	이어질 말 ②	이어질 말 ②	상황에 맞는 말	

【 대학수학능력시험 듣기평가 문제와 얼마나 유사할까? 】

5 대화를 듣고, 두 사람의 관계를 가장 잘 나타낸 것을 고르시오.

① 곤충학자 – 학생
② 동물 조련사 – 사진작가
③ 농부 – 잡지기자
④ 요리사 – 음식 평론가
⑤ 독자 – 소설가

13 대화를 듣고, 두 사람의 관계로 가장 적절한 것을 고르시오.

① 동요 작곡가 – 가수
② 드라마 작가 – 연출가
③ 오디션 참가자 – 심사 위원
④ 오케스트라 단원 – 지휘자
⑤ 공원 캠핑장 이용객 – 관리인

7 대화를 듣고, 여자가 할 일로 가장 적절한 것을 고르시오.

① 간식 가져오기　② 책 기부하기
③ 점심 준비하기　④ 설거지하기
⑤ 세탁실 청소하기

9 대화를 듣고, 여자가 대화 직후에 할 일로 가장 적절한 것을 고르시오.

① 짐 옮기기　② 길 물어보기
③ 장소 검색하기　④ 요금 지불하기
⑤ 안전벨트 매기

8 대화를 듣고, 남자가 요리 대회 참가를 포기한 이유를 고르시오.

① 다친 팔이 낫지 않아서
② 조리법을 완성하지 못해서
③ 다른 대회와 일정이 겹쳐서
④ 입학시험 공부를 해야 해서
⑤ 대회 전에 유학을 떠나야 해서

12 대화를 듣고, 남자가 옷을 구입한 이유로 가장 적절한 것을 고르시오.

① 면접에서 입기 위해서
② 여행 가서 입기 위해서
③ 생일 파티에서 입기 위해서
④ 공연 의상으로 입기 위해서
⑤ 사촌 결혼식에서 입기 위해서

10 대화를 듣고, Ten Year Class Reunion Party에 관해 언급되지 않은 것을 고르시오.

① 장소　② 날짜　③ 회비
④ 음식　⑤ 기념품

5 다음을 듣고, 여자가 건물에 대해 언급하지 않은 것을 고르시오.

① 이름　② 건축가　③ 지어진 연도
④ 색상　⑤ 높이

11 *Green Ocean* 영화 시사회에 관한 다음 내용을 듣고, 일치하지 않는 것을 고르시오.

① 100명을 초대할 예정이다.
② 다음 주 토요일 오후 4시에 시작할 것이다.
③ 영화 출연 배우와 사진을 찍을 수 있다.
④ 입장권을 우편으로 보낼 예정이다.
⑤ 초대받은 사람은 극장에서 포스터를 받을 것이다.

8 대화를 듣고, 남자가 다녀온 여행에 대한 내용으로 일치하지 않는 것을 고르시오.

① 제주도에 다녀왔다.
② 해산물을 먹었다.
③ 박물관을 방문했다.
④ 한라산에 갔다.
⑤ 바다에서 수영했다.

13 대화를 듣고, 여자의 마지막 말에 대한 남자의 응답으로 가장 적절한 것을 고르시오.

Man: _____

① It's worthwhile to spend money on my suit.
② It would be awesome to borrow your brother's.
③ Your brother will have a fun time at the festival.
④ I'm looking forward to seeing you in a new suit.
⑤ You're going to build a great reputation as an MC.

20 대화를 듣고, 여자의 마지막 말에 이어질 남자의 말로 가장 적절한 것을 고르시오.

Man: _____

① It was 61 to 59.
② It started at 2 p.m.
③ It lasted almost an hour.
④ It was held in the school gym.
⑤ It was against *Hankuk Middle School*.

90%나 똑같다고??

그렇지! 중학교 듣기 문제만 잘 풀어도 수능 듣기평가 대비는 문제 없다니까! 문제는, 어떤 책으로 공부하느냐에 달렸다고 봐야겠지?

5 학습법

(1) 평상시 : 점수를 올리는 듣기 훈련

- 틀린 문제 유형은 반드시 받아쓰기를 한다.
- 맞힌 문제라도 받아쓰기를 해보도록 한다. 왜냐하면 본인이 찍어서 맞힌 문제일 수도 있기 때문이다. 완벽한 실전 대비를 위해서는 모든 문제를 받아쓰기 한다.
- 듣기 내용은 가능한 한 빠른 속도로 듣도록 한다.
- 무엇을 묻는 문제인지 지시문의 핵심 키워드에 동그라미를 한다.
  (일치하는 것, 일치하지 않는 것, 언급되지 않은 것, 시각 등 핵심어에 표시하기)
- 들으면서 핵심 표현이나 숫자 등은 빠른 속도로 간단히 메모하는 습관을 들이도록 한다.
  (메모에 치중하느라 녹음 내용을 듣지 못하는 불상사도 피해야 한다. 즉, 순간적으로 메모하면서 들어야 한다.)

(2) 시험 하루 전

- 시험 하루 전날에는 기출 문제를 풀어보거나 기출 문제 동영상을 보며 마음속으로 정리한다.
- 문제집에서 그동안 틀린 문제들만 모아서 다시 풀어본다.
- 새로운 어휘나 표현을 외우려 하지 말고 이미 알고 있는 표현들을 복습하는 선에서 마무리한다.

(3) 시험 당일

- 시험이 시작되고, 방송이 나오기 전에 시험 문제들을 재빨리 훑어본다.
- 문제와 문제 사이의 빈 시간 동안에는 다음 문제의 지시문과 선택지를 살펴보고 대화의 내용을 유추해 본다.
- 한 번 푼 문제는 다시 보지 않는다. 다음 문제에 집중한다.
- 내용을 끝까지 잘 듣고 함정에 유의하며 답을 고르도록 한다.

이 책의 특장

🎧 바로 Listening 중학영어듣기 모의고사 24회에서는...

- 최신 경향의 전국 시·도교육청 듣기 기출 문제 유형을 반영하였습니다.
- 시·도교육청 문제보다 조금 더 긴 대본과 빠른 속도의 MP3를 제공하며 영국식(15%) 및 호주식 영어(5%) 발음도 포함하여 녹음하였습니다.
- native speaker가 대본을 직접 작성하였습니다. 실용적이고 authentic한 표현들로 가득합니다.
- 서울시 현직 교사도 문제 및 대본 작성에 참여하였습니다. 서울시 영어듣기평가도 완벽하게 대비할 수 있습니다.
- 대학수학능력시험 영어듣기평가도 연계하여 대비할 수 있도록 구성이나 내용이 알찹니다.
- 틀린 문제를 확실하게 풀고 넘어갈 수 있도록 받아쓰기를 3단계로 설계하였습니다.
  Step 1 들으면서 대본의 빈칸 채우기
  Step 2 축쇄 문제를 보며 다시 풀어보기
  Step 3 해석을 보며 영어로 말하거나 영작해 보기
- 소리로 확실하게 듣고 이해할 수 있도록 QR코드로 연결되는 App에서 빠른 속도의 MP3, 문항별 MP3 등을 제공합니다.
- 시험 직전 활용할 수 있도록 최신 기출 문제 강의 동영상을 제공합니다.

이 책의 활용법

전국 16개 시·도교육청 영어듣기평가 및 서울시 영어듣기평가를 대비하기 위한 최적의 학습 시스템을 갖췄습니다.

일반 수준 학습 로드맵 ➡ Vocabulary ➡ 실전 모의고사 24회 ➡ Dictation

상위 수준 학습 로드맵 ➡ 실전 모의고사 24회 ➡ Dictation ➡ Vocabulary

Vocabulary

- 실전 모의고사에 나오는 주요 표현을 미리 듣고 익힐 수 있습니다.
- 어휘를 듣고 쓰며 연습할 수 있습니다.
- 복습용으로도 활용 가능합니다.

실전 모의고사 [24]회

- 최신 경향의 기출 문제 유형을 반영하였습니다.
- 메모하면서 푸는 습관을 들이도록 설계되었습니다.
- 고난도 문제가 표시되어 있습니다.

Dictation

- 영어 문장을 자세히 듣고 받아 적으면서 실력을 키웁니다.
- 구문 설명 및 해석을 함께 제시하여 공부하기가 편합니다.
- 틀린 문제는 오답 노트처럼 활용할 수 있습니다.
- 해석을 보며 영어로 말하거나 영작 연습을 할 수 있습니다.

QR 코드 활용법 ≫

Vocabulary
1. 어휘 목록과 어휘 테스트의 음성 녹음을 들을 수 있습니다.
2. 원어민의 음성을 들으며 어휘를 익힐 수 있습니다.

실전 모의고사 24회
1. 시험은 보통 속도, 빠른 속도를 선택해서 들을 수 있습니다.
2. 시험 볼 때는 보통 속도, 복습할 때는 빠른 속도로 들으세요.
3. 상위 수준 학습자는 처음부터 빠른 속도로 들으셔도 됩니다.

Dictation
1. 받아쓰기 전체 듣기 및 문항별 듣기가 가능합니다.
2. 틀린 문제만 콕 집어서 반복해서 듣기 연습을 할 수 있어 편합니다.

자기 주도 학습 관리표

스스로 매일 조금씩 공부하며 성취도를 체크할 수 있는 자기 주도 학습 관리표를 제공합니다.

A 아주 잘함   B 잘함   C 보통   D 조금 부족함   F 아주 부족함

실전 모의고사		공부한 날 (월/일)			나의 성취도 체크		
		어휘	실전 모의고사	받아쓰기	어휘 모두 암기	모의고사 점수 만족도	틀린 문제는 꼭 받아쓰기
p. 8	01회						
p. 24	02회						
p. 40	03회						
p. 56	04회						
p. 72	05회						
p. 88	06회						
p. 104	07회						
p. 120	08회						
p. 136	09회						
p. 152	10회						
p. 168	11회						
p. 184	12회						
p. 200	13회						
p. 216	14회						
p. 232	15회						
p. 248	16회						
p. 264	17회						
p. 280	18회						
p. 296	19회						
p. 312	20회						
p. 328	21회						
p. 344	22회						
p. 360	23회						
p. 376	24회						

작성 방법

- 공부한 날에 간단히 월/일을 기록합니다. (e.g. 3월 5일에 공부했으면 ➔ 3/5)
- 나의 성취도 체크에는 A, B, C, D, F 중에서 하나를 골라 각 칸에 적습니다. 스스로 평가해 보세요.
- D나 F가 많은 실전 모의고사는 나중에 반드시 복습을 하도록 합니다.

[VOCABULARY] 실전 모의고사 01회

어휘를 알아야 들린다

모의고사를 먼저 풀고 싶으면 10쪽으로 이동하세요.

🎧 다음 표현을 듣고 모르는 것에 표시하시오.

- ☐ 01 **math** 수학
- ☐ 02 **festival** 축제
- ☐ 03 **another** 다른; 또 하나의
- ☐ 04 **continue** 계속되다
- ☐ 05 **match** 경기, 시합
- ☐ 06 **boring** 지루한
- ☐ 07 **checked** 체크무늬의
- ☐ 08 **sell** 팔다; 팔리다
- ☐ 09 **clear** 맑게 갠
- ☐ 10 **sunny** 화창한
- ☐ 11 **Antarctic** 남극 지역
- ☐ 12 **fly** 날다
- ☐ 13 **wing** 날개
- ☐ 14 **round** 둥근, 원형의
- ☐ 15 **squid** 오징어
- ☐ 16 **feed** 먹이를 주다, 먹이다
- ☐ 17 **move** 이사 가다
- ☐ 18 **classmate** 학급 친구
- ☐ 19 **friendship** 우정
- ☐ 20 **celebrate** 축하하다
- ☐ 21 **favor** 부탁
- ☐ 22 **act** 연기하다
- ☐ 23 **passport** 여권
- ☐ 24 **break** 고장이 나다; 고장 내다

- ☐ 25 **borrow** 빌리다
- ☐ 26 **actually** 사실, 실제로
- ☐ 27 **honestly** 솔직히
- ☐ 28 **straight** 곧장, 일직선으로
- ☐ 29 **perfect** 완벽한
- ☐ 30 **palace** 궁, 궁전
- ☐ 31 **field trip** 현장학습
- ☐ 32 **farewell party** 송별회
- ☐ 33 **soap opera** 드라마
- ☐ 34 **rush hour** (출퇴근) 혼잡 시간대, 러시아워
- ☐ 35 **weather report** 일기예보
- ☐ 36 **next to** ~ 옆에
- ☐ 37 **for free** 공짜로, 무료로
- ☐ 38 **by mistake** 실수로
- ☐ 39 **be interested in** ~에 관심[흥미]이 있다
- ☐ 40 **be late for** ~에 늦다
- ☐ 41 **take care of** ~을 돌보다
- ☐ 42 **work out** 운동하다

📝 **알아두면 유용한 선택지 어휘**

- ☐ 43 **cost** 비용이 들다
- ☐ 44 **stranger** (어떤 곳에) 처음 온 사람
- ☐ 45 **tourist** 관광객
- ☐ 46 **go to bed** 잠자리에 들다

🎧 들으면서 표현을 완성한 다음, 뜻을 고르시오.

표현의 의미를 생각하며 다시 써 보기!

01 ◻ound ☐ 넓은 ☐ 둥근, 원형의 ➡ _____

02 mo◻e ☐ 이사 가다 ☐ 도착하다 ➡ _____

03 ◻oring ☐ 재미있는 ☐ 지루한 ➡ _____

04 a◻other ☐ 같은 ☐ 다른; 또 하나의 ➡ _____

05 ◻ass◻ort ☐ 여권 ☐ 공항 ➡ _____

06 mat◻h ☐ 경기 ☐ 휴식 ➡ _____

07 cele◻rate ☐ 나누다 ☐ 축하하다 ➡ _____

08 b◻eak ☐ 빌리다 ☐ 고장이 나다 ➡ _____

09 ◻eed ☐ 먹이를 주다 ☐ 날다 ➡ _____

10 act◻ally ☐ 자주 ☐ 사실, 실제로 ➡ _____

11 festi◻al ☐ 축제 ☐ 방학 ➡ _____

12 pa◻ace ☐ 궁, 궁전 ☐ 장소 ➡ _____

13 ◻quid ☐ 오징어 ☐ 고래 ➡ _____

14 con◻inue ☐ 연락하다 ☐ 계속되다 ➡ _____

15 w◻ng ☐ 날개 ☐ 꼬리 ➡ _____

16 straigh◻ ☐ 곧장 ☐ 뒤로 ➡ _____

17 class◻ate ☐ 학급 친구 ☐ 교실 ➡ _____

18 ◻arewell ◻arty ☐ 환영회 ☐ 송별회 ➡ _____

✎ 들으면서 주요 표현 메모하기!

01 다음을 듣고, 'I'가 무엇인지 가장 적절한 것을 고르시오.

①  ②   ③   ④   ⑤

02 대화를 듣고, 여자가 구입할 모자로 가장 적절한 것을 고르시오.

①   ②   ③   ④   ⑤

03 다음을 듣고, 일요일 오후의 날씨로 가장 적절한 것을 고르시오.

①   ②   ③  ④  ⑤

04 대화를 듣고, 남자가 한 마지막 말의 의도로 가장 적절한 것을 고르시오.
① 부탁　② 불평　③ 거절　④ 감사　⑤ 동의

고난도 선택지 하나씩 체크하며 풀기
05 다음을 듣고, 여자가 전학생에 대해 언급하지 않은 것을 고르시오.
① 이름　　　　② 가족 관계　　　　③ 출신지
④ 한국에 온 시기　　⑤ 말할 수 있는 언어

06 대화를 듣고, 두 사람이 만날 시각을 고르시오.

① 8:00 a.m.   ② 8:30 a.m.   ③ 9:00 a.m.
④ 9:30 a.m.   ⑤ 10:00 a.m.

✎ 들으면서 주요 표현 메모하기!

07 대화를 듣고, 남자의 장래 희망으로 가장 적절한 것을 고르시오.

① 교사   ② 디자이너   ③ 배우
④ 아나운서   ⑤ 드라마 작가

08 대화를 듣고, 남자의 심정으로 가장 적절한 것을 고르시오.

① 슬픈   ② 화가 난   ③ 부러워하는
④ 미안해하는   ⑤ 자랑스러운

고난도 핵심 표현 메모하며 풀기

09 대화를 듣고, 여자가 대화 직후에 할 일로 가장 적절한 것을 고르시오.

① 책 구입하기   ② 독후감 쓰기
③ 도서관에 가기   ④ 교실 청소하기
⑤ 영화표 예매하기

10 대화를 듣고, 무엇에 관한 내용인지 가장 적절한 것을 고르시오.

① 운동회 일정   ② 재즈 축제
③ 회장 선거   ④ 학교 게시판 신설
⑤ 동아리 가입 신청

틀린 문제는 Dictation에서
완벽하게 이해하세요.

실전 모의고사 [01]회

🖊 들으면서 주요 표현 메모하기!

11 대화를 듣고, 남자가 이용할 교통수단으로 가장 적절한 것을 고르시오.

① 자가용 ② 택시 ③ 버스
④ 지하철 ⑤ 자전거

고난도 핵심 표현 메모하며 풀기

12 대화를 듣고, 여자가 송별회에 갈 수 <u>없는</u> 이유로 가장 적절한 것을 고르시오.

① 시합이 있어서 ② 미국으로 여행을 가서
③ 다리를 다쳐서 ④ 동아리 모임이 있어서
⑤ 동생을 돌봐야 해서

13 대화를 듣고, 두 사람이 대화하는 장소로 가장 적절한 곳을 고르시오.

① 공항 ② 미용실 ③ 사진관
④ 백화점 ⑤ 놀이공원

14 대화를 듣고, 여자가 가려고 하는 장소를 고르시오.

15 대화를 듣고, 남자가 여자에게 부탁한 일로 가장 적절한 것을 고르시오.

① 선물 골라주기 ② 강아지 돌봐주기 ③ 축하 카드 써주기
④ 음식 만들어주기 ⑤ 동물병원 함께 가기

16 대화를 듣고, 여자가 남자에게 제안한 것으로 가장 적절한 것을 고르시오.

① 배드민턴 수업 듣기　　　　② 보건실에서 쉬기
③ 컴퓨터 게임 덜 하기　　　　④ 일찍 잠자리에 들기
⑤ 공원에서 산책하기

들으면서 주요 표현 메모하기!

17 대화를 듣고, 여자가 주말에 한 일로 가장 적절한 것을 고르시오.

① 캠핑 가기　　　② 숙제하기　　　③ 책 읽기
④ TV 시청하기　　⑤ 밴드 연습하기

고난도 핵심 표현 메모하며 풀기

18 대화를 듣고, 남자의 직업으로 가장 적절한 것을 고르시오.

① 과학자　　　　② 가수　　　　③ 영화배우
④ 영화감독　　　⑤ 라디오쇼 진행자

[19-20] 대화를 듣고, 여자의 마지막 말에 이어질 남자의 말로 가장 적절한 것을 고르시오.

여자의 마지막 말에 집중하기

19 Man: _____

① It starts at 7 p.m.　　　　② It costs 20 dollars.
③ I really like rock music.　　④ I got the tickets from Tony.
⑤ Let's meet at the bus stop.

20 Man: _____

① I'm a stranger here.　　　　② No, it's not far from here.
③ Many tourists visit there.　　④ You can take the subway.
⑤ It doesn't open on Mondays.

틀린 문제는 Dictation에서 완벽하게 이해하세요.

01 그림 지칭

*들을 때마다 체크 □□

다음을 듣고, 'I'가 무엇인지 가장 적절한 것을 고르시오.

① ② ③

④ ⑤

여 여러분은 남극과 같은 추운 지역에서 저를 발견할 수 있어요. 저는 보통 큰 무리를 지어 삽니다. 저는 물고기, 오징어, 그리고 해초를 먹어요. 저는 둥근 몸과 짧은 다리를 가지고 있어요. 저에게는 날개가 있지만 날지는 못한답니다. 저는 무엇일까요?

W You can find me in _____ areas like the Antarctic. I

usually live in _____ _____. I eat fish, squid, and

sea plants. I have a _____ _____ and short legs. I

have wings, but I _____ _____. What am I?

🔔정답 근거

~와 같은

---

02 그림 묘사

□□

대화를 듣고, 여자가 구입할 모자로 가장 적절한 것을 고르시오.

① ② ③

④ ⑤

남 안녕하세요. 무엇을 도와드릴까요?
여 저는 모자를 찾고 있어요.
남 알겠습니다. 이쪽으로 오세요. 이 체크무늬 모자는 어떠세요? 잘 팔리거든요.
여 음… 그것은 제게 어울릴 것 같지 않아요.
남 리본이 달린 것도 있어요. 한번 보세요.
여 오, 마음에 들어요. 그것을 살게요.

M Hello. How can I _____ _____?

W I'm looking for a hat.
점원에게 사고 싶은 물건을 말할 때 쓰는 표현

M Sure. Come this way, please. How about this checked
How about+명사(구)?: ~는 어떠세요?

🔔함정 주의

hat? It's _____ well.

W Um... I don't think it will _____ _____ on me.

🔔정답 근거   = hat

M There's another one _____ a _____. Take a look.
한번 보세요.

W Oh, I like it. I'll take it.
무언가를 사겠다고 말하는 표현

🔊 **Sound Tip** like it / take it
앞 단어의 끝 자음과 뒤 단어의 첫 모음이 연음되어 각각 [라이킷]과 [테이킷]으로 발음된다.

Dictation 01회 →
[전체 듣기
[문항별 듣기

Dictation의 효과적인 활용법
STEP1 들으면서 대본의 빈칸 채우기
STEP2 축쇄 문제를 보며 다시 풀어보기
STEP3 해석을 보며 영어로 말하거나 영작해 보기

공부한 날   월   일

03 날씨

다음을 듣고, 일요일 오후의 날씨로 가장 적절한 것을 고르시오.

①   ②   ③

④   ⑤

M Good evening! Here's the _____ _____ for this weekend. It will start _____ late tonight. The rain will continue through Saturday. But it will _____
~ 동안[내내]
Sunday morning, and you can see sunny and _____
함정 주의 비는 일요일 아침에 그친다고 언급함
_____ on Sunday afternoon. ♪정답 근거

남 좋은 저녁입니다! 이번 주말의 일기예보입니다. 오늘 밤 늦게 비가 내리기 시작할 것입니다. 비는 토요일 내내 계속될 것입니다. 하지만 일요일 아침에 비는 그칠 것이고, 일요일 오후에는 화창하고 맑게 갠 하늘을 보실 수 있습니다.

04 말의 의도

대화를 듣고, 남자가 한 마지막 말의 의도로 가장 적절한 것을 고르시오.
① 부탁   ② 불평   ③ 거절
④ 감사   ⑤ 동의

M Julia, where are you going?

W I'm going to the supermarket. Will you _____
~하겠니?(제안)
_____ _____?

M Sorry, but I have to do my _____ _____.
~해야 한다(의무)

W Okay. Do you need anything?

M Can you get me _____ _____ to drink? ♪정답 근거
~해 줄 수 있니?(부탁·요청)

남 Julia, 너 어디 가니?
여 슈퍼마켓에 가고 있어. 나와 같이 갈래?
남 미안하지만, 나는 수학 숙제를 해야 해.
여 그렇구나. 뭐 필요한 거 있니?
남 시원한 마실 것을 좀 사다 주겠니?

05 언급하지 않은 것 □□

다음을 듣고, 여자가 전학생에 대해 언급하지 않은 것을 고르시오.

① 이름
② 가족 관계
③ 출신지
④ 한국에 온 시기
⑤ 말할 수 있는 언어

W Hello, everyone. We have a _____ _____ today.
🎸정답 근거
Her name is Serena Park. She's from Canada and she
~ 출신의
_____ _____ _____ this summer. She can speak
Korean, English, and French. Everything here is new to
her, so please _____ _____ to her.

여 안녕하세요, 여러분. 오늘 새로운 학급 친구가 왔습니다. 그녀의 이름은 Serena Park입니다. 그녀는 캐나다 출신이고, 이번 여름에 한국으로 이사를 왔어요. 그녀는 한국어, 영어, 프랑스어를 할 수 있습니다. 이곳의 모든 것이 그녀에게 새로울 테니, 그녀에게 친절하게 대해 주세요.

🔊 Sound Tip **this summer**
앞 단어의 끝 자음과 뒤 단어의 첫 자음의 발음이 [s]로 동일하다. 동일한 발음의 자음이 연속되면 앞 자음이 탈락되어 [디써멀]로 발음된다.

06 시각 □□

대화를 듣고, 두 사람이 만날 시각을 고르시오.

① 8:00 a.m.
② 8:30 a.m.
③ 9:00 a.m.
④ 9:30 a.m.
⑤ 10:00 a.m.

M Jina, we're going on a field trip to the _____ this
Friday, right?

W Yeah, that's right.

M _____ _____ _____ get there? It's far from here.

W I'll take the subway. It is the _____ _____ to get
take+교통수단: ~을 타다
there.

M Then let's go together.
~하자(제안)   ⚠️함정 주의

W Okay. We should get to the museum by 9:30. How
👉
about meeting _____ _____ _____ at the
How about -ing?: ~하는 것은 어때?(제안)
subway station? 🎸정답 근거

M Sounds good.

남 지나야, 우리 이번 주 금요일에 박물관으로 현장학습을 가는 거지, 그렇지?
여 응, 맞아.
남 그곳에 어떻게 갈 거니? 여기서 멀잖아.
여 나는 지하철을 탈 거야. 그것이 거기 가는 가장 빠른 방법이야.
남 그러면 우리 같이 가자.
여 그래. 우린 9시 30분까지 박물관에 도착해야 해. 지하철역에서 한 시간 더 일찍 만나는 게 어때?
남 좋아.

↩️ Solution Tip
두 사람은 9시 30분까지 박물관에 도착해야 하고, 그보다 한 시간 더 일찍 지하철역에서 만나기로 했으므로 8시 30분이 정답이다.

07 장래 희망

대화를 듣고, 남자의 장래 희망으로 가장 적절한 것을 고르시오.
① 교사   ② 디자이너   ③ 배우
④ 아나운서   ⑤ 드라마 작가

여 뭐 하고 있니, 수호야?
남 책을 읽고 있어.
여 너는 독서를 많이 하는구나. 장래에 작가가 되고 싶니?
남 사실 나는 드라마 작가가 되고 싶어.
여 드라마 작가? 그게 뭔데?
남 일종의 작가야. 하지만 그들은 드라마 대본을 써.
여 재미있겠다!

W What are you doing, Suho?

M I'm _____ _____ _____.

W You read a lot. Do you want to be a writer in the future?
   장래에, 미래에

M _____, I hope to be a dramatist. 🎵정답 근거

W A dramatist? What is that?

M It's a kind of writer. But they _____ _____ for
   일종의 ~
   soap operas.

W That _____ _____ _____!

08 심정

대화를 듣고, 남자의 심정으로 가장 적절한 것을 고르시오.
① 슬픈   ② 화가 난
③ 부러워하는   ④ 미안해하는
⑤ 자랑스러운

남 얘, Anna. 무슨 일이니? 너 화가 나 보여.
여 봐! 누군가 내 우산을 망가뜨렸어. 어떻게 이럴 수가 있지?
남 음… Anna. 그건 내가 그랬어.
여 뭐라고?
남 내가 점심시간에 네 우산을 빌리고 실수로 망가뜨렸어.
여 빌렸다고? 하지만 넌 내게 묻지 않았잖아.
남 정말 미안해. 네게 말하려고 했는데, 그때 네가 거기에 없었어.

M Hey, Anna. What's up? You look angry.
   무슨 일이니?   look+형용사: ~하게 보이다

W Look! Someone _____ _____ _____. How
   could somebody do this?

M Umm... Anna. That was me.

W What?

M I borrowed your umbrella during lunchtime and I broke
   it _____ _____.
   = your umbrella

W Borrowed it? But you didn't ask me.

🎵정답 근거
M I'm so sorry. I was going to tell you, but you _____
   _____ _____ at that time.

09 바로 할 일

대화를 듣고, 여자가 대화 직후에 할 일로 가장 적절한 것을 고르시오.
① 책 구입하기　② 독후감 쓰기
③ 도서관에 가기　④ 교실 청소하기
⑤ 영화표 예매하기

W　What are you reading?

M　I'm reading the _____ _____ by Rowling, my
　　favorite writer.

W　You mean the fantasy novel? Did it come out already?

M　Yeah. It was in the _____ _____.

W　Oh, I was waiting for it.

M　When I _____ _____, there were a couple of them.
　　But I think _____ _____ _____ if you want to
　　borrow one.

W　I think so, too. I have to go right away.

여　너 무엇을 읽고 있니?
남　내가 가장 좋아하는 작가인 Rowling의 새 책을 읽고 있어.
여　공상 소설 말하는 거니? 그게 벌써 나왔어?
남　응. 학교 도서관에 있었어.
여　오, 나는 그 책을 기다리고 있었는데.
남　내가 빌리러 갔을 때, 두 권 정도 있었어. 하지만 책을 빌리고 싶다면 넌 서둘러야 할 것 같아.
여　나도 그렇게 생각해. 당장 가야겠다.

10 대화 화제

대화를 듣고, 무엇에 관한 내용인지 가장 적절한 것을 고르시오.
① 운동회 일정　② 재즈 축제
③ 회장 선거　④ 학교 게시판 신설
⑤ 동아리 가입 신청

M　Is there any _____ on the bulletin board, Eva?

W　There's news about a _____ _____.

M　That's good. I'm very _____ in jazz. When is it?

W　It's this Saturday. I also like jazz.

M　_____ _____ go with me, then?

W　Sure, I'd love to.

남　게시판에 무슨 소식이라도 있니, Eva?
여　재즈 축제에 관한 소식이 있어.
남　그거 좋다. 나는 재즈에 관심이 매우 많아. 언제인데?
여　이번 주 토요일이야. 나도 재즈를 좋아해.
남　그럼 나랑 같이 갈래?
여　좋아, 그러자.

11 교통수단

대화를 듣고, 남자가 이용할 교통수단으로 가장 적절한 것을 고르시오.

① 자가용 ② 택시 ③ 버스
④ 지하철 ⑤ 자전거

남 오, 이런! 8시잖아.
여 John, 너 네 방에 있었니? 나는 네가 벌써 나간 줄 알았어.
남 전 학교에 지각할 것 같아요, 엄마. 택시를 타야 할 것 같아요.
여 시간이 좀 걸릴 거야. 출퇴근 시간이잖아.
남 그러면 자전거를 탈게요.
여 난 그게 더 나을 것 같구나.

M Oh, no! It's 8 o'clock.
비인칭 주어(시간)

W John, were you in your room? I thought you already (that) 이미, 벌써 _____.

M I'm going to be late for school, Mom. I think I should (that) _____ _____ _____. ☞함정 주의

W It will take some time. It's rush hour.

M Then I'll _____ _____ _____. 정답 근거

W I think that would be better.
자전거를 타는 것을 의미함

12 이유

대화를 듣고, 여자가 송별회에 갈 수 <u>없는</u> 이유로 가장 적절한 것을 고르시오.

① 시합이 있어서
② 미국으로 여행을 가서
③ 다리를 다쳐서
④ 동아리 모임이 있어서
⑤ 동생을 돌봐야 해서

남 수지야, Chris에 대해서 들었니?
여 응, 그가 자신의 나라로 돌아갈 거라고 들었어.
남 맞아. 그의 아버지께서 미국에서 새 직장을 구하셨어.
여 너희들은 그를 위해 이벤트를 계획하고 있니?
남 응, 우리는 이번 주 금요일 오후에 그를 위해 송별회를 열 거야. 너도 올래?
여 오, 나는 그날 중요한 시합이 있어. 난 그에게 혼자 작별인사를 할게.

M Suji, did you hear about Chris?

W Yeah, I heard that he is _____ _____ to his country.

M That's right. His father got a new job in the U.S.

W Are you guys _____ any event for him?

M Yes, we're going to have a _____ _____ for him be going to: ~할 것이다(예정·계획) this Friday afternoon. Do you want to come?

W Oh, I have an _____ _____ that day. I'll say 정답 근거 goodbye to him on my own.
혼자, 단독으로(= alone)

13 장소

대화를 듣고, 두 사람이 대화하는 장소로 가장 적절한 곳을 고르시오.
① 공항　　② 미용실　　③ 사진관
④ 백화점　　⑤ 놀이공원

남 안녕하세요, 무엇을 도와드릴까요?
여 저는 여권용 사진이 필요해요.
남 알겠습니다. 여기에 앉으세요.
여 감사합니다.
남 앞머리가 얼굴을 가리지 않도록 해주시겠어요? 눈썹이 보이셔야 하거든요.
여 오, 잠깐만요. (...) 이제 됐나요?
남 완벽하군요. 셋에 찍을게요. 하나, 둘, 셋.

M　Hi, how can I help you?

W　 I _____ _____ _____ for my passport.
　　정답 근거　　　　　　　　　　　　　　　　　**함정 주의**

M　Okay. Have a seat here.

W　Thanks.

M　Will you please get your bangs _____ _____
　　~해 주시겠어요?(부탁)　　　　　　　　앞머리
　　_____ _____? You should show your eyebrows.

W　Oh, hold on, please. (...) Is it okay now?
　　　　　　　　잠깐만요.

M　_____ _____. On three. One, two, three.
　　　　　　셋에 찍을게요.(셋을 센 다음 뭔가를 하자고 할 때 쓰는 표현)

Solution Tip

여자가 여권용 사진이 필요하다고 했고 남자가 여자의 사진을 찍어주는 것으로 보아 두 사람은 사진관에 있음을 알 수 있다.

14 그림 위치

대화를 듣고, 여자가 가려고 하는 장소를 고르시오.

여 실례합니다만, 이 근처에 은행이 있나요?
남 아뇨, 가장 가까운 은행은 여기에서 2킬로미터 정도 떨어져 있어요. 하지만 현금자동입출금기는 있어요.
여 오, 잘됐네요. 그곳에 어떻게 가나요?
남 두 블록 직진하셔서 오른쪽으로 도세요. 당신은 그것을 왼쪽에서 찾으실 수 있어요. 선물 가게 옆에 있습니다.
여 알겠습니다. 감사합니다.

W　Excuse me, is there a _____ near here?
　　　　　　　　　　~이 있나요?

M　No, the nearest one is about two kilometers _____
　　　　　　　　　= bank　　약, ~쯤
　　_____ _____. But there's an ATM.
　　　　　　　　　　　　　= automated teller machine

W　Oh, that's good. How can I get there?

M　_____ _____ _____ _____ and turn right.
　　You can find it on your _____. It's next to the gift
　　shop. **정답 근거**

W　I see. Thank you.

Sound Tip next to
동일한 발음의 자음이 연속되면 앞 자음이 탈락되어 [넥스투]로 발음된다.

15 부탁한 일

대화를 듣고, 남자가 여자에게 부탁한 일로 가장 적절한 것을 고르시오.

① 선물 골라주기
② 강아지 돌봐주기
③ 축하 카드 써주기
④ 음식 만들어주기
⑤ 동물병원 함께 가기

남 Ashley, 내 부탁 좀 들어줄래?
여 뭔데?
남 오늘 저녁에 내 강아지를 좀 돌봐줄 수 있니? 우리 가족은 할머니 생신을 축하드리러 외출할 거야.
여 물론, 당연하지. 내가 기억해야 할 것이라도 있니?
남 특별한 것은 없어. 그냥 먹이를 주고 놀아주면 돼.

M Ashley, can you do me a favor?
부탁하는 표현

W What is it?

M 🎸정답 근거
Can you _____ _____ _____ my puppy this evening? My family is going out to celebrate Grandma's birthday.
to부정사의 부사적 용법(목적)

W Sure, no problem. _____ _____ _____ I should remember?
부탁·제안을 수락하는 표현 (that)

M Nothing special. You can just feed and _____ _____ _____.
-thing+형용사

💡 Sound Tip special
[s] 다음에 오는 [p]는 된소리인 [ㅃ]에 가까워져 [스뻬셜]로 발음된다.

16 제안한 것

대화를 듣고, 여자가 남자에게 제안한 것으로 가장 적절한 것을 고르시오.

① 배드민턴 수업 듣기
② 보건실에서 쉬기
③ 컴퓨터 게임 덜 하기
④ 일찍 잠자리에 들기
⑤ 공원에서 산책하기

여 지호야, 너 피곤해 보인다. 어젯밤에 잠을 잘 못 잤니?
남 잘 잤어, 하지만 요새 너무 피곤해. 왜 그런지 모르겠어.
여 너 운동하니? 어쩌면 너는 운동이 필요한 걸지도 몰라.
남 응. 솔직히, 나는 운동을 전혀 하지 않아.
여 나랑 배드민턴 수업을 듣는 게 어때?
남 생각해볼게.

W Jiho, you look tired. Didn't you _____ _____ last night?

M Yes, but I am _____ _____ these days. I don't know why.
= Yes, I slept well last night
(I am so tired these days)

W Do you work out? Maybe you need some _____.
추측을 나타내는 표현

M Yeah. Honestly, I don't exercise at all.
전혀 ~ 않다

W Why don't you take a _____ _____ with me?
~하는 게 어때?(제안) 🎸정답 근거

M I'll think about it.

💡 Sound Tip Honestly
honestly의 첫 음 h는 묵음이고, 한 단어 내에 자음이 3개 연속되는 경우에 주로 가운데 자음의 발음이 탈락된다. 즉, [stl] 중 [t]소리가 탈락되어 [아니슬리]로 발음된다.

17 과거에 한 일

대화를 듣고, 여자가 주말에 한 일로 가장 적절한
것을 고르시오.
① 캠핑 가기   ② 숙제하기
③ 책 읽기   ④ TV 시청하기
⑤ 밴드 연습하기

남 즐거운 주말 보냈니, Mia?
여 아니, 별로.
남 왜?
여 가족과 캠핑을 갈 계획이었는데, 가지 못했어.
남 오, 주말 동안 비가 많이 왔었지.
여 맞아. 그래서 나는 그냥 집에서 TV를 봤어. 너무 지
  루했어.

M Did you have a good weekend, Mia?

W _____ _____.

M Why?

W I was planning to _____ _____ with my family,

   함정 주의 비가 와서 캠핑이 취소되었음

   but I couldn't.

M Oh, it _____ _____ _____ during the weekend.

   비인칭 주어(날씨)

W That's right. So, I just stayed home and _____

   _____. It was so _____.

   🎸정답 근거

18 직업

대화를 듣고, 남자의 직업으로 가장 적절한 것을 고
르시오.
① 과학자   ② 가수   ③ 영화배우
④ 영화감독   ⑤ 라디오쇼 진행자

[라디오 음악 도입부]
여 '라디오 쇼'에 오신 것을 환영합니다. 오늘 특별한
  손님을 모셨습니다. David Carson 씨, 청취자들에
  게 인사해 주세요.
남 안녕하세요, 저는 이곳에 나오게 돼서 정말 기쁩니
  다.
여 당신의 새 영화에 대해서 말씀을 좀 해주시겠어
  요?
남 물론이죠. 그것은 한 소녀와 로봇 사이의 우정에
  관한 영화입니다.
여 재미있겠군요. 당신은 로봇 역할을 하셨죠, 그렇지
  않나요?
남 맞습니다. 로봇 연기는 어려웠지만 즐거웠어요.

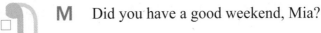

[Radio Music Intro]

W Welcome to *The Radio Show*. We have a _____

   _____ today. Mr. David Carson, please say hello to

   our listeners. 함정 주의 여자의 직업이 라디오쇼 진행자임

M Hello, I'm really happy to be here.

   🎸정답 근거

W Could you tell us a little about your _____ _____?

   정중히 부탁하는 표현

M Sure. It's about the friendship between a girl and a robot.

W _____ _____. You played the robot, didn't you?

   부가의문문

M Right. It was _____ _____ _____ as a robot, but

   I enjoyed it.

🔊 **Sound Tip** didn't you
앞 단어의 끝 자음 [t]가 뒤의 반모음 [j]와 만나 동화되어 [디든츄]로 발음된다.

19 이어질 말 ①

대화를 듣고, 여자의 마지막 말에 이어질 남자의
말로 가장 적절한 것을 고르시오.

Man: _____

① It starts at 7 p.m.
② It costs 20 dollars.
③ I really like rock music.
④ I got the tickets from Tony.
⑤ Let's meet at the bus stop.

M　Isabel, are you _____ tonight?

W　Yeah, I don't have any plans. Why?

M　I have two _____ to a rock concert.

W　Oh, do you like _____ _____? I didn't know that.

M　I don't love it, but I got them _____ _____.
　　＝ the tickets

W　Really? Then let's go together. _____ _____

　　_____? 🎵정답 근거

M　① It starts at 7 p.m.

남　Isabel, 너 오늘 밤에 한가하니?
여　응, 별다른 계획은 없어. 왜?
남　내게 록 콘서트 표 두 장이 있거든.
여　오, 너 록 음악을 좋아하니? 몰랐어.
남　많이 좋아하지는 않지만, 공짜로 표를 받았어.
여　정말? 그럼 같이 가자. 언제야?
남　① 그것은 오후 7시에 시작해.

② 20달러야.　　　　　　　　③ 나는 록 음악을 정말 좋아해.
④ 나는 Tony에게 표를 받았어.　⑤ 버스 정류장에서 만나자.

---

20 이어질 말 ②

대화를 듣고, 여자의 마지막 말에 이어질 남자의
말로 가장 적절한 것을 고르시오.

Man: _____

① I'm a stranger here.
② No, it's not far from here.
③ Many tourists visit there.
④ You can take the subway.
⑤ It doesn't open on Mondays.

W　Excuse me, how can I get to Gyeongbokgung Palace?
　　길을 묻는 표현

M　You can _____ _____ _____ from here. Blue
　　buses go there.

W　Oh, I see. _____ _____ does it take?
　　(시간이) 걸리다

M　It usually takes about 20 minutes. But at this time it will
　　take longer.

W　Then is there _____ _____ to get there? 🎵정답 근거

M　④ You can take the subway.

여　실례합니다만, 경복궁에 어떻게 가나요?
남　여기서 버스를 타시면 돼요. 파란 버스가 그곳에
　　가요.
여　오, 그렇군요. 얼마나 걸리나요?
남　보통은 20분 정도 걸려요. 하지만 이 시간에는 더
　　오래 걸릴 거예요.
여　그러면 그곳에 가는 또 다른 방법이 있나요?
남　④ 지하철을 타시면 돼요.

① 저는 이곳이 처음이예요.　　　② 아뇨, 여기에서 멀지 않아요.
③ 많은 관광객들이 그곳을 방문해요.　⑤ 그것은 월요일에는 열지 않아요.

[VOCABULARY] 실전 모의고사 **02**회

어휘를 알아야 들린다

모의고사를 먼저 풀고 싶으면 26쪽으로 이동하세요.

🎧 **다음 표현을 듣고 모르는 것에 표시하시오.**

- [ ] 01 **farm** 농장
- [ ] 02 **symbol** 기호, 부호; 상징
- [ ] 03 **present** 선물
- [ ] 04 **cloudy** 흐린
- [ ] 05 **press** 누르다
- [ ] 06 **letter** 글자, 문자
- [ ] 07 **typewriter** 타자기
- [ ] 08 **shorts** 반바지
- [ ] 09 **stripe** 줄무늬
- [ ] 10 **curly** 곱슬곱슬한
- [ ] 11 **plain** 무늬가 없는
- [ ] 12 **schedule** 일정
- [ ] 13 **vacation** 방학
- [ ] 14 **exciting** 신나는
- [ ] 15 **outdoor** 야외의
- [ ] 16 **photographer** 사진작가
- [ ] 17 **history** 역사
- [ ] 18 **tooth** 이, 치아
- [ ] 19 **throat** 목, 목구멍
- [ ] 20 **cough** 기침; 기침하다
- [ ] 21 **delicious** 맛있는
- [ ] 22 **dessert** 디저트, 후식
- [ ] 23 **serve** (음식을) 제공하다
- [ ] 24 **decide** 결심하다, 결정하다

- [ ] 25 **gym** 체육관
- [ ] 26 **month** 달, 월, 개월
- [ ] 27 **dry** 마른, 건조한
- [ ] 28 **wrong** 문제가 있는
- [ ] 29 **stuck** 꼼짝 못하는, 끼인, 걸린
- [ ] 30 **souvenir** 기념품
- [ ] 31 **magazine** 잡지
- [ ] 32 **presentation** 발표
- [ ] 33 **appointment** 약속
- [ ] 34 **volunteer** 자원봉사를 하다; 자원봉사자
- [ ] 35 **convenience store** 편의점
- [ ] 36 **homeroom teacher** 담임 교사
- [ ] 37 **tour guide** 여행 가이드
- [ ] 38 **no later than** 늦어도 ~까지는
- [ ] 39 **be good at** ~을 잘하다
- [ ] 40 **take a picture** 사진을 찍다
- [ ] 41 **look like** ~처럼 보이다
- [ ] 42 **have a runny nose** 콧물이 나다

✎ **알아두면 유용한 선택지 어휘**

- [ ] 43 **dot** (동그란) 점, 물방울무늬
- [ ] 44 **by plane** 비행기로
- [ ] 45 **look forward to** ~을 기대하다
- [ ] 46 **floor** (건물의) 층; 바닥

🎧 들으면서 표현을 완성한 다음, 뜻을 고르시오.

표현의 의미를 생각하며 다시 써 보기!

01 ☐istory　　☐ 역사　☐ 과학 ➜ _____

02 stri☐e　　☐ 줄무늬　☐ 물방울무늬 ➜ _____

03 ☐arm　　☐ 농부　☐ 농장 ➜ _____

04 sou☐e☐ir　　☐ 사무용품　☐ 기념품 ➜ _____

05 sche☐ule　　☐ 경비　☐ 일정 ➜ _____

06 toot☐　　☐ 이, 치아　☐ 목, 목구멍 ➜ _____

07 ☐essert　　☐ 요리　☐ 후식 ➜ _____

08 ☐lain　　☐ 무늬가 없는　☐ 화려한 ➜ _____

09 sym☐ol　　☐ 기호, 부호　☐ 진술, 서술 ➜ _____

10 ☐ry　　☐ 노력하다　☐ 마른, 건조한 ➜ _____

11 wr☐ng　　☐ 옳은　☐ 문제가 있는 ➜ _____

12 ☐resen☐ation　　☐ 발표　☐ 강의 ➜ _____

13 coug☐　　☐ 기침하다　☐ 콧물이 나다 ➜ _____

14 cur☐y　　☐ 곧은　☐ 곱슬곱슬한 ➜ _____

15 app☐int☐ent　　☐ 약속　☐ 반납 ➜ _____

16 ☐olun☐eer　　☐ 결심하다　☐ 자원봉사를 하다 ➜ _____

17 photo☐rapher　　☐ 사진기　☐ 사진작가 ➜ _____

18 maga☐ine　　☐ 잡지　☐ 소설 ➜ _____

어휘 2회

실전 모의고사 [02]회

실전 모의고사 02회 →
모의고사 보통 속도
모의고사 빠른 속도

✎ 들으면서 주요 표현 메모하기!

01 다음을 듣고, 'this'가 가리키는 것으로 가장 적절한 것을 고르시오.

① ② ③ ④ ⑤

02 대화를 듣고, 남자가 구입할 바지로 가장 적절한 것을 고르시오.

① ② ③ ④ ⑤

03 다음을 듣고, 오늘의 날씨로 가장 적절한 것을 고르시오.

① ② ③ ④  ⑤

04 대화를 듣고, 남자가 한 마지막 말의 의도로 가장 적절한 것을 고르시오.

① 불평　　② 제안　　③ 거절　　④ 동의　　⑤ 허락

고난도　선택지 하나씩 체크하며 풀기

05 다음을 듣고, 남자가 오늘 일정에 대해 언급하지 않은 것을 고르시오.

① 출발 시각　　　② 점심 식사 메뉴　　　③ 박물관 방문
④ 기념품 쇼핑　　　⑤ 호텔 도착 예정 시각

06 대화를 듣고, 두 사람이 만날 시각을 고르시오.

① 5:30 p.m.　　　② 6:00 p.m.　　　③ 6:30 p.m.
④ 7:00 p.m.　　　⑤ 7:30 p.m.

✎ 들으면서 주요 표현 메모하기!

07 대화를 듣고, 여자의 장래 희망으로 가장 적절한 것을 고르시오.

① 잡지 모델　　　② 기자　　　③ 화가
④ 요리사　　　　⑤ 사진작가

고난도 핵심 표현 메모하며 풀기

08 대화를 듣고, 여자의 사촌에 대한 내용으로 일치하지 <u>않는</u> 것을 고르시오.

① 태어난 지 8개월 되었다.　　② 이름은 Stanley이다.
③ 곱슬머리이다.　　　　　　　④ 눈은 갈색이다.
⑤ 이가 두 개밖에 없다.

09 대화를 듣고, 남자가 대화 직후에 할 일로 가장 적절한 것을 고르시오.

① 샤워하기　　　　　　② 시계 수리하기
③ 농구 경기하기　　　　④ 샌드위치 먹기
⑤ 학교 체육관에 가기

10 대화를 듣고, 무엇에 관한 내용인지 가장 적절한 것을 고르시오.

① 남자의 특기　　　　　② 어버이날
③ 남자의 생일 파티　　　④ 엄마의 생신 선물
⑤ 목도리의 가격

틀린 문제는 **Dictation**에서
완벽하게 이해하세요.

실전 모의고사 [02]회

들으면서 주요 표현 메모하기!

11 대화를 듣고, 남자가 이용할 교통수단으로 가장 적절한 것을 고르시오.

① 자가용   ② 택시   ③ 버스

④ 지하철   ⑤ 자전거

12 대화를 듣고, 남자가 여자와 함께 집에 갈 수 <u>없는</u> 이유로 가장 적절한 것을 고르시오.

① 축구 연습이 있어서   ② 부모님을 기다려야 해서

③ 동아리 가입 신청을 해야 해서   ④ 선생님과 면담이 있어서

⑤ 과제 주제를 정해야 해서

13 대화를 듣고, 두 사람의 관계로 가장 적절한 것을 고르시오.

① 식당 종업원 – 손님   ② 극장 직원 – 관객   ③ 택배 기사 – 손님

④ 사진작가 – 모델   ⑤ 서점 직원 – 손님

14 대화를 듣고, 여자가 찾고 있는 휴대 전화의 위치로 가장 알맞은 것을 고르시오.

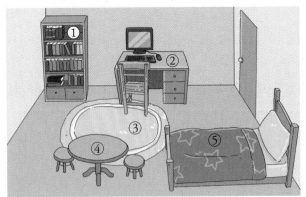

15 대화를 듣고, 여자가 남자에게 부탁한 일로 가장 적절한 것을 고르시오.

① 물 사다주기   ② 교무실에 함께 가기

③ 자전거 빌려 주기   ④ 함께 교실 청소하기

⑤ 편의점 위치 검색하기

고난도 핵심 표현 메모하며 풀기

16 대화를 듣고, 여자가 남자에게 제안한 것으로 가장 적절한 것을 고르시오.

① 다른 영화 보기
② 다른 영화관에 가기
③ 점심을 먹은 후 영화 보기
④ 식당 예약을 취소하기
⑤ 점심만 먹고 헤어지기

🖋 들으면서 주요 표현 메모하기!

17 대화를 듣고, 남자가 주말에 한 일로 가장 적절한 것을 고르시오.

① 숙제하기
② 농장 가기
③ 쇼핑하기
④ 미술관 관람하기
⑤ 자원봉사하기

18 대화를 듣고, 여자의 직업으로 가장 적절한 것을 고르시오.

① 작가
② 수의사
③ 은행원
④ 판매원
⑤ 동물원 사육사

[19-20] 대화를 듣고, 여자의 마지막 말에 이어질 남자의 말로 가장 적절한 것을 고르시오.

여자의 마지막 말에
집중하기

19 Man: _____

① I'm going to ride a horse.
② I'd love to, but I can't.
③ We will go there by plane.
④ I'm looking forward to it.
⑤ We enjoyed fresh seafood there.

20 Man: _____

① She is tall and thin.
② It's on the third floor.
③ How about 4 o'clock?
④ She teaches music.
⑤ I'm not interested in music.

틀린 문제는 Dictation에서
완벽하게 이해하세요.

01 그림 지칭
*들을 때마다 체크

다음을 듣고, 'this'가 가리키는 것으로 가장 적절한 것을 고르시오.

① ② ③

④ ⑤

W This _____ _____ a typewriter. This has many keys with _____, _____, and symbols on them. You can send data into a _____ by pressing different keys on this. Using this to enter data is called _____. What is this?

🔑 정답 근거

by+동명사: ~함으로써(수단·방법)

~라고 불리다

여 이것은 타자기처럼 보입니다. 이것은 글자와 숫자, 기호가 있는 많은 키들을 가지고 있습니다. 여러분은 이것 위에 있는 서로 다른 키들을 누름으로써 컴퓨터에 정보를 보낼 수 있습니다. 정보를 입력하기 위해 이것을 사용하는 것을 타이핑이라고 합니다. 이것은 무엇일까요?

02 그림 묘사

대화를 듣고, 남자가 구입할 바지로 가장 적절한 것을 고르시오.

① ② ③

④ ⑤

W Hello. May I help you?
도움을 제안할 때 쓰는 표현

M Yes. I'd like to buy _____. 🔑 정답 근거
= I would like to(저는 ~하고 싶어요)

W How about these ones with _____? 💣 함정 주의

M Well, I like those plain _____ _____ better. I'll take them.
반바지(shorts)는 복수 취급함

W Okay. They're 25 dollars.

여 안녕하세요. 도와드릴까요?
남 네. 저는 반바지를 사고 싶어요.
여 이 줄무늬 반바지는 어떠세요?
남 음, 저는 저 무늬 없는 검정색 반바지가 더 마음에 들어요. 저것을 살게요.
여 네. 25달러입니다.

Sound Tip plain / better
· '무늬가 없는'이라는 의미의 plain은 '비행기'라는 의미의 plane과 발음이 같으므로 문맥상 의미를 판단해야 한다.
· 미국 영어에서는 모음 사이의 [t]소리가 약화되어 [r]소리에 가까워지며 [베럴]로 발음된다. 영국 영어에서는 [t]소리를 그대로 발음하여 [베터]로 발음된다.

Dictation 02회 →
전체 듣기
문항별 듣기

Dictation의 효과적인 활용법
STEP1 들으면서 대본의 빈칸 채우기
STEP2 축쇄 문제를 보며 다시 풀어보기
STEP3 해석을 보며 영어로 말하거나 영작해 보기

공부한 날   월   일

03 날씨

다음을 듣고, 오늘의 날씨로 가장 적절한 것을 고르시오.

①   ②   ③

④   ⑤

M Good morning. This is the weather forecast. It rained a lot yesterday and the rain _____ _____ today. It'll
비인칭 주어(날씨)
정답 근거
be a little cloudy but there will be no rain tomorrow,
함정 주의
and we'll have _____ and _____ _____ for the rest of the week. You should make a plan for exciting _____ _____ for this weekend.

남 좋은 아침입니다. 일기예보입니다. 어제 비가 많이 내렸는데요, 비는 오늘도 계속될 것입니다. 내일은 약간 흐리지만 비는 오지 않을 것이고, 남은 주 동안은 날씨가 화창하고 따뜻하겠습니다. 이번 주말에 신나는 야외 활동을 계획해 보세요.

04 말의 의도

대화를 듣고, 남자가 한 마지막 말의 의도로 가장 적절한 것을 고르시오.
① 불평   ② 제안   ③ 거절
④ 동의   ⑤ 허락

M Jenny, are you going to do something for the _____ _____?

W I want to, but I don't know _____ _____ _____.

M Well, I thought you would sing. You are good at _____.
be good at+동명사:
~하는 것을 잘하다

W But I don't want to sing alone.

M   _____ _____ _____ _____ Mary to sing with you? 정답 근거

남 Jenny, 너는 학교 축제에서 뭔가 할 거니?
여 그러고 싶지만, 무엇을 해야 할지 모르겠어.
남 음, 나는 네가 노래를 할 거라고 생각했어. 너는 노래를 잘 부르잖아.
여 하지만 나는 혼자 노래하고 싶지 않아.
남 Mary에게 너와 함께 노래를 부르자고 해보는 것이 어떠니?

Solution Tip
Why don't you+동사원형 ~?은 상대방에게 어떤 일을 제안할 때 쓰는 표현으로 How[What] about -ing?로 바꿔 쓸 수 있다.

05 언급하지 않은 것

다음을 듣고, 남자가 오늘 일정에 대해 언급하지 않은 것을 고르시오.
① 출발 시각　　② 점심 식사 메뉴
③ 박물관 방문　　④ 기념품 쇼핑
⑤ 호텔 도착 예정 시각

남 안녕하세요, 여러분. 저는 오늘 여러분의 여행 가이드인 Daniel입니다. 오늘의 일정을 말씀드리겠습니다. 우리는 9시에 경주로 떠날 것입니다. 그곳에 도착하는 데 두 시간 정도가 걸릴 것입니다. 우리는 한 시간 동안 불국사를 둘러보고 정오에 점심을 먹을 것입니다. 그리고 나서 우리는 석굴암을 본 뒤 경주국립박물관을 방문할 것입니다. 마지막으로, 우리는 황리단길에서 기념품 쇼핑을 좀 할 것입니다. 우리는 늦어도 7시까지는 호텔로 돌아올 것입니다.

M Hello, everyone. I'm Daniel, your _____ _____ 정답 근거 today. Let me tell you about today's schedule. We're _____ _____ Gyeongju at 9 o'clock. It'll take about two hours to get there. We're going to look around Bulguksa for an hour and have lunch _____ _____. Then we're going to see Seokguram and visit Gyeongju National Museum. _____, we will do some souvenir shopping at Hwangridangil Street. We will get back to our hotel _____ _____ _____ _____.

Sound Tip schedule
미국 영어에서는 [스케줄]로 발음되지만 영국 영어에서는 [셰줄]로 발음된다.

06 시각

대화를 듣고, 두 사람이 만날 시각을 고르시오.
① 5:30 p.m.　　② 6:00 p.m.
③ 6:30 p.m.　　④ 7:00 p.m.
⑤ 7:30 p.m.

여 Jake, 오늘 방과 후에 조 발표를 준비하자.
남 음, 내 피아노 레슨이 5시 30분에 끝나. 나는 그 후에 한가해.
여 그러면 저녁 식사 후에 시간이 있니?
남 응. Lee's cafe에서 7시에 만나는 게 어떠니?
여 좋아.
남 그래. 그때 보자.

W Jake, _____ _____ the group presentation after school.

M Well, my piano lesson _____ at 5:30. I'm free after that. 함정 주의

W Then do you have time _____ _____?

M Yes. How about meeting at 7 at Lee's cafe? 정답 근거

W _____ _____.

M Okay. See you then.

07 장래 희망

대화를 듣고, 여자의 장래 희망으로 가장 적절한 것을 고르시오.
① 잡지 모델   ② 기자   ③ 화가
④ 요리사   ⑤ 사진작가

M Brenda, are you _____ _____ again?

W Yes. I want to be a photographer in the future. 🎵정답 근거

M I hope I can _____ _____ _____ in magazines someday.

W That's my _____, too.

M Can I be your model _____ _____? 🎯함정 주의

W Sure. It would be great.

남 Brenda, 너 또 사진 찍고 있니?
여 응. 나는 미래에 사진작가가 되고 싶어.
남 언젠가 너의 사진들을 잡지에서 볼 수 있으면 좋겠다.
여 그것도 나의 꿈이야.
남 다음번에 내가 너의 모델이 될 수 있을까?
여 물론이지. 그거 멋지겠다.

🔊 Sound Tip model
자음 [d]소리는 모음 사이에서 [r]소리에 가까워지고 강세가 없는 모음 e는 우리말 '으'와 '어'의 중간 소리처럼 발음되어 [마를] 또는 [마럴]로 발음된다.

08 일치하지 않는 것

대화를 듣고, 여자의 사촌에 대한 내용으로 일치하지 않는 것을 고르시오.
① 태어난 지 8개월 되었다.
② 이름은 Stanley이다.
③ 곱슬머리이다.
④ 눈은 갈색이다.
⑤ 이가 두 개밖에 없다.

M Who is this baby?

W He is my _____ _____. He's only 8 _____ _____.

M He's so cute. What's his name?

W It's Stanley.

M I like his _____ brown hair and blue eyes. 🎵정답 근거

W It's so cute that he only has _____ _____.

남 이 아기는 누구니?
여 그는 내 어린 사촌이야. 그는 태어난 지 8개월밖에 되지 않았어.
남 정말 귀엽다. 그의 이름이 뭐니?
여 Stanley야.
남 나는 그의 갈색 곱슬머리와 파란 눈이 좋아.
여 그에게 이가 두 개밖에 없는 것이 너무 귀여워.

09 바로 할 일

대화를 듣고, 남자가 대화 직후에 할 일로 가장 적절한 것을 고르시오.
① 샤워하기　　② 시계 수리하기
③ 농구 경기하기　④ 샌드위치 먹기
⑤ 학교 체육관에 가기

남 엄마, 저 왔어요.
여 어서 오렴, Gene. 배고프지 않니? 와서 샌드위치를 좀 먹으렴.
남 고맙습니다, 엄마.
여 그런데, 네 시계는 어디 있니?
남 제 시계요? 오, 세상에! 농구 경기 후에 학교 체육관에 그것을 두고 온 것 같아요.
여 체육관이 아직 열려 있니?
남 네, 지금 가서 찾아야겠어요. 이건 나중에 먹을게요.

M　Mom, I'm home.

W　Welcome home, Gene. _____ _____ _____?

　　Come have some sandwiches.
　　구어체로 Come and have ~.에서 and를 생략함

M　Thanks, Mom.

W　By the way, _____ your watch?
　　그런데(화제를 전환하는 표현)

M　My watch? Oh, my! I think I _____ _____ at the
　　　　　　　　놀랐을 때 쓰는 표현
　　school gym after the basketball game.

W　Is the gym still _____? 🔑정답 근거

M　☞ Yes, I think _____ _____ _____ and find it now.
　　　　　　　　　　　　　　　　　　　= my watch
　　I'll have these later. 🔑함정 주의 샌드위치는 나중에 먹겠다고 함
　　먹다　= sandwiches

🔵 Solution Tip
　남자는 체육관에서 농구 경기 후에 그곳에 시계를 두고 왔다고 하며 시계를 찾으러 가야겠다고 했다.

10 대화 화제

대화를 듣고, 무엇에 관한 내용인지 가장 적절한 것을 고르시오.
① 남자의 특기　　② 어버이날
③ 남자의 생일 파티　④ 엄마의 생신 선물
⑤ 목도리의 가격

여 Chris, 너 뭐 하고 있니?
남 나는 엄마를 위한 생일 카드를 만들고 있어.
여 너는 그림을 정말 잘 그리는구나. 그녀는 행복해하실 거야.
남 고마워. 엄마를 위한 네 선물은 뭐야?
여 나는 그녀에게 새 목도리를 드릴 거야. 그녀의 목도리가 정말 낡아 보이거든.
남 그거 좋은 생각이다.

W　Chris, what are you doing?

M　I'm making a _____ _____ for Mom. 🔑정답 근거

W　You are really good at _____. She'll be happy.

M　Thank you. _____ _____ _____ for Mom?

W　I'll give her a new scarf. Her scarf looks really old.

M　That's a _____ _____.

11 교통수단

대화를 듣고, 남자가 이용할 교통수단으로 가장 적절한 것을 고르시오.
① 자가용　　② 택시　　③ 버스
④ 지하철　　⑤ 자전거

M Excuse me. Where is the subway station?

W It's ＿＿＿ ＿＿＿ ＿＿＿ to walk there. Where are you going?

M I'm going to the ＿＿＿ ＿＿＿.

W Then it'd be faster to ＿＿＿ ＿＿＿ ＿＿＿. The bus stop is right over there.
= it would
🔸정답 근거

M I think I should ＿＿＿ ＿＿＿ ＿＿＿.
(take a bus)

W My pleasure.
감사함에 대한 대답

남　실례합니다. 지하철역이 어디 있나요?
여　걸어서 가기에는 조금 멀어요. 어디 가세요?
남　시립 도서관에 갑니다.
여　그러면 버스를 타는 것이 더 빠를 거예요. 버스 정류장은 바로 저기 있어요.
남　그렇게 해야겠네요. 정말 감사합니다.
여　천만에요.

🔊 Sound Tip　bus stop
앞 단어의 끝 자음과 뒤 단어의 첫 자음이 동일한 경우 앞 자음이 탈락되어 [버스탑]으로 발음된다.

12 이유

대화를 듣고, 남자가 여자와 함께 집에 갈 수 없는 이유로 가장 적절한 것을 고르시오.
① 축구 연습이 있어서
② 부모님을 기다려야 해서
③ 동아리 가입 신청을 해야 해서
④ 선생님과 면담이 있어서
⑤ 과제 주제를 정해야 해서

W Let's go home, Brian.

M You go first. I have to stay in the ＿＿＿.

W Why? Does Mr. Kim want to ＿＿＿ to you? 🔹함정 주의

M No. I have to decide the topic of our ＿＿＿ ＿＿＿ with my group members. 🔸정답 근거

W Oh, I see. Then ＿＿＿ ＿＿＿ ＿＿＿.

M Bye.

여　집에 가자, Brian.
남　너 먼저 가. 나는 교실에 있어야 해.
여　왜? 김 선생님께서 너와 이야기를 나누고 싶어 하시니?
남　아니. 내 조원들과 우리의 역사 과제 주제를 정해야 해.
여　오, 알겠어. 그럼 내일 보자.
남　안녕.

13 관계

대화를 듣고, 두 사람의 관계로 가장 적절한 것을 고르시오.
① 식당 종업원 – 손님
② 극장 직원 – 관객
③ 택배 기사 – 손님
④ 사진작가 – 모델
⑤ 서점 직원 – 손님

남 좋은 저녁입니다, 부인. 파스타는 어떠셨나요?
여 맛있었어요. 정말 마음에 들었어요.
남 기쁘군요. 후식을 드시겠어요?
여 여기는 어떤 종류의 후식을 제공하나요?
남 애플파이 또는 초콜릿 아이스크림이 있습니다.
여 애플파이로 할게요.
남 알겠습니다. 즉시 가져다 드리겠습니다.

M Good evening, ma'am. How did you like your pasta?
　　　　　　　　　　　　　～은 어떠셨나요[마음에 드셨나요?]

W It was _____. I really liked it.

M I'm glad. Would you like _____ _____?
　　　　　　　음식을 권할 때 쓰는 표현

W What kind of dessert do you _____ here?

M We have a choice of apple pie or chocolate ice cream.

W _____ _____ _____ _____, please.

M Sure. I'll bring it right away.

🔊 **Sound Tip** Would you
자음 [d]가 뒤의 반모음 [j]와 만나면 동화되어 [우쥬]로 발음된다.

---

14 그림 위치

대화를 듣고, 여자가 찾고 있는 휴대 전화의 위치로 가장 알맞은 것을 고르시오.

여 Paul, 내 휴대 전화 봤니?
남 아니. 그것을 마지막으로 어디에 두었는데?
여 나는 그것을 침대 위에 두었다고 생각했어. 하지만 침대 위 어디에도 없어.
남 책상은 확인했니?
여 물론이야. 그것은 거기에 없었어.
남 티 테이블에는?
여 오, 내가 티 테이블 위에 그것을 두었구나. 고마워.

W Paul, did you see my cellphone?

M No. _____ _____ _____ put it last?

W I thought I put it _____ _____ _____. But it's
　　　　　　(that)
not anywhere on the bed.

M Did you check the desk?

W Of course. _____ _____ _____.

M How about the tea table?

W Oh, I put it _____ _____ _____ _____.
Thank you.

15 부탁한 일

대화를 듣고, 여자가 남자에게 부탁한 일로 가장 적절한 것을 고르시오.
① 물 사다주기
② 교무실에 함께 가기
③ 자전거 빌려 주기
④ 함께 교실 청소하기
⑤ 편의점 위치 검색하기

남 나 목말라. 너는 물이 좀 있니?
여 아니, 나는 내 물을 다 마셨어. 나도 목이 말라.
남 편의점에 가서 물을 사자.
여 하지만 Pitt 선생님께서 내게 3시까지 교무실에 오라고 하셨는데.
남 그럼 너는 서둘러야 해. 3시 5분 전이야.
여 너와 함께 가지 못해서 미안해. 내게 물을 좀 사다주겠니?
남 물론이지.

🇬🇧

M I'm _____. Do you have some water?

W No, I _____ all my water. I'm thirsty, too.

M Let's go to the convenience store and get some water.

W But Ms. Pitt told me to come to _____ _____ by
   ～까지
   three.

M Then you should hurry. It's five to three.
   비인칭 주어(시간)

W Sorry I can't go with you. Can you _____ _____

   _____ _____? 🔑정답 근거

M No problem.

16 제안한 것

대화를 듣고, 여자가 남자에게 제안한 것으로 가장 적절한 것을 고르시오.
① 다른 영화 보기
② 다른 영화관에 가기
③ 점심을 먹은 후 영화 보기
④ 식당 예약을 취소하기
⑤ 점심만 먹고 헤어지기

여 너는 어떤 영화를 보고 싶니?
남 나는 액션 영화를 좋아해. '위대한 영웅들'을 보자.
여 나도 그것을 보고 싶어. 하지만 그건 두 시간 후에 시작해.
남 그럼 우리 뭔가 다른 것을 볼까?
여 아니, 다른 영화들은 지루해 보여. 점심을 먹고 나서 영화를 보는 게 어때?
남 좋은 생각이야.

W What movie do you want to watch?

M I like _____ _____. Let's watch *Great Heroes*.

W I want to watch it, too. But it _____ _____ for two
   hours.

M Then shall we watch something else? 👉함정 주의
   우리 ～할까?(제안)

W No, the other movies look _____. Why don't we
   우리 ～하는 게 어때?(제안)
   _____ _____ and then watch the movie?
   🔑정답 근거

M That's a good idea.
   좋은 생각이야.(상대방의 제안 또는 의견에 동의하는 표현)

👉 Solution Tip

여자는 보고 싶은 영화의 시작 시간이 두 시간 남아있으니 점심을 먹은 후에 볼 것을 제안했다.

17 과거에 한 일

대화를 듣고, 남자가 주말에 한 일로 가장 적절한 것을 고르시오.
① 숙제하기　② 농장 가기
③ 쇼핑하기　④ 미술관 관람하기
⑤ 자원봉사하기

M　Did you have a good weekend, Emma?

W　Yes. I went to ＿＿＿＿ ＿＿＿＿ ＿＿＿＿ and had a great time. What about you?
〔함정 주의 농장에 간 것은 여자가 주말에 한 일임〕
너는 어때?

M　I ＿＿＿＿ at the children's center. 〔정답 근거〕

W　Really? ＿＿＿＿ did you do?

M　I read books to the children there.

W　Oh, ＿＿＿＿ ＿＿＿＿ ＿＿＿＿.

남　너는 좋은 주말을 보냈니, Emma?
여　응. 나는 삼촌의 농장에 가서 즐거운 시간을 보냈어. 너는 어때?
남　나는 아동센터에서 자원봉사를 했어.
여　정말? 무엇을 했는데?
남　나는 거기 있는 아이들에게 책을 읽어주었어.
여　오, 너는 정말 착하구나.

> 🔑 **Sound Tip** center / read
> • [nt]가 강모음과 약모음 사이에 오면 [t]가 [n]소리에 동화되어 [쎄너]로 발음된다.
> • read의 과거형은 현재형과 형태는 같지만 [뤠드]로 발음된다.

18 직업

대화를 듣고, 여자의 직업으로 가장 적절한 것을 고르시오.
① 작가　② 수의사　③ 은행원
④ 판매원　⑤ 동물원 사육사

W　Hello. What's the problem?

M　My dog has a ＿＿＿＿ ＿＿＿＿. He also has a runny nose.

W　What does the cough sound like? 〔정답 근거〕
~처럼 들리다

M　It ＿＿＿＿ ＿＿＿＿ ＿＿＿＿.

W　Does it sound like he has something stuck in his ＿＿＿＿?

M　Yes, right.

W　I need to take an x-ray to know ＿＿＿＿ ＿＿＿＿
to부정사의 부사적 용법(목적)
＿＿＿＿.

여　안녕하세요. 무엇이 문제인가요?
남　제 개가 기침을 심하게 해요. 콧물도 나고요.
여　기침 소리가 어떻게 들리죠?
남　아주 건조하게 들려요.
여　목에 뭔가 걸린 것 같이 들리나요?
남　네, 맞아요.
여　무엇이 문제인지 알기 위해 엑스레이를 찍어야 합니다.

> 🔑 **Sound Tip** need to
> 앞 단어의 끝 자음 [d]가 뒤 단어의 첫 자음인 [t]에 동화되어 [니투]로 발음된다.

19 이어질 말 ①

대화를 듣고, 여자의 마지막 말에 이어질 남자의 말로 가장 적절한 것을 고르시오.

Man: _____

① I'm going to ride a horse.
② I'd love to, but I can't.
③ We will go there by plane.
④ I'm looking forward to it.
⑤ We enjoyed fresh seafood there.

W Hajun, what are you planning to do _____ _____
   계획을 묻는 표현
   _____?

M I'm going to Jeju Island with my family.

W Oh, _____ _____. Is this your first time?

M Yes, I'm so _____!

W What are you _____ _____ _____ there? 🎸정답 근거

M ① I'm going to ride a horse.

여 하준아, 너는 방학 동안 무엇을 할 계획이니?
남 나는 가족과 함께 제주도에 갈 거야.
여 오, 재미있겠다. 처음 가는 거니?
남 응, 나는 정말 신나!
여 너 거기서 무엇을 할 거니?
남 ① 나는 말을 탈 거야.

② 나는 그러고 싶은데, 안 돼.   ③ 우리는 그곳에 비행기를 타고 갈 거야.
④ 나는 그것이 기대돼.   ⑤ 우리는 거기서 신선한 해산물을 즐겼어.

20 이어질 말 ②

대화를 듣고, 여자의 마지막 말에 이어질 남자의 말로 가장 적절한 것을 고르시오.

Man: _____

① She is tall and thin.
② It's on the third floor.
③ How about 4 o'clock?
④ She teaches music.
⑤ I'm not interested in music.

W Excuse me. Can I _____ _____ _____?

M Sure. What is it?

W Do you know Ms. Margaret Brown?

M Yes, she's my _____ _____.

W Oh, great. I have an appointment with her. Do you
   ~와 만날 약속이 있다
   know _____ _____ _____ now?

M She's in the music room.

W _____ the music room? 🎸정답 근거

M ② It's on the third floor.

여 실례합니다. 말씀 좀 여쭤도 될까요?
남 물론이죠. 무엇인가요?
여 Margaret Brown 선생님을 아세요?
남 네, 그녀는 제 담임 선생님입니다.
여 오, 잘됐군요. 저는 그녀와 약속이 있어요. 그녀가
   지금 어디 계신지 아나요?
남 그녀는 음악실에 계세요.
여 음악실이 어디죠?
남 ② 3층에 있어요.

🔊 Sound Tip appointment
한 단어 내에 자음이 3개 연속되는 경우에 주로 가운데 자음 발음은 탈락된다. 즉, [ntm] 중
[t]소리가 탈락되어 [어포인먼트]로 발음된다.

① 그녀는 키가 크고 말랐어요.   ③ 4시는 어떠세요?
④ 그녀는 음악을 가르쳐요.   ⑤ 저는 음악에 관심이 없어요.

2회 | 받아쓰기

모의고사를 먼저 풀고 싶으면 42쪽으로 이동하세요.

🎧 다음 표현을 듣고 모르는 것에 표시하시오.

- ☐ 01 **jump** 점프하다
- ☐ 02 **strong** 힘이 센, 강한
- ☐ 03 **tail** 꼬리
- ☐ 04 **pocket** 주머니
- ☐ 05 **strap** 끈
- ☐ 06 **popular** 인기 있는
- ☐ 07 **triangle** 삼각형
- ☐ 08 **latest** 최신의
- ☐ 09 **difficult** 어려운
- ☐ 10 **famous** 유명한
- ☐ 11 **hold** 열다, 개최하다
- ☐ 12 **foreign** 외국의
- ☐ 13 **tourist** 관광객
- ☐ 14 **final** 마지막의, 최종적인
- ☐ 15 **original** 원래의
- ☐ 16 **price** 가격
- ☐ 17 **discount** 할인
- ☐ 18 **expensive** 비싼
- ☐ 19 **practice** 연습하다; 연습
- ☐ 20 **extra** 추가의
- ☐ 21 **nervous** 긴장되는, 초조한
- ☐ 22 **bake** (빵을) 굽다
- ☐ 23 **lucky** 행운의, 운이 좋은
- ☐ 24 **lifesaver** 위기에서 구해주는 사람[것]
- ☐ 25 **win** 이기다
- ☐ 26 **score** 점수
- ☐ 27 **save** 절약하다
- ☐ 28 **leftover** 먹다 남은; 남은 음식
- ☐ 29 **report** 신고하다
- ☐ 30 **reserve** 예약하다
- ☐ 31 **describe** 묘사하다
- ☐ 32 **heavy** 무거운
- ☐ 33 **furniture** 가구
- ☐ 34 **novel** 소설
- ☐ 35 **traditional** 전통적인
- ☐ 36 **health check** 건강 검진
- ☐ 37 **be friends with** ~와 친하다
- ☐ 38 **make a reservation** 예약하다
- ☐ 39 **be on a diet** 다이어트 중이다
- ☐ 40 **wash the dishes** 설거지를 하다
- ☐ 41 **look down** 우울해 보이다
- ☐ 42 **Congratulations!** 축하해!

📝 알아두면 유용한 선택지 **어휘**

- ☐ 43 **fault** 잘못
- ☐ 44 **wonderful** 아주 멋진, 훌륭한
- ☐ 45 **be proud of** ~을 자랑스러워하다
- ☐ 46 **sound like** ~처럼 들리다, ~인 것 같다

🎧 들으면서 표현을 완성한 다음, 뜻을 고르시오.

표현의 의미를 생각하며 다시 써 보기!

01 ▢ail　　☐ 머리　☐ 꼬리　　➡ _____

02 ▢ake　　☐ (빵을) 굽다　☐ 볶다　　➡ _____

03 ner▢ous　　☐ 긴장되는　☐ 신이 난　　➡ _____

04 ▢ocket　　☐ 주머니　☐ 재킷　　➡ _____

05 ▢urni▢ure　　☐ 가구　☐ 거실　　➡ _____

06 expen▢ive　　☐ 값이 싼　☐ 비싼　　➡ _____

07 left▢ver　　☐ 먹다 남은　☐ 분실된　　➡ _____

08 re▢ort　　☐ 녹음하다　☐ 신고하다　　➡ _____

09 ▢rian▢le　　☐ 원, 동그라미　☐ 삼각형　　➡ _____

10 ori▢inal　　☐ 원래의　☐ 마지막의　　➡ _____

11 war▢　　☐ 따뜻한　☐ 서늘한　　➡ _____

12 descri▢e　　☐ 묘사하다　☐ 반복하다　　➡ _____

13 ▢ovel　　☐ 일기　☐ 소설　　➡ _____

14 st▢ong　　☐ 힘이 센, 강한　☐ 힘이 약한　　➡ _____

15 tradi▢ional　　☐ 전통적인　☐ 현대의　　➡ _____

16 e▢tra　　☐ 부족한　☐ 추가의　　➡ _____

17 ▢eser▢e　　☐ 예약하다　☐ 취소하다　　➡ _____

18 heal▢h c▢eck　　☐ 건강상 문제　☐ 건강 검진　　➡ _____

실전 모의고사 [03]회

실전 모의고사 03회 →
┌ 모의고사 보통 속도
└ 모의고사 빠른 속도

✎ 들으면서 주요 표현 메모하기!

01 다음을 듣고, 'I'가 무엇인지 가장 적절한 것을 고르시오.

①   ②   ③   ④   ⑤

02 대화를 듣고, 여자가 구입할 가방으로 가장 적절한 것을 고르시오.

①   ②   ③   ④   ⑤

03 다음을 듣고, 대전의 오늘 날씨로 가장 적절한 것을 고르시오.

①   ②   ③   ④   ⑤

04 대화를 듣고, 남자가 한 마지막 말의 의도로 가장 적절한 것을 고르시오.

① 칭찬   ② 위로   ③ 승낙   ④ 거절   ⑤ 감사

고난도   선택지 하나씩 체크하며 풀기

05 다음을 듣고, 여자가 영화 축제에 대해 언급하지 <u>않은</u> 것을 고르시오.

① 시작 연도   ② 개최 시기   ③ 개막식 장소
④ 상영 영화 수   ⑤ 티켓 예매 방법

고난도 핵심 표현 메모하며 풀기

06 대화를 듣고, 여자가 지불할 금액을 고르시오.

① $8　　　② $12　　　③ $16　　　④ $20　　　⑤ $24

✎ 들으면서 주요 표현 메모하기!

07 대화를 듣고, 남자의 장래 희망으로 가장 적절한 것을 고르시오.

① 제빵사　　　　　　② 화가　　　　　　③ 운동선수
④ 경찰관　　　　　　⑤ 문학 평론가

08 대화를 듣고, 여자의 심정으로 가장 적절한 것을 고르시오.

① 화가 난　　　　　② 기쁜　　　　　③ 지루한
④ 긴장된　　　　　⑤ 부러운

09 대화를 듣고, 남자가 대화 직후에 할 일로 가장 적절한 것을 고르시오.

① TV 보기　　　　② 요리하기　　　　③ 책꽂이 정리하기
④ 거실 청소하기　　⑤ 설거지하기

10 대화를 듣고, 무엇에 관한 내용인지 가장 적절한 것을 고르시오.

① 축구 경기　　　　　　② 축제 일정
③ 동아리 가입　　　　　④ 좋아하는 운동선수
⑤ 여행하고 싶은 국가

틀린 문제는 Dictation에서
완벽하게 이해하세요.

실전 모의고사 [03]회

✎ 들으면서 주요 표현 메모하기!

11 대화를 듣고, 두 사람이 이용할 교통수단으로 가장 적절한 것을 고르시오.

① 지하철   ② 버스   ③ 택시
④ 자가용   ⑤ 자전거

고난도 핵심 표현 메모하며 풀기

12 대화를 듣고, 남자가 피자를 먹지 않는 이유로 가장 적절한 것을 고르시오.

① 치통이 심해서   ② 다이어트 중이라서
③ 알레르기가 있어서   ④ 피자의 유통기한이 지나서
⑤ 건강 검진을 받아야 해서

13 대화를 듣고, 두 사람이 대화하는 장소로 가장 적절한 곳을 고르시오.

① 은행   ② 약국   ③ 쇼핑몰
④ 소방서   ⑤ 분실물 보관소

14 대화를 듣고, 여자가 가려고 하는 장소를 고르시오.

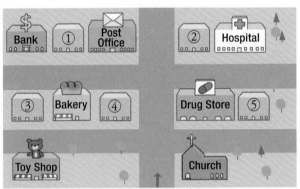

You are here!

15 대화를 듣고, 여자가 남자에게 부탁한 일로 가장 적절한 것을 고르시오.

① 가구 옮기기   ② 가구 수리하기
③ 새 아파트 알아보기   ④ 이사 날짜 변경하기
⑤ 이삿짐센터 추천하기

16 대화를 듣고, 여자가 남자에게 제안한 것으로 가장 적절한 것을 고르시오.

① 한국어 배우기　　　　　② 박물관 관람하기
③ 탈춤 관람하기　　　　　④ 웹사이트 검색하기
⑤ 한옥 체험하기

✎ 들으면서 주요 표현 메모하기!

17 대화를 듣고, 두 사람의 대화가 <u>어색한</u> 것을 고르시오.

①　　　　②　　　　③　　　　④　　　　⑤

18 대화를 듣고, 남자의 직업으로 가장 적절한 것을 고르시오.

① 소설가　　　　② 아나운서　　　　③ 건축가
④ 도서관 사서　　　⑤ 피아니스트

[19-20] 대화를 듣고, 남자의 마지막 말에 이어질 여자의 말로 가장 적절한 것을 고르시오.

19 Woman: _____

① Thank you. I hope so.　　② The food was wonderful.
③ I want a table by the window.　④ Then how about 8 o'clock?
⑤ Of course. We'll be there by 7.

남자의 마지막 말에 집중하기

20 Woman: _____

① It's all my fault.　　② Sounds like a good idea.
③ I'm proud of myself.　④ You can do better next time.
⑤ I'm doing my math homework.

틀린 문제는 Dictation에서 완벽하게 이해하세요.

01 그림 지칭
*들을 때마다 체크 □□

다음을 듣고, 'I'가 무엇인지 가장 적절한 것을 고르시오.

① ② ③

④ ⑤

여 나는 튼튼한 다리를 가지고 있고 점프를 아주 잘할 수 있습니다. 나는 또한 길고 튼튼한 꼬리를 가지고 있습니다. 나는 몸의 앞쪽에 있는 특별한 주머니에 내 아기를 넣어 다닐 수 있습니다. 나는 호주에 삽니다. 나는 무엇일까요?

정답 근거

W I have strong legs and I _____ _____ very well. I also have a long and _____ _____. I can carry my baby in a _____ _____ on the front of my body. I live in _____. What am I?

02 그림 묘사
□□

대화를 듣고, 여자가 구입할 가방으로 가장 적절한 것을 고르시오.

① ② ③

④ ⑤

남 안녕하세요. 도와드릴까요?
여 저는 긴 끈이 있는 핸드백을 찾고 있어요.
남 그렇다면 이 하트 모양의 핸드백은 어떠세요? 그것은 매우 인기 있어요.
여 저는 그 디자인이 마음에 들지 않아요. 저것을 좀 보여 주시겠어요?
남 오, 위에 삼각형들이 있는 이것 말씀이세요?
여 네, 그건 얼마죠?
남 30달러입니다.
여 좋아요, 그것을 살게요.

M Hello. How may I help you?

W I'm looking for a handbag with a _____ _____. **정답 근거**

M Then how about this heart-shaped one? It's very _____.
함정 주의

W I don't like the _____. Can you show me that one, please?

M Oh, you mean this one with _____ on it?
상대방의 말을 확인하는 표현

W Yes, how much is it?
가격을 묻는 표현

M It's _____ _____.

W Good, I'll take it.

Solution Tip
여자는 긴 끈이 있고 삼각형이 그려진 핸드백을 선택했다.

Dictation 03회 →
전체 듣기
문항별 듣기

Dictation의 효과적인 활용법
STEP1 들으면서 대본의 빈칸 채우기
STEP2 축쇄 문제를 보며 다시 풀어보기
STEP3 해석을 보며 영어로 말하거나 영작해 보기

공부한 날 　월　일

03 날씨

다음을 듣고, 대전의 오늘 날씨로 가장 적절한 것을 고르시오.

① ② ③

④ ⑤

W　This is the weather report for today. Seoul will be sunny and _____. In Daejeon, it will be _____, but it _____ _____. It is raining in both Daegu and Busan right now, and the rain will continue _____ _____. Thank you.

정답 근거
both A and B: A와 B 둘 다
함정 주의 비가 오는 곳은 대구와 부산임

여 오늘의 일기예보입니다. 서울은 화창하고 따뜻하겠습니다. 대전은 흐리겠지만, 비는 오지 않을 것입니다. 현재 대구와 부산 두 곳에서 모두 비가 오고 있고, 비는 온종일 계속될 것입니다. 감사합니다.

04 말의 의도

대화를 듣고, 남자가 한 마지막 말의 의도로 가장 적절한 것을 고르시오.
① 칭찬　　② 위로　　③ 승낙
④ 거절　　⑤ 감사

W　Danny, where were you? I was looking for you.

M　I was in the art room. _____ _____?

W　Our band is finally having our _____ _____! I'm so excited!

M　Oh, _____!

W　Thanks. The concert is this Friday evening. Can you come?

M　I'd love to, but I _____ _____ _____ then. I have other plans. 정답 근거

= I would love to

여 Danny, 너 어디 있었니? 나는 너를 찾고 있었어.
남 나는 미술실에 있었어. 무슨 일인데?
여 우리 밴드가 드디어 첫 콘서트를 열게 되었어! 나는 정말 흥분돼!
남 오, 축하해!
여 고마워. 콘서트는 이번 주 금요일 저녁이야. 너 올 수 있니?
남 그러고 싶지만, 나는 그때 갈 수 없어. 다른 계획이 있거든.

Solution Tip

상대방의 제안이나 권유를 거절하는 표현으로 I'd love to, but I can't. / I'm sorry but I can't. / I'm afraid I can't. / Maybe next time. 등을 쓸 수 있다.

05 언급하지 않은 것

다음을 듣고, 여자가 영화 축제에 대해 언급하지 않은 것을 고르시오.
① 시작 연도
② 개최 시기
③ 개막식 장소
④ 상영 영화 수
⑤ 티켓 예매 방법

W Today I will tell you about my city's movie festival. The festival _____ in 1996. It is held every fall and the _____ _____ is held in City Hall Square. During the festival, over 100 movies are shown in five _____ _____. The festival is famous around the world, and many foreign tourists _____ _____ _____ for the festival.

정답 근거

~ 이상(= more than)

여 오늘 저는 우리 도시의 영화 축제에 대해 여러분께 말씀드리겠습니다. 축제는 1996년에 시작되었습니다. 그것은 매년 가을에 열리고, 개막식은 시청 광장에서 열립니다. 축제 기간 동안, 5개의 영화관에서 100편 이상의 영화들이 상영됩니다. 축제는 전 세계적으로 유명해서 많은 외국인 관광객이 축제를 위해 우리 도시를 방문합니다.

Sound Tip foreign
foreign의 g는 묵음이므로 [포른]으로 발음된다.

06 금액

대화를 듣고, 여자가 지불할 금액을 고르시오.
① $8   ② $12   ③ $16
④ $20   ⑤ $24

M Can I help you with anything?
W Thanks, I want to _____ _____ _____ for my parents.
M How about this rose-shaped candle? It is the _____ _____ in our store.
W Oh, it's so pretty! _____ _____ is it?
M The original price is 24 dollars, but you can get a _____ _____ _____ this week.
함정 주의 정답 근거
W Great. I'll take it.
M Good choice.

남 제가 뭔가 도와드릴까요?
여 감사합니다, 저는 부모님을 위한 선물을 사고 싶어요.
남 이 장미 모양의 양초는 어떠세요? 그것은 저희 가게에서 가장 인기 있습니다.
여 오, 정말 예쁘군요! 얼마죠?
남 원래 가격은 24달러인데, 이번 주에는 50퍼센트 할인을 받으실 수 있습니다.
여 좋아요, 이것을 살게요.
남 좋은 선택입니다.

Solution Tip
원래 가격인 24달러에서 50퍼센트 할인된 가격으로 살 수 있다고 했으므로 절반 가격인 12달러가 정답이다.

07 장래 희망

대화를 듣고, 남자의 장래 희망으로 가장 적절한 것을 고르시오.

① 제빵사　② 화가　③ 운동선수
④ 경찰관　⑤ 문학 평론가

여 와, 이 머핀 정말 맛있구나.
남 네가 좋아하니 기쁘다.
여 정말로 네가 직접 그것을 만들었니?
남 응. 나는 빵 굽는 것을 정말 좋아하고 제빵사가 되고 싶어.
여 네가 훌륭한 제빵사가 될 거라고 확신해.
남 그렇게 말하다니 너는 매우 친절하구나.

W Wow, this muffin is really delicious.

M I'm glad you _____ _____.

W Did you really make it _____?
　　　　　　　　　　　　　= the muffin

M Yes, I did. I love baking bread and want to work as a
　　　　　　　　　　　　　　　　　　　　　　~로서
_____. ♪정답 근거

W I'm sure you will be a great baker.
　　확신을 나타내는 표현

M It's very _____ _____ _____ to say so.

08 심정

대화를 듣고, 여자의 심정으로 가장 적절한 것을 고르시오.

① 화가 난　　② 기쁜
③ 지루한　　④ 긴장된
⑤ 부러운

남 Alicia, 너 뭐 하고 있니?
여 나는 학교 연극을 위해 연습하고 있는 중이야.
남 학교 연극이라고? 너는 신나겠구나!
여 음, 별로 그렇지 않아.
남 왜?
여 나는 내 대사를 계속 잊어버려서 너무 긴장돼.

M Alicia, what are you doing?

W _____ _____ for the school play.

M The school play? You must be _____! 👉함정 주의
　　　　　　　　　~임에 틀림없다(강한 추측)

W Well, not really.

M Why?

W I keep _____ my lines and I feel so _____. ♪정답 근거

◀ **Solution Tip**
남자는 여자가 학교 연극 연습으로 신날 것으로 추측했지만 여자는 연극 대사를 계속 잊어서 긴장된다고 했다.

3회
받아쓰기

09 바로 할 일

대화를 듣고, 남자가 대화 직후에 할 일로 가장 적절한 것을 고르시오.
① TV 보기
② 요리하기
③ 책꽂이 정리하기
④ 거실 청소하기
⑤ 설거지하기

W Eddie, are you in your room now?

M Yes, Mom. I just finished _____ my room.

W Good, but you have _____ _____ _____ to do.

M OK. What is it?

W Can you _____ _____ _____ while I clean the
   정답 근거   ~하는 동안
   living room? 함정 주의 엄마가 거실을 청소하겠다고 했음

M _____, _____ _____. I'll do it right away.

여 Eddie, 너 지금 네 방에 있니?
남 네, 엄마. 저는 막 방 청소를 끝냈어요.
여 좋아, 하지만 네가 할 일이 하나 더 있단다.
남 네. 뭐예요?
여 내가 거실을 청소할 동안 설거지를 해 줄 수 있니?
남 물론이죠. 지금 바로 할게요.

🔊 **Sound Tip** right away
앞 단어의 끝 자음과 뒤 단어의 첫 모음이 연음되어 [롸이러웨이]로 발음된다.

10 대화 화제

대화를 듣고, 무엇에 관한 내용인지 가장 적절한 것을 고르시오.
① 축구 경기
② 축제 일정
③ 동아리 가입
④ 좋아하는 운동선수
⑤ 여행하고 싶은 국가

W Leo, you look so tired.

M Yeah, I watched a _____ _____ until 2 a.m. last
                                      ~까지
   night. 정답 근거

W Oh, do you mean the game between France and Brazil?
      상대방의 말을 확인하는 표현   between A and B: A와 B 사이에
   _____ _____ _____?

M France won. It was a close game.
                     막상막하의 경기, 접전

W What was the _____ _____?

M It was three to two.

여 Leo, 너 정말 피곤해 보인다.
남 응, 나는 어젯밤 새벽 2시까지 축구 경기를 봤어.
여 오, 프랑스와 브라질 사이의 경기 말이니? 어느 팀이 이겼니?
남 프랑스가 이겼어. 막상막하의 경기였어.
여 최종 점수는 몇 점이었니?
남 3 대 2였어.

11 교통수단

대화를 듣고, 두 사람이 이용할 교통수단으로 가장 적절한 것을 고르시오.

① 지하철 ② 버스 ③ 택시
④ 자가용 ⑤ 자전거

M Are you ready to leave for the concert?
　　~할 준비가 되었니?

W _____ _____. I need a few more minutes.
　　　　　　　　　　　　　　몇몇의(셀 수 있는 명사와 쓰임)

M Okay. Shall I _____ _____ _____ to pick us up?
　　내가 ~할까?(제안)　　　　　　　　　　　　　🔎함정 주의

W Well, it'll be too expensive.

M Then let's _____ _____ _____. 🎵정답 근거

W Good. It'll save us time and money.

남 너는 콘서트 갈 준비가 되었니?
여 아직. 나는 몇 분 더 필요해.
남 그래. 우리를 태워갈 택시를 부를까?
여 음, 그건 너무 비쌀 거야.
남 그럼 지하철을 타자.
여 좋아. 그 편이 시간과 돈이 절약될 거야.

---

12 이유

대화를 듣고, 남자가 피자를 먹지 않는 이유로 가장 적절한 것을 고르시오.

① 치통이 심해서
② 다이어트 중이라서
③ 알레르기가 있어서
④ 피자의 유통기한이 지나서
⑤ 건강 검진을 받아야 해서

🇬🇧

W Kevin, I'm going to eat leftover pizza. Do you _____ _____, too?

M I do, but I can't eat anything now.

W Why? Are you on a _____? 🔎함정 주의

M No, I have to get a _____ _____ tomorrow
　　　　　　~해야 하다(의무)
morning. 🎵정답 근거

W Oh, you _____ _____ before the health check?

M Right. The nurse said that I must not eat _____
　　　　　　　　　　　　　　　　　　~해서는 안 된다(금지)
_____ _____ before the check.

W Oh, I see.

여 Kevin, 나는 남은 피자를 먹을 거야. 너도 좀 먹겠니?
남 먹고 싶긴 하지만, 지금 난 아무것도 먹을 수 없어.
여 왜? 너 다이어트 중이니?
남 아니, 나는 내일 아침 건강 검진을 받아야 하거든.
여 오, 건강 검진 전에 먹을 수 없니?
남 맞아. 간호사가 검진 전에 12시간 동안 먹어서는 안 된다고 했어.
여 오, 그렇구나.

🔊 Sound Tip can't
미국 영어에서는 [캔(트)로 발음되고 영국 영어에서는 [카안(트)]로 발음된다.

3회

받아쓰기

13 장소

대화를 듣고, 두 사람이 대화하는 장소로 가장 적절한 곳을 고르시오.

① 은행 ② 약국 ③ 쇼핑몰
④ 소방서 ⑤ 분실물 보관소

W   Hello. What can I do for you?

M   I'd like to report a _____ _____. 🎵정답 근거
= I would

W   When and where did you lose it?

M   I left it on the _____ about 10 minutes ago.
약, ~쯤

W   Can you _____ the bag?

M   It's a large brown bag with _____ _____.

여 안녕하세요. 무엇을 도와드릴까요?
남 저는 분실된 가방을 신고하고 싶은데요.
여 언제 어디서 그것을 잃어버리셨나요?
남 저는 10분 전쯤에 기차에 그것을 두고 내렸어요.
여 가방을 묘사해 주시겠어요?
남 그것은 두 개의 주머니가 있는 큰 갈색 가방이에요.

🔹 **Solution Tip**
남자가 기차에서 가방을 분실했다고 신고하고 있고 여자가 남자에게 분실한 상황과 가방의 생김새를 묻는 것으로 보아 분실물 보관소에서 이루어지는 대화임을 알 수 있다.

14 그림 위치

대화를 듣고, 여자가 가려고 하는 장소를 고르시오.

W   Excuse me. _____ _____ _____ get to Hana Middle School from here?

M   Just walk two blocks down this road. Then _____ _____. 🎵정답 근거

W   Turn left?

M   Yes. It'll be on your right _____ the bank and the _____ _____.

W   I see. Thanks a lot.
알겠습니다.

여 실례합니다. 하나 중학교에 어떻게 가나요?
남 이 길을 따라 두 블록을 걸어가세요. 그런 다음 왼쪽으로 도세요.
여 왼쪽으로 돌라구요?
남 네. 그것은 당신의 오른쪽인 은행과 우체국 사이에 있습니다.
여 알겠습니다. 정말 감사해요.

15 부탁한 일

대화를 듣고, 여자가 남자에게 부탁한 일로 가장 적절한 것을 고르시오.
① 가구 옮기기
② 가구 수리하기
③ 새 아파트 알아보기
④ 이사 날짜 변경하기
⑤ 이삿짐센터 추천하기

M Lisa, I heard you're moving to a _____ _____.

W Yes, moving day is tomorrow. I'm so worried.

M Why? _____ _____ _____ a moving company?

W No. I didn't have enough money.
이삿짐센터를 부르지 않았다는 의미임

M Do you have to _____ _____ by yourself?
혼자

W Yes. So could you help me? I just need help moving the
~해 주겠니?(부탁)

_____ _____. 🔑정답 근거

M Sure, no problem.
부탁이나 요청을 수락하는 표현

W Thanks, Jeremy. You're a lifesaver.
넌 내 구세주야.(도움에 대한 감사함을 나타내는 표현)

남 Lisa, 나는 네가 새 아파트로 이사 간다고 들었어.
여 응, 이삿날이 내일이야. 나는 너무 걱정이 돼.
남 왜? 이삿짐센터를 부르지 않았니?
여 응. 충분한 돈이 없었어.
남 너 혼자 모든 것을 옮겨야 하니?
여 응. 그래서 말인데 네가 나를 좀 도와주겠니? 무거운 가구를 옮기는 데 도움이 필요해.
남 물론, 문제없어.
여 고마워, Jeremy. 넌 내 구세주야.

16 제안한 것

대화를 듣고, 여자가 남자에게 제안한 것으로 가장 적절한 것을 고르시오.
① 한국어 배우기
② 박물관 관람하기
③ 탈춤 관람하기
④ 웹사이트 검색하기
⑤ 한옥 체험하기

W Do you have _____ _____ for this weekend?

M I'm going to Andong Hahoe Village with my friends.

W Are you? I visited there _____ _____.

M Did you have fun there?

W Yes, I did. I watched a _____ _____ _____ and

it was really fun. I think you should watch it too. 🔑정답 근거
너는 ~하는 게 좋겠다(조언·제안)

M Okay. _____ _____ the tip.

여 너는 이번 주말에 계획이 있니?
남 나는 친구들과 안동 하회마을에 갈 거야.
여 그래? 나는 지난여름에 거기를 방문했어.
남 거기서 즐거운 시간을 보냈니?
여 응. 나는 전통 탈춤을 봤고 그것은 정말 재미있었어. 너도 탈춤을 보면 좋을 거야.
남 그래. 조언 고마워.

🔊 Sound Tip have fun
have의 끝 음인 [v]와 fun의 첫 음인 [f]가 만나 연음되어 [해펀]으로 발음된다.

3회
받아쓰기

17 어색한 대화

대화를 듣고, 두 사람의 대화가 <u>어색한</u> 것을 고르시오.

①   ②   ③   ④   ⑤

① 남 그 영화는 어땠니?
   여 나는 어젯밤에 그것을 보았어.
② 남 네 지우개 좀 빌릴 수 있을까?
   여 미안하지만, 나는 지우개가 없어.
③ 남 런던은 날씨가 어떠니?
   여 바람이 불고 서늘해.
④ 남 너는 수영을 잘하니?
   여 아니, 나는 수영을 못 해.
⑤ 남 너는 지난 일요일에 뭐 했니?
   여 나는 그냥 집에서 온종일 잤어.

① M How was the movie?

W I saw it _____ _____. 🔑정답 근거

② M Can I _____ your eraser?
_{내가 ~할 수 있을까?(부탁)}

W Sorry, but I don't have one.
_{= an eraser}

③ M What's the weather like in London?
_{= How's the weather in London?}

W It's _____ and _____.

④ M Are you good at swimming?
_{너는 ~을 잘하니?(능력을 묻는 표현)}

W No, I _____ _____.

⑤ M What did you do last Sunday?

W I just stayed home and _____ all day.

▶ **Solution Tip**
①은 영화가 어땠는지 감상을 물었으므로 It was exciting.(그건 재미있었어.) 또는 It was boring.(그건 지루했어.) 등으로 대답해야 자연스럽다.

18 직업

대화를 듣고, 남자의 직업으로 가장 적절한 것을 고르시오.
① 소설가   ② 아나운서
③ 건축가   ④ 도서관 사서
⑤ 피아니스트

여 Joe, 나는 서점에서 네 최신 소설을 봤어.
남 오, 그랬어?
여 그래. 너 그것을 쓰는 데 여러 해가 걸렸지, 그렇지?
남 응, 소설을 쓰는 것은 쉽지 않아. 오랜 시간이 걸리지.
여 음, 나는 그것을 빨리 읽고 싶어.
남 내가 지금 한 권 줄게. 여기 있어.
여 고마워! 이런 훌륭한 작가와 친구라니 난 운이 좋아.

🔑정답 근거

W Joe, I saw your _____ _____ in the bookstore.

M Oh, did you?
_(see my latest novel in the bookstore)

W Yes. It _____ _____ _____ to write it, right?

M Yeah, it's not easy to write a novel. It takes a long time.
_{시간이 걸리다}

W Well, I can't wait to _____ _____.
_{나는 ~할 것이 기대된다(기대를 나타내는 표현)}

M Let me give you one now. Here you are.
_{여기 있어.(물건을 건넬 때 쓰는 표현)}

W Thanks! I'm lucky that I'm friends with _____

_____ _____ _____.

19 이어질 말 ①

대화를 듣고, 남자의 마지막 말에 이어질 여자의 말로 가장 적절한 것을 고르시오.

Woman: _____

① Thank you. I hope so.
② The food was wonderful.
③ I want a table by the window.
④ Then how about 8 o'clock?
⑤ Of course. We'll be there by 7.

[전화벨이 울린다.]
남 여보세요, Sam's Steakhouse입니다. 무엇을 도와 드릴까요?
여 안녕하세요, 저는 오늘 밤 저녁 예약을 하고 싶은 데요.
남 물론입니다. 몇 분이세요?
여 5명이에요.
남 몇 시에 예약하고 싶으세요?
여 7시에요.
남 죄송합니다만 그 시간에는 예약이 꽉 찼습니다.
여 ④ 그렇다면 8시는 어떤가요?

📞 *Telephone rings.*

M Hello, this is Sam's Steakhouse. How may I help you?
전화상에서 자신의 소속이나 이름을 밝히는 표현

W Hi, I'd like to make a _____ _____ for tonight.

M Sure. For how many people?

W There will be _____ _____ _____.

M What time would you like to make a reservation for?

W For _____ _____, please.

M I'm afraid all our tables _____ _____ at that time. 🔑정답 근거
유감을 나타내는 표현

W ④ Then how about 8 o'clock?

> **Solution Tip**
> 여자는 7시에 식당을 예약하려 했지만 남자가 그 시간에는 예약이 꽉 찼다고 했으므로 다른 시간에 예약이 가능한지 물어보는 것이 가장 자연스럽다.

① 감사합니다. 그러기를 바랍니다.　　② 음식이 아주 훌륭했어요.
③ 저는 창가 자리를 원합니다.　　⑤ 물론입니다. 7시까지 가겠습니다.

20 이어질 말 ②

대화를 듣고, 남자의 마지막 말에 이어질 여자의 말로 가장 적절한 것을 고르시오.

Woman: _____

① It's all my fault.
② Sounds like a good idea.
③ I'm proud of myself.
④ You can do better next time.
⑤ I'm doing my math homework.

남 Julie, 너 우울해 보인다. 무슨 일이니?
여 오, 아무것도 아니야.
남 이봐. 너는 내게 솔직해도 돼.
여 음, 나는 또 수학 시험에서 낙제해서 슬퍼.
남 오, 안됐구나. 어려웠니?
여 응, 수학은 내게 너무 어려워.
남 온라인으로 추가 수업을 들어보는 게 어때?
여 ② 좋은 생각이구나.

M Julie, you look down. _____ _____ _____?
우울해 보이다(= look blue)

W Oh, it's nothing.

M Come on. You can be honest with me.

W Well, I'm sad because I _____ my math test again.

M Oh, I'm sorry to hear that. _____ _____ _____?
안 좋은 소식에 대해 유감을 나타내는 표현

W Yes, math is too difficult for me.

M Why don't you take _____ _____ online? 🔑정답 근거
~하는 게 어때?(제안)

W ② Sounds like a good idea.

> 💡 **Sound Tip** honest
> honest의 h는 묵음이므로 [아니스트]로 발음된다.

① 모두 내 잘못이야.　　③ 난 나 자신이 자랑스러워.
④ 넌 다음번에 더 잘할 수 있어.　　⑤ 나는 수학 숙제를 하고 있어.

모의고사를 먼저 풀고 싶으면 58쪽으로 이동하세요.

🎧 다음 표현을 듣고 모르는 것에 표시하시오.

☐ 01 **subject** 과목	☐ 25 **spend** (시간을) 보내다; (돈을) 쓰다
☐ 02 **backpack** 배낭	☐ 26 **directly** 곧장
☐ 03 **wear** 입다, 신다, 착용하다	☐ 27 **actress** 여배우
☐ 04 **contest** 대회, 시합	☐ 28 **autograph** (유명인의) 사인
☐ 05 **protect** 보호하다	☐ 29 **material** (물건의) 재료, 소재
☐ 06 **different** 다른	☐ 30 **disappointed** 실망한
☐ 07 **favorite** 가장 좋아하는	☐ 31 **under** ~ 아래에
☐ 08 **dolphin** 돌고래	☐ 32 **amusement park** 놀이공원
☐ 09 **weekly** 매주의, 주간의	☐ 33 **on sale** 세일 중인
☐ 10 **safety** 안전	☐ 34 **be made of** ~로 만들어지다
☐ 11 **drive** 운전하다	☐ 35 **on one's way to** ~로 가는 길에
☐ 12 **carefully** 조심스럽게	☐ 36 **arrive at** ~에 도착하다
☐ 13 **ride** (탈것을) 타다; 놀이 기구	☐ 37 **need a hand** 도움이 필요하다
☐ 14 **parade** 퍼레이드, 행진	☐ 38 **make a mistake** 실수하다
☐ 15 **interesting** 재미있는	☐ 39 **wake up** (잠에서) 깨다
☐ 16 **science** 과학	☐ 40 **lose weight** 살을 빼다
☐ 17 **earthquake** 지진	☐ 41 **catch a cold** 감기에 걸리다
☐ 18 **headache** 두통	☐ 42 **see a doctor** 병원에 가다, 진찰을 받다
☐ 19 **terrible** 형편없는, 끔찍한	
☐ 20 **badly** 심하게	✏️ **알아두면 유용한 선택지 어휘**
☐ 21 **hurt** 다친; 다치게 하다	☐ 43 **worried** 걱정스러운
☐ 22 **drop** 떨어뜨리다	☐ 44 **twice** 두 번
☐ 23 **paint** 칠하다, 그리다	☐ 45 **author** 작가
☐ 24 **shelf** 책꽂이, 선반	☐ 46 **swimming suit** 수영복

공부한 날 　 월 　 일

🎧 들으면서 표현을 완성한 다음, 뜻을 고르시오.

표현의 의미를 생각하며 다시 써 보기!

01 ☐ aint ☐ 지우다 ☐ 칠하다 　➡

02 ac ☐ ress ☐ 승무원 ☐ 여배우 　➡

03 ☐ ack ☐ ack ☐ 배낭 ☐ 운동화 　➡

04 shel ☐ ☐ 책꽂이 ☐ 옷장 　➡

05 co ☐ test ☐ 대회, 시합 ☐ 점수 　➡

06 ☐ urt ☐ 건강한 ☐ 다친 　➡

07 ☐ eadac ☐ e ☐ 두통 ☐ 복통 　➡

08 earth ☐ uake ☐ 지진 ☐ 홍수 　➡

09 ☐ olp ☐ in ☐ 돌고래 ☐ 북극곰 　➡

10 fa ☐ orite ☐ 다른 ☐ 가장 좋아하는 　➡

11 auto ☐ raph ☐ 사인 ☐ 사진 　➡

12 ☐ erri ☐ le ☐ 끔찍한 ☐ 훌륭한 　➡

13 di ☐ app ☐ inted ☐ 실망한 ☐ 만족한 　➡

14 ☐ arade ☐ 놀이기구 ☐ 행진 　➡

15 sub ☐ ect ☐ 과목 ☐ 교과서 　➡

16 p ☐ otect ☐ 착용하다 ☐ 보호하다 　➡

17 care ☐ ully ☐ 곧장 ☐ 조심스럽게 　➡

18 a ☐ usement ☐ ark ☐ 놀이공원 ☐ 주차장 　➡

영어 4회

🖊 들으면서 주요 표현 메모하기!

01 다음을 듣고, 'this'가 가리키는 것으로 가장 적절한 것을 고르시오.

①   ②   ③   ④   ⑤

02 대화를 듣고, 여자가 디자인한 머그컵으로 가장 적절한 것을 고르시오.

①   ②   ③   ④   ⑤

03 다음을 듣고, 목요일의 날씨로 가장 적절한 것을 고르시오.

①   ②   ③   ④   ⑤

04 대화를 듣고, 남자가 한 마지막 말의 의도로 가장 적절한 것을 고르시오.

① 칭찬 ② 위로 ③ 의심 ④ 거절 ⑤ 승낙

고난도 핵심 표현 메모하며 풀기

05 다음을 듣고, 현장학습에 대한 내용으로 일치하지 <u>않는</u> 것을 고르시오.

① 현장학습 장소는 농장이다.
② 오전 8시 30분까지 학교에 와야 한다.
③ 점심 식사는 학교에서 제공한다.
④ 현장학습 장소까지 버스를 탈 것이다.
⑤ 오후 4시에 학교로 돌아올 것이다.

4회

리스닝

고난도   핵심 표현 메모하며 풀기

06 대화를 듣고, 남자가 지불할 금액을 고르시오.

① $10   ② $15   ③ $24
④ $27   ⑤ $30

✎ 들으면서 주요 표현 메모하기!

07 대화를 듣고, 남자의 장래 희망으로 가장 적절한 것을 고르시오.

① 화가   ② 사진작가   ③ 역사학자
④ 수영 선수   ⑤ 여행 가이드

08 대화를 듣고, 여자의 심정으로 가장 적절한 것을 고르시오.

① worried   ② excited   ③ bored
④ proud   ⑤ disappointed

09 대화를 듣고, 여자가 대화 직후에 할 일로 가장 적절한 것을 고르시오.

① 감기약 먹기   ② 길 안내하기   ③ 식당 예약하기
④ 병원 가기   ⑤ 일기예보 확인하기

10 대화를 듣고, 무엇에 관한 내용인지 가장 적절한 것을 고르시오.

① 좋아하는 과목   ② 미술 수업
③ 성적 상담   ④ 과학박물관 관람
⑤ 존경하는 선생님

틀린 문제는 Dictation에서
완벽하게 이해하세요.

✎ 들으면서 주요 표현 메모하기!

11 대화를 듣고, 두 사람이 이용할 교통수단으로 가장 적절한 것을 고르시오.
① 버스   ② 기차   ③ 지하철
④ 자가용   ⑤ 자전거

12 대화를 듣고, 여자가 학교에 일찍 가야 하는 이유로 가장 적절한 것을 고르시오.
① 시험공부를 하기 위해서   ② 축제 준비를 하기 위해서
③ 음악실을 빌리기 위해서   ④ 동아리방을 꾸미기 위해서
⑤ 정원 손질을 돕기 위해서

13 대화를 듣고, 두 사람의 관계로 가장 적절한 것을 고르시오.
① 배우 – 팬   ② 교통경찰 – 운전자   ③ 사진작가 – 모델
④ 소설가 – 편집자   ⑤ 승무원 – 승객

14 대화를 듣고, 여자가 찾고 있는 지갑의 위치로 가장 알맞은 것을 고르시오.

15 대화를 듣고, 남자가 여자에게 부탁한 일로 가장 적절한 것을 고르시오.
① 음악 숙제 도와주기   ② 포스터 색칠하기
③ 공연에 와주기   ④ 밴드 보컬 추천하기
⑤ 게시판에 포스터 붙이기

16 대화를 듣고, 여자가 주말에 한 일로 가장 적절한 것을 고르시오.

① 스키 타기　　② 보고서 쓰기　　③ 병문안 가기
④ 봉사활동 하기　　⑤ 등산하기

✏ 들으면서 주요 표현 메모하기!

17 대화를 듣고, 두 사람의 대화가 <u>어색한</u> 것을 고르시오.

①　　　②　　　③　　　④　　　⑤

18 대화를 듣고, 두 사람이 대화하는 장소로 가장 적절한 곳을 고르시오.

① 은행　　② 우체국　　③ 옷가게　　④ 공항　　⑤ 매표소

[19-20] 대화를 듣고, 여자의 마지막 말에 이어질 남자의 말로 가장 적절한 것을 고르시오.

여자의 마지막 말에 집중하기

19 Man: _____

① By bike.　　　　　　② Twice a week.
③ It's my first time swimming.　　④ I need a new swimming suit.
⑤ I learned it from my dad.

고난도 핵심 표현 메모하며 풀기

20 Man: _____

① Sure, no problem.　　　② She's my favorite author.
③ Not at all. Go ahead.　　④ It's next to children's books.
⑤ Thanks for helping me.

틀린 문제는 **Dictation**에서 완벽하게 이해하세요.

01 그림 지칭

*들을 때마다 체크

다음을 듣고, 'this'가 가리키는 것으로 가장 적절한 것을 고르시오.

① ② ③ ④ ⑤

W This comes in _____ _____ and colors. This is _____ _____ a strong material. For your _____,

정답 근거

you have to wear this when you _____ _____
~해야 한다(의무)

_____. This protects your _____ if you fall off the
만약 ~하면

bike. What is this?

여 이것은 다양한 사이즈와 색깔로 나옵니다. 이것은 튼튼한 소재로 만들어졌습니다. 여러분의 안전을 위해, 여러분은 자전거를 탈 때 이것을 착용해야 합니다. 만약 여러분이 자전거에서 떨어지면 이것은 여러분의 머리를 보호합니다. 이것은 무엇일까요?

02 그림 묘사

대화를 듣고, 여자가 디자인한 머그컵으로 가장 적절한 것을 고르시오.

① ② ③ ④ ⑤

M Laura, what's this in the box?

W It's my mug. I _____ _____ in my art class.

M Oh, I love the _____ on it. 정답 근거

W It's my favorite animal. Hey, what do you think of this
~에 대해 어떻게 생각하니?(의견을 묻는 표현)

heart-shaped handle?

M I think _____ _____. You are really good at
(that)

designing things.

W It's _____ _____ _____ to say so.

남 Laura, 상자 안의 이것이 무엇이니?
여 그건 내 머그컵이야. 나는 미술 시간에 그것을 디자인했어.
남 오, 난 컵 위의 돌고래가 마음에 들어.
여 그건 내가 가장 좋아하는 동물이야. 얘, 이 하트 모양의 손잡이에 대해서는 어떻게 생각하니?
남 멋지다고 생각해. 너는 물건을 디자인하는 것을 정말 잘하는구나.
여 그렇게 말해주다니 친절하구나.

Solution Tip
여자가 디자인한 머그컵은 돌고래가 그려져 있고 손잡이가 하트 모양이다.

Dictation 04회 →
전체 듣기
문항별 듣기

Dictation의 효과적인 활용법
STEP1 들으면서 대본의 빈칸 채우기
STEP2 축쇄 문제를 보며 다시 풀어보기
STEP3 해석을 보며 영어로 말하거나 영작해 보기

공부한 날   월   일

03 날씨

다음을 듣고, 목요일의 날씨로 가장 적절한 것을 고르시오.

①   ②   ③

④   ⑤

여 좋은 저녁입니다. 주간 일기예보입니다. 월요일부터 수요일까지 날씨는 춥고 흐리겠습니다. 목요일에는 눈이 많이 오겠으므로 조심히 운전하세요. 눈은 금요일 오후에 그칠 것입니다. 토요일에는 해가 나서 주말 동안 날씨가 화창할 것입니다.

W Good evening. This is the weekly weather report. It will
be _____ _____ _____ from Monday through
(-ly로 끝나는 형용사)   (~까지)
Wednesday. On Thursday we will have _____
_____ _____ _____, so drive carefully. The
(정답 근거)
snow will stop on Friday afternoon. The sun will
_____ _____ on Saturday and we will have sunny
(함정 주의)
weather during the weekend.

🔊 Sound Tip Wednesday
Wednesday의 d는 묵음이므로 [웬즈데이]로 발음된다.

04 말의 의도

대화를 듣고, 남자가 한 마지막 말의 의도로 가장 적절한 것을 고르시오.
① 칭찬   ② 위로   ③ 의심
④ 거절   ⑤ 승낙

M Jisu, how was your English speaking contest?

W Oh, _____ _____ _____. I'm so disappointed.

M Why? You practiced a lot for the contest, _____
_____?

W Yes, but I made so many mistakes.
대회를 위해 많이 연습했다는 의미임

M _____ _____! I'm sure you can do better next
time. (정답 근거)

남 지수야, 영어 말하기 대회는 어땠니?
여 오, 형편없었어. 나는 매우 실망스러워.
남 왜? 너는 대회를 위해 많이 연습했잖아, 그렇지 않니?
여 응, 하지만 나는 너무 많은 실수를 저질렀어.
남 기운 내! 다음번에 분명 더 잘할 수 있을 거야.

🔊 Sound Tip   speaking
[s] 다음에 오는 [p]소리는 된소리에 가까워져 [스삐킹]으로 발음된다.

05 일치하지 않는 것

다음을 듣고, 현장학습에 대한 내용으로 일치하지 **않는** 것을 고르시오.
① 현장학습 장소는 농장이다.
② 오전 8시 30분까지 학교에 와야 한다.
③ 점심 식사는 학교에서 제공한다.
④ 현장학습 장소까지 버스를 탈 것이다.
⑤ 오후 4시에 학교로 돌아올 것이다.

남 학생 여러분, 모두 아시다시피 내일은 현장학습이 있습니다. 우리는 시외의 대농장으로 갈 것입니다. 오전 8시 30분까지 학교에 도착하세요. 점심으로 먹을 약간의 음식과 음료를 챙기는 것을 잊지 마세요. 우리는 농장까지 버스를 탈 것이고, 거기 도착하는 데 2시간이 걸릴 거예요. 우리는 오후 4시에 학교로 돌아올 것입니다.

M Class, we have a field trip tomorrow as you all know. 여러분 모두 아시다시피 We will be going to a ＿＿＿＿ ＿＿＿＿ outside the city. Please arrive at school at 8:30 a.m. Don't forget to ~할 것을 잊지 마세요(당부) bring some ＿＿＿＿ ＿＿＿＿ ＿＿＿＿ for lunch. 정답 근거 We will ride a bus to the farm, and it will ＿＿＿＿ ＿＿＿＿ ＿＿＿＿ to get there. We will arrive back at school at 4 o'clock in the afternoon.

Solution Tip
학생들에게 점심으로 먹을 음식과 음료를 챙겨오라고 당부했으므로 학교에서 점심을 제공한다는 것은 잘못된 설명이다.

06 금액

대화를 듣고, 남자가 지불할 금액을 고르시오.
① $10 ② $15 ③ $24
④ $27 ⑤ $30

여 안녕하세요, 손님. 필요하신 것을 모두 찾으셨나요?
남 네, 감사합니다. 저는 이 키보드가 필요해요.
여 네, 30달러입니다.
남 음. 저는 모든 키보드가 오늘 할인 중이라고 생각했었는데요. 15달러가 아닙니까?
여 죄송합니다, 손님. 키보드는 어제 할인 판매했어요.
남 오, 그렇군요. 그럼 이 10퍼센트 할인 쿠폰을 쓸 수 있나요?
여 물론입니다.
남 좋습니다. 여기 있어요.

W Hello, sir. ＿＿＿＿ ＿＿＿＿ ＿＿＿＿ everything you (that) need?

M Yes, thanks. I just need this keyboard.

W Okay, 30 dollars, please. 정답 근거

M Um. I thought all the keyboards were ＿＿＿＿ ＿＿＿＿ (that) today. Isn't it ＿＿＿＿ ＿＿＿＿?
함정 주의 키보드를 할인 판매한 것은 어제였음

W Sorry, sir. The keyboards were on sale yesterday.

M Oh, I see. Then ＿＿＿＿ ＿＿＿＿ ＿＿＿＿ this 10% off coupon?

W Sure.

M Okay. Here you are.

Solution Tip
10퍼센트 할인 쿠폰을 사용하겠다고 했으므로 30달러에서 3달러를 뺀 27달러가 정답이다.

07 장래 희망

대화를 듣고, 남자의 장래 희망으로 가장 적절한 것을 고르시오.

① 화가   ② 사진작가
③ 역사학자   ④ 수영 선수
⑤ 여행 가이드

여 Tim, 너 이 사진들을 어디서 찍었니?
남 난 이번 여름에 하와이에서 그것들을 찍었어.
여 너 그곳에서 즐거운 시간을 보냈던 것 같구나.
남 응, 나는 새로운 장소들을 방문하는 것과 새로운 사람들을 만나는 것을 즐겨. 나는 장래에 여행 가이드가 되고 싶어.
여 네게 꼭 맞는 직업 같구나.

W   Tim, _____ _____ _____ take these pictures?

M   I took them in Hawaii this summer.

W   It looks like you _____ _____ _____ _____
    ~인 것 같다
    there.

M   Yeah, I enjoy visiting new places and meeting new
    people. I want to be a _____ _____ in the future.
    🔑 정답 근거

W   I think that's a perfect _____ for you.

08 심정

대화를 듣고, 여자의 심정으로 가장 적절한 것을 고르시오.

① worried   ② excited
③ bored   ④ proud
⑤ disappointed

남 Christine, 너 어젯밤에 뉴스 들었니?
여 아니, 뭔데?
남 샌프란시스코에서 큰 지진이 있었대. 많은 사람들이 심하게 다쳤어.
여 뭐? 우리 삼촌이 그곳에 사시는데. 그에게 당장 전화해 봐야겠다.
남 오, 정말? 그가 괜찮으시길 바라.
여 나도 그러길 바라.

M   Christine, did you hear the news _____ _____?

W   No, what is it?

M   There was a big earthquake in San Francisco. Lots of
    ~이 있었다
    people were _____ _____. 🔑 정답 근거

W   What? My uncle lives there. I _____ _____
    _____ right now.

M   Oh, really? I hope he's okay.
            (that)

W   So do I.
    나도 그래.(동의하는 표현)

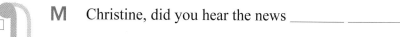

4회 받아쓰기

09 바로 할 일

대화를 듣고, 여자가 대화 직후에 할 일로 가장 적절한 것을 고르시오.
① 감기약 먹기
② 길 안내하기
③ 식당 예약하기
④ 병원 가기
⑤ 일기예보 확인하기

M Good afternoon, Katie. Um. Are you okay?

W No, I don't _____ _____.

M Oh, no. Maybe you caught a cold.
확실하지 않은 추측을 나타내는 표현

W Maybe. I have a _____, and I keep coughing.
keep -ing: 계속해서 ~하다

M I think you should go _____ _____ _____ right away. 정답 근거

W Okay, I will.

남 안녕, Katie. 음. 너 괜찮니?
여 아니, 나는 몸이 좋지 않아.
남 오, 저런. 어쩌면 너는 감기에 걸렸을지도 몰라.
여 아마도. 나는 두통이 있고 계속 기침을 해.
남 너 당장 병원에 가는 것이 좋겠어.
여 그래, 그렇게 할게.

10 대화 화제

대화를 듣고, 무엇에 관한 내용인지 가장 적절한 것을 고르시오.
① 좋아하는 과목
② 미술 수업
③ 성적 상담
④ 과학박물관 관람
⑤ 존경하는 선생님

W Sam, _____ _____ _____ science?

M No, I don't. It's too difficult for me.

W What's your _____ _____ then? 정답 근거

M I like art best. What about you? Do you like science?
가장(well의 최상급)

W Yes, I do. I think _____ _____.

여 Sam, 너는 과학을 좋아하니?
남 아니. 과학은 내게 너무 어려워.
여 그럼 네가 가장 좋아하는 과목은 뭐니?
남 나는 미술을 가장 좋아해. 너는 어때? 과학을 좋아하니?
여 응. 나는 그것이 재미있다고 생각해.

11 교통수단

대화를 듣고, 두 사람이 이용할 교통수단으로 가장 적절한 것을 고르시오.

① 버스   ② 기차   ③ 지하철
④ 자가용   ⑤ 자전거

여 Brian, 너는 내일 뭐 할 거니?
남 특별한 것은 없는데. 왜?
여 나랑 놀이공원에 가는 게 어때?
남 좋은 생각이야. 나는 재미있는 놀이기구를 정말 좋아해.
여 나도. 우리는 퍼레이드도 볼 수 있어.
남 좋아. 그럼 거기 어떻게 가지? 초록색 버스가 거기까지 바로 가는데, 그 버스는 항상 만원이야.
여 걱정하지 마. 우리 엄마가 출근하시는 길에 우릴 태워 주실 거야.
남 잘됐구나.

W Brian, what are you going to do tomorrow?

M _____ _____. Why?

W How about going to the amusement park with me?
How about -ing?: ~하는 게 어때?(제안)

M Great idea. I love _____ _____.

W Me, too. We can also see a _____.

M Good. So how are we getting there? The green bus goes directly there, but it is always full.

W Don't worry. My mom will _____ _____ on her way to work. 🎵정답 근거

M That's great.

🔔 **Sound Tip** directly
한 단어 내에 자음이 3개 연속될 때 주로 가운데 자음 발음이 탈락된다. 즉, [디]에서 [t]소리가 탈락되어 [디렉끌리]로 발음된다.

4회

받아쓰기

12 이유

대화를 듣고, 여자가 학교에 일찍 가야 하는 이유로 가장 적절한 것을 고르시오.

① 시험공부를 하기 위해서
② 축제 준비를 하기 위해서
③ 음악실을 빌리기 위해서
④ 동아리방을 꾸미기 위해서
⑤ 정원 손질을 돕기 위해서

남 좋은 아침이구나! 너 아침을 좀 먹겠니?
여 아뇨, 저는 아침 먹을 시간이 없어요. 지금 학교에 가야 해서요.
남 너무 이르지 않니? 학교는 앞으로 두 시간 동안 시작하지 않잖아.
여 네, 하지만 선생님께서 제게 일찍 오라고 부탁하셨어요.
남 무엇 때문에?
여 그녀는 정원을 가꾸는 데 제 도움이 필요해요.

🇬🇧

M Good morning! _____ _____ _____ some breakfast?

W No, I don't have time for breakfast. I need to _____ _____ _____ now.

M Isn't it too early? School doesn't start for another two hours.

W Yes, but my teacher asked me to _____ _____.

M What for?
왜[무엇 때문에]?(목적·이유를 묻는 표현)

W She needs my help taking care of the _____ _____.
🎵정답 근거

🔔 **Sound Tip** asked
연속된 자음 [skt] 중 가운데 자음인 [k]소리가 탈락된다. 미국 영어에서는 [애스트]로, 영국 영어에서는 [아스트]로 발음된다.

13 관계

대화를 듣고, 두 사람의 관계로 가장 적절한 것을 고르시오.
① 배우 – 팬
② 교통경찰 – 운전자
③ 사진작가 – 모델
④ 소설가 – 편집자
⑤ 승무원 – 승객

남 실례합니다. 당신은 Jessica Sydney인가요?
여 네, 그래요.
남 와! 당신은 제가 가장 좋아하는 여배우예요! 만나서 정말 반갑습니다.
여 저도 만나서 기뻐요. 저는 제 팬들을 만나는 것을 정말 좋아해요.
남 사인을 부탁드려도 될까요?
여 물론이죠.

M Excuse me. Are you Jessica Sydney?

W Yes, I am.

M Wow! You're my _____ _____! It's really nice to meet you.
🔑 정답 근거

W I'm glad to meet you, too. I _____ _____ my fans.

M Can I have your _____, please?
제가 ~해도 될까요?(부탁·요청하는 표현)

W Of course.

Sound Tip meet you
자음 [t]가 뒤의 반모음 [j]와 만나면 연음되어 [미츄]로 발음된다.

14 그림 위치

대화를 듣고, 여자가 찾고 있는 지갑의 위치로 가장 알맞은 것을 고르시오.

남 이봐, 너 무엇을 찾고 있니?
여 나는 어디에서도 내 지갑을 찾을 수가 없어.
남 나는 아까 네 배낭 옆에서 그것을 봤어.
여 거긴 이미 찾아봤어.
남 어쩌면 네가 책상 아래에 떨어뜨렸을지도 몰라.
여 거길 찾아볼게. (...) 오, 찾았다! 도와줘서 고마워.

M Hey, what are you looking for?

W I _____ _____ my wallet anywhere.

M I saw it _____ _____ your backpack earlier. 함정 주의

W I already looked there.

M Maybe you dropped it _____ _____ _____.
🔑 정답 근거

W I'll look there. (...) Oh, I _____ _____! Thanks for your help.

15 부탁한 일

대화를 듣고, 남자가 여자에게 부탁한 일로 가장 적절한 것을 고르시오.

① 음악 숙제 도와주기
② 포스터 색칠하기
③ 공연에 와주기
④ 밴드 보컬 추천하기
⑤ 게시판에 포스터 붙이기

W Henry, what are you doing?

M I'm _____ _____ _____ for our band.

W Really? What is it for?

M Our band is looking for a new lead _____.

W Oh, I see. _____ _____ _____ if you need a
   <u>만약 ~하면   도움이 필요하다</u>
   hand.

M Can you help me _____ the poster? 🎵정답 근거

W Sure, I can.

여 Henry, 너 뭐 하고 있니?
남 나는 우리 밴드를 위해 포스터를 만들고 있어.
여 정말? 무엇을 위해서?
남 우리 밴드는 새로운 리드 보컬을 찾고 있거든.
여 오, 그렇구나. 도움이 필요하면 알려줘.
남 포스터 칠하는 것을 도와주겠니?
여 물론이지.

---

16 과거에 한 일

대화를 듣고, 여자가 주말에 한 일로 가장 적절한 것을 고르시오.

① 스키 타기   ② 보고서 쓰기
③ 병문안 가기   ④ 봉사활동 하기
⑤ 등산하기

M What did you do last weekend, Grace?

W I _____ _____ with my family. 🎵정답 근거

M Cool! Are you a good skier?

W No, but I had a great time. What about you? _____
   _____ _____ _____ during the weekend?

M Well, not really. I spent all weekend _____ _____
   my report. 🐋함정 주의

W Oh, too bad.
   <u>유감·동정을 나타내는 표현</u>

남 너 지난 주말에 뭐 했니, Grace?
여 나는 가족과 함께 스키 타러 갔어.
남 멋지구나! 너는 스키를 잘 타니?
여 아니, 하지만 즐거운 시간을 보냈어. 너는 어때? 주말 동안 즐거운 시간 보냈니?
남 음, 아니. 나는 주말 내내 보고서를 썼어.
여 오, 안됐구나.

🔙 Solution Tip
여자가 주말에 한 일은 가족과 스키를 타러 간 것이고 남자가 한 일은 보고서 쓰기이다.

17 어색한 대화

대화를 듣고, 두 사람의 대화가 <u>어색한</u> 것을 고르시오.

①   ②   ③   ④   ⑤

① 여 피자를 좀 더 먹겠니?
   남 고맙지만 괜찮아. 나는 배불러.
② 여 너의 여동생은 어떻게 생겼니?
   남 그녀는 피아노 치기를 좋아해.
③ 여 컴퓨터를 어떻게 끄니?
   남 여기 버튼을 눌러.
④ 여 너희 동아리는 언제 만나니?
   남 매주 수요일 방과 후에.
⑤ 여 쇼핑몰에 강아지를 데리고 와서는 안 됩니다.
   남 죄송합니다. 몰랐어요.

① W   Would you like some more pizza?
      음식을 권하는 표현
   M   No, thanks. _____ _____.

② W   What does your sister look like?
   M   She likes _____ _____ _____. 🔑정답 근거

③ W   How can I turn the computer off?
   M   Press the _____ here.

④ W   When does your club meet?
   M   Every _____ after school.

⑤ W   You shouldn't bring a dog into the shopping mall.
      shouldn't+동사원형: ~해서는 안 된다(금지)
   M   Sorry. I _____ _____ _____.

🔙 **Solution Tip**
② What do[does] ~ look like?는 '~는 어떻게 생겼니?'라는 의미로 외모나 생김새를 묻는 표현이므로 She's tall and thin.(그녀는 키가 크고 말랐어.) 등과 같이 외모에 관해 대답해야 자연스럽다.

18 장소

대화를 듣고, 두 사람이 대화하는 장소로 가장 적절한 곳을 고르시오.
① 은행   ② 우체국   ③ 옷가게
④ 공항   ⑤ 매표소

남 안녕하세요. 무엇을 도와드릴까요?
여 저는 델라웨어로 가는 기차표 한 장을 사고 싶습니다.
남 물론입니다. 다음 기차는 10시 20분에 떠납니다. 괜찮습니까?
여 네. 그런데, 일등석은 얼마인가요?
남 200달러입니다. 비즈니스석은 130달러입니다.
여 일등석으로 할게요. 여기 200달러입니다.

M   Hello. How can I help you?

W   I would like one _____ _____ to Delaware, please. 🔑정답 근거
     would like+명사: ~을 원하다

M   Sure. The next train leaves at 10:20. Is that _____ _____?

W   Yes. By the way, how much is a first-class ticket?
     그런데(화제를 전환하는 표현)

M   It's 200 dollars. A business-class ticket is 130 dollars.

W   I'll _____ _____ _____ _____. Here's 200 dollars.

19 이어질 말 ①

대화를 듣고, 여자의 마지막 말에 이어질 남자의 말로 가장 적절한 것을 고르시오.

Man: _____

① By bike.
② Twice a week.
③ It's my first time swimming.
④ I need a new swimming suit.
⑤ I learned it from my dad.

여 안녕, Mike. 즐거운 방학 보냈니?
남 오, 그래. 너를 다시 만나서 반가워, Bella.
여 나도 그래. 너는 살이 좀 빠진 것 같은데.
남 음, 그래. 나는 아침에 수영 강습을 받고 있어.
여 정말? 일어나기 어렵지 않니?
남 그렇긴 한데, 나는 오후에 시간이 없거든.
여 얼마나 자주 수영을 가니?
남 ② 일주일에 두 번.

W Hi, Mike. Did you have a good _____?

M Oh, yes. Good to see you again, Bella.
오랜만에 만난 사람에게 반가움을 나타내는 표현

W Me too. You look like you _____ _____ _____.

M Well, yes. I'm taking swimming lessons in the morning.
take a lesson: 강습을 받다

W Really? Isn't it hard to _____ _____?

M Yes, but I don't have time in the afternoon.
일어나기 어렵다는 의미

W ☛ _____ _____ do you go swimming? 🔔정답 근거

M ② Twice a week.

🔙 **Solution Tip**

How often ~?은 '얼마나 자주 ~?'라는 의미로 빈도를 묻는 표현이다.

① 자전거로.　　　　　　③ 나는 수영하는 것이 처음이야.
④ 나는 새 수영복이 필요해.　⑤ 나는 우리 아빠에게 그것을 배웠어.

20 이어질 말 ②

대화를 듣고, 여자의 마지막 말에 이어질 남자의 말로 가장 적절한 것을 고르시오.

Man: _____

① Sure, no problem.
② She's my favorite author.
③ Not at all. Go ahead.
④ It's next to children's books.
⑤ Thanks for helping me.

남 무엇을 도와드릴까요?
여 저는 '제인 에어'라는 책을 찾고 있었는데, 찾을 수가 없었어요.
남 컴퓨터로 찾아 보셨나요?
여 이미 해봤는데, 그것은 책꽂이에 없었어요.
남 잠시만 기다려 주세요. (타이핑 하는 소리) 음… 그것은 분실된 것 같습니다.
여 다른 책 한 부를 가져오실 건가요?
남 네, 그럴 거예요.
여 책이 들어오면 제게 전화해 주시겠어요?
남 ① 네, 물론입니다.

M What can I do for you?

W I was looking for a book, *Jane Eyre*, but I couldn't find it.
동격 관계

M Did you _____ _____ _____ on the computer?

W I already did, but it wasn't on the _____.
looked it up on the computer

M Wait a second, please. [*Typing*] Umm... I think we
잠시만 기다려 주세요
_____ _____.

W Will you get another copy?

M Yes, we will.

W Could you please _____ _____ _____ _____
요청하는 표현
when you get it in? 🔔정답 근거

M ① Sure, no problem.

② 그녀는 제가 가장 좋아하는 작가입니다.　③ 전혀요. 그렇게 하세요.
④ 그것은 아동 도서 옆에 있습니다.　⑤ 도와주셔서 감사합니다.

모의고사를 먼저 풀고 싶으면 74쪽으로 이동하세요.

🎧 다음 표현을 듣고 모르는 것에 표시하시오.

01 rainy 비가 오는	25 join 함께 하다
02 storm 태풍	26 invite 초대하다
03 absent 결석한	27 send 보내다
04 empty 빈, 비어 있는	28 package 소포
05 close 닫다	29 sweat 땀을 흘리다; 땀
06 kitchen 부엌	30 fill 채우다
07 sew 바느질하다	31 deliver 배달하다
08 scale 저울	32 healthy 건강한
09 result 결과	33 heavy rain 폭우
10 weigh 무게가 ~이다	34 half an hour 30분
11 travel 여행하다	35 be careful of ~을 조심하다
12 friendly 친절한, 다정한	36 build a snowman 눈사람을 만들다
13 playful 장난치기 좋아하는	37 save up 돈을 모으다
14 smart 똑똑한	38 throw away 버리다
15 miss 놓치다	39 get good grades 좋은 성적을 받다
16 fur 털	40 eat out 외식하다
17 plant (나무 등을) 심다	41 fall down 넘어지다
18 vegetable 채소	42 have a flat tire 타이어가 펑크 나다
19 view 전망, 경관	
20 hole 구멍	✍ 알아두면 유용한 선택지 **어휘**
21 fix 고치다, 수리하다	43 sandals 샌들
22 quit 그만두다	44 flat shoes 플랫 슈즈[굽이 낮은 신발]
23 hand 건네주다	45 have a cold 감기에 걸리다
24 donate 기부[기증]하다	46 movie critic 영화 평론가

🎧 들으면서 표현을 완성한 다음, 뜻을 고르시오.

표현의 의미를 생각하며 다시 써 보기!

01 s◻orm — ☐ 태풍 ☐ 지진   ➡ _____

02 ho◻e — ☐ 구멍 ☐ 저울   ➡ _____

03 ◻egeta◻le — ☐ 고기 ☐ 채소   ➡ _____

04 kitc◻en — ☐ 부엌 ☐ 욕실   ➡ _____

05 ab◻ent — ☐ 참석한 ☐ 결석한   ➡ _____

06 s◻eat — ☐ 채우다 ☐ 땀을 흘리다   ➡ _____

07 em◻ty — ☐ 빈, 비어 있는 ☐ 가득 찬   ➡ _____

08 in◻ite — ☐ 떠나다 ☐ 초대하다   ➡ _____

09 ◻uit — ☐ 그만두다 ☐ 계속하다   ➡ _____

10 ◻esult — ☐ 원인 ☐ 결과   ➡ _____

11 fi◻ — ☐ 건네주다 ☐ 고치다, 수리하다   ➡ _____

12 de◻iver — ☐ 배달하다 ☐ 받다   ➡ _____

13 ◻acka◻e — ☐ 편지 ☐ 소포   ➡ _____

14 plan◻ — ☐ (나무 등을) 베다 ☐ (나무 등을) 심다   ➡ _____

15 do◻ate — ☐ 기부하다 ☐ 장식하다   ➡ _____

16 heal◻hy — ☐ 건강 ☐ 건강한   ➡ _____

17 t◻avel — ☐ 머무르다 ☐ 여행하다   ➡ _____

18 ◻riendly — ☐ 친절한 ☐ 못된   ➡ _____

5회 중학

실전 모의고사 [05]회

실전 모의고사 05회 →
모의고사 보통 속도
모의고사 빠른 속도

✎ 들으면서 주요 표현 메모하기!

01 다음을 듣고, 'this'가 가리키는 것으로 가장 적절한 것을 고르시오.

①   ②   ③   ④   ⑤

02 대화를 듣고, 여자가 구입할 신발로 가장 적절한 것을 고르시오.

①   ②   ③   ④   ⑤

03 다음을 듣고, 홍콩의 오늘 날씨로 가장 적절한 것을 고르시오.

①   ②   ③   ④   ⑤

04 대화를 듣고, 남자가 한 마지막 말의 의도로 가장 적절한 것을 고르시오.
① 동의   ② 감사   ③ 의심   ④ 칭찬   ⑤ 충고

고난도   선택지 하나씩 체크하며 풀기

05 다음을 듣고, 남자가 고양이에 대해 언급하지 <u>않은</u> 것을 고르시오.
① 나이   ② 몸무게   ③ 털의 색
④ 성격   ⑤ 좋아하는 음식

06 대화를 듣고, 두 사람이 만날 시각을 고르시오.

① 3:30 p.m.   ② 4:00 p.m.   ③ 4:30 p.m.
④ 5:00 p.m.   ⑤ 5:30 p.m.

들으면서 주요 표현 메모하기!

07 대화를 듣고, 남자의 장래 희망으로 가장 적절한 것을 고르시오.

① 마술사   ② 편집자   ③ 영화 평론가
④ 뮤지컬 배우   ⑤ 기타 연주자

고난도 핵심 표현 메모하며 풀기

08 대화를 듣고, 남자가 다녀온 여행에 대한 내용으로 일치하지 않는 것을 고르시오.

① 방학 동안 유럽을 다녀왔다.   ② 4개국을 여행했다.
③ 파리에서 2주 동안 있었다.   ④ 루브르 박물관을 관람했다.
⑤ 에펠탑을 방문했다.

09 대화를 듣고, 여자가 대화 직후에 할 일로 가장 적절한 것을 고르시오.

① 슈퍼마켓 가기   ② 요리하기   ③ 빨래하기
④ 할머니 마중 가기   ⑤ 바닥 청소하기

10 대화를 듣고, 무엇에 관한 내용인지 가장 적절한 것을 고르시오.

① 방과 후 활동   ② 주말 계획   ③ 영어 잘하는 법
④ 기말고사 결과   ⑤ 컴퓨터 수리

틀린 문제는 Dictation에서 완벽하게 이해하세요.

실전 모의고사 [05]회

11 대화를 듣고, 두 사람이 오늘 밤에 이용할 교통수단으로 가장 적절한 것을 고르시오.

① 버스   ② 택시   ③ 지하철

④ 자가용   ⑤ 자전거

12 대화를 듣고, 여자가 내일 소풍을 갈 수 <u>없는</u> 이유로 가장 적절한 것을 고르시오.

① 감기에 걸려서   ② 조깅을 해야 해서

③ 친구와 쇼핑해야 해서   ④ 동생을 돌봐야 해서

⑤ 콘서트 연습을 해야 해서

13 대화를 듣고, 두 사람이 대화하는 장소로 가장 적절한 곳을 고르시오.

① 우체국   ② 세탁소   ③ 주유소   ④ 사진관   ⑤ 가구점

14 대화를 듣고, 여자가 찾고 있는 필통의 위치로 가장 알맞은 것을 고르시오.

고난도   핵심 표현 메모하며 풀기

15 대화를 듣고, 남자가 여자에게 부탁한 일로 가장 적절한 것을 고르시오.

① 세탁소에 옷 맡기기   ② 바지 환불하기

③ 빈자리 맡아주기   ④ 바지 수선하기

⑤ 면접 연습 함께 하기

16 대화를 듣고, 여자가 남자에게 제안한 것으로 가장 적절한 것을 고르시오.

① 서점 방문하기   ② 분리수거하기
③ 동화책 쓰기   ④ 중고 서적 기증하기
⑤ 할인 쿠폰 찾아보기

> ✎ 들으면서 주요 표현 메모하기!

17 대화를 듣고, 여자가 오늘 한 일로 가장 적절한 것을 고르시오.

① 꽃 심기   ② 춤 연습하기   ③ 쿠키 굽기
④ 자전거 타기   ⑤ 줄넘기 연습하기

18 대화를 듣고, 남자의 직업으로 가장 적절한 것을 고르시오.

① 판매원   ② 비행기 승무원   ③ 치과 의사
④ 미용사   ⑤ 자동차 수리공

[19-20] 대화를 듣고, 여자의 마지막 말에 이어질 남자의 말로 가장 적절한 것을 고르시오.

> 여자의 마지막 말에 집중하기

19 Man: _____

① I don't like Italian food.
② Thanks, but I'm full.
③ There's no restaurant near here.
④ The food was terrible last time.
⑤ I'm going to cook myself tonight.

20 Man: _____

① I can't wait.   ② That's too bad.
③ Because he has a cold.   ④ That's okay. Never mind.
⑤ You should say sorry to him.

> 틀린 문제는 Dictation에서 완벽하게 이해하세요. 💬

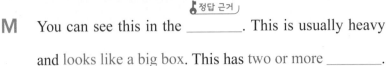

01 그림 지칭
*들을 때마다 체크

다음을 듣고, 'this'가 가리키는 것으로 가장 적절한 것을 고르시오.

① ② ③

④ ⑤

M You can see this in the _____. This is usually heavy

and looks like a big box. This has two or more _____.
　　　　　~처럼 보이다

You put food and drinks in this to _____ _____

_____. What is this?

🔑정답 근거

남 여러분은 이것을 부엌에서 볼 수 있습니다. 이것은 보통 무게가 무겁고 큰 상자처럼 보입니다. 이것은 두 개 또는 그 이상의 문을 가지고 있습니다. 여러분은 음식과 음료를 차갑게 유지하기 위해 이것 안에 넣습니다. 이것은 무엇일까요?

02 그림 묘사

대화를 듣고, 여자가 구입할 신발로 가장 적절한 것을 고르시오.

① ② ③

④ ⑤

W Bradley, can you help me? I can't choose _____

_____ to buy.

M Sure. What kind of shoes do you want?

W I want sneakers or _____.

M I think you should get boots because _____ _____
　　　　　　충고하는 표현

_____.

🔑정답 근거

W You're right. I'll get boots. What do you think of these
　　　　　　　　　　　　　　　　　의견을 묻는 표현

long boots? 함정 주의

M They're too long. What about these _____ _____?

W Oh, I love them! Wait here. I'll go and pay.
　　boots가 복수이므로 대명사 them을 씀

여 Bradley, 나를 도와주겠니? 어떤 신발을 사야 할지 못 고르겠어.
남 물론이지. 너는 어떤 종류의 신발을 원하니?
여 나는 운동화나 부츠를 원해.
남 겨울이 다가오니까 부츠를 사는 게 좋을 거야.
여 맞아. 부츠를 사야겠어. 이 긴 부츠 어떠니?
남 그건 너무 길어. 이 짧은 것은 어때?
여 오, 마음에 들어! 여기서 기다려. 가서 계산하고 올게.

Sound Tip kind of
앞 단어의 끝 자음과 뒤 단어의 첫 모음이 연음되어 [카인더브]로 발음된다. of의 [v]소리가 탈락되어 [카이너]로 발음되기도 한다.

Dictation 05회 →
전체 듣기
문항별 듣기

Dictation의 효과적인 활용법
STEP1 들으면서 대본의 빈칸 채우기
STEP2 축쇄 문제를 보며 다시 풀어보기
STEP3 해석을 보며 영어로 말하거나 영작해 보기

공부한 날   월   일

03 날씨

다음을 듣고, 홍콩의 오늘 날씨로 가장 적절한 것을 고르시오.

①
②
③
④
⑤

W Good morning! Here is today's world weather forecast. In Bangkok, the weather will be _____ but _____. Sydney will be very hot and cloudy. There is a _____ _____ in Hong Kong. So people there should be _____ _____ heavy rain and strong wind. 폭우 In Seoul, kids will be able to _____ _____ ~할 수 있을 것이다 _____ as snow will fall all day. 함정 주의

여 좋은 아침입니다! 오늘의 세계의 일기예보입니다. 방콕은 날씨가 따뜻하지만 비가 올 것입니다. 시드니는 매우 덥고 흐릴 것입니다. 홍콩에는 대형 태풍이 있습니다. 따라서 그곳 사람들은 폭우와 강풍에 주의하셔야 합니다. 서울에는 온종일 눈이 내릴 것이기 때문에 아이들은 눈사람을 만들 수 있을 것입니다.

04 말의 의도

대화를 듣고, 남자가 한 마지막 말의 의도로 가장 적절한 것을 고르시오.
① 동의   ② 감사   ③ 의심
④ 칭찬   ⑤ 충고

M Hi, Jessy. You look happy today.
look+형용사: ~하게 보이다

W I really am. I just got _____ _____ _____ and
(happy)
guess what?
놀랄만한 소식을 알리기 전에 쓰는 표현

M Did you get good grades?
좋은 성적을 받다

W Yes, I got _____ A's! Can you believe it?

M Wow! You _____ _____ _____ _____. I'm happy for you. 정답 근거

남 안녕, Jessy. 너 오늘 행복해 보여.
여 나는 정말 행복해. 난 방금 시험 결과를 받았는데, 어떨 것 같아?
남 좋은 성적을 받았니?
여 응, 나는 전 과목 A를 받았어! 믿어지니?
남 와! 너 정말 잘했구나. 정말 잘됐다.

Solution Tip
You did a good job.은 상대방이 어떤 일을 잘했을 때 칭찬하는 표현이다. Good job!으로 줄여 쓰기도 하고 Well done!과 Way to go! 등도 '잘했어!'라는 칭찬의 의미로 쓰인다.

05 언급하지 않은 것 □□

다음을 듣고, 남자가 고양이에 대해 언급하지 <u>않은</u> 것을 고르시오.
① 나이   ② 몸무게   ③ 털의 색
④ 성격   ⑤ 좋아하는 음식

남 여러분께 제 고양이 Lucy에 대해 이야기하겠습니다. 그녀는 8살입니다. 그녀는 밝은 초록색 눈과 진한 회색 털을 가지고 있습니다. 그녀는 장난치기를 좋아하며 다정합니다. 그녀는 또한 아주 똑똑해서 문을 여는 방법을 알고 있습니다. 그녀가 가장 좋아하는 음식은 닭고기이고, 채소는 절대 먹지 않습니다.

M Let me tell you about my cat Lucy. She is _____ 정답 근거 _____ _____. She has bright green eyes and dark gray fur. She is playful and _____. She is also very smart, so she knows how to open the door. Her favorite

how+to부정사: ~하는 방법

food is _____, and she never eats _____.

Solution Tip
고양이의 나이(8살)와 털의 색(진한 회색), 성격(장난치기 좋아하며 다정함)과 좋아하는 음식(닭고기)은 언급했지만 몸무게는 언급하지 않았다.

06 시각 □□

대화를 듣고, 두 사람이 만날 시각을 고르시오.
① 3:30 p.m. ② 4:00 p.m.   ③ 4:30 p.m.
④ 5:00 p.m. ⑤ 5:30 p.m.

📞 *Cellphone rings.*

M Hello, Mom.

W Nick, _____ _____ _____ we need to pick up your sister today?

🔺함정 주의 여동생이 기차역에 도착하는 시각이 5시 30분임

M Oh, sure. Does she arrive at 5:30 p.m. at the train station?

W Yes, so I'll _____ _____ _____ at 4 in front of

~ 앞에

your school.

M Can you come _____ _____ _____ later than

비교급+than:
~보다 더 …한[하게]

that? Mr. Sandler wants to see me at 4.

W _____ _____. See you at 4:30 then. 🎵정답 근거

[휴대 전화가 울린다.]
남 여보세요, 엄마.
여 Nick, 너 우리가 오늘 네 여동생을 데리러 가야 한다는 것 기억하니?
남 오, 물론이죠. 그녀는 기차역에 오후 5시 30분에 도착하나요?
여 응, 그러니 내가 4시에 학교 앞으로 널 데리러 갈게.
남 그것보다 30분 더 후에 오실 수 있으세요? Sandler 선생님께서 4시에 저를 보기를 원하시거든요.
여 좋아. 그럼 4시 30분에 보자.

Sound Tip in front of
front의 [t]소리가 뒤의 모음과 연음되어 [인프런터브] 또는 [인프러너브]로 발음된다.

07 장래 희망

대화를 듣고, 남자의 장래 희망으로 가장 적절한 것을 고르시오.
① 마술사　　　② 편집자
③ 영화 평론가　　④ 뮤지컬 배우
⑤ 기타 연주자

여 얘, Jake. 이번 토요일에 뮤지컬 보러 갈래?
남 그러고 싶은데, 안 돼. 다음에 가자.
여 다른 계획이 있니?
남 아니, 하지만 나는 기타를 사려고 돈을 모으는 중이거든.
여 기타라고?
남 응. 나는 언젠가 훌륭한 기타 연주자가 되고 싶기 때문에 좋은 기타가 필요해.

W　Hey, Jake. ＿＿＿＿＿ ＿＿＿＿＿ seeing a musical this

Saturday?

(함정 주의)

M　I'd love to, but I can't. ＿＿＿＿＿ ＿＿＿＿＿ ＿＿＿＿＿.
제안을 거절하는 표현

W　Do you have other plans?

M　No, but I'm ＿＿＿＿＿ ＿＿＿＿＿ some money for a guitar.

W　A guitar?

M　Yes. I need a good guitar because I hope to be a

＿＿＿＿＿ ＿＿＿＿＿ someday. 🎸정답 근거

08 일치하지 않는 것

대화를 듣고, 남자가 다녀온 여행에 대한 내용으로 일치하지 않는 것을 고르시오.
① 방학 동안 유럽을 다녀왔다.
② 4개국을 여행했다.
③ 파리에서 2주 동안 있었다.
④ 루브르 박물관을 관람했다.
⑤ 에펠탑을 방문했다.

여 David, 난 네가 방학 동안 유럽 여행을 했다고 들었어.
남 응, 나는 정말 멋진 시간을 보냈어.
여 너는 몇 개의 국가를 방문했니?
남 4개국, 하지만 내가 가장 좋았던 것은 프랑스였어. 나는 파리에서 2주일을 보냈어.
여 너 루브르 박물관을 방문했니?
남 오, 그곳에서의 마지막 날에 박물관이 휴관해서 가지 못했어.
여 안됐구나.
남 하지만 나는 에펠탑을 방문했어. 에펠탑에서의 전망은 아름다웠어.

W　David, I heard you traveled to Europe ＿＿＿＿＿ the
(that)

vacation.

M　Yeah, I had a wonderful time.

W　How many ＿＿＿＿＿ did you visit?
How many+셀 수 있는 명사 ~?: 개수를 물을 때 쓰는 표현

M　Four, but my favorite was France. I spent two weeks in
'가장 좋아하는 것'이라는 의미의 명사로 쓰임

Paris.

W　Did you visit the Louvre Museum?

M　Oh, I ＿＿＿＿＿ ＿＿＿＿＿ because it was closed on my
= the Louvre Museum

last day there. 🎸정답 근거

W　Sorry to hear that.
(안 좋은 소식에 대해) 유감을 나타내는 표현

M　But ＿＿＿＿＿ ＿＿＿＿＿ the Eiffel Tower. The view from

the Eiffel Tower was ＿＿＿＿＿.

👉 **Solution Tip**

miss가 '놓치다'라는 의미로 쓰였음에 유의한다.

09 바로 할 일

대화를 듣고, 여자가 대화 직후에 할 일로 가장 적절한 것을 고르시오.
① 슈퍼마켓 가기　② 요리하기
③ 빨래하기　④ 할머니 마중 가기
⑤ 바닥 청소하기

남 Susan, 할머니께서 오늘 오후에 우리 아파트에 오셔.
여 오, 잘됐군요. 그녀는 얼마나 오래 머무르세요?
남 3일 동안.
여 알겠어요. 저는 그녀가 도착하시기 전에 바닥을 청소할게요.
남 좋아. 나는 음식을 좀 만들게. 오, 하나 더 있어.
여 뭔가요?
남 슈퍼마켓에 가서 녹차 좀 사다 주겠니? 그녀는 녹차를 정말 좋아하셔.
여 물론이죠. 바닥 청소를 끝낸 후에 그렇게 할게요.

M Susan, Grandma is coming to our apartment this afternoon.

W Oh, that's nice. _____ _____ is she going to stay?

M For three days.
　for+구체적인 시간의 길이: ~ 동안

W Okay. _____ _____ _____ _____ before she arrives.
　　　　　　　　　　🐳 함정 주의

M Sounds good. I'll cook some food. Oh, one more thing.

W _____ _____ _____?

M Can you go to the supermarket and buy some green tea? She loves green tea.

W Sure. I'll do that _____ I finish cleaning the floor.
　🎵 정답 근거　　　　　　finish+동명사: ~하기를 끝내다

10 대화 화제

대화를 듣고, 무엇에 관한 내용인지 가장 적절한 것을 고르시오.
① 방과 후 활동
② 주말 계획
③ 영어 잘하는 법
④ 기말고사 결과
⑤ 컴퓨터 수리

여 얘, 세호야. 너는 방과 후에 어떤 활동을 하니?
남 나는 매일 방과 후에 영어 수업을 가.
여 너는 그것을 좋아하니?
남 응, 그건 재밌어. 우리는 게임을 하고 팝송을 불러. 너는 어때?
여 나는 방과 후 컴퓨터 수업이 있어. 그건 때때로 어려워.

🎵 정답 근거

W Hey, Seho. _____ _____ do you do after school?

M Every day after school, I go to English class.

W Do you _____ _____?

M Yes, it's fun. We play games and _____ _____ _____ _____. What about you?
　　　　　　　　　　　= What activities do you do after school?

W I have an after-school computer class. It's sometimes _____.

11 교통수단

대화를 듣고, 두 사람이 오늘 밤에 이용할 교통수단으로 가장 적절한 것을 고르시오.
① 버스　　② 택시　　③ 지하철
④ 자가용　　⑤ 자전거

여 여보, 이것 좀 봐요. 내 자동차 타이어가 펑크 났어요.
남 오, 저런! 이제 집에 어떻게 가죠?
여 음, 내가 타이어를 갈아끼우는 것을 도와줄 수 있을 것 같아요.
남 그렇긴 하지만, 그건 시간이 너무 오래 걸릴 거예요. 우리는 버스 정류장에서 멀지 않은데요.
여 버스를 타고 싶어요?
남 물론이죠. 우리는 오늘 밤에 버스를 타고 집에 가서 내일 당신의 자동차를 수리하기 위해 다시 오면 돼요.
여 알겠어요. 좋은 계획이군요.

W　Honey, take a look at this. My car has a _____ _____.
　　　　～을 보다

M　Oh, my! How will we get home now?
　　놀랐을 때 쓰는 표현

W　Well, do you think you can _____ _____ _____ the tire? 🍎함정 주의

M　Yeah, but that will take too long. _____ _____
　　　　　타이어를 갈아끼우는 것을 가리킴
　　_____ from the bus stop.

W　Do you want to take the bus?
　　　　　　🎵정답 근거

M　Sure. We can _____ _____ _____ _____
　　tonight and come back tomorrow to fix your car.
　　　　　　　　　　　　　　　　　to부정사의 부사적 용법(목적)

W　Okay. That's a good plan.

12 이유

대화를 듣고, 여자가 내일 소풍을 갈 수 <u>없는</u> 이유로 가장 적절한 것을 고르시오.
① 감기에 걸려서
② 조깅을 해야 해서
③ 친구와 쇼핑해야 해서
④ 동생을 돌봐야 해서
⑤ 콘서트 연습을 해야 해서

남 안녕, Amanda. Beth와 나는 내일 소풍 갈 건데. 너도 함께 갈래?
여 John, 초대해줘서 고맙지만, 나는 내일 시간이 없어.
남 학교 밴드 콘서트를 위해 연습해야 하니?
여 아니, 나는 학교 밴드를 그만뒀어. 나는 내일 조깅을 가야 해.
남 왜 다른 날 조깅을 갈 수 없니?
여 나는 다음 주말에 마라톤을 뛸 거라서 연습을 해야 해.

M　Hi, Amanda. Beth and I are going on a _____ tomorrow. Do you want to join us?

W　Thanks for _____ _____, John, but I don't have time tomorrow.

M　Do you have to practice for the school band concert?　🍎함정 주의

W　No, I quit the school band. I have to _____ _____ tomorrow. 🎵정답 근거

M　Why can't you go jogging on another day?

W　I'm _____ _____ _____ next weekend and I need to practice.

🔊 Sound Tip　join us
앞 단어의 끝 자음과 뒤 단어의 모음이 연음되어 [조이너스]로 발음된다.

5회
받아쓰기

13 장소

대화를 듣고, 두 사람이 대화하는 장소로 가장 적절한 곳을 고르시오.
① 우체국　　② 세탁소　　③ 주유소
④ 사진관　　⑤ 가구점

남 안녕하세요. 저는 이 소포를 보내고 싶습니다.
여 이 라벨에 주소를 적고 상자에 붙이세요.
남 알겠습니다. 소포를 저울에 올려야 하나요?
여 그렇게 해주세요. (…) 됐습니다, 소포는 1킬로그램입니다. 5달러예요.
남 네, 여기 있습니다. 소포는 언제 배달되나요?
여 우체부가 금요일까지 배달할 겁니다.

M Hello. I'd like to _____ _____ _____. 🎸정답 근거

W Please write the address on this label and stick it on the box.

M Okay. _____ _____ _____ the package on the scale?

W Yes, please. (…) Okay, your package weighs 1 kilogram. That'll be five dollars.

M Okay, _____ _____ _____. When will the package be delivered?

W The postman will deliver it _____ _____.

🔊 Sound Tip **weighs**
weighs의 gh는 묵음이라서 [웨이즈]로 발음된다. '무게가 ~이다; 무게를 달다'라는 의미의 weigh는 '길; 방법'을 뜻하는 단어 way와 발음이 같으므로 문맥상 의미로 판단해야 한다.

14 그림 위치

대화를 듣고, 여자가 찾고 있는 필통의 위치로 가장 알맞은 것을 고르시오.

여 Jim, 나는 필통을 찾고 있는데 그것이 보이지 않아.
남 내 생각에 그것은 네 배낭 안에 있을 것 같은데.
여 거기 없어.
남 그럼 책꽂이 위를 찾아보렴.
여 알겠어. (…) 아냐, 여기에도 없어.
남 찾았어! 여기 컴퓨터 옆에 있네.

W Jim, I'm looking for my pencil case, but I _____ _____ _____.

M I think it's in your backpack. 함정 주의

W It's not there.

M Then look on the _____. 함정 주의

W Okay. (…) No, not here either.
　　부정문에서 '~도 마찬가지이다'라는 의미로 쓰임

M I found it! It's here next to the _____. 🎸정답 근거

15 부탁한 일

대화를 듣고, 남자가 여자에게 부탁한 일로 가장 적절한 것을 고르시오.
① 세탁소에 옷 맡기기
② 바지 환불하기
③ 빈자리 맡아주기
④ 바지 수선하기
⑤ 면접 연습 함께 하기

여 Dave, 너는 네 바지에 구멍이 난 것을 알고 있었니?
남 뭐? 구멍이라고? 오, 안 돼!
여 뭐가 대수니? 바지를 갈아입으면 되잖아.
남 그럴 수 없어. 오늘 이따가 취업 면접에서 이 바지를 입어야 하거든.
여 오, 그래. 그게 문제구나.
남 난 네가 바느질을 잘한다고 들었어. 네가 구멍을 수선할 수 있을 것 같니?
여 응, 해볼게. 가서 내 바느질 상자를 찾아볼게.

🇬🇧

W Dave, did you know that _____ _____ _____ in your pants?

M What? There's a hole? Oh, no!

W What's the big deal? You can just _____ your pants.
뭐가 대수니?[별거 아냐.]

M _____ _____ . I have to wear these pants to a job interview later today.

W Oh, I see. That is a problem.

M I heard you're good at sewing. Do you think you _____ _____ the hole? 🎵정답 근거

W Okay, _____ _____ . Let me go find my sewing
                                          ∧
                                        (and)
kit.

> 🔊 Sound Tip **interview**
> [인터뷰]로 발음되기도 하고, [n] 다음에 오는 [t]가 [n]소리에 동화되어 [이너뷰]로 발음되기도 한다.

16 제안한 것

대화를 듣고, 여자가 남자에게 제안한 것으로 가장 적절한 것을 고르시오.
① 서점 방문하기
② 분리수거하기
③ 동화책 쓰기
④ 중고 서적 기증하기
⑤ 할인 쿠폰 찾아보기

여 이 커다란 빈 상자는 뭐니?
남 오, 그건 내 것이야. 나는 그것을 헌 책으로 채울 거야.
여 그렇구나. 너는 그것들을 버릴 거니?
남 응. 왜?
여 나는 그것들을 아동 센터에 기증하는 것이 좋을 것 같아.
남 멋진 생각이야.

W What's this big empty box?

M Oh, _____ _____ . I'm going to fill it with old
                                            fill A with B: A를 B로 채우다
books.

W I see. Are you going to _____ them _____ ?
                                    old books를 가리킴

M Yes. Why?

W I think it would be nice to _____ _____ to the children's center. 🎵정답 근거

M That's a _____ _____ .

17 과거에 한 일

대화를 듣고, 여자가 오늘 한 일로 가장 적절한 것을 고르시오.
① 꽃 심기　　② 춤 연습하기
③ 쿠키 굽기　　④ 자전거 타기
⑤ 줄넘기 연습하기

W　Dad, I'm home.

M　Hi, Olivia. Oh, _____ _____ a lot.

W　Yes. It's too hot out there.
　　비인칭 주어(날씨)

M　Did you practice _____ again?　함정 주의

W　No, not today. I _____ _____ _____ in the school garden. 정답 근거

M　I see. Come have some ice cream.
　　Come and have ~.에서 and가 생략됨

여　아빠, 저 집에 왔어요.
남　안녕, Olivia. 오, 너 땀을 많이 흘리고 있구나.
여　네, 밖에 너무 더워요.
남　또 춤 연습을 했니?
여　아뇨, 오늘은 아니에요. 저는 학교 정원에 꽃을 좀 심었어요.
남　그렇구나. 와서 아이스크림 좀 먹으렴.

18 직업

대화를 듣고, 남자의 직업으로 가장 적절한 것을 고르시오.
① 판매원　　② 비행기 승무원
③ 치과 의사　　④ 미용사
⑤ 자동차 수리공

M　Hello again. Long time no see.
　　오랜만에 만났을 때 쓰는 표현

W　Right. I know I should come here _____ _____ _____, but I was too busy.

M　Do any of _____ _____ hurt? 정답 근거

W　No, I think they are all healthy.

M　Well, I _____ _____ _____ your teeth to see if there are any problems.
　　~인지 아닌지(= whether)

W　I hope not.

M　_____ _____ _____ _____, please.

🔊 Solution Tip

남자가 여자의 치아 상태를 점검하고 있으므로 남자는 치과 의사임을 알 수 있다.

남　또 오셨군요. 오랜만입니다.
여　맞아요. 저는 여기 일 년에 두 번 와야 하는 것을 알고 있지만, 너무 바빴어요.
남　이가 아프신가요?
여　아뇨, 모두 튼튼한 것 같아요.
남　음, 문제가 있는지 알아보기 위해 이를 검사해야겠군요.
여　문제가 없었으면 좋겠네요.
남　입을 크게 벌리세요.

19 이어질 말 ①

대화를 듣고, 여자의 마지막 말에 이어질 남자의 말로 가장 적절한 것을 고르시오.

Man: _____

① I don't like Italian food.
② Thanks, but I'm full.
③ There's no restaurant near here.
④ The food was terrible last time.
⑤ I'm going to cook myself tonight.

남 오늘 밤에 외식하는 게 어떠니, Jennifer?
여 좋아. 너는 어떤 종류의 음식이 먹고 싶니?
남 난 이탈리아 음식을 먹고 싶어.
여 그럼 Sally's Restaurant에 다시 가 볼래?
남 아니. 거기는 가지 말자.
여 왜?
남 ④ 지난번에 음식이 형편없었거든.

M How about eating out tonight, Jennifer?

W Sounds good. _____ _____ _____ _____ do you want?

M I'd like Italian food.
나는 ~을 원해.(cf. I like ~.: 나는 ~을 좋아해.)

W Then _____ _____ _____ _____ go to Sally's Restaurant again?

M No. Let's not go there. 정답 근거
~하지 말자. (Let's ~.의 부정문)

W _____ _____?

M ④ The food was terrible last time.

▶ **Solution Tip**
여자가 제안한 음식점에 가지 말자고 한 이유에 대해 답하는 것이 적절하다.

① 나는 이탈리아 음식을 좋아하지 않아. ② 고맙지만, 나는 배불러.
③ 여기 근처에는 식당이 없어. ⑤ 나는 오늘 밤에 직접 요리할 거야.

20 이어질 말 ②

대화를 듣고, 여자의 마지막 말에 이어질 남자의 말로 가장 적절한 것을 고르시오.

Man: _____

① I can't wait.
② That's too bad.
③ Because he has a cold.
④ That's okay. Never mind.
⑤ You should say sorry to him.

남 안녕, Cindy! 부탁 하나 해도 되니?
여 물론이지. 뭔데?
남 이 책을 Alex에게 전해주겠니?
여 그는 오늘 결석했어.
남 왜?
여 그는 어제 계단에서 넘어져서 다리가 부러졌어.
남 많이 다쳤니?
여 응. 나는 그가 몇 주간 입원해야 한다고 들었어.
남 ② 안됐구나.

M Hi, Cindy! Can I _____ _____ _____ _____?

W Sure. What is it?

M Can you hand this book to Alex?

W _____ _____ today.

M Why?

W He fell down the stairs and _____ his leg yesterday.

M Was he badly hurt?

W Yes. I heard he has to be _____ _____ _____ for weeks. 정답 근거

M ② That's too bad.

① 정말 기대된다. ③ 왜냐하면 그는 감기에 걸렸거든.
④ 괜찮아. 신경 쓰지 마. ⑤ 너는 그에게 미안하다고 해야 해.

모의고사를 먼저 풀고 싶으면 90쪽으로 이동하세요.

🎧 다음 표현을 듣고 모르는 것에 표시하시오.

- [ ] 01 **fly** 파리
- [ ] 02 **sunflower** 해바라기
- [ ] 03 **insect** 곤충
- [ ] 04 **web** 거미줄
- [ ] 05 **major** 주요한
- [ ] 06 **lid** 뚜껑
- [ ] 07 **bottle** 병
- [ ] 08 **umbrella** 우산
- [ ] 09 **expect** 예상하다
- [ ] 10 **chef** 요리사, 주방장
- [ ] 11 **librarian** 도서관 사서
- [ ] 12 **repair** 수리; 수리하다
- [ ] 13 **loudly** 크게
- [ ] 14 **humor** 유머, 익살
- [ ] 15 **bored** 지루해하는
- [ ] 16 **expert** 숙련된, 전문적인; 전문가
- [ ] 17 **reason** 이유
- [ ] 18 **neighborhood** 근처, 이웃
- [ ] 19 **fantastic** 환상적인
- [ ] 20 **outdoors** 야외에서
- [ ] 21 **exactly** 정확히; 맞아[바로 그거야].
- [ ] 22 **bakery** 빵집, 제과점
- [ ] 23 **agency** 대리점, 서비스 제공 기관
- [ ] 24 **offer** 제공하다

- [ ] 25 **include** 포함하다
- [ ] 26 **pretty** 꽤, 상당히
- [ ] 27 **passport** 여권
- [ ] 28 **still** 아직도
- [ ] 29 **flight** 비행; 항공편
- [ ] 30 **otherwise** 그렇지 않으면
- [ ] 31 **eye contact** 시선을 마주침
- [ ] 32 **be afraid of** ~을 무서워하다
- [ ] 33 **be about to** 막 ~하려고 하다
- [ ] 34 **be in a hurry** 서두르다
- [ ] 35 **be supposed to** ~하기로 되어 있다
- [ ] 36 **make sure to** 반드시 ~하다
- [ ] 37 **cheer for** ~을 응원하다
- [ ] 38 **keep in mind** 명심하다
- [ ] 39 **break down** 고장이 나다
- [ ] 40 **try on** ~을 입어[신어]보다
- [ ] 41 **turn off** (전기, 수도, 가스 등을) 끄다
- [ ] 42 **throw a surprise party** 깜짝 파티를 열다

📝 알아두면 유용한 선택지 **어휘**

- [ ] 43 **receipt** 영수증
- [ ] 44 **sold out** 품절의; (표가) 매진된
- [ ] 45 **prefer** 선호하다
- [ ] 46 **fitting room** 탈의실

🎧 들으면서 표현을 완성한 다음, 뜻을 고르시오.

표현의 의미를 생각하며 다시 써 보기!

01 f☐ight ☐ 비행 ☐ 두려움 ➡ _____

02 ma☐or ☐ 사소한 ☐ 주요한 ➡ _____

03 ☐umor ☐ 유머, 익살 ☐ 슬픔 ➡ _____

04 in☐ect ☐ 식물 ☐ 곤충 ➡ _____

05 repai☐ ☐ 반납 ☐ 수리 ➡ _____

06 che☐ ☐ 수리공 ☐ 요리사 ➡ _____

07 ☐ncl☐de ☐ 포함하다 ☐ 제외시키다 ➡ _____

08 e☐actly ☐ 종종 ☐ 정확히 ➡ _____

09 u☐brella ☐ 우산 ☐ 비옷 ➡ _____

10 ☐ffer ☐ 제공하다 ☐ 빼앗다 ➡ _____

11 ☐oudly ☐ 작게 ☐ 크게 ➡ _____

12 ☐eighbor☐ood ☐ 근처, 이웃 ☐ 야외 ➡ _____

13 other☐ise ☐ 만약 ~라면 ☐ 그렇지 않으면 ➡ _____

14 bo☐ed ☐ 기쁜 ☐ 지루해하는 ➡ _____

15 ☐antas☐ic ☐ 환상적인 ☐ 형편없는 ➡ _____

16 li☐rarian ☐ 소방관 ☐ 도서관 사서 ➡ _____

17 ex☐ect ☐ 예상하다 ☐ 포기하다 ➡ _____

18 ☐eason ☐ 이유 ☐ 결과 ➡ _____

실전 모의고사 [06]회

실전 모의고사 06회 →
┌ 모의고사 보통 속도
└ 모의고사 빠른 속도

✎ 들으면서 주요 표현 메모하기!

01 다음을 듣고, 'I'가 무엇인지 가장 적절한 것을 고르시오.

①   ②   ③   ④   ⑤

02 대화를 듣고, 남자가 구입할 물병으로 가장 적절한 것을 고르시오.

①   ②   ③   ④   ⑤

03 다음을 듣고, 수요일의 날씨로 가장 적절한 것을 고르시오.

①   ②   ③  ④   ⑤

04 대화를 듣고, 여자가 한 마지막 말의 의도로 가장 적절한 것을 고르시오.

① 허락   ② 사과   ③ 칭찬   ④ 거절   ⑤ 충고

고난도 선택지 하나씩 체크하며 풀기

05 다음을 듣고, 남자가 언급하지 **않은** 것을 고르시오.

① 아버지의 직업   ② 어머니의 직업   ③ 가족의 출신지
④ 누나의 나이   ⑤ 누나의 특기

06 대화를 듣고, 두 사람이 만날 시각을 고르시오.

① 8:00 a.m.　　　② 8:30 a.m.　　　③ 9:00 a.m.
④ 9:30 a.m.　　　⑤ 10:00 a.m.

✎ 들으면서 주요 표현 메모하기!

07 대화를 듣고, 여자의 장래 희망으로 가장 적절한 것을 고르시오.

① 작가　　　② 변호사　　　③ 의사
④ 아나운서　　　⑤ 도서관 사서

08 대화를 듣고, 남자의 심정으로 가장 적절한 것을 고르시오.

① 설레는　　　② 화가 난　　　③ 지루한
④ 부러운　　　⑤ 우울한

고난도 핵심 표현 메모하며 풀기
09 대화를 듣고, 여자가 대화 직후에 할 일로 가장 적절한 것을 고르시오.

① 운동하기　　　　　② 자전거 수리점 가기
③ 헬멧 구입하기　　　④ 분실신고 하기
⑤ 자전거 구입하기

10 다음을 듣고, 무엇에 관한 내용인지 가장 적절한 것을 고르시오.

① 발표를 잘하는 법　　　② 눈 건강에 좋은 음식
③ 교실에서 지켜야 할 규칙　　　④ 친구에게 사과하는 법
⑤ 긍정적인 생각의 중요성

틀린 문제는 Dictation에서
완벽하게 이해하세요.

실전 모의고사 [06]회

✎ 들으면서 주요 표현 메모하기!

11 대화를 듣고, 두 사람이 이용할 교통수단으로 가장 적절한 것을 고르시오.
① 택시　　　　　② 버스　　　　　③ 자전거
④ 자가용　　　　⑤ 지하철

12 대화를 듣고, 여자가 약속을 취소한 이유로 가장 적절한 것을 고르시오.
① 눈병에 걸려서　　　　　② 리포트를 써야 해서
③ 자동차가 고장 나서　　　④ 날씨가 좋지 않아서
⑤ 병문안을 가야 해서

13 대화를 듣고, 두 사람이 대화하는 장소로 가장 적절한 곳을 고르시오.
① 우체국　　　　② 이삿짐센터　　　③ 박물관
④ 경찰서　　　　⑤ 출입국 관리소

14 대화를 듣고, 우체국의 위치로 가장 알맞은 것을 고르시오.

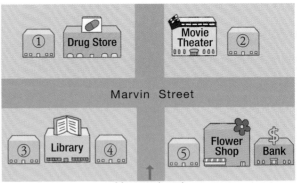

15 대화를 듣고, 남자가 여자에게 부탁한 일로 가장 적절한 것을 고르시오.
① 도시락 싸주기　　　② 선물 골라주기　　　③ 책 반납하기
④ 난방기구 끄기　　　⑤ 방 청소하기

16 대화를 듣고, 남자가 여자에게 제안한 것으로 가장 적절한 것을 고르시오.

① 외식하기   ② 수영장 가기

③ 테니스 치기   ④ 우산 사러 가기

⑤ 집에서 영화 보기

들으면서 주요 표현 메모하기!

17 대화를 듣고, 두 사람의 대화가 <u>어색한</u> 것을 고르시오.

①   ②   ③   ④   ⑤

18 대화를 듣고, 남자의 직업으로 가장 적절한 것을 고르시오.

① 매표소 직원   ② 건축가   ③ 성우

④ 여행사 직원   ⑤ 비행기 승무원

[19-20] 대화를 듣고, 남자의 마지막 말에 이어질 여자의 말로 가장 적절한 것을 고르시오.

남자의 마지막 말에 집중하기

19 Woman: _____

① They're only 20 dollars.

② Thanks. Here's the receipt.

③ Sorry, but they're all sold out.

④ I prefer white pants to black ones.

⑤ Sure. The fitting room is over there.

20 Woman: _____

① It's close to my house.   ② Me and my friend Ellen.

③ How about roses?   ④ At 7. Don't be late.

⑤ It'll be a lot of fun. I can't wait.

틀린 문제는 Dictation에서 완벽하게 이해하세요.

01 그림 지칭
*들을 때마다 체크

다음을 듣고, 'I'가 무엇인지 가장 적절한 것을 고르시오.

① ② ③

④ ⑤

여 나는 2개의 주요한 몸통 부위와 8개의 다리가 있습니다. 나는 날개가 없습니다. 나는 곤충을 먹이로 잡기 위해 거미줄을 만듭니다. 나는 파리, 개미, 그리고 벌레들을 먹습니다. 대부분의 사람들은 나를 무서워하지만, 어떤 사람들은 나를 애완용으로 키웁니다. 나는 무엇일까요?

🔑 정답 근거

W I have two major body parts and _____ _____. I do not have wings. I make _____ to catch insects for food. I eat flies, _____, and _____. Most people are afraid of me, but some people keep me _____ _____ _____. What am I?

to부정사의 부사적 용법(목적)

~을 무서워하다

02 그림 묘사

대화를 듣고, 남자가 구입할 물병으로 가장 적절한 것을 고르시오.

① ② ③

④ ⑤

남 안녕하세요. 저는 물병을 사고 싶은데요.
여 네, 이 선반을 보세요. 이것은 어떠신가요?
남 아뇨, 그건 뚜껑이 없네요. 저는 뚜껑이 있는 병을 원합니다.
여 그러시면 옆에 나무가 있는 이것은 어떠세요?
남 저는 나무는 좋아하지만, 병이 너무 길군요.
여 여기 짧은 것이 있어요. 옆에는 해바라기가 있어요.
남 좋아요. 그것을 살게요.

🇬🇧

M Hello. I need to buy a _____ _____.

W Okay, take a look at this shelf. What about this one?
~을 보다
= water bottle

M No, it _____ _____ a lid. I want a bottle with a lid.
🔑 정답 근거

W Then how about this one with a tree on it?

M I _____ _____, but the bottle is too tall.
⚠ 함정 주의 나무가 그려진 물병은 길이가 길어서 선택하지 않음

W Here is a short one. It has a _____ on it.

M Great. I'll take it.

👉 Solution Tip
남자는 뚜껑이 있고 길이가 짧으며 해바라기가 그려진 물병을 선택했다.

💡 Sound Tip tree
[tr]의 [t]는 [r]소리의 영향을 받아 우리말 [ㅊ]에 가까워지므로 [츄리]로 발음된다.

Dictation의 효과적인 활용법
STEP1 들으면서 대본의 빈칸 채우기
STEP2 축쇄 문제를 보며 다시 풀어보기
STEP3 해석을 보며 영어로 말하거나 영작해 보기

Dictation 06회 →
┌ 전체 듣기
└ 문항별 듣기

공부한 날   월   일

03 날씨

다음을 듣고, 수요일의 날씨로 가장 적절한 것을 고르시오.

①   ②   ③

④   ⑤

M This is the weather report for _____ _____. On Monday and Tuesday, it will rain a lot. Make sure to

당부하는 표현

_____ _____ _____ or rain jacket. The rain will stop on Wednesday, but expect _____ _____

🎵정답 근거

that day. There will be a lot of wind on Thursday, too. But on Friday, the weather will be _____ _____

_____ . 🔍함정 주의

남 다음 주 일기예보입니다. 월요일과 화요일에는 비가 많이 올 것입니다. 반드시 우산이나 우비를 챙기세요. 비는 수요일에 그치겠지만, 그날은 바람이 강한 날씨가 예상됩니다. 목요일에도 바람이 많이 불겠습니다. 하지만 금요일에는 날씨가 화창하고 쾌적하겠습니다.

04 말의 의도

대화를 듣고, 여자가 한 마지막 말의 의도로 가장 적절한 것을 고르시오.

① 허락   ② 사과   ③ 칭찬
④ 거절   ⑤ 충고

W Hey, Mike. _____ are you in a hurry?

M Jessica and I were supposed to meet _____ _____ ,

be supposed to: ～하기로 되어 있다

but I'm late.

W Why don't you call her and say _____ _____

～하는 게 어때?(제안)   (that)

_____ ?

M I left my cellphone at home. Do you mind if I use

내가 ～해도 되니?(허락을 구하는 표현)

yours?

= your cellphone

W ☞ _____ _____ _____ . Go ahead. 🎵정답 근거

여 얘, Mike. 너 왜 그리 서두르니?
남 Jessica와 나는 정오에 만나기로 했는데, 늦었어.
여 그녀에게 전화해서 네가 늦을 거라고 말하는 게 어때?
남 난 집에 휴대 전화를 두고 왔어. 네 것을 좀 써도 될까?
여 물론이지. 그렇게 해.

 Solution Tip

Do you mind if ～?에 대한 답으로 Not at all.은 No, I don't mind.의 의미로 허락을 나타냄에 유의한다.

05 언급하지 않은 것

다음을 듣고, 남자가 언급하지 <u>않은</u> 것을 고르시오.
① 아버지의 직업
② 어머니의 직업
③ 가족의 출신지
④ 누나의 나이
⑤ 누나의 특기

M Hi. Let me tell you about my family. There are _____ _____ in my family. My father is a _____. I think
_{정답 근거}
his spaghetti is the best in the world. My mother is a
최상급
_____ _____. She often plays the piano for us. My sister is seventeen years old. She is very _____ _____ _____. I love my family so much.

남 안녕하세요. 여러분께 저의 가족에 대해 소개하겠습니다. 저의 가족은 4명입니다. 저희 아버지는 요리사입니다. 저는 그의 스파게티가 세상에서 최고라고 생각합니다. 저희 어머니는 음악 선생님입니다. 그녀는 종종 우리를 위해 피아노를 연주하십니다. 제 누나는 17살입니다. 그녀는 수학을 아주 잘합니다. 저는 가족을 아주 많이 사랑합니다.

Solution Tip
아버지의 직업(요리사)과 어머니의 직업(음악 선생님), 누나의 나이(17살)와 특기(수학)는 언급했지만 가족의 출신지는 언급하지 않았다.

06 시각

대화를 듣고, 두 사람이 만날 시각을 고르시오.
① 8:00 a.m. ② 8:30 a.m. ③ 9:00 a.m.
④ 9:30 a.m. ⑤ 10:00 a.m.

W Justin, do you have any plans _____ _____?

M Yes, I'm going to the farmers' market in the morning.

W Oh, I was planning on going too.

M Then we _____ _____ _____.

W Sure. Let's meet at the market at 10. _{함정 주의}

M _____ _____ _____ at the bus stop and taking the bus together? Is 9 okay? _{함정 주의}

W That's a little _____. Are you okay with 9:30? _{정답 근거}

M _____ _____. I'll see you at the bus stop then.

여 Justin, 너는 이번 일요일에 계획이 있니?
남 응, 나는 오전에 농산물 직판장에 갈 거야.
여 오, 나도 거기 가려고 했는데.
남 그럼 우리 같이 가자.
여 물론이지. 10시에 직판장에서 만나자.
남 버스 정류장에서 만나서 같이 버스를 타는 게 어때? 9시 괜찮니?
여 그건 좀 이른데. 9시 30분 괜찮니?
남 좋아. 그때 버스 정류장에서 보자.

07 장래 희망

대화를 듣고, 여자의 장래 희망으로 가장 적절한 것을 고르시오.

① 작가　　　　② 변호사
③ 의사　　　　④ 아나운서
⑤ 도서관 사서

M Jillian, you're always _____. Do you really like it that much?
그렇게, 그만큼

W Yes! Reading is my _____ _____ to do.

M I guess that's why you love the library too.
that's why+결과: 그래서 ~하다

W Exactly. I even _____ _____ _____ in a library in the future.
맞아[바로 그거야].: 상대방의 말에 동의하는 표현

M Do you mean you want to be a librarian? 🎸정답 근거
상대방의 말을 확인하는 표현

W Yes, it's my _____ _____.

남 Jillian, 너는 항상 독서를 하고 있구나. 너는 독서를 정말 그렇게 많이 좋아하니?
여 응! 독서는 내가 가장 하기 좋아하는 일이야.
남 그래서 너는 도서관도 정말 좋아하나 보구나.
여 맞아. 나는 심지어 장래에 도서관에서 일하고 싶어.
남 도서관 사서가 되고 싶다는 말이니?
여 응, 그게 내가 꿈꾸는 직업이야.

🔊 Sound Tip **Exactly.**
한 단어 내에 자음 3개가 연달아 나오므로 [ctl]에서 가운데 [t]소리가 탈락되고 [이그재클리] 또는 [이그재끌리]로 발음된다.

08 심정

대화를 듣고, 남자의 심정으로 가장 적절한 것을 고르시오.

① 설레는　　② 화가 난　　③ 지루한
④ 부러운　　⑤ 우울한

W Albert, you have a _____ _____ _____.

M Thanks. The Chicago Bears are my favorite baseball team.

W Me, too. I'm a _____ _____ of them.

M Really? Then why don't we go to a game next Friday?
우리 ~하는 게 어때? (제안)

W That _____ _____. Do you know all the team songs?

M Of course. I _____ _____ _____ go to a game and cheer for the Chicago Bears together. 🎸정답 근거

여 Albert, 너는 멋진 야구 모자를 가지고 있구나.
남 고마워. Chicago Bears는 내가 가장 좋아하는 야구팀이야.
여 나도 그래. 나는 그들의 광팬이야.
남 정말? 그럼 우리 다음 주 금요일에 경기에 가는 게 어때?
여 재밌겠다. 너는 팀 노래를 모두 아니?
남 물론이지. 빨리 경기에 가서 함께 Chicago Bears를 응원하고 싶어.

↩️ Solution Tip
I can't wait to ~는 '나는 빨리 ~하고 싶다'라는 의미로 어떤 일에 대한 기대와 설렘을 나타내는 표현이다.

09 바로 할 일

대화를 듣고, 여자가 대화 직후에 할 일로 가장 적절한 것을 고르시오.
① 운동하기
② 자전거 수리점 가기
③ 헬멧 구입하기
④ 분실신고 하기
⑤ 자전거 구입하기

남 밖에 있는 게 네 자전거니?
여 응, 난 오늘 학교에 자전거를 타고 왔어. 그 자전거 멋지지 않니?
남 멋지긴 한데, 음, 너 타이어를 봤니?
여 아니. 무슨 뜻이니?
남 타이어가 펑크 났어. 공기가 없어.
여 정말? 오, 이런! 어떻게 고쳐야 하지?
남 자전거 수리점에 가면 돼. 서둘러, 지금 같이 가자.
여 알겠어.

M Is that your bike outside?

W Yes, I rode it to school today. _____ _____?

M Yes, but, um, did you see the tire?

W No. What do you mean?
상대방의 말을 이해하지 못했을 때 쓰는 표현

M The tire is _____. It has no air.

W Really? Oh, no! How can I _____ _____?

M You just need to go to the bike repair shop. Come on, _____ _____ _____ now. 🎸정답 근거

W Okay.

10 담화 화제

다음을 듣고, 무엇에 관한 내용인지 가장 적절한 것을 고르시오.
① 발표를 잘하는 법
② 눈 건강에 좋은 음식
③ 교실에서 지켜야 할 규칙
④ 친구에게 사과하는 법
⑤ 긍정적인 생각의 중요성

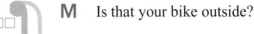

🎸정답 근거

W Today I would like to tell you about how to make a
how+to부정사: ~하는 방법
good presentation. First of all, you should _____
우선
_____ so that everyone can hear you. Second, use
~하도록(목적)
humor. Otherwise, your listeners _____ _____
= If you don't use humor
_____. Next, don't forget to make _____ _____
with your listeners. Finally, keep in mind that _____
~을 명심하세요
_____ _____.

여 오늘 저는 발표를 잘하는 법에 대해 이야기하고 싶습니다. 우선, 모든 사람이 여러분의 말을 들을 수 있도록 크게 이야기해야 합니다. 두 번째로, 유머를 사용하세요. 그렇지 않으면, 청중들이 지루해질 것입니다. 다음으로, 청중들과 시선을 마주치는 것을 잊지 마세요. 마지막으로, 연습이 완벽을 만든다는 것을 명심하세요.

 Sound Tip humor
humor의 첫 소리 h는 묵음이 아니므로 [휴머]라고 발음된다.

11 교통수단

대화를 듣고, 두 사람이 이용할 교통수단으로 가장 적절한 것을 고르시오.

① 택시　　② 버스　　③ 자전거
④ 자가용　⑤ 지하철

남　우리 쇼핑몰까지 택시를 탈까, 버스를 탈까?
여　버스를 타자. 버스 정류장이 바로 저기 있어.
남　잠깐만. 저 버스가 쇼핑몰에 가지 않니?
여　오, 맞아. 버스를 놓쳐버렸네! 다음 버스는 20분 후에 오는데.
남　그럼 택시를 타는 게 어때? 나는 그렇게 오래 기다리고 싶지 않아.
여　그게 낫겠어.

M　Should we take a taxi or a bus to the shopping mall?

W　＿＿＿ ＿＿＿ ＿＿＿ ＿＿＿. The bus stop is right over there. 함정 주의

M　Wait. Doesn't that bus go to the mall?

W　Oh, right. We ＿＿＿ ＿＿＿! The next bus comes in 20 minutes.

M　Then how about ＿＿＿ ＿＿＿ ＿＿＿? I don't
　　　제안하는 표현　　　　　　　　　　정답 근거
want to wait for that long.
　　　그렇게, 그만큼

W　That'll be ＿＿＿.

---

12 이유

대화를 듣고, 여자가 약속을 취소한 이유로 가장 적절한 것을 고르시오.

① 눈병에 걸려서
② 리포트를 써야 해서
③ 자동차가 고장 나서
④ 날씨가 좋지 않아서
⑤ 병문안을 가야 해서

[휴대 전화가 울린다.]
남　오, 안녕, Anna. 나는 네게 막 전화하려고 했어. 우리 몇 시에 만날까?
여　안녕, Bob. 음, 정말 미안한데, 오늘 못 만나겠어.
남　정말? 무슨 일인데?
여　내가 리포트를 쓰고 있는 중에 컴퓨터가 고장이 났어.
남　USB 메모리 스틱에 그것을 저장하지 않니?
여　안 했어. 나는 파일을 잃어버려서, 다시 리포트를 써야 해.
남　오, 안됐구나. 우리는 다음에 봐야겠네.

📞 Cellphone rings.

M　Oh, hi, Anna. I was just about to call you. ＿＿＿ ＿＿＿ should we meet?

W　Hi, Bob. Um, I'm really sorry, but I ＿＿＿ ＿＿＿ today.

M　Really? What happened?
　　　무슨 일이야[무슨 일 있니]?

W　My computer ＿＿＿ ＿＿＿ while I was working
　　　　　　　　　　　　　　　　～하는 동안
on a report. 정답 근거

M　You didn't save it on a USB memory stick?

W　No. I ＿＿＿ the file, so I have to do it again.

M　Oh, that's too bad. Maybe we should meet some other
　　　유감을 나타내는 표현　　　　　　　　언젠가 다시
time.

13 장소

대화를 듣고, 두 사람이 대화하는 장소로 가장 적절한 곳을 고르시오.

① 우체국　　② 이삿짐센터
③ 박물관　　④ 경찰서
⑤ 출입국 관리소

여 당신의 여권을 보여주시겠어요?
남 물론입니다. 여기 있습니다.
여 캐나다를 방문하신 이유가 뭐죠?
남 저는 휴가차 이곳에 왔습니다.
여 여기 얼마 동안 머무르실 건가요?
남 일주일이요.
여 여기 여권입니다. 즐거운 여행되세요!
남 감사합니다.

🇬🇧

W　Can I _____ _____ _____ _____ your passport? 🔖정답 근거

M　Sure. Here you are.
　　물건을 건넬 때 쓰는 표현

W　What's your reason for _____ _____?

M　I'm here on vacation.
　　휴가차, 휴가를 얻어

W　How long are you going to _____ _____?

M　For a week.

W　Here's your passport. Have a _____ _____!

M　Thanks.

🔑 **Sound Tip** passport
미국에서는 a를 [애]로 발음하여 [패스폴트]로, 영국에서는 [아]로 발음하여 [파스포트]로 발음한다.

14 그림 위치

대화를 듣고, 우체국의 위치로 가장 알맞은 것을 고르시오.

남 실례합니다. 이 근처에 우체국이 있나요?
여 네. Marvin 거리가 나올 때까지 직진하세요. 모퉁이에서 우회전하세요.
남 알겠습니다. 우회전이라고 하셨죠?
여 맞아요. 그 다음에 1분 정도 걸으시면 우체국이 보이실 겁니다. 영화관 옆에 있어요.
남 도와주셔서 감사합니다.

M　Excuse me. _____ _____ a post office in this neighborhood?

W　Yes. Just _____ _____ until you see Marvin Street.
　　　　　　　　　　　　　　　　　　　~할 때까지
　　Turn right at the corner. 🔖정답 근거

M　Okay. You said _____ _____?

W　Correct. After you turn, walk for about one minute
　　상대방의 말이 맞았을 때 쓰는 표현
　　and you'll see the post office. It's next to the _____
　　　　　　　　　　　　　　　　　　　　　　　　~ 옆에
　　_____.

M　Thanks for your help.

15 부탁한 일

대화를 듣고, 남자가 여자에게 부탁한 일로 가장 적절한 것을 고르시오.

① 도시락 싸주기
② 선물 골라주기
③ 책 반납하기
④ 난방기구 끄기
⑤ 방 청소하기

[휴대 전화가 울린다.]
여 여보세요.
남 오, Helen. 너 어디니? 아직 네 방에 있니?
여 응, 그런데 곧 쇼핑 갈 거야. 왜?
남 잘됐다. 내 방에 난방기구 좀 꺼 줄래? 끄는 것을 깜빡 잊었어.
여 물론이지, 그럴게.
남 고마워.

📞 *Cellphone rings.*

W Hello.

M Oh, Helen. Where are you? Are you still _____ _____ _____?

W Yes, but I'm _____ _____ soon. Why?

M That's good. 🎵정답 근거 Could you turn off the heat in my room? I forgot to _____ _____ _____.
(미래에) ~할 것을 잊었다

W Sure, no problem.

M Thanks.

16 제안한 것

대화를 듣고, 남자가 여자에게 제안한 것으로 가장 적절한 것을 고르시오.

① 외식하기
② 수영장 가기
③ 테니스 치기
④ 우산 사러 가기
⑤ 집에서 영화 보기

남 나는 주말이 정말 기대가 돼.
여 나도 그래. 날씨가 환상적인 것 같아.
남 하지만 난 비가 올 거라고 들었는데.
여 아냐, 비는 월요일에 오기 시작할 거야.
남 잘됐다. 그럼 이번 주말에 밖에서 테니스 치는 게 어떠니?
여 그래. 나는 야외에서 시간 보내기를 정말 좋아해.

M I'm so excited for the weekend.

W Me too. The weather _____ _____.

M But I heard it was going to rain.
(that)

W No, _____ _____ _____ on Monday.

M Great. Then how about _____ _____ outside this weekend? 🎵정답 근거

W Sure. I love spending time _____.

17 어색한 대화

대화를 듣고, 두 사람의 대화가 <u>어색한</u> 것을 고르시오.

① ② ③ ④ ⑤

① M What do you usually do on Saturday?

W ☞ I _____ _____ _____ last Saturday. 🎵정답 근거

② M How about going to the park tomorrow?
How about -ing?: ~하는 게 어때?(제안)

W _____ _____.

③ M I think I have a cold.

W Why don't you go _____ _____ _____?
~하는 게 어때? (제안·조언)

④ M How do you go to school?
학교에 가는 방법(교통수단)을 묻는 표현

W Usually _____ _____. What about you?

⑤ M What kind of music do you like?
어떤 종류의 ~

W Hip-hop is my _____.

① 남 너는 토요일에 주로 무엇을 하니?
　여 나는 지난 토요일에 영화를 봤어.
② 남 내일 공원에 가는 게 어때?
　여 좋아.
③ 남 나는 감기에 걸린 것 같아.
　여 병원에 가보는 게 어때?
④ 남 너는 어떻게 학교에 가니?
　여 보통 지하철로 가. 너는 어때?
⑤ 남 너는 어떤 종류의 음악을 좋아하니?
　여 힙합이 내가 가장 좋아하는 것이야.

Solution Tip
①은 평소에 주로 하는 일을 물었으므로 I usually go see a movie.(난 대개 영화를 보러 가.) 등과 같이 현재형으로 답해야 자연스럽다.

18 직업

대화를 듣고, 남자의 직업으로 가장 적절한 것을 고르시오.
① 매표소 직원　　② 건축가
③ 성우　　　　　④ 여행사 직원
⑤ 비행기 승무원

M Hello. How can we help you today?

W I want to _____ _____ _____ to Rome.

M Excellent choice. ☞ We offer a wonderful travel package _____ _____. 🎵정답 근거

W I see. What does the package include?

M Our travel package _____ _____ _____, hotel, and food.

W Will your agency also offer a tour guide on the trip?

M Of course. One of our _____ _____ _____ leads every travel group.

남 안녕하세요. 오늘 저희가 어떻게 도와드릴까요?
여 저는 로마 여행을 하고 싶어요.
남 훌륭한 선택입니다. 저희는 아주 멋진 로마행 패키지여행을 제공합니다.
여 그렇군요. 그 패키지는 무엇을 포함하나요?
남 저희 패키지는 항공편과 호텔, 식사를 포함합니다.
여 당신의 여행사에서는 여행 중에 여행 가이드도 제공하시나요?
남 물론이죠. 저희의 전문 여행 가이드들 중 한 명이 모든 여행 단체를 안내합니다.

Solution Tip
로마 여행을 원하는 여자에게 패키지여행에 대해 설명하고 있는 것으로 보아 남자는 여행사 직원임을 알 수 있다.

19 이어질 말 ①

대화를 듣고, 남자의 마지막 말에 이어질 여자의 말로 가장 적절한 것을 고르시오.

Woman: _____

① They're only 20 dollars.
② Thanks. Here's the receipt.
③ Sorry, but they're all sold out.
④ I prefer white pants to black ones.
⑤ Sure. The fitting room is over there.

W Hello. _____ _____ help you?

M Yes, I'm looking for a pair of trousers.
　　　　　　　　　　　한 벌의

W What color and size _____ _____ _____?

M I'd like black ones in size 28.
　　= I want

W _____ _____ _____? They're the most popular
　　　　　　　　　　　　　　　　　최상급 앞에 the를 씀

ones in our store.

M They look nice. Can I _____ _____ _____?
　　　　　　　👉 🔑정답 근거

W ⑤ Sure. The fitting room is over there.

여 안녕하세요. 도와드릴까요?
남 네, 저는 바지 한 벌을 찾고 있습니다.
여 원하시는 색과 사이즈를 말씀해 주시겠어요?
남 사이즈 28인 검정색 바지를 원합니다.
여 이건 어떠세요? 저희 가게에서 가장 인기 있는 것입니다.
남 멋져 보이네요. 입어 봐도 되나요?
여 ⑤ 물론이죠. 탈의실은 저쪽입니다.

① 그것들은 20달러밖에 안 해요.　　　② 감사합니다. 여기 영수증이 있어요.
③ 죄송하지만, 그것들은 품절입니다.　　④ 저는 검은색 바지보다 하얀색 바지를 선호합니다.

---

20 이어질 말 ②

대화를 듣고, 남자의 마지막 말에 이어질 여자의 말로 가장 적절한 것을 고르시오.

Woman: _____

① It's close to my house.
② Me and my friend Ellen.
③ How about roses?
④ At 7. Don't be late.
⑤ It'll be a lot of fun. I can't wait.

M Hi, Diana. How's it going?
　　　　　　　　안부를 묻는 표현

W _____ _____. And you?

M Just fine. Where are you going?

W I'm going to the bakery to buy a _____ _____ for
　　　　　　　　　　　　to부정사의 부사적 용법(목적)

Ellen. Today is her birthday.

M Oh, I didn't know that.
　　　　　　　오늘이 Ellen의 생일이라는 것

W We're going to _____ _____ _____ _____

for her at Tom's Pizza tonight. Do you want to join us?

M Sure. What should I get her for a birthday present? 🔑정답 근거

W ③ How about roses?

남 안녕, Diana. 잘 지내니?
여 꽤 잘 지내. 너는 어때?
남 잘 지내. 너 어디 가는 중이니?
여 난 Ellen을 위한 생일 케이크를 사러 제과점에 가고 있어. 오늘이 그녀의 생일이거든.
남 오, 난 몰랐어.
여 우린 오늘 밤에 Tom's Pizza에서 그녀를 위한 깜짝 파티를 열 거야. 너도 함께 하고 싶니?
남 물론이지. 내가 그녀의 생일선물로 무엇을 사야 할까?
여 ③ 장미꽃이 어떠니?

① 그건 나의 집에서 가까워.　　　② 나와 내 친구 Ellen.
④ 7시에. 늦지 마.　　　⑤ 재밌을 거야. 정말 기대된다.

[VOCABULARY] 실전 모의고사 **07** 회

어휘를 알아야 들린다

모의고사를 먼저 풀고 싶으면 106쪽으로 이동하세요.

🎧 다음 표현을 듣고 모르는 것에 표시하시오.

- ☐ 01 **metal** 금속
- ☐ 02 **sharp** 날카로운, 뾰족한
- ☐ 03 **hammer** 망치
- ☐ 04 **leather** 가죽
- ☐ 05 **clothes** 옷, 의복
- ☐ 06 **sleeve** 소매
- ☐ 07 **hang** 걸다
- ☐ 08 **square** 정사각형
- ☐ 09 **shape** 모양, 형태
- ☐ 10 **last** 계속하다, 지속하다
- ☐ 11 **flat** 평평한
- ☐ 12 **massage** 마사지; 마사지를 하다
- ☐ 13 **remove** 지우다, 제거하다
- ☐ 14 **violinist** 바이올린 연주자
- ☐ 15 **relax** 쉬게 하다
- ☐ 16 **audition** 오디션; 오디션을 보다
- ☐ 17 **bother** 귀찮게 하다
- ☐ 18 **announcement** 발표, 소식
- ☐ 19 **block** 막다, 차단하다
- ☐ 20 **park** 주차하다
- ☐ 21 **traffic** 교통
- ☐ 22 **invitation** 초대, 초대장
- ☐ 23 **dry-clean** 드라이클리닝하다
- ☐ 24 **stain** 얼룩

- ☐ 25 **grade** 학년; 성적
- ☐ 26 **auditorium** 강당
- ☐ 27 **peel** (과일·채소 등의) 껍질을 벗기다[깎다]
- ☐ 28 **instead** 대신에
- ☐ 29 **knit** 뜨다, 뜨개질을 하다
- ☐ 30 **genre** 장르
- ☐ 31 **recycle** 재활용하다
- ☐ 32 **recycling bin** 재활용품 용기
- ☐ 33 **business trip** 출장
- ☐ 34 **horror movie** 공포 영화
- ☐ 35 **be proud of** ~을 자랑스러워하다
- ☐ 36 **be mad at** ~에게 화가 나다
- ☐ 37 **turn into** ~로 바뀌다
- ☐ 38 **care about** ~에 대해 신경 쓰다
- ☐ 39 **get through** 통과하다
- ☐ 40 **across from** ~의 맞은편에
- ☐ 41 **take place** 일어나다, 개최되다
- ☐ 42 **sign up for** ~을 신청하다

✎ 알아두면 유용한 선택지 **어휘**

- ☐ 43 **monitor** (컴퓨터의) 모니터
- ☐ 44 **once** 한 번
- ☐ 45 **science fiction** 공상 과학 영화[소설]
- ☐ 46 **agree with** ~에 동의하다

🎧 들으면서 표현을 완성한 다음, 뜻을 고르시오.

표현의 의미를 생각하며 다시 써 보기!

01 t affic ☐ 여행 ☐ 교통 →

02 eat er ☐ 가죽 ☐ 금속 →

03 sha e ☐ 무게 ☐ 모양 →

04 c othes ☐ 천 ☐ 옷, 의복 →

05 ammer ☐ 망치 ☐ 삽 →

06 s uare ☐ 세모 ☐ 정사각형 →

07 rela ☐ 쉬게 하다 ☐ 지치게 하다 →

08 in tead ☐ 대신에 ☐ 벌써 →

09 rade ☐ 강의 ☐ 학년; 성적 →

10 lock ☐ 뚫다 ☐ 막다, 차단하다 →

11 slee e ☐ 소매 ☐ 옷걸이 →

12 audi ori m ☐ 강당 ☐ 수족관 →

13 assage ☐ 메시지를 보내다 ☐ 마사지를 하다 →

14 s ain ☐ 세제 ☐ 얼룩 →

15 other ☐ 보살피다 ☐ 귀찮게 하다 →

16 annou ce ent ☐ 발표, 소식 ☐ 취소 →

17 in ita ion ☐ 거절 ☐ 초대, 초대장 →

18 rec cling in ☐ 재활용품 용기 ☐ 쓰레기 매립장 →

✎ 들으면서 주요 표현 메모하기!

01 다음을 듣고, 'this'가 가리키는 것으로 가장 적절한 것을 고르시오.

① ② ③ ④  ⑤

02 대화를 듣고, 여자가 구입할 손목시계로 가장 적절한 것을 고르시오.

①  ②  ③  ④  ⑤

03 다음을 듣고, 내일 밤의 날씨로 가장 적절한 것을 고르시오.

① ② ③ ④ ⑤

04 대화를 듣고, 남자가 한 마지막 말의 의도로 가장 적절한 것을 고르시오.

① 칭찬 　② 사과 　③ 충고 　④ 거절 　⑤ 허락

고난도 선택지 하나씩 체크하며 풀기

05 다음을 듣고, 여자가 오디션에 대해 언급하지 <u>않은</u> 것을 고르시오.

① 오디션 날짜 　　　　　　② 오디션 장소
③ 오디션 참가가 가능한 학년 　④ 오디션 심사위원
⑤ 오디션 참가 신청 장소

06 대화를 듣고, 두 사람이 만날 시각을 고르시오.

① 1:30 p.m.   ② 2:00 p.m.   ③ 2:30 p.m.
④ 3:00 p.m.   ⑤ 3:30 p.m.

✎ 들으면서 주요 표현 메모하기!

07 대화를 듣고, 여자의 장래 희망으로 가장 적절한 것을 고르시오.

① 작곡가   ② 영화감독   ③ 화가
④ 유치원 교사   ⑤ 바이올린 연주자

08 대화를 듣고, 남자의 심정으로 가장 적절한 것을 고르시오.

① 실망한   ② 지루한   ③ 화가 난
④ 자랑스러운   ⑤ 부러운

고난도 핵심 표현 메모하며 풀기

09 대화를 듣고, 남자가 대화 직후에 할 일로 가장 적절한 것을 고르시오.

① 세차하기   ② 주차 다시 하기   ③ 공원 청소하기
④ 자동차 수리점 가기   ⑤ 새 타이어 구매하기

10 대화를 듣고, 무엇에 관한 내용인지 가장 적절한 것을 고르시오.

① 화재 예방   ② 식품 안전 교육
③ 유산소 운동   ④ 불우이웃 돕기 행사
⑤ 쓰레기 분리수거

틀린 문제는 **Dictation**에서
완벽하게 이해하세요.

실전 모의고사 [07]회

11 대화를 듣고, 두 사람이 이용할 교통수단으로 가장 적절한 것을 고르시오.

① 택시   ② 버스   ③ 자전거
④ 자가용   ⑤ 지하철

12 대화를 듣고, 여자가 파티에 갈 수 <u>없는</u> 이유로 가장 적절한 것을 고르시오.

① 병원 예약이 있어서   ② 출장을 가야 해서
③ 이삿짐을 싸야 해서   ④ 부모님을 방문해야 해서
⑤ 취업 면접 시험이 있어서

고난도 핵심 표현 메모하며 풀기

13 대화를 듣고, 두 사람이 대화하는 장소로 가장 알맞은 곳을 고르시오.

① 꽃집   ② 백화점   ③ 세탁소   ④ 문구점   ⑤ 카페

14 대화를 듣고, 사탕 가게의 위치로 가장 알맞은 것을 고르시오.

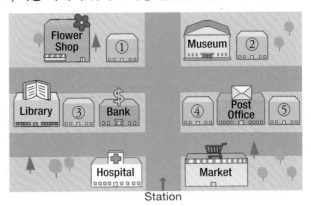

15 대화를 듣고, 남자가 여자에게 부탁한 일로 가장 적절한 것을 고르시오.

① 베이컨 굽기   ② 채소 씻기   ③ 오븐 청소하기
④ 감자 껍질 벗기기   ⑤ 밀가루 반죽 만들기

16 대화를 듣고, 여자가 남자에게 제안한 것으로 가장 적절한 것을 고르시오.

① 안과에 가기　　　　　　② 눈 마사지하기
③ 새 안경 구매하기　　　　④ 모니터의 밝기 조정하기
⑤ 컴퓨터 수리점에 연락하기

✎ 들으면서 주요 표현 메모하기!

17 대화를 듣고, 남자가 지난 주말에 한 일로 가장 적절한 것을 고르시오.

① 딸기 따기　　　② 나무 심기　　　③ 등산하기
④ 숙제하기　　　⑤ 강아지 돌보기

18 대화를 듣고, 남자의 직업으로 가장 적절한 것을 고르시오.

① 미용사　　② 판매원　　③ 무용수　　④ 코치　　⑤ 호텔 직원

[19-20] 대화를 듣고, 남자의 마지막 말에 이어질 여자의 말로 가장 적절한 것을 고르시오.

남자의 마지막 말에 집중하기

19 Woman: _____

① Once a month.　　　　② It was not expensive.
③ About three weeks.　　④ It looks good on you.
⑤ Thanks. I hope so, too.

20 Woman: _____

① I'm sure you'll love it.
② I like science fiction best.
③ I'll buy movie tickets online.
④ Because I think it is boring.
⑤ I agree with you. Let's go.

틀린 문제는 Dictation에서 완벽하게 이해하세요.

[Dictation] 실전 모의고사 **07** 회

손으로 써야 내 것이 된다

01 그림 지칭

*들을 때마다 체크

다음을 듣고, 'this'가 가리키는 것으로 가장 적절한 것을 고르시오.

정답 근거

W   This is a long, _____ piece of metal. This is sharp at one end and _____ at the other end. A hammer is used to put this into another thing. <u>~하기 위해 사용되다</u> This is often _____ _____ _____ two things together or to _____ something on. What is this?

여   이것은 길고 가느다란 금속 조각입니다. 이것은 한 쪽 끝은 뾰족하고 다른 쪽 끝은 평평합니다. 이것을 다른 물체에 넣기 위해 망치가 사용됩니다. 이것은 종종 두 개의 물건을 접합하거나 어떤 것을 걸 때 사용됩니다. 이것은 무엇일까요?

Sound Tip metal
[t]소리가 모음 사이에서 약화되며 [r]소리에 가까워져 [메럴]로 발음된다.

02 그림 묘사

대화를 듣고, 여자가 구입할 손목시계로 가장 적절한 것을 고르시오.

①   ②   ③
④   ⑤

M   Do you need help finding something?

W   Yes, I _____ _____ _____ a watch.

M   Okay. What shape would you like?

W   ☞ A _____ _____ would be good. **정답 근거**

M   I see. How about this one with big numbers? **함정 주의**

W   Hmm. I prefer a watch _____ _____. 선호를 나타내는 표현

M   Then how about this one with a black leather strap?

W   Oh, it's perfect. _____ _____ _____.

남   뭔가를 찾는 데 도움이 필요하신가요?
여   네, 저는 손목시계를 사야 해요.
남   그렇군요. 어떤 모양을 원하세요?
여   정사각형이 좋을 것 같아요.
남   알겠습니다. 큰 숫자가 있는 이건 어떠세요?
여   음. 저는 숫자가 없는 손목시계를 선호해요.
남   그렇다면 검정색 가죽끈이 있는 이것은 어떠세요?
여   오, 완벽해요. 그걸 살게요.

Solution Tip
여자는 정사각형 모양이고, 숫자가 쓰여있지 않으며 검정색 가죽끈이 있는 손목시계를 골랐다.

Dictation 07회 →
전체 듣기
문항별 듣기

Dictation의 효과적인 활용법
STEP1 들으면서 대본의 빈칸 채우기
STEP2 축쇄 문제를 보며 다시 풀어보기
STEP3 해석을 보며 영어로 말하거나 영작해 보기

공부한 날   월   일

03 날씨

다음을 듣고, 내일 밤의 날씨로 가장 적절한 것을 고르시오.

①   ②   ③

④   ⑤

W Good evening. This is Barbara with the weather report. I hope you enjoyed today's _____ _____ because there will be a lot of rain tomorrow. It will _____
함정 주의
_____ tomorrow morning, and the rain will last all
계속되다, 지속되다
afternoon. But the rain will _____ _____ _____
정답 근거
tomorrow night. It will also be very cold, so make sure
반드시 ~하세요
(당부하는 표현)
to dress _____.

여 좋은 저녁입니다. 일기예보의 Barbara입니다. 여러분이 오늘 화창한 날씨를 즐기셨기를 바랍니다. 왜냐하면 내일 비가 많이 내릴 것이기 때문입니다. 비는 내일 오전에 내리기 시작해서 오후 내내 계속되겠습니다. 하지만 내일 밤에는 비가 눈으로 바뀌겠습니다. 또한 날씨가 매우 춥겠으니 반드시 옷을 따뜻하게 입으세요.

04 말의 의도

대화를 듣고, 남자가 한 마지막 말의 의도로 가장 적절한 것을 고르시오.
① 칭찬   ② 사과   ③ 충고
④ 거절   ⑤ 허락

M Carol, you look upset. _____ _____ _____?

W My sister keeps wearing my clothes without asking me.
keep -ing: 계속해서 ~하다   without -ing: ~하지 않고
I'm really _____ _____ _____.

M I see. Does she know how you feel about that?
간접의문문(의문사+주어+동사)

W No! She _____ _____ _____ my feelings.

M I think you should tell her _____ _____
_____. 정답 근거

남 Carol, 너 속상해 보여. 무슨 일이니?
여 내 여동생이 내게 묻지 않고 내 옷을 계속 입어. 나는 그녀에게 정말 화가 나.
남 그렇구나. 그녀는 네가 그것에 대해 어떻게 느끼는지 알고 있니?
여 아니! 그녀는 내 감정에 전혀 신경 쓰지 않아.
남 난 네가 솔직히 어떻게 느끼는지 그녀에게 말해야 한다고 생각해.

Sound Tip clothes
th의 [ð] 발음이 [z]발음과 만나 동화되어 [클로우즈]로 발음된다. '닫다'라는 의미의 동사 close와 발음이 같으니 문맥상 의미를 잘 구분해야 한다.

Solution Tip
상대방에게 충고할 때 I think you should ~. / You'd better ~. / If I were you, I'd ~. 등의 표현을 쓸 수 있다.

05 언급하지 않은 것

다음을 듣고, 여자가 오디션에 대해 언급하지 **않은** 것을 고르시오.

① 오디션 날짜
② 오디션 장소
③ 오디션 참가가 가능한 학년
④ 오디션 심사위원
⑤ 오디션 참가 신청 장소

여 학교 뮤지컬 오디션에 대해 안내해 드립니다. 오디션은 9월 3일 강당에서 열릴 것입니다. 이 오디션은 7학년과 8학년만을 위한 것입니다. 각 학생은 노래하고 춤을 추도록 요청받을 것입니다. 내일은 오디션을 신청할 마지막 날입니다. 오디션에 참가하고 싶다면 도서관에서 참가 신청서에 여러분의 이름과 이메일 주소를 적으셔야 합니다.

W This is an announcement about the school musical auditions. Auditions ☞ _____ _____ _____ on
정답 근거
September 3 in the auditorium. These auditions are for Grades 7 and 8 only. Each student will be asked to
<u>each는 단수 취급함</u>
_____ _____ _____. Tomorrow is the last day to sign up for the auditions. If you _____ _____ _____, you must write your name and email address on the sign-up sheet in the _____.

Solution Tip

오디션 날짜는 9월 3일이고, 오디션 장소는 강당이다. 오디션은 7학년과 8학년을 대상으로 하며 내일까지 도서관에서 참가 신청서를 작성해야 한다고 언급했다. 하지만 오디션 심사위원이 누구인지에 대해서는 언급하지 않았다.

06 시각

대화를 듣고, 두 사람이 만날 시각을 고르시오.

① 1:30 p.m. ② 2:00 p.m.
③ 2:30 p.m. ④ 3:00 p.m.
⑤ 3:30 p.m.

여 Josh, 너 그림 그리기에 관심이 있니?
남 응, 나는 그림 그리기를 정말 좋아해.
여 그럼 이번 일요일에 미술 수업에 함께 가자.
남 하지만 난 오전에는 바빠.
여 괜찮아. 수업은 오후 3시에 시작해.
남 잘됐다. 수업 전에 점심을 먹을래?
여 물론이지. 지하철역에서 2시에 만나자.
남 좋아. 그때 보자.

W Josh, are you interested in drawing?
<u>어떤 것에 관심이 있는지 묻는 표현</u>
M Yes, I _____ _____.
W Then let's go to a drawing class this Sunday.
M But I'm busy in the morning.
W _____ _____. The class starts at 3 in the afternoon.
함정 주의 미술 수업 시작 시간이 3시임
M Great. Would you like to have lunch before the class?
<u>~할래?(제안하는 표현)</u>
W Sure. Let's meet _____ _____ at the subway
정답 근거
station.
M _____ _____. See you then.

07 장래 희망

대화를 듣고, 여자의 장래 희망으로 가장 적절한 것을 고르시오.

① 작곡가　　　② 영화감독
③ 화가　　　　④ 유치원 교사
⑤ 바이올린 연주자

남 Jenna, 사진 속의 이 어린 소녀는 누구니? 바이올린을 켜고 있네.
여 그건 8살의 나야.
남 오, 난 네가 바이올린을 연주했는지 몰랐어. 너는 바이올린 연주자가 되고 싶니?
여 음, 지금은 그렇지 않아.
남 그럼 지금은 무엇이 네 희망 직업이니?
여 나는 작곡가가 되고 싶어.
남 멋지구나.

M Jenna, who is this little girl in the picture? She's _____ _____ _____.

W That's 8-year-old me.

M Oh, I didn't know⌃you played the violin. Do you want
　(that)
to be a _____? 🐌함정 주의

W Well, not now.

M Then _____ your dream job now?

W I want to be a _____. 🎵정답 근거

M Sounds cool.

08 심정

대화를 듣고, 남자의 심정으로 가장 적절한 것을 고르시오.

① 실망한　　　② 지루한
③ 화가 난　　　④ 자랑스러운
⑤ 부러운

남 Becky, 방금 누가 네게 전화했니?
여 저희 음악 선생님이요. 좋은 소식이 있었어요.
남 무슨 소식? 학교 콘서트에 관한 것이었니?
여 네. 그녀는 제가 피아노 솔로곡을 연주하기를 원하세요.
남 잘됐구나! 난 네가 정말 자랑스럽다.
여 고맙습니다, 아빠.

M Becky, who just _____ _____?

W That was my music teacher. She had some _____ _____.

M What news? Was it about the school concert?

W Yes. She _____ _____ _____ _____ a solo
song on the piano.

M That's great! I'm so _____ _____ _____. 🎵정답 근거

W Thanks, Dad.

09 바로 할 일 ☐☐

대화를 듣고, 남자가 대화 직후에 할 일로 가장 적절한 것을 고르시오.
① 세차하기
② 주차 다시 하기
③ 공원 청소하기
④ 자동차 수리점 가기
⑤ 새 타이어 구매하기

[휴대 전화가 울린다.]
남 여보세요?
여 Smith 씨인가요? 저는 당신의 이웃 Luna예요.
남 네, 접니다.
여 방해해서 죄송하지만, 당신의 차 때문에 전화했어요.
남 제 차요? 왜요?
여 당신의 차가 도로를 막고 있어서 다른 차들이 지나갈 수가 없어요. 오셔서 다른 곳에 주차해 주시겠어요?
남 오, 죄송합니다. 지금 가서 옮길게요.

📞 *Cellphone rings.*

M Hello?

W Is this Mr. Smith? This is Luna, your _____.
(전화상에서) 당신은 ~입니까?

M Yes, this is Mr. Smith.
(전화상에서) 저는 ~입니다

W I'm sorry to _____ _____, but I'm calling about
~해서 죄송합니다   전화를 건 목적을 밝힐 때 쓰는 표현
your car.

M My car? Why?

W Your car is _____ _____ _____ and other cars
can't get through. Would you please come and _____
지나가다, 통과하다
_____ in another place? 🎵정답 근거

M Oh, I'm sorry. I'll go and move it now.

10 대화 화제 ☐☐

대화를 듣고, 무엇에 관한 내용인지 가장 적절한 것을 고르시오.
① 화재 예방
② 식품 안전 교육
③ 유산소 운동
④ 불우이웃 돕기 행사
⑤ 쓰레기 분리수거

W Hey, Tony. You can't just throw away _____
금지
_____. 🎵정답 근거

M Why not? They're empty.

W You _____ _____ _____ in the recycling bin.

M Oh, I see. What about these _____ _____? Should
I put them in the recycling bin, too?
= the coffee cups

W No, they _____ _____ _____.

여 얘, Tony. 너는 유리병들을 그냥 버려선 안 돼.
남 왜 안 되니? 그것들은 비었는데.
여 너는 그것들을 재활용품 용기에 넣어야 해.
남 오, 그렇구나. 이 커피컵들은 어때? 그것들도 재활용품 용기에 넣어야 할까?
여 아니, 그것들은 재활용이 안 돼.

11 교통수단

대화를 듣고, 두 사람이 이용할 교통수단으로 가장 적절한 것을 고르시오.

① 택시　　② 버스　　③ 자전거
④ 자가용　　⑤ 지하철

남 우리 늦겠어요! 지금 출발해야 해요.
여 알겠어요. 자동차 열쇠가 있나요?
남 우린 차를 가져가면 안 될 것 같아요.
여 왜 안 되죠? 이 시간에 교통은 보통 나쁘지 않잖아요.
남 난 오늘 퍼레이드 때문에 몇몇 도로가 폐쇄된다고 들었어요.
여 정말요? 그럼 우린 버스도 타면 안 되겠군요.
남 맞아요. 우린 지하철을 타야 해요.
여 알겠어요. 서둘러요.

M　We're going to be late! We _____ _____ _____ now.

W　Okay. Do you have the car key? 🔵함정 주의

M　_____ _____ _____ we should take the car.

W　Why not? Traffic isn't usually bad at this time.

M　I heard that some _____ _____ _____ today because of a parade.
because of+명사(구): ~ 때문에

W　Really? Then we shouldn't take the bus _____.

M　Right. We have to take the subway. 🎵정답 근거

W　Okay. Hurry.

🔊 **Sound Tip** traffic
[tr]의 [t]는 [r]소리의 영향을 받아 우리말 [ㅊ]에 가까워져 [츄래픽]이라고 발음된다.

12 이유

대화를 듣고, 여자가 파티에 갈 수 없는 이유로 가장 적절한 것을 고르시오.

① 병원 예약이 있어서
② 출장을 가야 해서
③ 이삿짐을 싸야 해서
④ 부모님을 방문해야 해서
⑤ 취업 면접 시험이 있어서

남 여보, 이것 좀 봐요.
여 오, Anderson 씨 가족에게서 온 초대장이군요.
남 맞아요, 그들은 딸을 위한 생일 파티를 열어요.
여 파티가 언제죠?
남 여기 다음 주 토요일 오후 3시라고 적혀 있네요.
여 오, 저런! 난 다음 주 내내 출장 중일 거예요.
남 유감이군요. 나 혼자 가야 할 것 같아요.

🇬🇧

M　Honey, look at this.

W　Oh, it's an _____ from the Anderson family.
= the Andersons

M　Yes, they're having a birthday party for _____ _____.

W　When is the party?

M　It says here that it's _____ _____ at 3 p.m.
(글 등이) ~라고 되어[쓰여] 있다

W　Oh no! I'll be on a _____ _____ throughout next week. 🎵정답 근거

M　That's too bad. I think _____ _____ _____ go by myself.
유감을 나타내는 표현　　혼자

13 장소

대화를 듣고, 두 사람이 대화하는 장소로 가장 적절한 곳을 고르시오.
① 꽃집   ② 백화점   ③ 세탁소
④ 문구점   ⑤ 카페

여 안녕하세요, 저는 이 드레스를 드라이클리닝했으면 하는데요.
남 물론입니다. 소매에 이 얼룩은 뭐죠?
여 그건 커피 얼룩이에요. 지우실 수 있을까요?
남 한번 볼게요. 지울 수 있을 것 같군요.
여 잘됐네요. 언제 준비될까요?
남 내일 밤에는 준비될 겁니다.
여 좋아요. 얼마죠?
남 5달러입니다.

W Hello, I'd like to have this dress dry-cleaned. ♪정답 근거

M Sure. What's this stain on the _____?

W It's a coffee stain. Can you remove it?

M Let me have a look. I think I can _____ _____.

W Great. When will it be ready?

M It should be ready _____ _____.
　　아마 ~일 것이다(예상·추측을 나타냄)

W Fine. How much is it?
　　가격을 묻는 표현

M It'll be _____ _____.

👉 **Solution Tip**
여자가 옷을 드라이클리닝 맡기며 얼룩 제거를 부탁하고 있으므로 세탁소에서 일어나는 대화임을 알 수 있다.

14 그림 위치

대화를 듣고, 사탕 가게의 위치로 가장 알맞은 것을 고르시오.

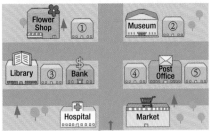

남 Michelle, 너 시내에 새 사탕 가게가 문을 열었다는 얘기 들었니?
여 아니, 하지만 이제 가보고 싶어! 어딘데?
남 역에서 두 블록 직진한 다음 좌회전해.
여 알겠어. 그건 은행 옆에 있니?
남 아니, 그건 은행 맞은편에 있어.
여 오, 그럼 그건 틀림없이 꽃집 옆이겠구나.
남 맞아!

M Michelle, _____ _____ _____ that a new candy

　　shop opened downtown?

W No, but now I want to go! _____ _____ _____?

M From the station, go straight _____ _____ and turn

　　left. ♪정답 근거

W I see. Is it next to the bank? 함정 주의 은행의 옆이 아닌 맞은편에 있다고 대답함
　　　　　~ 옆에

M No, it's _____ _____ the bank.

W Oh, then it must be next to the flower shop.
　　　　　　　　~임이 틀림없다(강한 추측)

M Right!

15 부탁한 일

대화를 듣고, 남자가 여자에게 부탁한 일로 가장 적절한 것을 고르시오.
① 베이컨 굽기
② 채소 씻기
③ 오븐 청소하기
④ 감자 껍질 벗기기
⑤ 밀가루 반죽 만들기

여 너 무엇을 만들고 있니, Peter?
남 나는 베이컨 감자 피자를 만들고 있어.
여 내가 밀가루 반죽 만드는 것을 도와줄까?
남 아니, 내가 할게. 대신에 감자 껍질을 좀 벗겨 줄래?
여 물론이지. 껍질 벗기는 칼이 어딨니?
남 오븐 옆 서랍에 있어.

🇬🇧

W What _____ _____ _____, Peter?

M I'm making bacon potato pizza.

W Do you _____ _____ _____ _____ make the dough? 🔺함정 주의

M No, I'll take care of it. Can you please _____ the
밀가루 반죽 만드는 것을 가리킴
potatoes instead? 🔑정답 근거

W Sure. Where's the peeler?

M _____ _____ _____ by the oven.

🔊 Sound Tip dough
dough의 gh는 묵음이라서 [도우]로 발음된다.

7회
받아쓰기

16 제안한 것

대화를 듣고, 여자가 남자에게 제안한 것으로 가장 적절한 것을 고르시오.
① 안과에 가기
② 눈 마사지하기
③ 새 안경 구매하기
④ 모니터의 밝기 조정하기
⑤ 컴퓨터 수리점에 연락하기

여 Arthur, 너 안 좋아 보여. 괜찮니?
남 아니. 눈이 피로해.
여 왜?
남 아마 내가 컴퓨터 화면을 너무 오래 봤기 때문일 거야.
여 그렇구나. 눈 마사지를 해보는 게 어때?
남 마사지? 그게 도움이 될까?
여 물론이지. 그건 네 눈을 쉬게 하는 걸 도울 수 있어.

W Arthur, you don't look good. Are you okay?
상대방의 안색이 안 좋아 보일 때 쓰는 표현

M Not really. My eyes _____ _____.

W Why?

M Maybe it's because I _____ _____ a computer
screen too long.

W I see. Why don't you give your eyes a _____? 🔑정답 근거

M A massage? Do you think it'll help?

W Sure. It can help _____ _____ _____.

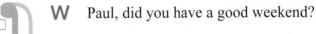

17 과거에 한 일

대화를 듣고, 남자가 지난 주말에 한 일로 가장 적절한 것을 고르시오.
① 딸기 따기 ② 나무 심기
③ 등산하기 ④ 숙제하기
⑤ 강아지 돌보기

W   Paul, did you have a good weekend?

M   Yes, I _____ _____ _____ with my family.

W   What did you do there?

M   We picked _____ _____. It was really fun. What about you?   🔑정답 근거

W   I _____ _____ with my friends. 💧함정 주의

여 Paul, 즐거운 주말 보냈니?
남 응, 나는 가족과 농장을 방문했어.
여 거기서 뭘 했는데?
남 우리는 딸기를 땄어. 그건 정말 재밌었어. 너는 어때?
여 나는 친구들과 하이킹을 갔어.

18 직업

대화를 듣고, 남자의 직업으로 가장 적절한 것을 고르시오.
① 미용사 ② 판매원
③ 무용수 ④ 코치
⑤ 호텔 직원

M   Good morning, ma'am. Did you make a reservation?
　　　　　　　　　　　　　예약 여부를 묻는 표현

W   No. Can I _____ _____ _____ now? 🔑정답 근거

M   Sure. Have a seat here.

W   Thanks.

M   _____ _____ would you like it?

W   Not too short. Maybe just above the shoulders.

M   Okay. Would you like me to _____ _____
　　　제가 ~할까요?(Do you want me to ~?보다 공손한 표현)
first?

W   Yes, please.

남 좋은 아침입니다. 부인. 예약하셨나요?
여 아뇨. 지금 머리를 자를 수 있나요?
남 물론이죠. 여기 앉으세요.
여 감사합니다.
남 얼마나 자르기를 원하세요?
여 너무 짧지 않게요. 어깨 바로 위 정도로요.
남 알겠습니다. 먼저 머리를 감겨드릴까요?
여 네, 그렇게 해 주세요.

19 이어질 말 ①

대화를 듣고, 남자의 마지막 말에 이어질 여자의 말로 가장 적절한 것을 고르시오.

Woman: _____

① Once a month.
② It was not expensive.
③ About three weeks.
④ It looks good on you.
⑤ Thanks. I hope so, too.

W   Happy birthday, Dad! This is for you.

M   Thanks, Judy. Can I _____ _____ now?

W   Sure, go ahead.
   상대방이 허락을 요청할 때 승낙하는 표현

M   Wow! It's a _____ _____. I love it.

W   Guess what? I knitted the sweater myself.
   놀라운 일 등을 말하기 전에 주의를 환기시키는 표현

M   Oh, how sweet of you! _____ _____ _____
   감탄문
   _____ _____ to knit this? 🎸정답 근거

W   ③ About three weeks.

🔑 Sound Tip knit
knit의 첫 자음 k는 묵음이라서 [니트]로 발음된다.

여 생신 축하드려요, 아빠! 이건 아빠를 위한 거예요.
남 고맙구나, Judy. 지금 열어봐도 되니?
여 물론이죠, 그렇게 하세요.
남 왜 예쁜 스웨터구나. 정말 마음에 들어.
여 있잖아요. 그 스웨터는 제가 직접 뜨개질했어요.
남 오, 너 정말 다정하구나! 이걸 뜨개질하는 데 얼마나 걸렸니?
여 ③ 3주 정도요.

① 한 달에 한 번이요.   ② 그건 비싸지 않았어요.
④ 그건 당신께 잘 어울려 보여요.   ⑤ 고맙습니다. 저도 그러길 바라요.

20 이어질 말 ②

대화를 듣고, 남자의 마지막 말에 이어질 여자의 말로 가장 적절한 것을 고르시오.

Woman: _____

① I'm sure you'll love it.
② I like science fiction best.
③ I'll buy movie tickets online.
④ Because I think it is boring.
⑤ I agree with you. Let's go.

M   Eva, let's go see a movie this weekend.

W   Sorry, but _____ _____ this weekend. How about next weekend?

M   That's fine with me.
   상대방의 제안을 승낙하는 표현

W   So what are we _____ _____ _____?

M   How about *Nightmare*? I heard it's really interesting.
   (that)

W   _____, I don't like horror movies.

M   Then what's your _____ _____? 🎸정답 근거

W   ② I like science fiction best.

남 Eva, 우리 이번 주말에 영화 보러 가자.
여 미안하지만, 난 이번 주말엔 바빠. 다음 주말은 어떠니?
남 괜찮아.
여 그럼 무엇을 볼래?
남 'Nightmare(악몽)'는 어떠니? 나는 그것이 정말 재밌다고 들었어.
여 솔직히, 난 공포 영화를 좋아하지 않아.
남 그럼 네가 가장 좋아하는 장르는 뭐니?
여 ② 나는 공상 과학 영화를 가장 좋아해.

① 난 네가 그것을 마음에 들어할 거라고 확신해.   ③ 나는 온라인에서 영화표를 살 거야.
④ 왜냐하면 난 그것이 지루하다고 생각하기 때문이야.   ⑤ 난 네게 동의해. 가자.

[VOCABULARY] 실전 모의고사 08회

어휘를 알아야 들린다

모의고사를 먼저 풀고 싶으면 122쪽으로 이동하세요.

🎧 다음 표현을 듣고 모르는 것에 표시하시오.

- [ ] 01 **tooth** (빗·톱 등의) 이
- [ ] 02 **bottom** 아래
- [ ] 03 **rent** 빌리다
- [ ] 04 **prepare** 준비하다
- [ ] 05 **agree** 동의하다
- [ ] 06 **fair** 박람회; 공정한
- [ ] 07 **notice** ~을 알아차리다
- [ ] 08 **mess** 엉망진창
- [ ] 09 **neat** 단정한, 정돈된
- [ ] 10 **closet** 옷장
- [ ] 11 **costume** 의상, 복장
- [ ] 12 **lend** 빌려주다
- [ ] 13 **zipper** 지퍼
- [ ] 14 **goal** 목표
- [ ] 15 **receipt** 영수증
- [ ] 16 **scary** 무서운
- [ ] 17 **besides** 게다가
- [ ] 18 **beef** 쇠고기
- [ ] 19 **hate** 싫어하다
- [ ] 20 **hold** 잡다
- [ ] 21 **exchange** 교환하다
- [ ] 22 **senior** 연장자; 어르신
- [ ] 23 **smile** 미소 짓다; 미소
- [ ] 24 **stuck** (불쾌한 장소·상황 등에) 갇힌

- [ ] 25 **wrong** 문제가 있는
- [ ] 26 **order** 주문
- [ ] 27 **missing** 실종된
- [ ] 28 **pointed** (끝이) 뾰족한
- [ ] 29 **single** 1인용의
- [ ] 30 **serve** 제공하다
- [ ] 31 **work** 작동되다
- [ ] 32 **dead** 죽은; 작동을 안 하는
- [ ] 33 **traffic jam** 교통체증
- [ ] 34 **senior center** 양로원
- [ ] 35 **free time** 여가
- [ ] 36 **focus on** ~에 집중하다
- [ ] 37 **close by** 가까이에
- [ ] 38 **fall asleep** 잠이 들다
- [ ] 39 **take a shower** 샤워를 하다
- [ ] 40 **take a break** 휴식을 취하다
- [ ] 41 **take turns** 교대로 ~을 하다
- [ ] 42 **hang out with** ~와 시간을 보내다

📝 알아두면 유용한 선택지 **어휘**

- [ ] 43 **calm** 차분한
- [ ] 44 **leave a message** 메시지를 남기다
- [ ] 45 **give it a try** 시도하다, 한번 해보다
- [ ] 46 **a piece of cake** 아주 쉬운 일

🎧 들으면서 표현을 완성한 다음, 뜻을 고르시오.

표현의 의미를 생각하며 다시 써 보기!

01 ▢eat   ☐ 단정한, 정돈된   ☐ 지저분한   ➡ _____

02 c▢oset   ☐ 옷장   ☐ 옷걸이   ➡ _____

03 po▢nted   ☐ (끝이) 뭉뚝한   ☐ (끝이) 뾰족한   ➡ _____

04 sin▢le   ☐ 1인용의   ☐ 다수의   ➡ _____

05 s▢ary   ☐ 지루한   ☐ 무서운   ➡ _____

06 ▢eceip▢   ☐ 영수증   ☐ 요금   ➡ _____

07 dea▢   ☐ 죽은   ☐ 살아있는   ➡ _____

08 e▢chan▢e   ☐ 환불하다   ☐ 교환하다   ➡ _____

09 co▢tume   ☐ 무대   ☐ 의상, 복장   ➡ _____

10 stuc▢   ☐ 갇힌   ☐ 자유로운   ➡ _____

11 bee▢   ☐ 돼지고기   ☐ 쇠고기   ➡ _____

12 ▢ipper   ☐ 지퍼   ☐ 단추   ➡ _____

13 pre▢are   ☐ 망치다   ☐ 준비하다   ➡ _____

14 ▢ot▢om   ☐ 위   ☐ 아래   ➡ _____

15 ▢air   ☐ 박람회   ☐ 한 쌍[켤레]   ➡ _____

16 senio▢   ☐ 어린이   ☐ 연장자; 어르신   ➡ _____

17 ▢end   ☐ 빌리다   ☐ 빌려주다   ➡ _____

18 no▢ice   ☐ ～을 놓치다   ☐ ～을 알아차리다   ➡ _____

✎ 들으면서 주요 표현 메모하기!

01 다음을 듣고, 'this'가 가리키는 것으로 가장 적절한 것을 고르시오.

① ② ③ ④ ⑤

02 대화를 듣고, 남자가 만든 카드로 가장 적절한 것을 고르시오.

① ② ③ ④ ⑤

03 다음을 듣고, 목요일의 날씨로 가장 적절한 것을 고르시오.

① ② ③ ④ ⑤

04 대화를 듣고, 남자가 한 마지막 말의 의도로 가장 적절한 것을 고르시오.
① 동의　　② 사과　　③ 제안　　④ 감사　　⑤ 허락

고난도 선택지 하나씩 체크하며 풀기

05 다음을 듣고, 여자가 자원봉사 동아리 활동에 대해 언급하지 <u>않은</u> 것을 고르시오.
① 점심 준비하기　　　　② 빨래하기
③ 벽지 칠하기　　　　　④ 책 읽어드리기
⑤ 음악 콘서트 하기

06 대화를 듣고, 두 사람이 만날 시각을 고르시오.

① 10:00   ② 10:30   ③ 11:00
④ 11:30   ⑤ 12:00

✎ 들으면서 주요 표현 메모하기!

07 대화를 듣고, 남자의 장래 희망으로 가장 적절한 것을 고르시오.

① 번역가   ② 성악가   ③ 광고기획자
④ 야구선수   ⑤ 공예가

08 대화를 듣고, 여자의 심정으로 가장 적절한 것을 고르시오.

① angry   ② worried   ③ excited
④ calm   ⑤ bored

09 대화를 듣고, 남자가 대화 직후에 할 일로 가장 적절한 것을 고르시오.

① 영수증 찾기   ② 옷장 살펴보기
③ 학교 선생님 만나기   ④ 모자 환불하기
⑤ 연극 대사 외우기

10 대화를 듣고, 무엇에 관한 내용인지 가장 적절한 것을 고르시오.

① 좋아하는 운동   ② 밴드 멤버 모집
③ 여행 계획   ④ 캠핑 시 유의사항
⑤ 여가 활동

틀린 문제는 Dictation에서
완벽하게 이해하세요.

실전 모의고사 [08]회

🖊 들으면서 주요 표현 메모하기!

11 대화를 듣고, 두 사람이 이용할 교통수단으로 가장 적절한 것을 고르시오.
① 택시   ② 버스   ③ 자전거
④ 자가용   ⑤ 지하철

12 대화를 듣고, 남자가 재킷을 교환하는 이유로 가장 적절한 것을 고르시오.
① 사이즈가 작아서   ② 너무 얇아서
③ 지퍼가 잘 작동하지 않아서   ④ 색깔이 마음에 들지 않아서
⑤ 얼룩이 묻어 있어서

고난도   핵심 표현 메모하며 풀기

13 대화를 듣고, 두 사람이 대화하는 장소로 가장 적절한 곳을 고르시오.
① 가구점   ② 놀이공원   ③ 소방서
④ 수영장   ⑤ 과학 실험실

14 대화를 듣고, 서점의 위치로 가장 알맞은 것을 고르시오.

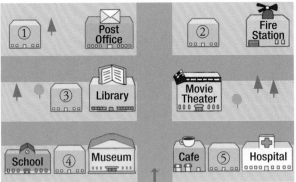

You are here!

15 대화를 듣고, 여자가 남자에게 부탁한 일로 가장 적절한 것을 고르시오.
① 팝콘 사다주기   ② 영화표 바꾸기
③ 자전거 빌려주기   ④ 영화관 위치 안내하기
⑤ 영화관까지 태워 주기

16 대화를 듣고, 여자가 남자에게 제안한 것으로 가장 적절한 것을 고르시오.

✎ 들으면서 주요 표현 메모하기!

① 방에 젖은 수건 널기   ② 침구를 깨끗이 정돈하기
③ 따뜻한 차를 자주 마시기   ④ 식사 전에 가벼운 운동하기
⑤ 자기 전에 따뜻한 물로 샤워하기

17 대화를 듣고, 두 사람의 대화가 <u>어색한</u> 것을 고르시오.

①   ②   ③   ④   ⑤

18 대화를 듣고, 남자의 직업으로 가장 적절한 것을 고르시오.

① 호텔 직원   ② 자동차 정비공   ③ 경찰관
④ 요리사   ⑤ 도서관 사서

[19-20] 대화를 듣고, 여자의 마지막 말에 이어질 남자의 말로 가장 적절한 것을 고르시오.

여자의 마지막 말에 집중하기

19 Man: _____

① Thanks. That's so kind of you.
② I think it's a piece of cake.
③ Why don't you give it a try?
④ Good luck with your history homework.
⑤ Sorry, but I forgot to bring your notebook.

20 Man: _____

① May I leave a message?
② Sure, I'll give him the message.
③ No, thanks. I'll call back later.
④ In about an hour, I think.
⑤ Can I ask who's calling, please?

틀린 문제는 Dictation에서 완벽하게 이해하세요.

01 그림 지칭

*들을 때마다 체크

다음을 듣고, 'this'가 가리키는 것으로 가장 적절한 것을 고르시오.

①   ②   ③

④   ⑤

여 여러분은 주로 여러분의 방이나 욕실에서 이것을 볼 수 있습니다. 이것은 플라스틱, 금속, 또는 나무로 만들어집니다. 이것은 보통 납작합니다. 이것은 한쪽에 뾰족한 이를 가지고 있습니다. 이것은 여러분의 머리를 단정하게 만들기 위해 사용됩니다. 이것은 무엇일까요?

W You can often see this in your room or _____. This is made of plastic, metal, or _____. This is usually
~로 만들어지다 🔑정답 근거
flat. This has pointed _____ on one side. This is used for making _____ _____ _____. What is this?
(목적·기능을 나타내어) ~을 위해

02 그림 묘사

대화를 듣고, 남자가 만든 카드로 가장 적절한 것을 고르시오.

①   ②   ③

④   ⑤

남 Amy, 이것 봐. 나는 할머니를 위해 크리스마스 카드를 만들었어.
여 와, 너는 많은 선물을 안고 있는 눈사람을 그렸구나. 정말 귀엽다!
남 그녀가 마음에 들어 하실 것 같니?
여 물론이지. 카드 아래에 '즐거운 크리스마스 되세요'라고 적는 게 어때?
남 잠깐만. (...) 이렇게?
여 응, 완벽해!

M Amy, look at this. I made a Christmas card for Grandma.
🔑정답 근거
W Wow, you _____ _____ _____ holding a lot of
(that[which] is)
presents. How cute!
감탄문(= It's very cute.)

M Do you think _____ _____ _____?

W Sure. Why don't you write "_____ _____!" on the
제안하는 표현
bottom of the card?

M Wait. (...) Like this?
~처럼

W Yes, it's _____!

🔊 **Sound Tip** Christmas / bottom
• Christmas의 t는 묵음이므로 [크뤼스머스]라고 발음된다.
• 강세를 받는 모음과 강세를 받지 않는 모음 사이에서 [t]는 부드러운 [r]소리로 바뀌어 [바럼]으로 발음된다.

Dictation 08회 →
┌ 전체 듣기
└ 문항별 듣기

Dictation의 효과적인 활용법
STEP1 들으면서 대본의 빈칸 채우기
STEP2 축쇄 문제를 보며 다시 풀어보기
STEP3 해석을 보며 영어로 말하거나 영작해 보기

공부한 날   월   일

03 날씨

다음을 듣고, 목요일의 날씨로 가장 적절한 것을 고르시오.

①   ②   ③

④   ⑤

M Hello, everyone. Let me tell you what the weather
_____ _____ _____ this week. On Monday
and Tuesday, it will snow _____ _____. It will
  비인칭 주어(날씨)
stop snowing on Wednesday, but it will rain _____.
  정답 근거
Thursday is the first day we will see _____ _____
        (that)
_____ _____. But it will rain again on Friday.

남 안녕하세요, 여러분. 이번 주의 날씨가 어떤지 알려드리겠습니다. 월요일과 화요일에는 온종일 눈이 올 것입니다. 눈은 수요일에 그치겠지만, 대신 비가 오겠습니다. 목요일은 해가 나는 것을 볼 수 있는 첫 번째 날입니다. 하지만 금요일에는 다시 비가 내리겠습니다.

04 말의 의도

대화를 듣고, 남자가 한 마지막 말의 의도로 가장 적절한 것을 고르시오.
① 동의   ② 사과   ③ 제안
④ 감사   ⑤ 허락

M Jean, how was your _____ _____ _____?

W It was great. Hey, look at some of my pictures from
Seoul. Here.

M Oh, _____ _____ a *hanbok* in this picture.

W Yes. I rented it and _____ Gyeongbokgung Palace.
I think the *hanbok* is so lovely.
  의견을 나타내는 표현

M ◀ _____ _____. It's beautiful. 정답 근거

남 Jean, 서울 여행은 어땠니?
여 멋졌어. 이봐, 서울에서 찍은 내 사진들 좀 봐. 여기 있어.
남 오, 너 이 사진에서 한복을 입고 있구나.
여 응. 나는 그것을 빌려서 경복궁을 방문했어. 나는 한복이 정말 예쁘다고 생각해.
남 나도 동의해. 그것은 아름다워.

 Solution Tip
I agree.는 상대방의 의견에 동의할 때 쓰는 표현으로, I think so, too. 또는 You can say that again. 등으로 바꿔 쓸 수 있다.

[Dictation]실전 모의고사 08회

05 언급하지 않은 것

다음을 듣고, 여자가 자원봉사 동아리 활동에 대해 언급하지 **않은** 것을 고르시오.
① 점심 준비하기
② 빨래하기
③ 벽지 칠하기
④ 책 읽어드리기
⑤ 음악 콘서트 하기

여 저희 자원봉사 동아리에 대해 소개해 드리겠습니다. 저희는 매주 토요일에 만나서 양로원을 방문합니다. 저희는 점심을 준비해서 어르신들께 제공합니다. 저희는 그들의 옷을 빨래하고 그들에게 재미있는 책을 읽어드립니다. 때때로, 저희는 그들을 위해 음악 콘서트를 엽니다. 그들이 미소 짓는 것을 보는 것은 저희를 행복하게 합니다.

W Let me introduce our volunteer club. We meet _____ _____ and visit the senior center. We prepare lunch and _____ _____ to the seniors. We wash _____ _____ and read some interesting books to them. Sometimes, we play a _____ _____ for them. To see them smile _____ _____ _____.

소개할 때 사용하는 표현

🔑정답 근거

06 시각

대화를 듣고, 두 사람이 만날 시각을 고르시오.
① 10:00 ② 10:30
③ 11:00 ④ 11:30
⑤ 12:00

남 Kelly, 나는 이번 일요일에 과학 박람회에 갈 거야. 나와 함께 가겠니?
여 물론이지! 몇 시에 만날래?
남 10시 괜찮니?
여 오, 그건 내게 좀 일러. 나는 오전에 아빠를 도와드려야 하거든.
남 그렇구나. 그럼 12시에 만나는 게 어때?
여 좋아.

M Kelly, I'm going to a science fair this Sunday. Do you want to _____ _____ _____?

W Sure! What time do you want to meet?

M Is _____ _____ good for you? 😮함정 주의

W Oh, that is _____ _____ _____ for me. I have to help my dad in the morning.

M Okay. Then how about _____ _____ _____?

🔑정답 근거

W Sounds good.

 Sound Tip fair
'박람회; 공정한'이라는 뜻의 fair는 '(교통) 요금'을 뜻하는 단어 fare와 동음이의어이므로 문맥에 따라 의미를 판단해야 한다.

07 장래 희망

대화를 듣고, 남자의 장래 희망으로 가장 적절한 것을 고르시오.

① 번역가　　　② 성악가
③ 광고기획자　④ 야구선수
⑤ 공예가

여　Logan, 난 어제 네가 공원에서 야구하고 있는 것을 봤어.
남　정말? 미안해, 나는 너를 알아보지 못했어.
여　괜찮아. 너는 경기에 집중한 것 같아 보였어. 너는 훌륭한 선수야.
남　고마워. 나는 연습을 많이 해. 나는 장래에 프로팀에서 야구를 할 수 있으면 좋겠어.
여　와, 그건 큰 목표이긴 하지만, 난 네가 할 수 있다고 확신해.
남　그러길 바라.

W Logan, I saw you playing baseball in the park yesterday.

M Really? Sorry, I _____ _____ _____.

W That's okay. You seemed to be focused on the game.
<u>사과에 대한 대답</u>　　<u>seem to: ~인 것 같다</u>
You're a _____ _____.

M Thanks. I practice a lot. I hope I can _____ _____
on a pro team in the future. 🎸정답 근거

W Wow, that's a _____ _____, but I'm sure you can
<u>확신을 나타내는 표현</u>
do it.

M I hope so.

---

08 심정

대화를 듣고, 여자의 심정으로 가장 적절한 것을 고르시오.

① angry　　　② worried
③ excited　　④ calm
⑤ bored

여　Ethan, 너 지금 정원을 청소해 줄 수 있니? 그것은 엉망진창이야.
남　미안하지만, 나는 지금 바빠.
여　뭐라고? 너는 바빠 보이지 않는데. 넌 그냥 게임하고 있는 중이잖아.
남　이번에는 네가 청소하는 게 어때?
여　사실, 나는 지난주에 그것을 청소했어. 우리는 교대로 그것을 청소해야 하고 이번은 네 차례야.
남　나는 그것을 청소하는 게 너무 싫어. 그냥 네가 할 수 없니?
여　왜 내가 해야 하니? 그건 공평하지 않아.

W Ethan, can you clean the garden now? It's a _____.

M Sorry, but I'm busy now.

W What? You _____ _____ _____. You're just
playing games. 🎸정답 근거

M Why don't you clean it this time?
<u>제안하는 표현</u>

W Actually, I _____ _____ last week. We should take
turns cleaning it and it's your turn.

M I hate cleaning it. _____ _____ just do it?
<u>싫어하는 것을 표현</u>

W ◄Why should I do it? _____ _____ _____.

🔊 **Solution Tip**
여자는 교대로 정원 청소를 해야 한다고 생각하는데 남자가 계속 여자에게 미루고 있으므로 화가 날 것이다.

[Dictation] 실전 모의고사 **08**회

09 바로 할 일

대화를 듣고, 남자가 대화 직후에 할 일로 가장 적절한 것을 고르시오.
① 영수증 찾기
② 옷장 살펴보기
③ 학교 선생님 만나기
④ 모자 환불하기
⑤ 연극 대사 외우기

남 너 이번 주 학교 연극을 위한 준비가 되었니?
여 네, 아빠. 그런데 복장으로 하나 더 필요한 것이 있어요.
남 난 네 선생님께서 네게 복장을 이미 주셨다고 생각했는데.
여 맞아요, 그런데 제 모자를 써야 하거든요.
남 그렇구나. 그럼 어떤 종류의 모자를 써야 하는데?
여 저는 리본이 있는 밀짚모자를 써야 하는데, 제 것은 너무 낡았어요.
남 음. 네 엄마에게 네가 빌릴 수 있을 만한 모자가 하나 있는 것 같구나. 내가 지금 그녀의 옷장을 살펴보마.

M Are you ready for the school play this week?
어떤 것을 할 준비가 되었는지 묻는 표현
W Yes, Dad. But I need one more thing for _____ _____.

M I thought your teacher _____ _____ a costume already.

W Right, but I need to wear my own hat.

M Okay. So _____ _____ _____ _____ do you need to wear?

W I have to wear a straw hat with a _____, but mine is too old.

M Hmm. I think your mom has a hat ^(that 또는 which) you can borrow. I'll check in _____ _____ now. 🎵 정답 근거

---

10 대화 화제

대화를 듣고, 무엇에 관한 내용인지 가장 적절한 것을 고르시오.
① 좋아하는 운동
② 밴드 멤버 모집
③ 여행 계획
④ 캠핑 시 유의사항
⑤ 여가 활동

남 너는 한가한 시간에 대개 무엇을 하니, Sarah?
여 나는 대개 내 친구들과 시간을 보내.
남 너희는 함께 무엇을 하는데?
여 우리는 함께 밴드에서 연주를 해. 때때로 우리는 캠핑을 가기도 해.
남 재밌겠구나.

M What do you usually do _____ _____ _____ _____, Sarah? 🎵 정답 근거

W I usually hang out with my friends.
~와 시간을 보내다

M _____ _____ _____ _____ together?

W We play in a band together. Sometimes we _____ _____. 🎵 함정 주의

M That sounds fun.

---

11 교통수단

대화를 듣고, 두 사람이 이용할 교통수단으로 가장 적절한 것을 고르시오.

① 택시   ② 버스   ③ 자전거
④ 자가용   ⑤ 지하철

M The weather is perfect today. _____ _____ to the park.

W Sure. _____ _____ the bus times. 🔺함정 주의

M Wait. I don't want to take the bus. Riding in a bus makes me _____ _____.

W Okay. Then let's take the subway. 🔺함정 주의

M I'm okay with that, but what about _____ _____ _____? 🔑정답 근거

W Good idea.

남 오늘 날씨가 완벽하구나. 우리 공원에 가자.
여 좋아. 내가 버스 시간을 확인해 볼게.
남 기다려. 나는 버스를 타고 싶지 않아. 버스를 타면 토할 것 같거든.
여 그래. 그럼 지하철을 타자.
남 그것도 괜찮지만, 자전거를 타는 건 어때?
여 좋은 생각이야.

12 이유

대화를 듣고, 남자가 재킷을 교환하는 이유로 가장 적절한 것을 고르시오.

① 사이즈가 작아서
② 너무 얇아서
③ 지퍼가 잘 작동하지 않아서
④ 색깔이 마음에 들지 않아서
⑤ 얼룩이 묻어 있어서

W Hi. How may I help you?

M I just _____ this jacket, but I'd like to _____ it.

W Is there anything wrong with the jacket?
어떤 것에 문제점이 있는지 묻는 표현

M Yes, the _____ _____ _____ _____ right. 🔑정답 근거

W Oh, I'm really sorry. Can I see your receipt, please?
요청하는 표현

M Sure, _____ _____ _____.

여 안녕하세요. 어떻게 도와드릴까요?
남 저는 방금 이 재킷을 샀는데, 교환하고 싶어요.
여 재킷에 무슨 문제라도 있나요?
남 네, 지퍼가 잘 작동하지 않아요.
여 오, 정말 죄송합니다. 영수증을 볼 수 있을까요?
남 물론이죠, 여기 있습니다.

🔊 Sound Tip receipt
receipt의 p는 묵음이므로 [뤼씨트]라고 발음된다.

13 장소

대화를 듣고, 두 사람이 대화하는 장소로 가장 적절한 곳을 고르시오.

① 가구점　② 놀이공원　③ 소방서
④ 수영장　⑤ 과학 실험실

M Rachel, do you want to try "The Volcano"?

W Are you kidding me? It _____ _____. Besides, the
너 농담[장난]하니?: 황당하거나 어이없을 때 쓰는 표현　　게다가(첨가의 의미)
line is too long. 🔑정답 근거

M Then _____ _____ do you want to go on next?

W Actually, I'm getting tired. Can we _____ _____

_____ on that bench?

M Okay. How about seeing one of the shows after a break?
one 아+복수명사: ~들 중 하나

W Good idea. There will be a _____ in 30 minutes.

🔊 **Sound Tip** kidding
[d]소리는 강모음과 약모음 사이에서 [r]소리로 바뀌어 [키링]으로 발음된다.

🔖 **Solution Tip**
차례를 기다리는 줄이 길다는 말과 놀이기구, 퍼레이드 등이 언급된 것으로 보아 놀이공원에서 이루어지고 있는 대화임을 알 수 있다.

남 Rachel, 너 'The Volcano'를 타보고 싶니?
여 농담하니? 그건 무서워 보여. 게다가, 줄이 너무 길잖아.
남 그럼 너는 다음에 어떤 놀이기구를 타고 싶니?
여 사실, 나는 피곤해졌어. 저 벤치에서 잠깐 쉬어도 될까?
남 좋아. 잠깐 쉰 다음에 공연들 중 하나를 보는 게 어때?
여 좋은 생각이야. 30분 후에 퍼레이드가 있을 거야.

14 그림 위치

대화를 듣고, 서점의 위치로 가장 알맞은 것을 고르시오.

You are here!

🇬🇧

W Excuse me. Can you tell me _____ _____ _____

to the bookstore?

M Of course. It's close by. First, go straight _____

_____. 🔑정답 근거

W Okay. Then do I turn right or left?

M _____ _____ and pass the museum.

W Oh, do you mean the history museum?
상대방의 말을 확인할 때 쓰는 표현

M _____. The bookstore is _____ the museum and

the elementary school.

🔊 **Sound Tip** close
close가 '가까운; 가까이'라는 의미의 형용사 또는 부사일 때는 [클로우스]로 발음되고, '닫다; 눈을 감다'라는 의미의 동사일 때는 [클로우즈]로 발음된다.

여 실례합니다. 서점으로 가는 길을 알려주실 수 있나요?
남 물론이죠. 바로 근처예요. 우선, 한 블록 직진하세요.
여 알겠어요. 그런 다음 우회전인가요, 좌회전인가요?
남 왼쪽으로 가셔서 박물관을 지나세요.
여 오, 역사박물관을 말씀하시는 건가요?
남 맞아요. 서점은 박물관과 초등학교 사이에 있어요.

15 부탁한 일

대화를 듣고, 여자가 남자에게 부탁한 일로 가장 적절한 것을 고르시오.
① 팝콘 사다주기
② 영화표 바꾸기
③ 자전거 빌려주기
④ 영화관 위치 안내하기
⑤ 영화관까지 태워 주기

[휴대 전화가 울린다.]
남 여보세요, Emilia. 너 어디니?
여 정말 미안해. 나는 교통체증에 갇혀 꼼짝 못 하고 있어.
남 언제 여기 오니?
여 1시간 정도 후에.
남 뭐라고? 하지만 영화는 20분 후에 시작하는데.
여 알아. 네가 영화표를 바꿔 줄 수 있니? 내 말은, 우리 다음 영화를 볼 수 있을까?
남 그래. 그렇게 해 볼게.

📞 *Cellphone rings.*

M   Hello, Emilia. Where are you?

W   I'm so sorry. I'm stuck in a _____ _____.
   교통체증에 갇혀 꼼짝 못 하다

M   When will you be here?

W   _____ _____ _____ _____.

M   What? But the movie starts in 20 minutes.

W   I know. Can you _____ _____ _____, please?

   I mean, can we see the _____ _____? 🔑정답 근거
   내 말은[다시 말해]: 자신의 말을 설명 또는 수정할 때 쓰는 표현

M   Okay. I'll try.

16 제안한 것

대화를 듣고, 여자가 남자에게 제안한 것으로 가장 적절한 것을 고르시오.
① 방에 젖은 수건 널기
② 침구를 깨끗이 정돈하기
③ 따뜻한 차를 자주 마시기
④ 식사 전에 가벼운 운동하기
⑤ 자기 전에 따뜻한 물로 샤워하기

남 오늘 정말 덥구나!
여 응, 일기예보에서 오늘이 올해의 가장 더운 날이라고 했어.
남 너무 더워서 요즘 나는 심지어 밤에 잠들 수가 없어.
여 자기 전에 따뜻한 물로 샤워를 하는 게 어때?
남 따뜻한 물로 샤워를 하라고? 그게 도움이 될까?
여 나는 그렇게 생각해. 한번 시도해 봐.

M   It's so hot today!
   비인칭 주어(날씨)

W   Yes, the weather report said today is the _____ _____ of the year.
   (that)

M   These days I can't even _____ _____ at night because it's too hot.

W   Why don't you _____ _____ _____ _____ before bed? 🔑정답 근거

M   A warm shower? Would that help?

W   I think so. You should _____ _____.

17 어색한 대화

대화를 듣고, 두 사람의 대화가 <u>어색한</u> 것을 고르시오.

①   ②   ③   ④   ⑤

① 여   주문하시겠어요?
    남   네, 저는 쇠고기 스테이크로 할게요.
② 여   마스크 쓰는 것 잊지 마. 오늘 공기가 더러워.
    남   걱정하지 마세요. 잊지 않을게요.
③ 여   방과 후에 제가 음악실을 사용해도 될까요?
    남   미안하지만, 나는 안 돼. 나는 오늘 바빠.
④ 여   무슨 일이니, Shane? 너 슬퍼 보여.
    남   내 고양이가 실종되었어.
⑤ 여   너 사진 동아리에 가입할 거니?
    남   아직 확실하지 않아.

① W   May I take your order?
_{주문 받을 때 쓰는 표현}
   M   Yes, _____ _____ the beef steak.

② W   Don't forget to wear a mask. The air is dirty today.
_{당부하는 표현}
   M   Don't worry. I _____ _____.

③ W   Can I use the music room after school? 🎸정답 근거
_{요청할 때 쓰는 표현}
   M   Sorry, _____ _____ _____. I'm busy today.

④ W   What's wrong, Shane? You look sad.
_{상대방에게 문제가 있어 보일 때 쓰는 표현}
   M   My cat is _____.

⑤ W   Are you going to join a photography club?

   M   _____ _____ _____ _____.

Solution Tip

Can I ~?는 '제가 ~해도 될까요?'라는 의미로 상대방의 허락을 구하거나 요청할 때 쓰는 표현이다. 따라서 Yes, you can. 또는 I'm sorry, but you can't. 등으로 답하는 것이 자연스럽다.

18 직업

대화를 듣고, 남자의 직업으로 가장 적절한 것을 고르시오.

① 호텔 직원   ② 자동차 정비공
③ 경찰관   ④ 요리사
⑤ 도서관 사서

여   저는 체크인을 하고 싶습니다.
남   물론입니다, 부인. 예약을 하셨나요?
여   네, Laura Miles라는 이름으로요.
남   신분증을 보여주시겠어요?
여   여기 있습니다.
남   잠깐만요. 아, 여기 있군요. 3박으로 1인용 객실을 예약하신 거죠, 그렇죠?
여   네. 제 방 번호가 뭐죠?
남   부인의 방은 310호입니다.

W   I'd like to _____ _____, please. 🎸정답 근거

M   Sure, ma'am. Do you have a reservation?

W   Yes, under the name of Laura Miles.
_{~라는 이름으로}

M   _____ _____ _____ your ID, please?
_{신분증(= identification)}

W   Here it is.
_{물건을 건넬 때 쓰는 표현}

M   One moment, please. Ah, here we are. That's a _____
_{= Wait a moment}
_____ for three nights, right?

W   Yes. What is my _____ _____?

M   Your room is 310.

Solution Tip

여자의 체크인 수속을 돕고 있으므로 남자는 호텔 직원임을 알 수 있다.

19 이어질 말 ①

대화를 듣고, 여자의 마지막 말에 이어질 남자의 말로 가장 적절한 것을 고르시오.

Man: _____

① Thanks. That's so kind of you.
② I think it's a piece of cake.
③ Why don't you give it a try?
④ Good luck with your history homework.
⑤ Sorry, but I forgot to bring your notebook.

W You look worried, Fred. _____ _____?

M I have history homework to finish by _____ _____,
  <u>to부정사의 형용사적 용법(~할)</u>
  but it's too difficult.

W I think _____ _____ _____ _____.

M How?

W I will _____ _____ my history notebook. It might
  <u>약한 추측</u>
  help. 🎵정답 근거

M ① Thanks. That's so kind of you.

여 너 걱정스러워 보여, Fred. 무슨 일이니?
남 나는 이번 주 목요일까지 끝내야 하는 역사 숙제가 있는데, 그건 너무 어려워.
여 내가 널 도울 수 있을 것 같아.
남 어떻게?
여 네게 내 역사 공책을 빌려 줄게. 도움이 될 거야.
남 ① 고마워. 너 정말 친절하구나.

② 난 그것이 정말 쉽다고 생각해.
③ 한번 해 보는 게 어때?
④ 역사 숙제를 잘하길 바라.
⑤ 미안하지만, 나는 네 공책을 가져오는 것을 잊어버렸어.

20 이어질 말 ②

대화를 듣고, 여자의 마지막 말에 이어질 남자의 말로 가장 적절한 것을 고르시오.

Man: _____

① May I leave a message?
② Sure, I'll give him the message.
③ No, thanks. I'll call back later.
④ In about an hour, I think.
⑤ Can I ask who's calling, please?

📞 *Telephone rings.*

M Hello.

W Hello, Mr. Stone. _____ _____ Sienna. Is Jim home?

M No, he went to the library _____ _____ _____.
  You could call his cellphone.
  <u>제안하는 표현</u>

W I did, but his phone _____ _____. Is he coming
  <u>= I called his cellphone</u>
  home soon?

M I guess so.
  <u>= I think so.</u>

W If he comes home, can you tell him to _____
  <u>만약 ~하면</u>
  _____ _____? 🎵정답 근거

M ② Sure, I'll give him the message.

[전화벨이 울린다.]
남 여보세요.
여 안녕하세요, Stone 씨. 저는 Sienna예요. Jim이 집에 있나요?
남 아니, 그는 한 시간 전에 도서관에 갔어. 그의 휴대 전화로 전화해 보렴.
여 해봤는데, 그의 전화는 꺼져 있어요. 그는 곧 집에 오나요?
남 그럴 거야.
여 그가 집에 오면, 제게 전화해 달라고 말씀해 주시겠어요?
남 ② 물론이지, 그에게 메시지를 전해 주마.

① 메시지를 남겨도 될까?
③ 고맙지만 괜찮아. 내가 나중에 다시 걸게.
④ 한 시간 정도 후일 거야.
⑤ 누구신지 여쭤봐도 되나요?

모의고사를 먼저 풀고 싶으면 138쪽으로 이동하세요.

🎧 다음 표현을 듣고 모르는 것에 표시하시오.

01 **shell** 껍질, 껍데기	25 **magician** 마술사
02 **scared** 무서워하는, 겁먹은	26 **perform** 공연하다
03 **hide** 숨다; 숨기다	27 **return** 돌려주다, 반납하다
04 **mostly** 주로, 대개	28 **fasten** 매다, 채우다
05 **recommend** 추천하다	29 **peach** 복숭아
06 **humorous** 재미있는, 유머러스한	30 **fresh** 신선한
07 **cast** 깁스	31 **improve** 향상시키다
08 **volleyball** 배구	32 **skill** 기량, 솜씨, 재주
09 **elevator** 엘리베이터	33 **dairy** 유제품의
10 **appreciate** 감사하다	34 **non-fat** 무지방의
11 **opportunity** 기회	35 **magic trick** 마술 묘기
12 **possible** 가능한	36 **polka dot** 물방울무늬
13 **necklace** 목걸이	37 **wake-up call** 모닝콜
14 **jewelry** 보석	38 **out of order** 고장이 난
15 **strange** 이상한	39 **as soon as** ~하자마자
16 **flashlight** 손전등	40 **run out of** ~이 바닥나다
17 **spill** (액체를) 흘리다, 쏟다	41 **take a nap** 낮잠을 자다
18 **talented** 재능이 있는	42 **be known for** ~로 유명하다[알려져 있다]
19 **successful** 성공적인	
20 **damage** 손상	📝 알아두면 유용한 선택지 **어휘**
21 **disagree** 동의하지 않다	43 **discount** 할인
22 **salty** 짠, 짭짤한	44 **comfortable** 편안한
23 **win** (상을) 타다	45 **check-out** (호텔에서의) 체크아웃; 방을 비울 시각
24 **prize** 상, 상품	46 **copy machine** 복사기

🎧 들으면서 표현을 완성한 다음, 뜻을 고르시오.

표현의 의미를 생각하며 다시 써 보기!

01 neck◻ace ☐ 팔찌 ☐ 목걸이
➡ ------

02 ◻olleyball ☐ 배구 ☐ 탁구
➡ ------

03 pri◻e ☐ 상, 상품 ☐ 벌
➡ ------

04 da◻age ☐ 손상 ☐ 반납
➡ ------

05 ◻asten ☐ 풀다 ☐ 매다, 채우다
➡ ------

06 impro◻e ☐ 악화시키다 ☐ 향상시키다
➡ ------

07 ◻each ☐ 배 ☐ 복숭아
➡ ------

08 s◻ell ☐ 껍질, 껍데기 ☐ 내부
➡ ------

09 ta◻ented ☐ 재능이 있는 ☐ 수줍은
➡ ------

10 ◻airy ☐ 육류의 ☐ 유제품의
➡ ------

11 pe◻form ☐ 취소하다 ☐ 공연하다
➡ ------

12 ◻ide ☐ 숨다; 숨기다 ☐ 찾다
➡ ------

13 ma◻ician ☐ 마술사 ☐ 정비공
➡ ------

14 s◻ill ☐ 흘리다, 쏟다 ☐ 치우다
➡ ------

15 di◻agree ☐ 동의하다 ☐ 동의하지 않다
➡ ------

16 possi◻le ☐ 가능한 ☐ 불가능한
➡ ------

17 opport◻nity ☐ 노력 ☐ 기회
➡ ------

18 apprecia◻e ☐ 사과하다 ☐ 감사하다
➡ ------

실전 모의고사 [09] 회

실전 모의고사 09회 →
[모의고사 보통 속도
[모의고사 빠른 속도

✎ 들으면서 주요 표현 메모하기!

01 다음을 듣고, 'I'가 무엇인지 가장 적절한 것을 고르시오.

①   ②   ③   ④   ⑤

02 대화를 듣고, 남자가 구입할 실내화로 가장 적절한 것을 고르시오.

①   ②   ③   ④   ⑤

03 다음을 듣고, 부산의 주말 날씨로 가장 적절한 것을 고르시오.

①   ②   ③   ④   ⑤

04 대화를 듣고, 여자가 한 마지막 말의 의도로 가장 적절한 것을 고르시오.

① 감사   ② 제안   ③ 위로   ④ 사과   ⑤ 거절

고난도 선택지 하나씩 체크하며 풀기

05 다음을 듣고, 남자가 체육 교사에 대해 언급하지 <u>않은</u> 것을 고르시오.

① 나이   ② 교사가 되기 이전 직업   ③ 별명
④ 키   ⑤ 성격

06 대화를 듣고, 두 사람이 만날 시각을 고르시오.

✎ 들으면서 주요 표현 메모하기!

① 7:00 a.m.   ② 7:20 a.m.   ③ 7:30 a.m.

④ 8:00 a.m.   ⑤ 8:30 a.m.

07 대화를 듣고, 여자의 장래 희망으로 가장 적절한 것을 고르시오.

① 비서   ② 동물 훈련사   ③ 패션모델

④ 스포츠 트레이너   ⑤ 보석 디자이너

고난도 핵심 표현 메모하며 풀기

08 다음을 듣고, *The Secret Story*에 관한 내용으로 일치하지 <u>않는</u> 것을 고르시오.

① 작가는 Susan Wilson이다.

② 집필하는 데 4년이 걸렸다.

③ 인간과 동물 사이의 우정에 관한 책이다.

④ 처음에는 주목을 받지 못했다.

⑤ 작년에 영화로 만들어졌다.

09 대화를 듣고, 여자가 대화 직후에 할 일로 가장 적절한 것을 고르시오.

① 전등 끄기   ② 고양이집 만들기   ③ 고양이 먹이 주기

④ 손전등 가져오기   ⑤ 동물병원에 가기

10 다음을 듣고, 무엇에 관한 내용인지 가장 적절한 것을 고르시오.

① 학교 축제 일정   ② 송별회 장소 검색

③ 동아리 신입 회원 모집   ④ 마술쇼 티켓 예약

⑤ 마술쇼 관람 규칙

틀린 문제는 Dictation에서
완벽하게 이해하세요.

실전 모의고사 [09]회

✎ 들으면서 주요 표현 메모하기!

11 대화를 듣고, 두 사람이 이용할 교통수단으로 가장 적절한 것을 고르시오.

① 택시　　② 버스　　③ 자전거　　④ 자가용　　⑤ 지하철

고난도 핵심 표현 메모하며 풀기

12 대화를 듣고, 남자가 돈을 지불해야 하는 이유로 가장 적절한 것을 고르시오.

① 책을 손상시켜서　　　　　② 책을 잃어버려서
③ 책을 늦게 반납해서　　　　④ 복사기를 사용해야 해서
⑤ 도서 카드를 재발급해야 해서

13 대화를 듣고, 두 사람이 대화하는 장소로 가장 적절한 곳을 고르시오.

① 약국　　　　　② 식료품 가게　　　　③ 문구점
④ 음식점　　　　⑤ 자동차 정비소

14 대화를 듣고, 휴대 전화 판매점의 위치로 가장 알맞은 것을 고르시오.

You are here!

15 대화를 듣고, 여자가 남자에게 부탁한 일로 가장 적절한 것을 고르시오.

① 짐 맡아주기　　　　　　② 체크아웃 시간 알려주기
③ 아침에 전화로 깨워주기　　④ 방으로 음식 가져다주기
⑤ 방으로 짐 옮겨주기

16 대화를 듣고, 여자가 남자에게 제안한 것으로 가장 적절한 것을 고르시오.

① 세차하기 ② 낮잠 자기 ③ 사진 찍기
④ 병원 가기 ⑤ 시험공부 하기

✎ 들으면서 주요 표현 메모하기!

17 대화를 듣고, 두 사람의 대화가 <u>어색한</u> 것을 고르시오.

①　②　③　④　⑤

18 대화를 듣고, 남자의 직업으로 가장 적절한 것을 고르시오.

① 조종사 ② 주차 요원 ③ 택시 운전사
④ 스키 강사 ⑤ 교통경찰관

[19-20] 대화를 듣고, 남자의 마지막 말에 이어질 여자의 말로 가장 적절한 것을 고르시오.

남자의 마지막 말에 집중하기

19 Woman: _____

① I can give you a discount.
② Sorry, the only size left is a small.
③ How would you like to pay?
④ The sweater does not come in orange.
⑤ Sure. May I see your receipt, please?

고난도 핵심 표현 메모하며 풀기

20 Woman: _____

① It was a very comfortable hotel.
② No, I'm not really good at swimming.
③ I stayed there for about two weeks.
④ I'm planning to go there with my friends.
⑤ I visited some famous palaces and museums.

틀린 문제는 Dictation에서 완벽하게 이해하세요.

01 그림 지칭
*들을 때마다 체크

다음을 듣고, 'I'가 무엇인지 가장 적절한 것을 고르시오.

①
②
③
④
⑤

여 나는 바다와 육지에 삽니다. 나는 걸을 수 있고 수영할 수 있습니다. 나는 일반적으로 느린 것으로 알려져 있습니다. 나는 네 개의 다리를 가지고 있고 등에는 딱딱한 껍질이 있습니다. 내가 무서움을 느낄 때, 나는 껍질 안으로 숨을 수 있습니다. 나는 무엇일까요?

 정답 근거

W I live in the sea and on land. I can _____ and _____. I am generally known for being slow. I have
일반적으로 ~로 알려져 있다
four legs and a _____ _____ on my back. When I
~할 때
feel scared, I can _____ _____ _____ _____.
What am I?

02 그림 묘사

대화를 듣고, 남자가 구입할 실내화로 가장 적절한 것을 고르시오.

①
②
③
④
⑤

W How may I help you, sir?

M I'm looking for a _____ _____ _____ _____ for my daughter.

W Sure. We have lots. Do you like this pair with polka
(수양이) 많음
_____ on it? 함정 주의 물방울무늬의 실내화는 마음에 들지 않는다고 대답함

M Not really. What else do you _____?
그 밖에 무엇

W These slippers _____ _____ on them are popular.
정답 근거

M They're cute. I'll take them.

여 무엇을 도와드릴까요, 손님?
남 저는 제 딸을 위한 새 실내화 한 켤레를 찾고 있습니다.
여 네. 저희는 실내화를 많이 갖고 있어요. 물방울무늬가 있는 이건 마음에 드세요?
남 아뇨. 그 밖에 추천하실 것이 있나요?
여 위에 토끼가 있는 이 실내화가 인기 있어요.
남 귀엽군요. 그걸 살게요.

Sound Tip What else
앞 단어의 끝 자음과 뒤 단어의 첫 모음이 연음되어 [와렐스]로 발음된다.

Dictation 09회 →
┌ 전체 듣기
└ 문항별 듣기

Dictation의 효과적인 활용법
STEP1 들으면서 대본의 빈칸 채우기
STEP2 축쇄 문제를 보며 다시 풀어보기
STEP3 해석을 보며 영어로 말하거나 영작해 보기

공부한 날   월   일

03 날씨

다음을 듣고, 부산의 주말 날씨로 가장 적절한 것을 고르시오.

①   ②   ③
④   ⑤

남 여러분이 만약 이번 주말에 다른 도시로 여행을 가신다면, 이 일기예보를 들으셔야 합니다. 서울은 토요일과 일요일에 비가 오겠습니다. 하지만 대전은 날씨가 더 좋을 것입니다. 대전은 주말 내내 서늘하고 화창한 날씨가 이어지겠습니다. 대구와 부산은 둘 다 주로 흐리겠습니다. 그리고 광주는 하늘이 맑겠지만 바람이 불 것입니다.

M   If you are traveling to _____ _____ this weekend, then you need to hear this weather report. In Seoul, it will rain on Saturday and Sunday. The weather _____ _____ _____ in Daejeon, however. 그러나, 하지만 Daejeon will have cool, sunny weather throughout the 주말 내내 weekend. It will be _____ _____ in both Daegu 정답 근거 and Busan. And in Gwangju, the skies will be clear, but it will be _____.

04 말의 의도

대화를 듣고, 여자가 한 마지막 말의 의도로 가장 적절한 것을 고르시오.
① 감사   ② 제안   ③ 위로
④ 사과   ⑤ 거절

남 네 다리 왜 그러니? 왜 깁스를 하고 있어?
여 나는 얼음 위에서 넘어져서 다리가 부러졌어.
남 안됐구나. 아프니?
여 조금 아프지만, 괜찮아. 가장 힘든 건 교실에 계단으로 걸어 올라가는 거야.
남 엘리베이터를 타고 가지 그러니?
여 지금 엘리베이터가 고장이 났어.
남 그렇구나. 음, 내가 계단 올라가는 걸 도와줄게.
여 오, 정말 고마워.

M   What happened to your leg? Why is it in a cast?
~에게 무슨 일이니?, ~가 왜 그래?(평소와 다르거나 이상할 때 묻는 표현)
W   I _____ _____ _____ _____ and broke my leg.
M   That's terrible. Does it hurt?
(안 좋은 소식에 대해) 유감을 나타내는 표현
W   _____ _____, but I'm okay. The hardest thing is 최상급 앞에 the를 씀 going up the stairs to our classroom.
M   Why don't you use the elevator?
W   The elevator is _____ _____ _____ right now.
M   I see. Well, let me help you go up the stairs.
계단을 올라가다
W   Oh, I really _____ _____. 정답 근거

◀ Solution Tip
I appreciate it.은 '고마워.'라는 의미로 감사함을 나타내는 표현이다. I'm grateful. 또는 I can't thank you enough. 등도 감사함을 나타내는 표현이다.

05 언급하지 않은 것

다음을 듣고, 남자가 체육 교사에 대해 언급하지 <u>않은</u> 것을 고르시오.
① 나이
② 교사가 되기 이전 직업
③ 별명
④ 키
⑤ 성격

남 우리 체육 선생님에 대해 말씀드리겠습니다. 그녀의 이름은 Selena Jones이고 그녀는 30살입니다. 그녀는 2년 전에 우리 학교에 왔습니다. 그녀가 선생님이 되기 전에는 배구 선수였습니다. 그녀는 배구를 정말 잘합니다! 그녀는 키가 175센티미터이고, 매일 5킬로미터를 달립니다. Jones 선생님은 항상 친절하고 재미있어서 많은 학생들이 그녀를 좋아합니다.

M Let me tell you about my P.E. teacher. Her name is Mrs.
= physical education
Selena Jones and she is _____ _____ _____.
정답 근거
She came to our school two years ago. Before she was
~하기 전에
a teacher, she was a _____ _____. She can play
volleyball really well! She is 175 centimeters _____,
and she runs 5 kilometers every day. Mrs. Jones is
always kind and _____, so many students _____
_____.

Sound Tip centimeters
[nt]가 강모음과 약모음 사이에 올 때 [t]소리는 [n]소리에 동화되어 탈락된다. 또한 모음 사이의 [t]소리는 종종 부드러운 [r]소리로 바뀌어 [세니미럴즈]로 발음된다.

06 시각

대화를 듣고, 두 사람이 만날 시각을 고르시오.
① 7:00 a.m.   ② 7:20 a.m.
③ 7:30 a.m.   ④ 8:00 a.m.
⑤ 8:30 a.m.

남 Samantha, 너 내일 나를 직장까지 차로 태워 주는 게 가능하니?
여 문제없어. 너희 집에서 널 태워 갈게.
남 좋아. 나는 아침 7시까지 준비가 될 거야.
여 오, 그건 너무 이른데. 나는 보통 집에서 7시 20분에 나와. 그리고 너희 집까지 차로 가는 데 10분이 걸릴 거야.
남 알겠어. 그럼 7시 30분에 널 기다리고 있을게.
여 좋아. 그때 보자.

M Samantha, would it be possible for you to _____
네가 ~하는 것이 가능하니?(정중하게 부탁하는 표현)
_____ _____ _____ tomorrow?

W No problem. I'll pick you up at your house.
부탁·제안을 수락하는 표현

M Okay. _____ _____ _____ by 7 a.m.

W Oh, that's too early. I usually leave my house at 7:20.
And it will _____ _____ _____ to drive to your
house.

M Got it. Then I'll be waiting for you at 7:30. 정답 근거
알겠어[이해했어].

W Great. _____ _____ _____ _____.

07 장래 희망

대화를 듣고, 여자의 장래 희망으로 가장 적절한 것을 고르시오.
① 비서
② 동물 훈련사
③ 패션모델
④ 스포츠 트레이너
⑤ 보석 디자이너

남 지원아, 네 목걸이를 어디에서 샀니?
여 사실, 내가 디자인해서 그것을 직접 만들었어.
남 왜! 너는 정말 재능이 있구나.
여 고마워. 나는 장래에 보석 디자이너가 되고 싶어서 기량을 향상시키기 위해 훈련 과정을 수강하고 있어.
남 난 네가 아주 성공할 거라고 확신해.
여 그러길 바라.

M　Jiwon, where did you get your necklace?

W　Actually, I designed and _____ _____ myself.
스스로, 직접

M　Wow! You're really talented.

W　Thanks. I want to be a _____ _____ in the future, 정답 근거

so I'm taking training courses to improve my _____.
to부정사의 부사적 용법(목적)

M　I'm sure you'll become very successful.
확신을 나타내는 표현

W　_____ _____ _____.

08 일치하지 않는 것

다음을 듣고, *The Secret Story*에 관한 내용으로 일치하지 <u>않는</u> 것을 고르시오.
① 작가는 Susan Wilson이다.
② 집필하는 데 4년이 걸렸다.
③ 인간과 동물 사이의 우정에 관한 책이다.
④ 처음에는 주목을 받지 못했다.
⑤ 작년에 영화로 만들어졌다.

남 'Book Talk Show'에 오신 것을 환영합니다. 오늘 저는 'The Secret Story'에 대해 말씀드리고 싶습니다. 그 책은 Susan Wilson 씨에 의해 집필되었습니다. 그녀가 책을 완성하는 데 4년이 걸렸지요. 책에서 그녀는 인간과 동물들 사이의 우정에 관해 이야기합니다. 그 책은 출간되자마자 베스트셀러가 되었습니다. 그것은 작년에 영화로 만들어졌고, 영화도 큰 성공을 거두었습니다.

M　Welcome to the *Book Talk Show*. Today _____ _____ _____ tell you about *The Secret Story*. The book was written by Susan Wilson. It _____ 수동태 _____ _____ to finish the book. In the book, she talks about friendship between humans and animals. 정답 근거　between A and B: A와 B 사이에 The book became a best seller _____ _____ _____ it came out. It was made into a movie last year, and it was also a _____ _____.

Solution Tip
책은 출간되자마자 베스트셀러가 되었다고 했으므로 처음부터 많은 사람의 주목을 받았다고 할 수 있다.

Sound Tip best seller
best의 뒤 자음 [st]와 seller의 앞 자음 [s]가 연달아 발음되면서 가운데 [t]소리는 탈락된다. 즉, [베스쎌러] 또는 [벳쎌러]라고 발음된다.

09 바로 할 일 ☐☐

대화를 듣고, 여자가 대화 직후에 할 일로 가장 적절한 것을 고르시오.
① 전등 끄기
② 고양이집 만들기
③ 고양이 먹이 주기
④ 손전등 가져오기
⑤ 동물병원에 가기

W Dad, do you know _____ _____ _____ _____?

M I have no idea. Isn't he in the house?
모르겠어.(= I don't know.)

W No. I looked everywhere in the house, but I _____
고양이가 집에 없다는 의미임
_____ _____ anywhere.

M Hmm. That's strange. Did you _____ _____?

W Not yet.

M Okay, bring a _____. Let's go out and find him.
🎸정답 근거

W All right, Dad.

여 아빠, 우리 고양이가 어디 있는지 아세요?
남 나는 모르겠구나. 고양이가 집에 없니?
여 네. 저는 집 구석구석 다 살펴봤는데 어디서도 찾을 수가 없어요.
남 음. 그거 이상하구나. 밖은 찾아봤니?
여 아직이요.
남 그래, 손전등을 가져오렴. 밖에 나가서 찾아보자.
여 알겠어요, 아빠.

10 담화 화제 ☐☐

다음을 듣고, 무엇에 관한 내용인지 가장 적절한 것을 고르시오.
① 학교 축제 일정
② 송별회 장소 검색
③ 동아리 신입 회원 모집
④ 마술쇼 티켓 예약
⑤ 마술쇼 관람 규칙

W Attention, please. If you are _____ _____ _____,
주의를 끌 때 쓰는 표현
this will be a great opportunity. Our magic club is

looking for _____ _____. We learn magic tricks
🎸정답 근거
from a famous magician once a month. We meet every
한 달에 한 번
Friday _____ _____ to practice and also perform
to부정사의 부사적 용법(목적)
a magic show at the school festival. We only need
_____ _____ _____, so hurry!

여 주목해 주세요. 만약 여러분이 마술에 관심이 있다면, 이것은 엄청난 기회가 될 것입니다. 저희 마술 동아리는 신입 회원을 모집하고 있습니다. 저희는 한 달에 한 번 유명한 마술사에게서 마술을 배웁니다. 저희는 매주 금요일 방과 후에 연습하기 위해 만나고 또한 학교 축제에서 마술쇼를 공연하기도 합니다. 3명의 학생만 더 필요하니, 서두르세요!

····· 🔊 **Sound Tip** tricks
[tr]의 [t]소리는 [r]소리의 영향을 받아 우리말 [ㅊ]에 가까워져 [츄릭스]로 발음된다.

11 교통수단

대화를 듣고, 두 사람이 이용할 교통수단으로 가장 적절한 것을 고르시오.

① 택시　② 버스　③ 자전거
④ 자가용　⑤ 지하철

M It's time to ＿＿＿＿ ＿＿＿＿ ＿＿＿＿ ＿＿＿＿.
~할 시간이다

W Okay. I need to get my bus pass.

M If we take the bus, ＿＿＿＿ ＿＿＿＿ ＿＿＿＿.

W Then let's ride our bikes. 🔍함정 주의 버스나 자전거를 타면 공연에 늦을 것이라고 대답함

M That will make us late, too. Why don't we just ＿＿＿＿
자전거를 타는 것　　　　　　　우리 ~하는 게 어때?(제안하는 표현)
＿＿＿＿ ＿＿＿＿? 🔑정답 근거

W Sounds good. Let's hurry.
제안을 수락하는 표현

남 공연을 보러 갈 시간이야.
여 그래. 나는 버스 정기 승차권을 가져와야겠어.
남 버스를 타면 우린 늦을 거야.
여 그럼 자전거를 타자.
남 그것도 늦을 거야. 우리 그냥 택시를 타는 게 어때?
여 좋아. 서두르자.

12 이유

대화를 듣고, 남자가 돈을 지불해야 하는 이유로 가장 적절한 것을 고르시오.

① 책을 손상시켜서
② 책을 잃어버려서
③ 책을 늦게 반납해서
④ 복사기를 사용해야 해서
⑤ 도서 카드를 재발급해야 해서

W Hello. May I help you with something?

M I'd like to ＿＿＿＿ ＿＿＿＿ ＿＿＿＿.

W What happened to this book?

M I think I ＿＿＿＿ ＿＿＿＿ on it. I'm sorry.
🔑정답 근거

W ☜ You will need to ＿＿＿＿ ＿＿＿＿ the damage.

M How much?

W It's going to be ＿＿＿＿ ＿＿＿＿.

여 안녕하세요. 무엇을 도와드릴까요?
남 저는 이 책들을 반납하고 싶은데요.
여 이 책에는 무슨 일이 있었죠?
남 제가 책에 뭔가 쏟은 것 같아요. 죄송합니다.
여 손상에 대해서 돈을 지불하셔야 해요.
남 얼마죠?
여 5달러입니다.

🔙 Solution Tip
여자가 남자에게 도서관에서 빌린 책을 손상시킨 것에 대해 비용을 청구하고 있다.

13 장소

대화를 듣고, 두 사람이 대화하는 장소로 가장 적절한 곳을 고르시오.

① 약국　　　　② 식료품 가게
③ 문구점　　　④ 음식점
⑤ 자동차 정비소

남 Jenny, 유제품 코너에 가자. 우리는 무지방 우유와 요구르트가 좀 필요해.
여 그래. 우리는 시리얼도 좀 사야 해.
남 맞아, 우린 시리얼이 바닥나고 있어. 음. 그거면 될까?
여 나는 과일을 좀 사고 싶어.
남 어떤 과일을 사고 싶니?
여 저 복숭아들이 아주 신선해 보여.

M Jenny, let's go to the _____ section. We need some
　정답 근거
non-fat milk and yogurt.

W Okay. We should buy some cereal, too.

M Right, we're _____ _____ _____ cereal. Hmm.
Is that all we need?

W I want to buy _____ _____.

M What fruit do you want?

W Those peaches _____ _____ _____.

Solution Tip
무지방 우유, 요구르트, 시리얼, 과일을 살 수 있는 곳은 식료품 가게이다.

14 그림 위치

대화를 듣고, 휴대 전화 판매점의 위치로 가장 알맞은 것을 고르시오.

여 Toby, 이 근처에 휴대 전화 판매점이 있니?
남 응, 그건 쇼핑몰 바로 옆에 있어.
여 그렇구나, 하지만 나는 쇼핑몰이 어디 있는지 몰라.
남 한 블록 직진해서 좌회전만 하면 돼.
여 한 블록만?
남 응. 그런 다음 좌회전하면 네 왼쪽인 쇼핑몰 옆에 있어. 찾기 쉬워.

W Toby, is there a cellphone shop nearby?

M Yes, it's _____ _____ _____ the shopping mall.
　　　　　　　　　　　　　　　　정답 근거

W Okay, but I don't know where the shopping mall is.
　　　　　　　　　　간접의문문(의문사+주어+동사)

M All you have to do is _____ _____ one block and
너는 ~하기만 하면 된다
turn left.

W Just one block?

M Yes. Then _____ _____ and it will be on your left,
next to the mall. **You can't** _____ _____.
　　　　　　　　　　　　　찾기 쉬워.

15 부탁한 일

대화를 듣고, 여자가 남자에게 부탁한 일로 가장 적절한 것을 고르시오.

① 짐 맡아주기
② 체크아웃 시간 알려주기
③ 아침에 전화로 깨워주기
④ 방으로 음식 가져다주기
⑤ 방으로 짐 옮겨주기

M How may I help you, ma'am?

W I need a _____ _____ tomorrow morning. ♪정답 근거

M Of course. _____ _____ would you like the call?

W At 6:45, please.

M Not a problem. Is there _____ _____, ma'am?
부탁·요청을 승낙하는 표현

W That's it. Thank you.
그게 다예요.

남 무엇을 도와드릴까요, 부인?
여 저는 내일 아침 모닝콜이 필요합니다.
남 알겠습니다. 몇 시에 전화드리기를 원하시죠?
여 6시 45분에 부탁드려요.
남 문제없습니다. 더 필요하신 것이 있나요, 부인?
여 그게 다예요. 고맙습니다.

16 제안한 것

대화를 듣고, 여자가 남자에게 제안한 것으로 가장 적절한 것을 고르시오.

① 세차하기   ② 낮잠 자기
③ 사진 찍기   ④ 병원 가기
⑤ 시험공부 하기

W Jack, are you _____?

M Yeah, I had a really _____ _____. I had so many things to do.
to부정사의 형용사적 용법(~할)

W What did you have to do?

M I _____ _____ help my dad clean all our windows and _____ his car.

W That sounds tiring. Why don't you _____ _____ _____? ♪정답 근거

M I think I should.

여 Jack, 너 피곤하니?
남 응, 나는 정말 바쁜 하루를 보냈어. 할 일이 정말 많았거든.
여 무엇을 해야 했는데?
남 나는 아빠가 모든 창문을 청소하시는 것과 세차하시는 것을 도와드려야 했어.
여 피곤할 것 같아. 낮잠을 좀 자는 게 어때?
남 그래야 할 것 같아.

17 어색한 대화

대화를 듣고, 두 사람의 대화가 **어색한** 것을 고르시오.

① ② ③ ④ ⑤

① 남 동아리 회장이 누구니?
여 축구공을 가지고 있는 저 키가 큰 소녀야.
② 남 너는 이 재킷에 대해 어떻게 생각하니?
여 그건 네게 너무 커.
③ 남 이 수프 맛있다.
여 나는 동의하지 않아. 그건 너무 짜.
④ 남 나는 노래 경연대회에서 1등 상을 탔어.
여 축하해!
⑤ 남 너는 왜 파티에서 일찍 나갔니?
여 좋은 생각이구나.

① M Who is the club president?

W That tall girl with a _____ _____.

② M What do you think of this jacket?
의견을 묻는 표현

W It's _____ _____ on you.

③ M This soup is delicious.

W I disagree. _____ _____ _____.
반대를 나타내는 표현

④ M I won first prize in the singing contest.

W _____!

⑤ M Why did you leave the party early?
이유를 묻는 의문사

W Sounds like a _____ _____. ♪정답 근거

Solution Tip
⑤의 질문은 파티에서 일찍 나간 이유를 묻고 있으므로 Because I was tired.(왜냐하면 난 피곤했기 때문이야.) 등으로 답해야 자연스럽다.

18 직업

대화를 듣고, 남자의 직업으로 가장 적절한 것을 고르시오.
① 조종사 ② 주차 요원
③ 택시 운전사 ④ 스키 강사
⑤ 교통경찰관

남 어디로 모실까요, 부인?
여 미술관으로 가 주세요.
남 Green 가에 있는 것을 말씀하시는 건가요?
여 맞아요.
남 고속도로를 타고 가도 될까요?
여 물론이죠. 저는 가능한 한 빨리 그곳에 도착하고 싶어요.
남 알겠습니다. 20분 정도 걸릴 거예요. 안전벨트를 매세요.

M Where to, ma'am? ♪정답 근거
어디로 모실까요, 부인?

W The _____ _____, please.

M Do you mean the one on Green Avenue?
상대방의 말의 의미나 의도를 확인하는 표현

W _____ _____.

M Is it okay if I take the highway?
허락을 구하는 표현

W Sure. I want to get there _____ _____ _____
미술관을 가리킴

_____.

M Okay. It'll take about 20 minutes. Please fasten your

_____ _____.

Sound Tip fasten
fasten의 t는 묵음이므로 [패슨]으로 발음된다.

19 이어질 말 ①

대화를 듣고, 남자의 마지막 말에 이어질 여자의 말로 가장 적절한 것을 고르시오.

Woman: _____

① I can give you a discount.
② Sorry, the only size left is a small.
③ How would you like to pay?
④ The sweater does not come in orange.
⑤ Sure. May I see your receipt, please?

여 안녕하세요. 도와드릴까요?
남 네. 저는 스웨터를 찾고 있는데요.
여 그렇군요. 이건 어떠세요?
남 괜찮지만, 색깔이 마음에 들지 않네요.
여 주황색과 초록색도 있어요.
남 주황색 스웨터는 중간 사이즈가 있나요?
여 ② 죄송하지만, 스몰 사이즈만 남아 있어요.

W Hello. Can I _____ _____?

M Yes. I'm looking for a sweater.

W Okay. _____ _____ this one?

M It's nice, but I _____ _____ _____ _____.

W We also have it in orange and green.
   🔑함정 주의 판매원이 주황색과 초록색 스웨터가 있다고 제안함

M Do you have an orange sweater in a _____? 🔑정답 근거
   (size)

W ② Sorry, the only size left is a small.

① 할인해 드릴 수 있어요.   ③ 어떻게 결제하시겠어요?
④ 그 스웨터는 주황색으로 나오지 않습니다. ⑤ 물론이죠. 영수증을 보여주시겠어요?

20 이어질 말 ②

대화를 듣고, 남자의 마지막 말에 이어질 여자의 말로 가장 적절한 것을 고르시오.

Woman: _____

① It was a very comfortable hotel.
② No, I'm not really good at swimming.
③ I stayed there for about two weeks.
④ I'm planning to go there with my friends.
⑤ I visited some famous palaces and museums.

남 태국 여행은 어땠니?
여 멋졌어. 태국은 즐거움으로 가득했어.
남 넌 거기서 뭘 했니?
여 나는 매일 아침 호텔 수영장에서 수영을 하고 해변에 갔어.
남 너는 수영을 정말 좋아하는 게 틀림없구나.
여 그래, 하지만 오후에는 다른 것들도 했어.
남 예를 들면?
여 ⑤ 나는 몇몇 유명한 궁전들과 박물관들을 방문했어.

M How was _____ _____ to Thailand?

W It was wonderful. Thailand was _____ _____ _____.

M What did you do there?

W I _____ in the hotel pool and went to the beach every morning.

M You must love _____.
   ~임이 틀림없다(강한 추측)

W I do, but I did other things in the afternoon. 🔑정답 근거
   = I love swimming

M _____ _____?

W ⑤ I visited some famous palaces and museums.

① 그것은 매우 편안한 호텔이었어.   ② 아니, 나는 수영을 잘하지 못해.
③ 나는 그곳에서 2주일 정도 머물렀어.   ④ 나는 내 친구들과 그곳에 갈 계획이야.

[VOCABULARY] 실전 모의고사 10회

어휘를 알아야 들린다

모의고사를 먼저 풀고 싶으면 154쪽으로 이동하세요.

🎧 다음 표현을 듣고 모르는 것에 표시하시오.

- 01 **wedding** 결혼(식)
- 02 **customer** 손님, 고객
- 03 **provide** 제공하다
- 04 **rule** 규칙
- 05 **shade** 그늘
- 06 **soft** 부드러운
- 07 **wool** 울, 양털
- 08 **almost** 거의
- 09 **disappear** 사라지다
- 10 **downstairs** 아래층으로
- 11 **amazing** 놀라운
- 12 **throw** 던지다
- 13 **fence** 울타리
- 14 **quite** 꽤, 상당히
- 15 **crowded** 붐비는
- 16 **striped** 줄무늬의
- 17 **purple** 자주색
- 18 **stadium** 경기장
- 19 **stomachache** 복통
- 20 **garbage** 쓰레기
- 21 **blanket** 담요
- 22 **snack** 간식
- 23 **advice** 충고
- 24 **wallet** 지갑
- 25 **option** 선택(권)
- 26 **speed** 과속하다
- 27 **waterproof** 방수의
- 28 **sweaty** 땀에 젖은
- 29 **long face** 우울한 얼굴
- 30 **warning sign** 경고 표지
- 31 **car accident** 자동차 사고
- 32 **driver's license** 운전 면허증
- 33 **at least** 적어도, 최소한
- 34 **be made from** ~로 만들어지다
- 35 **find out** 알아내다
- 36 **come true** 실현되다
- 37 **hang out** 함께 시간을 보내다
- 38 **get in shape** 건강한 몸을 유지하다
- 39 **fold up** 반듯하게 접다
- 40 **take out** 내놓다
- 41 **cut down on** ~을 줄이다
- 42 **pay attention to** ~에 주의를 기울이다

📓 알아두면 유용한 선택지 **어휘**

- 43 **neither** [부정문] ~도 마찬가지이다
- 44 **skip** 빼먹다, 거르다
- 45 **graduation** 졸업(식)
- 46 **be close to** ~에 가깝다

🎧 들으면서 표현을 완성한 다음, 뜻을 고르시오.

표현의 의미를 생각하며 다시 써 보기!

01 blan▢et ☐ 담요 ☐ 목도리 → ＿＿＿＿＿

02 sto▢acha▢he ☐ 두통 ☐ 복통 → ＿＿＿＿＿

03 ▢uite ☐ 꽤, 상당히 ☐ 조용한 → ＿＿＿＿＿

04 garba▢e ☐ 쓰레기 ☐ 보물 → ＿＿＿＿＿

05 so▢t ☐ 거친 ☐ 부드러운 → ＿＿＿＿＿

06 ama▢ing ☐ 놀라운 ☐ 끔찍한 → ＿＿＿＿＿

07 sta▢ium ☐ 관중 ☐ 경기장 → ＿＿＿＿＿

08 disap▢ear ☐ 나타나다 ☐ 사라지다 → ＿＿＿＿＿

09 s▢ade ☐ 그늘 ☐ 햇빛 → ＿＿＿＿＿

10 ▢urple ☐ 회색 ☐ 자주색 → ＿＿＿＿＿

11 st▢iped ☐ 줄무늬의 ☐ 물방울무늬의 → ＿＿＿＿＿

12 custo▢er ☐ 점원 ☐ 손님, 고객 → ＿＿＿＿＿

13 wal▢et ☐ 배낭 ☐ 지갑 → ＿＿＿＿＿

14 pro▢ide ☐ 제공하다 ☐ 빼앗다 → ＿＿＿＿＿

15 almos▢ ☐ 정확히 ☐ 거의 → ＿＿＿＿＿

16 s▢eed ☐ 과속하다 ☐ 속도를 줄이다 → ＿＿＿＿＿

17 water▢roo▢ ☐ 젖은 ☐ 방수의 → ＿＿＿＿＿

18 d▢iver's ▢icense ☐ 자동차 사고 ☐ 운전 면허증 → ＿＿＿＿＿

실전 모의고사 [10]회

실전 모의고사 10회 →
모의고사 보통 속도
모의고사 빠른 속도

✎ 들으면서 주요 표현 메모하기!

01 다음을 듣고, 'this'가 가리키는 것으로 가장 적절한 것을 고르시오.

①   ②   ③   ④   ⑤

02 대화를 듣고, 남자가 구입할 수건으로 가장 적절한 것을 고르시오.

①   ②   ③   ④   ⑤

03 다음을 듣고, 내일 오후의 날씨로 가장 적절한 것을 고르시오.

①   ②   ③   ④   ⑤

04 대화를 듣고, 여자가 한 마지막 말의 의도로 가장 적절한 것을 고르시오.
① 사과   ② 제안   ③ 동정   ④ 축하   ⑤ 항의

고난도 선택지 하나씩 체크하며 풀기
05 다음을 듣고, 남자가 목도리에 대해 언급하지 않은 것을 고르시오.
① 소재   ② 원산지   ③ 무게
④ 색상   ⑤ 할인율

06 대화를 듣고, 두 사람이 공항으로 출발할 시각을 고르시오.

① 4:30   ② 5:00   ③ 5:30   ④ 6:00   ⑤ 7:00

✎ 들으면서 주요 표현 메모하기!

07 대화를 듣고, 남자의 장래 희망으로 가장 적절한 것을 고르시오.

① 번역가   ② 무용수   ③ 동화책 그림 작가
④ 상담사   ⑤ 인테리어 디자이너

08 대화를 듣고, 남자의 심정으로 가장 적절한 것을 고르시오.

① 우울한   ② 설레는   ③ 화가 난
④ 부러운   ⑤ 자랑스러운

09 대화를 듣고, 여자가 대화 직후에 할 일로 가장 적절한 것을 고르시오.

① 친구에게 전화하기   ② 여행 계획 짜기
③ 예약 취소하기   ④ 기차역 매표소 가기
⑤ 요리 강습 신청하기

10 다음을 듣고, 무엇에 관한 내용인지 가장 적절한 것을 고르시오.

① 에너지 절약   ② 동물원 관람 규칙
③ 학교 소풍 일정   ④ 봉사 활동 동아리
⑤ 인기 있는 애완동물

틀린 문제는 **Dictation**에서
완벽하게 이해하세요.

✎ <u>들으면서 주요 표현 메모하기!</u>

11 대화를 듣고, 두 사람이 이용할 교통수단으로 가장 적절한 것을 고르시오.

① 자가용　　② 버스　　③ 자전거　　④ 택시　　⑤ 지하철

12 대화를 듣고, 여자가 뉴욕을 방문하려는 이유로 가장 적절한 것을 고르시오.

① 졸업식에 참석하기 위해서　　② 피아노 공연을 보기 위해서
③ 취업 면접을 보기 위해서　　④ 할머니 병문안을 가기 위해서
⑤ 사촌의 결혼식에 참석하기 위해서

13 대화를 듣고, 두 사람이 대화하는 장소로 가장 적절한 곳을 고르시오.

① 매표소　　　　　　② 문구점　　　　　　③ 식료품 가게
④ 호텔 안내데스크　　⑤ 캠핑용품 판매점

14 대화를 듣고, 남자가 찾고 있는 교통 카드의 위치로 가장 알맞은 것을 고르시오.

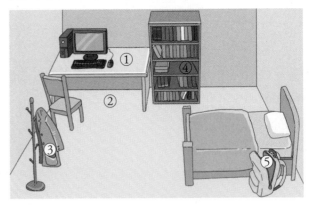

15 대화를 듣고, 여자가 남자에게 부탁한 일로 가장 적절한 것을 고르시오.

① 쓰레기 버리기　　② 설거지하기　　③ 창고 청소하기
④ 세탁소에 옷 맡기기　　⑤ 요리 재료 사오기

고난도 핵심 표현 메모하며 풀기

16 대화를 듣고, 남자가 여자에게 제안한 것으로 가장 적절한 것을 고르시오.

① 운동기구 사기　　② 운동 시간 줄이기　　③ 단 음식 먹지 않기
④ 운동 종목 바꾸기　　⑤ 헬스클럽 가입하기

✎ 들으면서 주요 표현 메모하기!

17 대화를 듣고, 두 사람의 대화가 <u>어색한</u> 것을 고르시오.

①　　　　②　　　　③　　　　④　　　　⑤

18 대화를 듣고, 여자의 직업으로 가장 적절한 것을 고르시오.

① 교통경찰관　　② 소방관　　③ 편집자
④ 버스 운전기사　　⑤ 매표소 직원

[19-20] 대화를 듣고, 남자의 마지막 말에 이어질 여자의 말로 가장 적절한 것을 고르시오.

남자의 마지막 말에 집중하기

19 Woman: _____

① Me neither. Let's buy one.　② Then can I borrow yours?
③ The park is close to my house.　④ Thanks, but I'm full now.
⑤ I forgot to bring some snacks.

20 Woman: _____

① Because I skipped lunch.
② Why don't we eat out tonight?
③ Both the food and the service were good.
④ I had an egg sandwich and some milk.
⑤ I think you should go see a doctor now.

틀린 문제는 Dictation에서 완벽하게 이해하세요.

01 그림 지칭

*들을 때마다 체크 □□

다음을 듣고, 'this'가 가리키는 것으로 가장 적절한 것을 고르시오.

① ② ③

④ ⑤

여 여러분은 주로 해변에서 이것을 볼 수 있습니다. 이것은 우산의 일종이고 여러 색깔과 사이즈로 나옵니다. 여러분은 몇몇 해변에서 이것을 빌릴 수 있습니다. 이것은 햇볕으로부터 그늘을 제공합니다. 이것은 무엇일까요?

W You can often see this _____ _____ _____. This
정답 근거
is a type of _____ and comes in many colors and
일종의 ~
sizes. You can _____ _____ at some beaches. This
provides _____ from the sun. What is this?

02 그림 묘사

□□

대화를 듣고, 남자가 구입할 수건으로 가장 적절한 것을 고르시오.

① ② ③

④ ⑤

여 어서 오세요, 손님. 무엇을 도와드릴까요?
남 수건이 어디 있는지 알려주시겠어요? 수건을 하나 사려고요.
여 물론입니다. 바로 이쪽입니다. 무늬가 없는 것을 원하세요, 아니면 디자인이 있는 것을 원하세요?
남 저는 디자인이 있는 수건을 원합니다.
여 알겠습니다. 정사각형이 그려진 이것이 손님들께 인기가 있습니다.
남 음. 전 그것이 마음에 들지 않아요. 줄무늬 수건이 있나요?
여 물론이죠. 이것이 아주 멋지죠.
남 마음에 들어요. 그것을 살게요.

W Welcome, sir. How can I help you?

M Can you _____ _____ where the towels are?
간접의문문(의문사+주어+동사)
I need to buy one.

W Certainly. Right this way. Would you like a plain towel
(긍정의 대답으로) 그럼요[물론이죠].
or one _____ a _____?
= a towel

M I want a towel with some kind of design.

W Okay. This one with _____ on it is popular with our
~에게 인기가 있다
customers. 함정 주의

M Hmm. I don't like it. Do you have _____ _____

_____? 정답 근거

W Of course. This one is very nice.

M I _____ _____. I'll buy that one.

Dictation 10회 →
┌ 전체 듣기
└ 문항별 듣기

Dictation의 효과적인 활용법
STEP1 들으면서 대본의 빈칸 채우기
STEP2 축쇄 문제를 보며 다시 풀어보기
STEP3 해석을 보며 영어로 말하거나 영작해 보기

공부한 날   월   일

03 날씨

다음을 듣고, 내일 오후의 날씨로 가장 적절한 것을 고르시오.

①   ②   ③

④   ⑤

M Good morning, everyone! Here is the weather report for today and tomorrow. Right now, it's _____ _____, but the clouds will disappear this afternoon. It will be
→ appear
a _____ _____ afternoon, and tomorrow morning
함정 주의 오늘 오후부터 내일 아침까지 화창한 날씨가 될 것임
will also be bright and sunny. However, _____
그러나, 하지만
_____ _____ tomorrow afternoon. So don't forget
당부하는 표현
to _____ _____ _____ with you tomorrow!
정답 근거

남 좋은 아침입니다, 여러분! 오늘과 내일의 일기예보입니다. 지금은 날씨가 상당히 흐리지만, 오늘 오후에는 구름이 사라질 것입니다. 쾌적하고 화창한 오후가 될 것이고, 내일 아침도 밝고 화창하겠습니다. 하지만 내일 오후에는 비가 내리겠습니다. 그러니 내일은 우산을 챙기는 것을 잊지 마세요!

🔊 Sound Tip afternoon
미국 영어에서는 [애프터눈]으로 발음되고 영국 영어에서는 [아프터눈]으로 발음된다.

04 말의 의도

대화를 듣고, 여자가 한 마지막 말의 의도로 가장 적절한 것을 고르시오.
① 사과   ② 제안   ③ 동정
④ 축하   ⑤ 항의

M Sarah, I just _____ _____ _____ from Jake.

W What did he say?

M He _____ _____ to school today.

W That's not like him. Did something happen?
~답게(어떤 사람의 전형적인 측면을 나타냄)

M He had a _____ _____ on his way to school. He'll
등굣길에
have to be in the hospital for a couple of weeks.
입원하다

W   Oh, no! I _____ _____ _____ for him. 정답 근거

남 Sarah, 나는 방금 Jake의 전화를 받았어.
여 그가 뭐라고 했니?
남 그는 오늘 학교에 오지 않는대.
여 그답지 않네. 무슨 일이 있었니?
남 그는 학교로 오는 길에 자동차 사고를 당했어. 그는 2주 동안 병원에 입원해야 해.
여 오, 저런! 정말 안됐구나.

 Solution Tip
상대방의 말에 동정이나 유감을 나타낼 때는 I feel sorry for ~. / That's too bad. / I'm sorry to hear that. / That's a pity. 등의 표현을 쓸 수 있다.

05 언급하지 않은 것

다음을 듣고, 남자가 목도리에 대해 언급하지 않은 것을 고르시오.

① 소재   ② 원산지   ③ 무게
④ 색상   ⑤ 할인율

M Hello, everyone. _____ _____ _____ the Super Shopping Channel. Today I'm here to tell you about this scarf. It's _____ _____ _____ only, so it feels warm and soft. It's only 200g and comes in beige, dark gray, and _____. It's on sale for 35 dollars. That is _____ _____ _____ the original price! If you would like to have this scarf, just call us at 555–9876.

할인 중인

~하고 싶다

남 안녕하세요, 여러분. Super Shopping 채널을 시청해 주셔서 감사합니다. 오늘 저는 이 목도리에 대해 말씀드리고자 합니다. 그것은 양모로만 만들어져서, 따뜻하고 부드럽습니다. 무게는 200g밖에 하지 않으며 색상은 베이지색, 짙은 회색, 자주색이 있습니다. 할인해서 35달러입니다. 그것은 원가에서 30퍼센트 할인된 것입니다! 이 목도리를 사고 싶으시면, 555–9876으로 전화주세요.

Solution Tip
목도리의 소재는 양모로 무게는 200g이고, 색상은 베이지색, 짙은 회색, 자주색이 있으며 할인율은 30%라고 했다. 하지만 원산지에 대한 언급은 없다.

06 시각

대화를 듣고, 두 사람이 공항으로 출발할 시각을 고르시오.

① 4:30   ② 5:00   ③ 5:30
④ 6:00   ⑤ 7:00

M Tina, what time will you _____ _____ today?

W My violin lesson finishes at 4:30, so I should be home around 5:30.

아마 ~일 것이다(예상·추측)

약, ~쯤

M Okay, then would you like to come with me _____ _____ _____ ?

너는 ~하고 싶니?(제안하는 표현)

W Oh, I almost forgot. Mom is getting back from her business trip today, right?

어떤 것을 깜빡 잊을 뻔했을 때 쓰는 표현

M Yes. Her _____ arrives at 7 o'clock.

W In that case, _____ _____ _____ our house at 6?

그렇다면[그런 경우에는]

M Sounds good.

남 Tina, 너 오늘 몇 시에 집에 올 거니?
여 바이올린 레슨이 4시 30분에 끝나니까 5시 30분쯤 집에 올 거예요.
남 좋아, 그럼 나와 함께 공항에 가겠니?
여 오, 잊을 뻔했네요. 엄마가 오늘 출장에서 돌아오시죠, 그렇죠?
남 그래. 그녀의 비행기는 7시에 도착해.
여 그러면 집에서 6시에 출발할까요?
남 좋아.

07 장래 희망

대화를 듣고, 남자의 장래 희망으로 가장 적절한 것을 고르시오.
① 번역가
② 무용수
③ 동화책 그림 작가
④ 상담사
⑤ 인테리어 디자이너

여 얘, 너 교실 문에 붙은 벽보를 봤니?
남 응, 내가 그것을 만들었어.
여 정말? 네가 벽보의 그림을 그렸니?
남 물론이지. 넌 내가 그림 그리기 좋아하는 것을 알잖아.
여 왜! 그건 놀라운 그림이었어. 너 정말 재능이 있구나. 너는 장래에 화가가 되고 싶니?
남 응. 사실, 나는 동화책 그림을 그리고 싶어.
여 멋지구나. 네 꿈이 이뤄지길 바라.

W Hey, did you see the poster on the classroom door?

M Yes, I _____ _____.

W Really? Did you draw the picture on the poster?

M Of course. You know _____ _____ _____.

W Wow! It's an amazing drawing. You're very _____. Do you want to be an artist in the future?

M Yes. In fact, I want to draw pictures for _____
사실은
_____. 정답 근거

W Cool. I hope your dream _____ _____.

08 심정

대화를 듣고, 남자의 심정으로 가장 적절한 것을 고르시오.
① 우울한   ② 설레는   ③ 화가 난
④ 부러운   ⑤ 자랑스러운

여 Henry, 너 왜 우울한 얼굴을 하고 있니?
남 내 가장 친한 친구 Tim을 기억하니?
여 물론 기억하지. 그가 어쨌는데?
남 그는 다음 주에 다른 학교로 전학을 가.
여 유감이구나. 하지만 너흰 여전히 가장 친한 친구일 거야.
남 모르겠어. 우리는 더 이상 어울려 다닐 수 없을 거야.

정답 근거
W Henry, why the _____ _____?

M Do you remember my best friend Tim?
동격 관계

W _____ _____ _____ _____. What about him?

M He's moving to another school next week.

W _____ _____ _____ _____. But you can still be best friends.

M I'm not sure. We won't be able to _____ _____
확신이 없음을 나타내는 표현   ~할 수 없을 것이다
anymore.

Solution Tip
남자는 자신의 가장 친한 친구가 전학을 가게 되어서 그와 더 이상 어울릴 수 없음을 슬퍼하고 있다. Why the long face?는 상대방이 우울해 보일 때 이유를 묻는 표현이다.

09 바로 할 일

대화를 듣고, 여자가 대화 직후에 할 일로 가장 적절한 것을 고르시오.
① 친구에게 전화하기
② 여행 계획 짜기
③ 예약 취소하기
④ 기차역 매표소 가기
⑤ 요리 강습 신청하기

W Sean, let's go to a restaurant for dinner tonight.

M Okay. How about _____ _____?

W No, we had that last week. I saw a _____ _____ _____ near the train station.

M Okay. What was it called?
= the new Mexican restaurant

W Hmm. I don't remember the name, but I know it was _____ _____ the train station.

M Well, we need to know the name of the restaurant to make a reservation.
to부정사의 부사적 용법(목적)

W Oh! My friend said she ate there last week. _____ _____ _____ now to find out the name. ✎정답 근거

여 Sean, 오늘 밤에 저녁 먹으러 식당에 가자.
남 좋아. 중국 음식 어때?
여 싫어, 우리 지난주에 먹었잖아. 나는 기차역 근처에 새로 생긴 멕시코 식당을 봤는데.
남 좋아. 식당 이름이 뭐니?
여 음. 이름은 기억나지 않는데, 기차역 옆이라는 것은 알고 있어.
남 음, 예약하려면 식당의 이름을 알아야 하잖아.
여 오! 내 친구가 지난주에 거기서 먹었다고 했어. 내가 지금 그녀에게 전화해서 이름을 알아볼게.

> 🔊 **Sound Tip** find out
> 앞 단어의 끝 자음과 뒤 단어의 첫 모음이 만나 연음되어 [파인다웃]으로 발음된다.

10 담화 화제

다음을 듣고, 무엇에 관한 내용인지 가장 적절한 것을 고르시오.
① 에너지 절약
② 동물원 관람 규칙
③ 학교 소풍 일정
④ 봉사 활동 동아리
⑤ 인기 있는 애완동물

W Attention, please. Here are _____ _____ you should
(that 또는 which)
follow at the zoo. First, _____ _____ _____
✎정답 근거
the animals or throw things at them. Second, the fences
are there _____ _____ both the animals and
visitors. Please pay attention to the fences and other
~에 주의를 기울이다
_____ _____. Finally, do not bring a pet into the
마지막으로(= Lastly)
zoo.

여 주목해 주세요. 여러분이 동물원에서 지켜야 할 몇 가지 규칙들이 있습니다. 우선, 동물들에게 먹이를 주거나 그들에게 물건을 던지지 마세요. 두 번째로, 울타리는 동물들과 방문객들 모두를 보호하기 위해 있습니다. 울타리와 다른 경고 표지판에 주의를 기울여 주세요. 마지막으로, 동물원에 애완동물을 데리고 오지 마세요.

> ↩ **Solution Tip**
> 관람객들에게 동물원에서 지켜야 할 규칙 세 가지를 열거하고 있다.

11 교통수단

대화를 듣고, 두 사람이 이용할 교통수단으로 가장 적절한 것을 고르시오.

① 자가용 ② 버스 ③ 자전거
④ 택시 ⑤ 지하철

M Miranda, _____ _____ _____?

W Yes. Should we take the subway to the stadium?

M I think it will be _____ _____.
　　　= the subway

W You're right. The bus will be full of people too.

M How about _____ _____? ♪정답 근거

W I think that's our _____ _____.

남 Miranda, 준비되었니?
여 응. 우리 경기장에 지하철을 타고 가야 할까?
남 나는 지하철이 너무 붐빌 거라고 생각해.
여 맞아. 버스도 만원일 거야.
남 거기까지 운전하는 게 어때?
여 그게 우리에게 유일한 선택권인 것 같아.

12 이유

대화를 듣고, 여자가 뉴욕을 방문하려는 이유로 가장 적절한 것을 고르시오.

① 졸업식에 참석하기 위해서
② 피아노 공연을 보기 위해서
③ 취업 면접을 보기 위해서
④ 할머니 병문안을 가기 위해서
⑤ 사촌의 결혼식에 참석하기 위해서

W Hi, how's everything?
　　　안부를 묻는 표현

M _____ _____. What's new with you?
　　　　　　　안부를 묻는 표현

W Well, I'm going to New York the day after tomorrow.
　　　　　　　　　　　　　　　　　　　모레

M Are you?

W ♪정답 근거
Yeah, my cousin is _____ _____ _____ there.

M Oh, then you can't come to my piano concert this Sunday?

　　　　　　　　　　　♪함정 주의 여자는 뉴욕에서 돌아온 후 남자의 피아노 공연에 갈 예정임

W _____ _____. I'm coming back this Saturday. I'll see you at the concert.

여 안녕, 잘 지내니?
남 꽤 잘 지내. 새로운 소식 있니?
여 음, 나는 모레 뉴욕에 가.
남 그래?
여 응, 내 사촌이 거기서 결혼식을 하거든.
남 오, 그럼 너는 이번 일요일 내 피아노 공연에 못 오는 거니?
여 걱정 마. 나는 이번 주 토요일에 돌아와. 공연장에서 보자.

13 장소

대화를 듣고, 두 사람이 대화하는 장소로 가장 적절한 곳을 고르시오.

① 매표소
② 문구점
③ 식료품 가게
④ 호텔 안내데스크
⑤ 캠핑용품 판매점

여 안녕하세요, Camping World에 오신 것을 환영합니다! 무엇을 도와드릴까요?
남 저는 4인용 텐트를 찾고 있어요. 하나 추천해주시겠어요?
여 네. 이것이 인기가 많은 것입니다. 접으면 작은 가방에 딱 들어맞아요.
남 마음에 드는군요. 방수인가요?
여 네.
남 다른 색상이 있나요?
여 네, 검정색, 파랑색, 초록색이 있어요.
남 초록색으로 살게요. 다음 주에 캠핑을 가서 써볼 것이 기대되는군요.

W Hello, welcome to Camping World! How may I help you?

M I'm _____ _____ _____ _____ for four people. Can you recommend one?
🔑정답 근거

W Okay. This is a popular one. It folds up and _____ _____ a small bag.

M I love it. Is it waterproof?

W Yes.

M Are there _____ _____ _____?

W Yes, it comes in black, blue, and green.

M I'll take it in green. I _____ _____ _____ go camping next week and try it out.

14 그림 위치

대화를 듣고, 남자가 찾고 있는 교통 카드의 위치로 가장 알맞은 것을 고르시오.

남 엄마, 저는 교통 카드를 찾을 수가 없어요.
여 네 지갑 안을 살펴봤니?
남 물론이죠. 저는 배낭 안에도 살펴봤어요. 거기도 없었어요.
여 그렇구나. 네 책상 아래에는?
남 지금 확인해 보고 있는데 없어요.
여 네 재킷 주머니에 있을지도 몰라.
남 맞아요! 고맙습니다, 엄마.

M Mom, I can't find my transportation card.

W Did you _____ _____ _____ _____?

M Of course. I looked in my backpack, too. It _____ _____, _____.
⚠함정 주의 지갑과 배낭 안에 교통 카드가 없었다고 언급함

W I see. What about under your desk?

M I'm checking now and don't see it.

W It could be in your _____ _____. 🔑정답 근거
~일지도 모른다(약한 추측)

M You're right! Thanks, Mom.

15 부탁한 일

대화를 듣고, 여자가 남자에게 부탁한 일로 가장 적절한 것을 고르시오.
① 쓰레기 버리기
② 설거지하기
③ 창고 청소하기
④ 세탁소에 옷 맡기기
⑤ 요리 재료 사오기

여 Bob, 잠깐만 아래층으로 내려와서 나를 도와주겠니?

남 금방 갈게요, 엄마. (...) 제가 설거지하는 것을 돕길 원하세요?

여 아니, 내가 이미 했어. 쓰레기 좀 내다 버려 주겠니?

남 물론이죠. 다른 건 없나요?

여 아니, 그게 다야. 고맙구나.

W Bob, will you come downstairs for a minute and _____
= for a second
_____ _____ _____?

M I'll be right down, Mom. (...) Do you want me _____

_____ wash the dishes? 🔴함정 주의 설거지는 엄마가 이미 했다고 대답함

W No, I already did. Can you just _____ _____
= washed the dishes
_____ _____? 🔑정답 근거

M Sure thing. Anything else?
물론이죠.(부탁·제안 등을 수락하는 표현)

W No, _____ _____. Thanks.

16 제안한 것

대화를 듣고, 남자가 여자에게 제안한 것으로 가장 적절한 것을 고르시오.
① 운동기구 사기
② 운동 시간 줄이기
③ 단 음식 먹지 않기
④ 운동 종목 바꾸기
⑤ 헬스클럽 가입하기

남 너 땀에 흠뻑 젖었구나. 뭐 하고 있었니?

여 나는 체육관에서 운동하고 있었어.

남 오, 너 헬스클럽에 가입했니?

여 응. 나는 건강한 몸을 유지하고 싶어서 한 달 전에 운동을 시작했어.

남 얼마나 자주 운동하는데?

여 매일 적어도 2시간씩 해.

남 오, 그건 너무 많다. 운동을 줄이는 게 어때? 일주일에 하루 정도 쉴 수도 있어.

여 응, 네 말이 맞는 것 같아. 충고 고마워.

M You're all sweaty. What were you doing?
완전히, 온통

W I _____ _____ at the gym.

M Oh, you joined a health club?

W Yes. I want to _____ _____ _____, so I started

exercising a month ago.

M _____ _____ do you exercise?

W Every day for at least two hours.
적어도, 최소한

M Oh, that's a lot. Why not _____ _____ _____
~하는 게 어때?(제안)
exercising? Maybe you can _____ one day a week.
🔑정답 근거

W Yeah, you might be right. Thanks for the advice.
~인 것 같다(약한 추측)

17 어색한 대화

대화를 듣고, 두 사람의 대화가 <u>어색한</u> 것을 고르시오.
① ② ③ ④ ⑤

① M How's your _____ _____?

W It's wonderful. I like it a lot.

② M _____ _____ is faster, a rabbit or a cat?
fast의 비교급

W That's surprising! 🔑정답 근거

③ M You're late. _____ _____ _____?

W I was at the dentist.

④ M _____ taught you Spanish?

W Nobody. I taught myself.

⑤ M I have an important exam tomorrow.

W _____ _____ on your exam.

① 남 네 새 학교는 어떠니?
　여 정말 멋져. 나는 학교가 아주 마음에 들어.
② 남 토끼와 고양이 중 어느 동물이 더 빠르니?
　여 놀랍구나!
③ 남 너 늦었구나. 어디 있었니?
　여 나는 치과에 있었어.
④ 남 누가 네게 스페인어를 가르쳐줬니?
　여 아무도 가르쳐 주지 않았어. 나는 스스로 공부했어.
⑤ 남 나는 내일 중요한 시험이 있어.
　여 행운을 빌어.

🔙 **Solution Tip**
② which는 '어느'라는 의미로 선택의문문에 쓰인다. 따라서 토끼와 고양이 둘 중 하나를 선택하는 답이 와야 한다. That's surprising!은 놀라움을 나타내는 표현이다.

18 직업

대화를 듣고, 여자의 직업으로 가장 적절한 것을 고르시오.
① 교통경찰관　② 소방관
③ 편집자　④ 버스 운전기사
⑤ 매표소 직원

W May I see your _____ _____, please? 🔑정답 근거
= Can I ~?(허락을 구하는 표현)

M Did I do anything wrong?
-thing+형용사

W Yes, _____ _____ _____ in a school zone.

M I'm new to this area and I didn't know this was a school zone.

W _____ _____ I have to give you a speeding ticket.
속도위반 딱지

여 운전 면허증 좀 보여주시겠어요?
남 제가 뭔가 잘못했나요?
여 네, 당신은 어린이 보호구역에서 과속하셨어요.
남 저는 이 지역이 처음이라 이곳이 어린이 보호구역인줄 몰랐어요.
여 유감이지만 저는 속도위반 딱지를 부과해야 합니다.

🔙 **Solution Tip**
남자에게 운전 면허증을 제시해 달라고 말하고 속도위반 딱지를 부과하는 것으로 보아 여자는 교통경찰관임을 알 수 있다.

19 이어질 말 ①

대화를 듣고, 남자의 마지막 말에 이어질 여자의 말로 가장 적절한 것을 고르시오.

Woman: _____

① Me neither. Let's buy one.
② Then can I borrow yours?
③ The park is close to my house.
④ Thanks, but I'm full now.
⑤ I forgot to bring some snacks.

M The weather should be nice tomorrow. How about
제안하는 표현
_____ _____ _____ _____ in the park?

W I'd love that.
제안을 수락하는 표현

M Great. I'll bring _____ _____.

W Okay, then I'll prepare some snacks for us to eat.

M Perfect. Is there _____ _____ we need?
(that)

W Hmm. Oh, a picnic blanket!

M I _____ _____ _____. What about you? ♪정답 근거
☝
= Do you have one[a picnic blanket]?

W ① Me neither. Let's buy one.

👉 **Solution Tip**
Me neither.는 상대방의 말이 부정문일 때 '나도 마찬가지야.'라고 할 때 쓰는 표현이다.

남 내일 날씨가 좋을 거야. 공원에 소풍 가는 게 어때?
여 그거 좋지.
남 좋아. 내가 음료수를 좀 가지고 갈게.
여 그래, 그럼 나는 우리가 먹을 간식을 좀 준비할게.
남 완벽해. 우리에게 필요한 게 더 있을까?
여 음. 오, 돗자리가 필요해!
남 나는 돗자리가 없어. 너는 어때?
여 ① 나도 없어. 하나 사자.

② 그러면 내가 네 것을 빌릴 수 있을까?　③ 공원은 우리 집에서 가까워.
④ 고맙지만 나는 지금 배가 불러.　⑤ 나는 간식을 좀 가지고 오는 것을 잊었어.

20 이어질 말 ②

대화를 듣고, 남자의 마지막 말에 이어질 여자의 말로 가장 적절한 것을 고르시오.

Woman: _____

① Because I skipped lunch.
② Why don't we eat out tonight?
③ Both the food and the service were good.
④ I had an egg sandwich and some milk.
⑤ I think you should go see a doctor now.

M Hey, Angela. Are you feeling OK?
상대방의 상태가 안 좋아 보일 때 쓰는 표현

W I _____ _____ _____.

M You caught a cold again?

W No, I have a _____. It's getting worse.
bad/ill의 비교급

M Oh, you poor thing. _____ _____ _____
동정을 나타내는 표현
_____ for lunch? ♪정답 근거

W ④ I had an egg sandwich and some milk.

남 얘, Angela. 너 괜찮니?
여 아니.
남 너 또 감기에 걸린 거야?
여 아니, 나는 배가 아파. 점점 더 안 좋아지고 있어.
남 오, 가엾어라. 점심에 뭘 먹었는데?
여 ④ 나는 달걀 샌드위치와 우유를 좀 먹었어.

① 왜냐하면 내가 점심 식사를 걸렀기 때문이야.　② 우리 오늘 밤에 외식하는 게 어때?
③ 음식과 서비스 둘 다 좋았어.　⑤ 너는 지금 병원에 가봐야 할 것 같아.

[VOCABULARY] 실전 모의고사 11회

어휘를 알아야 들린다

모의고사를 먼저 풀고 싶으면 170쪽으로 이동하세요.

🎧 다음 표현을 듣고 모르는 것에 표시하시오.

- [ ] 01 **button** 버튼
- [ ] 02 **press** 누르다
- [ ] 03 **chore** 일, 허드렛일
- [ ] 04 **goods** 제품; 화물
- [ ] 05 **building** 건물
- [ ] 06 **marathon** 마라톤
- [ ] 07 **winner** 우승자
- [ ] 08 **beginning** 시작, 초(반)
- [ ] 09 **partly** 부분적으로
- [ ] 10 **application** 응용 프로그램
- [ ] 11 **developer** 개발자
- [ ] 12 **technology** 과학 기술
- [ ] 13 **power** 동력을 공급하다, 작동시키다
- [ ] 14 **reschedule** 일정을 변경하다
- [ ] 15 **fail** 실패하다
- [ ] 16 **promise** 약속하다; 약속
- [ ] 17 **water** 물을 주다
- [ ] 18 **fight** 싸움; 싸우다
- [ ] 19 **yell** 소리치다
- [ ] 20 **stress** 스트레스
- [ ] 21 **easily** 쉽게
- [ ] 22 **fireworks** 불꽃놀이
- [ ] 23 **tasty** 맛있는
- [ ] 24 **meal** 식사

- [ ] 25 **score** 점수; 득점하다
- [ ] 26 **inside** ~ 안에
- [ ] 27 **since** ~이기 때문에
- [ ] 28 **flower pattern** 꽃무늬
- [ ] 29 **Lost and Found** 분실물 취급소
- [ ] 30 **electric motor** 전동기
- [ ] 31 **swimming goggles** 수경
- [ ] 32 **seat belt sign** 안전벨트 착용등
- [ ] 33 **in front of** ~ 앞에
- [ ] 34 **be born** 태어나다
- [ ] 35 **be sick in bed** 병으로 누워 있다
- [ ] 36 **drop by** 들르다
- [ ] 37 **cheer up** 기운을 북돋다
- [ ] 38 **take off** 이륙하다
- [ ] 39 **get rid of** ~을 없애다
- [ ] 40 **calm down** 진정하다
- [ ] 41 **make a joke** 농담하다
- [ ] 42 **change one's mind** 마음을 바꾸다

📝 알아두면 유용한 선택지 **어휘**

- [ ] 43 **second half** 후반전
- [ ] 44 **wish** 바라다
- [ ] 45 **disappointing** 실망스러운
- [ ] 46 **delivery** 배달, 배송

🎧 들으면서 표현을 완성한 다음, 뜻을 고르시오.

표현의 의미를 생각하며 다시 써 보기!

01 ☐ ight   ☐ 싸움   ☐ 기쁨

02 ☐ inner   ☐ 우승자   ☐ 패배자

03 techno ☐ ogy   ☐ 기술자   ☐ 과학 기술

04 mara ☐ hon   ☐ 높이뛰기   ☐ 마라톤

05 ta ☐ ty   ☐ 맛있는   ☐ 맛없는

06 ☐ hore   ☐ 일, 허드렛일   ☐ 휴식

07 ☐ eal   ☐ 계산서   ☐ 식사

08 fire ☐ orks   ☐ 불꽃놀이   ☐ 소방서

09 insi ☐ e   ☐ ~ 안에   ☐ ~ 바깥에

10 but ☐ on   ☐ 구멍   ☐ 버튼

11 sc ☐ re   ☐ 기술   ☐ 점수

12 ☐ romise   ☐ 어기다   ☐ 약속하다

13 de ☐ eloper   ☐ 개발자   ☐ 자원봉사자

14 ☐ uilding   ☐ 광장   ☐ 건물

15 re ☐ chedule   ☐ 일정을 변경하다 ☐ 일정을 잡다

16 ☐ ell   ☐ 침묵하다   ☐ 소리치다

17 Lo ☐ t and ☐ ound ☐ 분실물 취급소 ☐ 출입국 관리소

18 s ☐ imming ☐ oggles ☐ 수경   ☐ 수영모

실전 모의고사 [11]회

실전 모의고사 11회 →
모의고사 보통 속도
모의고사 빠른 속도

✏️ 들으면서 주요 표현 메모하기!

01 다음을 듣고, 'this'가 가리키는 것으로 가장 적절한 것을 고르시오.

① 　② 　③ 　④ 　⑤

02 대화를 듣고, 여자의 우산으로 가장 적절한 것을 고르시오.

① 　② 　③ 　④ 　⑤

03 다음을 듣고, 일요일의 날씨로 가장 적절한 것을 고르시오.

① 　② 　③ 　④ 　⑤

04 대화를 듣고, 남자가 한 마지막 말의 의도로 가장 적절한 것을 고르시오.

① 거절　　② 칭찬　　③ 당부　　④ 위로　　⑤ 항의

고난도　선택지 하나씩 체크하며 풀기

05 다음을 듣고, 여자가 Marathon Day에 대해 언급하지 <u>않은</u> 것을 고르시오.

① 개최 날짜　　　② 참가비　　　③ 참가 대상
④ 우승 상품　　　⑤ 참가 신청 장소

06 대화를 듣고, 두 사람이 만날 시각을 고르시오.

① 12:00 p.m.　　　② 12:30 p.m.　　　③ 1:00 p.m.
④ 1:30 p.m.　　　⑤ 2:00 p.m.

들으면서 주요 표현 메모하기!

07 대화를 듣고, 여자의 장래 희망으로 가장 적절한 것을 고르시오.

① 과학 교사　　　② 음악가　　　③ 건축가
④ 스마트폰 앱 개발자　　⑤ 프로게이머

고난도 메모하며 풀기

08 대화를 듣고, 전학생에 대한 내용으로 일치하지 <u>않는</u> 것을 고르시오.

① 이름은 Paul Albert이다.　　　② 프랑스 출신이다.
③ 여동생이 있다.　　　④ 농구를 한다.
⑤ 영어와 프랑스어 둘 다 할 수 있다.

09 대화를 듣고, 남자가 대화 직후에 할 일로 가장 적절한 것을 고르시오.

① 편지 쓰기　　　② 약 사러 가기　　　③ 계획표 작성하기
④ 전화번호 검색하기　　⑤ 노래 연습하기

고난도 핵심 표현 메모하며 풀기

10 대화를 듣고, 무엇에 관한 내용인지 가장 적절한 것을 고르시오.

① 호텔 예약　　　② 배송 취소　　　③ 진료 예약 변경
④ 진료비 안내　　　⑤ 건물 공사

틀린 문제는 Dictation에서
완벽하게 이해하세요.

실전 모의고사 [11]회

들으면서 주요 표현 메모하기!

11 대화를 듣고, 여자가 이용할 교통수단으로 가장 적절한 것을 고르시오.

① 버스　　② 택시　　③ 지하철　　④ 자가용　　⑤ 기차

12 대화를 듣고, 남자가 약속에 늦은 이유로 가장 적절한 것을 고르시오.

① 차가 막혀서　　　　　　② 버스가 늦게 와서
③ 자전거가 고장 나서　　④ 늦게 일어나서
⑤ 버스를 잘못 타서

13 대화를 듣고, 두 사람의 관계로 가장 적절한 것을 고르시오.

① 교사 – 학생　　② 화가 – 모델　　③ 택시 기사 – 승객
④ 소설가 – 팬　　⑤ 비행기 승무원 – 승객

14 대화를 듣고, 남자가 가려고 하는 장소를 고르시오.

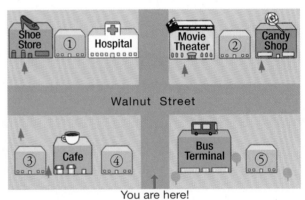

15 대화를 듣고, 여자가 남자에게 부탁한 일로 가장 적절한 것을 고르시오.

① 바닥 닦기　　　　② 화초에 물 주기　　③ 선물 고르기
④ 우편함 확인하기　⑤ 케이크 사기

16 대화를 듣고, 여자가 남자에게 제안한 것으로 가장 적절한 것을 고르시오.

① 요가 수업 듣기 ② 전시회 가기 ③ 고민 상담사 만나기
④ 자원봉사하기 ⑤ 친구에게 사과하기

✎ 들으면서 주요 표현 메모하기!

17 대화를 듣고, 여자가 새해에 한 일로 가장 적절한 것을 고르시오.

① 스키 배우기 ② 가족 농장 가기 ③ 불꽃놀이 구경하기
④ 백화점 가기 ⑤ 보드게임하기

18 대화를 듣고, 남자의 직업으로 가장 적절한 것을 고르시오.

① 만화가 ② 요리사 ③ 코치 ④ 신문 기자 ⑤ 조종사

[19-20] 대화를 듣고, 남자의 마지막 말에 이어질 여자의 말로 가장 적절한 것을 고르시오.

19 Woman: _____

① Michael did. ② That would be great.
③ In the second half. ④ I wish I were there.
⑤ It's really disappointing.

남자의 마지막 말에
집중하기

20 Woman: _____

① Actually, the trip was terrible.
② My favorite season is winter.
③ I hope she gets better soon, too.
④ Never mind. We can go next time.
⑤ Thanks. I'm really looking forward to it.

틀린 문제는 Dictation에서
완벽하게 이해하세요.

[Dictation] 실전 모의고사 11회

손으로 써야 내 것이 된다

01 그림 지칭

*들을 때마다 체크

다음을 듣고, 'this'가 가리키는 것으로 가장 적절한 것을 고르시오.

①   ②   ③

④   ⑤

M You can see this in many tall buildings. This carries people or goods ＿＿＿ ＿＿＿ ＿＿＿ inside buildings. This is usually powered by electric motors. This has buttons and people ＿＿＿ ＿＿＿ ＿＿＿ to get this to go to ＿＿＿ ＿＿＿. What is this?

to부정사의 부사적 용법(목적)

🔑정답 근거

남 여러분은 많은 높은 건물에서 이것을 볼 수 있습니다. 이것은 건물 내에서 사람들이나 화물을 위아래로 이동시킵니다. 이것은 보통 전동기에 의해 작동됩니다. 이것에는 버튼이 있고 사람들은 이것을 다른 층으로 가도록 하기 위해 버튼을 누릅니다. 이것은 무엇일까요?

🔊 **Sound Tip** buttons
[t] 바로 다음에 [n]소리가 이어질 때 [t]는 콧바람 소리가 되어 [벝은스]로 발음된다.

02 그림 묘사

대화를 듣고, 여자의 우산으로 가장 적절한 것을 고르시오.

①   ②   ③

④   ⑤

📞 *Telephone rings.*

M Hello. Lost and Found Center. How may I help you?

W Hi. I think I ＿＿＿ ＿＿＿ ＿＿＿ on the subway.

M What does it look like?
사물의 생김새를 묻는 표현

W It's a white umbrella with a ＿＿＿ ＿＿＿. 🔑정답 근거

M Hold on a second. ＿＿＿ ＿＿＿ ＿＿＿ if we have it here.
끊지 말고 잠시만 기다리세요.(= Hold the line, please.)   ~인지 아닌지

[전화벨이 울린다.]
남 여보세요. 분실물 센터입니다. 무엇을 도와드릴까요?
여 안녕하세요. 저는 지하철에 우산을 두고 내린 것 같습니다.
남 그것은 어떻게 생겼나요?
여 그것은 꽃무늬의 하얀 우산입니다.
남 잠시만 기다리세요. 저희에게 있는지 확인해 보겠습니다.

Dictation 11회 →
┌ 전체 듣기
└ 문항별 듣기

Dictation의 효과적인 활용법
STEP1 들으면서 대본의 빈칸 채우기
STEP2 축쇄 문제를 보며 다시 풀어보기
STEP3 해석을 보며 영어로 말하거나 영작해 보기

공부한 날   월   일

03 날씨

다음을 듣고, 일요일의 날씨로 가장 적절한 것을 고르시오.

①   ②   ③

④   ⑤

여 좋은 저녁입니다! 저는 기상센터의 Stephanie Norton입니다. 오늘은 비가 매우 많이 왔죠, 그렇죠? 여러분은 내일 비가 계속되지 않을 것이라는 소식을 듣고 기쁠 것입니다. 대신에 부분적으로 날이 흐리겠습니다. 금요일에는 더욱 흐린 하늘이 예상되지만, 토요일은 화창한 하루가 되겠습니다. 맑고 화창한 날씨는 일요일에도 계속되겠습니다. 감사합니다.

W Good evening! I'm Stephanie Norton from the weather center. Today was very rainy, _____ _____? You'll be happy to hear that the rain will not continue tomorrow. It will be _____ _____ instead. On Friday, we expect more cloudy skies, but Saturday will be a sunny day. The _____, _____ _____ will
정답 근거
continue on Sunday as well. Thank you.
또한, 역시

04 말의 의도

대화를 듣고, 남자가 한 마지막 말의 의도로 가장 적절한 것을 고르시오.
① 거절   ② 칭찬   ③ 당부
④ 위로   ⑤ 항의

여 아빠, 저 오후에 수영장에 가도 되나요?
남 네 숙제를 끝냈니?
여 네, 끝냈어요.
남 그렇다면 좋아. 언제 나갈 거니?
여 2시 정도예요.
남 수경과 수영모 챙기는 것을 잊지 말도록 하렴.

W Dad, can I go to the _____ _____ in the afternoon?
허락을 요청하는 표현

M Did you finish your homework?

W Yes, _____ _____.

M All right, then. When are you going to _____?

W About 2 o'clock, I think.

M _____ _____ _____ bring your swimming goggles and cap. 정답 근거

05 언급하지 않은 것

다음을 듣고, 여자가 Marathon Day에 대해 언급하지 **않은** 것을 고르시오.
① 개최 날짜　　　② 참가비
③ 참가 대상　　　④ 우승 상품
⑤ 참가 신청 장소

여 좋은 아침입니다, 학생 여러분. 저는 여러분의 영어 교사인 Woods입니다. 저는 여러분께 Marathon Day가 10월 11일 금요일에 개최될 것이라고 알려드리게 되어 기쁩니다. 행사는 우리 학교 학생들이라면 누구나 참여할 수 있습니다. 우승자는 멋진 운동화를 받게 될 것입니다. 행사에 참가 신청을 하려면, 다음 주 월요일까지 제 사무실에 들러주세요. 감사합니다.

W Good morning, students. This is your English teacher, Ms. Woods. ＿＿＿＿ ＿＿＿＿ ＿＿＿＿ tell you that Marathon Day will be held on Friday, October 11th. The
▶정답 근거
event ＿＿＿＿ ＿＿＿＿ to any of our school's students. The winner will get ＿＿＿＿ ＿＿＿＿ ＿＿＿＿. To sign up for the event, please ＿＿＿＿ ＿＿＿＿ my
~을 신청하다
office by next Monday. **Thank you.**

--- Solution Tip
Marathon Day의 개최 날짜는 10월 11일이고 참가 대상은 학교의 학생들 전부이다. 우승 상품은 운동화이며 참가 신청 장소는 Woods 선생님의 사무실이다. 참가비에 대해서는 언급하지 않았다.

06 시각

대화를 듣고, 두 사람이 만날 시각을 고르시오.
① 12:00 p.m.　　② 12:30 p.m.
③ 1:00 p.m.　　④ 1:30 p.m.
⑤ 2:00 p.m.

남 있잖아. 동물원에서 새끼 코끼리가 막 태어났어.
여 오, 나는 가서 그것을 보고 싶어! 너는 이번 주 일요일에 한가하니?
남 오전에는 일이 있어서 12시 이후에 한가해.
여 알겠어, 1시에 동물원에서 만나자.
남 대신 2시는 어때? 나는 우리가 만나기 전에 점심을 먹고 싶은데.
여 좋아. 그때 동물원 앞에서 보자.

M You know what? A ＿＿＿＿ ＿＿＿＿ was just born at
있잖아.(새로운 정보를 줄 때 집중을 끄는 표현)
the zoo.

W Oh, I want to go see it! Are you free this Sunday?
= the baby elephant

M I have ＿＿＿＿ in the morning, so I'm ＿＿＿＿ after 12 o'clock.

W Okay, let's meet at the zoo at 1. 함정 주의

M How about 2 ＿＿＿＿? I want to have lunch before we
▶정답 근거
meet.

W Sure. I'll meet you ＿＿＿＿ ＿＿＿＿ ＿＿＿＿ the zoo then.

07 장래 희망

대화를 듣고, 여자의 장래 희망으로 가장 적절한 것을 고르시오.

① 과학 교사 ② 음악가
③ 건축가 ④ 스마트폰 앱 개발자
⑤ 프로게이머

여 Peter, 이것 봐. 음악을 만드는 용도의 새로운 스마트폰 응용 프로그램이야.
남 멋지구나! 나는 새 앱으로 노는 것을 정말 좋아해.
여 나도 그래. 나는 언젠가 나만의 응용 프로그램을 만들고 싶어.
남 정말? 나는 네가 과학 교사가 되고 싶어한다고 생각했는데.
여 전에는 그랬는데, 마음을 바꿨어. 지금은 스마트폰 앱 개발자가 되고 싶어.
남 너는 과학 기술에 대해 많이 아니까 그건 네게 꼭 알맞은 직업인 것 같아.

W Peter, look at this. It's a new smartphone application for _____ _____.

M Cool! I love playing with new apps.

W _____ _____ _____. I hope to make my own application someday. 🔑정답 근거

M Really? I thought you wanted to be a science teacher.

🔖함정 주의 여자의 장래 희망이 과학 교사였다가 바뀌었음

W I did before, but I _____ _____ _____. I want to
= wanted to be a science teacher
be a smartphone app developer now.

M That sounds like the perfect job for you since _____
~인 것 같다   = because
_____ _____ about technology.

---

08 일치하지 않는 것

대화를 듣고, 전학생에 대한 내용으로 일치하지 않는 것을 고르시오.

① 이름은 Paul Albert이다.
② 프랑스 출신이다.
③ 여동생이 있다.
④ 농구를 한다.
⑤ 영어와 프랑스어 둘 다 할 수 있다.

여 Ryan, 너는 새로 온 학생을 만났니?
남 Paul Albert를 말하는 거니?
여 응. 너 그에 대해 뭔가 알고 있니?
남 응, 그는 프랑스 출신이고 외동이야.
여 그에 대해 또 무엇을 아는데?
남 음. 그는 농구를 해. 농구 동아리에 가입할 거라고 했어.
여 그렇구나. 그는 영어를 할 줄 아니?
남 응, 그는 영어와 프랑스어 둘 다 할 수 있어.

W Ryan, did you meet the new student?

M _____ _____ Paul Albert?

W Yes. Do you know anything about him?
무언가에 대해 아는 것이 있는지 묻는 표현

M Yeah, he's from France and he's an _____. 🔑정답 근거

W What else do you know about him?
그 밖에 무엇

M Um. He _____ _____. He said he's going to join the basketball club.

W I see. Can he speak English?

M Yes, he can speak _____ _____ _____ _____.

▶ Solution Tip
전학생 Paul Albert는 외동이라고 했으므로 여동생이 있다는 내용은 일치하지 않는다.

Dictation **177**

11회

받아쓰기

09 바로 할 일 🔲🔲

대화를 듣고, 남자가 대화 직후에 할 일로 가장 적절한 것을 고르시오.
① 편지 쓰기
② 약 사러 가기
③ 계획표 작성하기
④ 전화번호 검색하기
⑤ 노래 연습하기

여 Mark, 네 할머니에 대한 나쁜 소식이 있단다.
남 오, 저런. 뭔데요?
여 그녀는 한 달 동안 병원에 입원하셔야 해.
남 가엾은 할머니! 그녀는 정말 슬플 거예요.
여 그녀의 기운을 북돋아 주기 위해 편지를 쓰는 게 어떠니?
남 알겠어요, 당장 그렇게 할게요.

W Mark, I have some _____ _____ about your grandmother.

M Oh, no. What is it?

W She _____ _____ _____ in the hospital for a month.

M Poor Grandma! She _____ _____ really sad.
~임이 틀림없다(강한 추측)

W Why don't you _____ _____ _____ _____ to cheer her up? 🎵정답 근거

M Okay, I'll do that right now.

10 대화 화제 🔲🔲

대화를 듣고, 무엇에 관한 내용인지 가장 적절한 것을 고르시오.
① 호텔 예약
② 배송 취소
③ 진료 예약 변경
④ 진료비 안내
⑤ 건물 공사

[전화벨이 울린다.]
여 여보세요, Smith 씨 병원입니다. 무엇을 도와드릴까요?
남 안녕하세요, 저는 Smith 선생님과의 진료 약속을 변경하고 싶은데요.
여 물론입니다. 성함을 말씀해 주세요.
남 제 이름은 Steven Pinker이고 약속은 수요일 오전 11시였어요.
여 알겠습니다. 어떤 요일과 시간이 가장 좋으세요?
남 목요일 오후 3시요.
여 알겠습니다. 목요일에 뵙겠습니다.

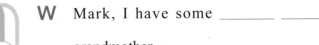

📞 *Telephone rings.*

W Hello, Dr. Smith's Office. How may I help you?

M Hi, I'd like to reschedule _____ _____ with Dr. Smith. 🎵정답 근거

W Sure. Your name, please.

M My name is Steven Pinker and my appointment was at 11 a.m. _____ _____.

W I see. What day and time _____ _____ _____ for you?

M At 3 p.m. on Thursday.

W Okay. _____ _____ _____ on Thursday.

 Sound Tip reschedule
미국 영어에서는 [리스케줄]로 발음되고, 영국 영어에서는 [리세줄]로 발음된다.

11 교통수단

대화를 듣고, 여자가 이용할 교통수단으로 가장 적절한 것을 고르시오.

① 버스　②택시　③지하철
④자가용　⑤기차

남 너는 내일 서울에 가니?
여 응, 그리고 일주일 후에 올 거야.
남 알겠어. 너는 기차를 탈 거니?
여 아니, 난 버스로 갈 거야.
남 왜? 기차가 시간이 많이 절약될 텐데.
여 기차표를 구하는 데 실패했거든.
남 오, 안됐구나.

M Are you going to Seoul tomorrow?

W Yes, and _____ _____ _____ in a week.

M All right. Are you taking the train?

W No, I'll go _____ _____. 🎵정답 근거

M Why? The train will _____ _____ a lot of time.
　　　　　　　　　　　　　　　　　💣함정 주의

W I failed to get a _____ _____.

M Oh, too bad.
　　유감을 나타내는 표현

12 이유

대화를 듣고, 남자가 약속에 늦은 이유로 가장 적절한 것을 고르시오.

① 차가 막혀서
② 버스가 늦게 와서
③ 자전거가 고장 나서
④ 늦게 일어나서
⑤ 버스를 잘못 타서

남 늦어서 미안해, Megan. 영화가 이미 시작했니?
여 그래, 우린 도입부를 놓쳤어. 너 왜 이렇게 늦은 거니?
남 난 버스를 잘못 탔어. 내가 이번에 여기 처음 온 걸 알잖아.
여 알고 있지만, 다시는 이런 일이 없으면 좋겠어.
남 다시는 늦지 않겠다고 약속할게. 정말 미안해.

M Sorry I'm late, Megan. Did the movie _____ start?

W Yes, we missed the beginning. Why are you so late?

M I took the _____ _____. You know this is my first
　🎵정답 근거
time here.

W I know, but I hope it _____ _____ again.

M I promise ^(that) I will _____ _____ _____ again. I'm
　　약속할 때 쓰는 표현
really sorry.

13 관계

대화를 듣고, 두 사람의 관계로 가장 적절한 것을 고르시오.
① 교사 – 학생
② 화가 – 모델
③ 택시 기사 – 승객
④ 소설가 – 팬
⑤ 비행기 승무원 – 승객

W Excuse me, sir. Could I take that _____ _____ by the window?
제가 ~해도 될까요?
(정중히 요청하는 표현)

정답 근거

M Yes, but our flight is _____ _____ soon. Please take your seat and _____ your seat belt.

W Sure. Then I'll _____ seats when the seat belt sign is _____.

M All right. Thanks.

여 실례합니다. 제가 저 창가의 빈자리에 앉아도 될까요?
남 네, 하지만 우리 비행기는 곧 이륙할 겁니다. 자리에 앉으셔서 안전벨트를 매주세요.
여 물론이죠. 그럼 안전벨트 착용등이 꺼지면 자리를 바꿀게요.
남 알겠습니다. 감사합니다.

Solution Tip
남자가 창가 쪽 좌석으로 옮기고 싶어 하는 여자에게 비행기 이륙 예정을 알리고 있으므로 남자는 비행기 승무원이고 여자는 비행기의 탑승객임을 알 수 있다.

14 그림 위치

대화를 듣고, 남자가 가려고 하는 장소를 고르시오.

M Excuse me. _____ _____ _____ _____ the way to Molly's Pizza?

W Go straight to Walnut Street. Then _____ _____.
정답 근거

M Okay. And then?

W Walk about 10 meters and _____ _____ _____
약, 대략
on your right. It's between the shoe store and _____
_____.

M Thank you.

남 실례합니다. Molly's Pizza로 가는 길을 알려주시겠어요?
여 Walnut 가로 직진하세요. 그런 다음 좌회전하세요.
남 네, 그 다음에는요?
여 10미터 정도 걸어가시면 오른쪽에 그것이 보이실 거예요. 그것은 신발 가게와 병원 사이에 있어요.
남 감사합니다.

15 부탁한 일

대화를 듣고, 여자가 남자에게 부탁한 일로 가장 적절한 것을 고르시오.
① 바닥 닦기
② 화초에 물 주기
③ 선물 고르기
④ 우편함 확인하기
⑤ 케이크 사기

남 Carly, 너 내일 파티에 올 거니?
여 아니, 난 오늘 밤에 휴가를 갈 거야.
남 얼마 동안 갈 거니?
여 2주 동안. 사실, 나 부탁이 있어. 내가 없는 동안 화초에 물을 줄 수 있니?
남 물론이지. 기꺼이 도울게.
여 정말 고마워.

M Carly, are you coming to the party tomorrow?

W No, I'm ＿＿＿＿＿ ＿＿＿＿＿ ＿＿＿＿＿ tonight.

M How long will you be gone?
　　기간을 묻는 표현　　　　자리를 비우다

W ＿＿＿＿ ＿＿＿＿ ＿＿＿＿. Actually, I need a favor.
　　　　　　　　　　　　　　　부탁이 있을 때 쓰는 표현
Can you ＿＿＿＿ ＿＿＿＿ ＿＿＿＿ while I'm away?
　🎵정답 근거　　　　　　　　　　　　~하는 동안

M Sure. I'd be glad to help.
　　　　기꺼이 ~하겠다(요청을 수락하는 표현)

W ＿＿＿＿ ＿＿＿＿ ＿＿＿＿ ＿＿＿＿.

---

16 제안한 것

대화를 듣고, 여자가 남자에게 제안한 것으로 가장 적절한 것을 고르시오.
① 요가 수업 듣기
② 전시회 가기
③ 고민 상담사 만나기
④ 자원봉사하기
⑤ 친구에게 사과하기

여 Robert, 너 Bill과 싸웠니?
남 응. 그는 사소한 농담을 했는데, 난 화가 나서 그에게 소리쳤어. 난 지금 기분이 정말 안 좋아.
여 난 요즘 네가 너무 쉽게 화를 내는 것 같아.
남 알아. 아마도 난 스트레스를 많이 받고 있는 것 같아.
여 나와 요가 수업을 듣는 게 어떠니? 그것은 네가 스트레스를 없애고 진정하는 데 도움이 될 거야.
남 좋은 생각이구나. 수업이 언제니?
여 매주 토요일 아침이야.

W Robert, did you have a fight with Bill?
　　　　　　　　　~와 싸우다

M Yes. He ＿＿＿＿ ＿＿＿＿ ＿＿＿＿, but I got
angry and yelled at him. I feel terrible now.

W I think you get angry ＿＿＿＿ ＿＿＿＿ these days.

M I know. Maybe I'm under a lot of stress.

W Why don't you ＿＿＿＿ ＿＿＿＿ ＿＿＿＿ ＿＿＿＿
　　🎵정답 근거
with me? It'll help you ＿＿＿＿ ＿＿＿＿ ＿＿＿＿
stress and calm down.

M That's a great idea. ＿＿＿＿ is the class?

W It's every Saturday morning.

🔊 Sound Tip calm
calm의 [l]소리는 묵음이므로 [카암]으로 발음된다.

11회 영어듣기

[Dictation] 실전 모의고사 **11**회

17 과거에 한 일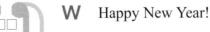

대화를 듣고, 여자가 새해에 한 일로 가장 적절한 것을 고르시오.
① 스키 배우기
② 가족 농장 가기
③ 불꽃놀이 구경하기
④ 백화점 가기
⑤ 보드게임하기

여 새해 복 많이 받아!
남 고마워, 너도! 넌 새해에 뭔가 특별한 일을 했니?
여 응, 나는 시청 광장에 가서 불꽃놀이를 봤어.
남 오, 굉장히 재미있었을 것 같구나.
여 응, 그랬어. 너는 어때?
남 나는 가족과 보드게임을 했어.

W Happy New Year!

M Thanks, you too! Did you do _____ _____ on New Year's Day?

W Yes, I went to City Hall Square and watched _____.
　　🎵정답 근거

M Oh, sounds like you had _____ _____ _____
　　_____.

W Yes, I did. What about you?

M I _____ _____ _____ with my family. 🔵함정 주의

18 직업

대화를 듣고, 남자의 직업으로 가장 적절한 것을 고르시오.
① 만화가　② 요리사　③ 코치
④ 신문 기자　⑤ 조종사

여 훌륭한 식사 감사합니다, Anderson 씨. 맛있었어요.
남 그 말씀을 들으니 기쁘군요.
여 당신은 어떻게 요리를 잘하는 법을 배웠나요?
남 제가 직업상 매일 하는 일인걸요.
여 오, 전 몰랐어요. 더운 부엌에서 일하기가 힘들지 않으세요?
남 가끔요, 하지만 저는 제 일을 매우 좋아해요. 다른 사람들을 위해 맛있는 음식을 만드는 것은 저를 행복하게 한답니다.

W Thanks for a wonderful meal, Mr. Anderson. _____
　　_____ _____.

M I'm glad to hear that.
　　(상대방의 말에) 기쁨을 나타내는 표현

W How did you _____ _____ _____ so well? 🎵정답 근거

M It's what I do every day for work.
　　~ (한) 것

W Oh, I didn't know that. _____ _____ _____
　　working in a hot kitchen?

M Sometimes, but I love my job. Making tasty food for
　　others _____ _____ _____.

19 이어질 말 ①

대화를 듣고, 남자의 마지막 말에 이어질 여자의 말로 가장 적절한 것을 고르시오.

Woman: _____

① Michael did.
② That would be great.
③ In the second half.
④ I wish I were there.
⑤ It's really disappointing.

여 Brad, 너 어제 축구 경기에 왜 없었니?
남 나는 아파서 누워 있었어.
여 안됐구나. 좀 괜찮니?
남 응, 고마워. 경기는 어땠니? 우리 팀이 이겼니?
여 응, 우린 1대 0으로 이겼어.
남 누가 골을 넣었니?
여 ① Michael이 넣었어.

W Brad, _____ _____ _____ at the soccer game yesterday?

M I was sick in bed.

W _____ _____ _____. Are you feeling better?
상대방의 몸 상태가 나아졌는지 묻는 표현

M Yes, thanks. How was the game? _____ _____ _____ _____?

W Yes, we won the game by a score of 1–0.

M _____ _____ the goal? 🎵정답 근거

W ① Michael did.

② 그거 좋겠다.　　　　　③ 후반전에.
④ 내가 거기 있으면 좋을 텐데.　⑤ 그거 정말 실망스럽구나.

20 이어질 말 ②

대화를 듣고, 남자의 마지막 말에 이어질 여자의 말로 가장 적절한 것을 고르시오.

Woman: _____

① Actually, the trip was terrible.
② My favorite season is winter.
③ I hope she gets better soon, too.
④ Never mind. We can go next time.
⑤ Thanks. I'm really looking forward to it.

여 Colin, 넌 방학 계획이 있니?
남 아직 어떤 계획도 없어. 너는 어때?
여 나는 우리 이모를 방문할 계획이야. 그녀는 하와이에 사셔.
남 오, 정말? 넌 거기서 뭘 할 건데?
여 나는 해변에 가서 수상 스키를 타 볼 거야.
남 와, 재밌겠구나. 즐거운 여행이 되길 바라.
여 ⑤ 고마워. 난 정말 기대가 돼.

🇬🇧

W Colin, do you have any _____ _____?

M I don't have any plans yet. What about you?
　　　　　　　　　　　= Do you have any vacation plans?

W I'm planning to visit my _____. She lives in Hawaii.
계획·예정을 나타내는 표현

M Oh, really? What are you going to do there?
　　　　　계획을 묻는 표현

W I'm going to go to the _____ and try water-skiing.

M Wow, that sounds fun. I hope you _____ _____ _____ _____. 🎵정답 근거

W ⑤ Thanks. I'm really looking forward to it.

① 사실, 그 여행은 끔찍했어.　　　② 내가 가장 좋아하는 계절은 겨울이야.
③ 나도 그녀가 곧 낫길 바라.　　　④ 신경 쓰지 마. 우리는 다음번에 갈 수 있어.

Dictation **183**

[VOCABULARY] 실전 모의고사 **12**회

어휘를 알아야 들린다

모의고사를 먼저 풀고 싶으면 186쪽으로 이동하세요.

🎧 다음 표현을 듣고 모르는 것에 표시하시오.

☐ 01 **cage** 우리; 새장

☐ 02 **wrap** 포장하다

☐ 03 **useful** 유용한

☐ 04 **tip** 팁, 조언

☐ 05 **same** 같은

☐ 06 **enter** (대회에) 참가하다

☐ 07 **award** 상

☐ 08 **matter** 중요하다

☐ 09 **high** 높은

☐ 10 **temperature** 온도, 기온

☐ 11 **pharmacy** 약국

☐ 12 **medicine** 약

☐ 13 **energy** 힘, 기운

☐ 14 **sunscreen** 자외선 차단제

☐ 15 **harmful** 해로운

☐ 16 **book** 예약하다

☐ 17 **race** 경주

☐ 18 **cheap** 값이 싼

☐ 19 **purse** 지갑

☐ 20 **comfortable** 편안한

☐ 21 **repair** 고치다, 수리하다; 수리

☐ 22 **charger** 충전기

☐ 23 **pack** 짐을 싸다

☐ 24 **trouble** 귀찮게 하다; 문제

☐ 25 **earth** 지구

☐ 26 **documentary** 다큐멘터리, 기록물

☐ 27 **statue** 조각상

☐ 28 **sculptor** 조각가

☐ 29 **create** 만들다, 창조하다

☐ 30 **name** 이름을 붙이다

☐ 31 **pleased** 기쁜

☐ 32 **viewer** 시청자

☐ 33 **movie director** 영화감독

☐ 34 **plenty of** 많은

☐ 35 **clear up** 날씨가 개다

☐ 36 **make a list** 목록을 작성하다

☐ 37 **fill out** 서식을 작성하다

☐ 38 **turn around** 회전하다

☐ 39 **in the center of** ～의 한가운데에

☐ 40 **break one's heart** 몹시 슬프게 하다

☐ 41 **do volunteer work** 자원봉사를 하다

☐ 42 **give someone a ride** ～를 (차로) 태워주다

📝 **알아두면 유용한 선택지 어휘**

☐ 43 **apologize** 사과하다

☐ 44 **pity** 연민, 동정; 유감

☐ 45 **stretch** (손발 등을) 뻗다

☐ 46 **refrigerator** 냉장고

🎧 들으면서 표현을 완성한 다음, 뜻을 고르시오.

표현의 의미를 생각하며 다시 써 보기!

어휘 **12회**

01 ☐ ack ☐ 짐을 싸다 ☐ 뒤로 물러서다 → ____

02 ☐ seful ☐ 쓸모없는 ☐ 유용한 → ____

03 t ☐ ouble ☐ 기쁘게 하다 ☐ 귀찮게 하다 → ____

04 ca ☐ e ☐ 우리; 새장 ☐ 망토 → ____

05 sta ☐ ue ☐ 지위 ☐ 조각상 → ____

06 ☐ armful ☐ 해로운 ☐ 조심스러운 → ____

07 mat ☐ er ☐ 수를 세다 ☐ 중요하다 → ____

08 e ☐ ergy ☐ 상 ☐ 힘, 기운 → ____

09 p ☐ armacy ☐ 약국 ☐ 농장 → ____

10 ear ☐ h ☐ 지구 ☐ 우주 → ____

11 tem ☐ erature ☐ 높이 ☐ 온도 → ____

12 comforta ☐ le ☐ 편안한 ☐ 불편한 → ____

13 cre ☐ te ☐ 창조하다 ☐ 파괴하다 → ____

14 c ☐ eap ☐ 값이 싼 ☐ 비싼 → ____

15 sc ☐ lptor ☐ 건축가 ☐ 조각가 → ____

16 ☐ iewer ☐ 시청자 ☐ 기획자 → ____

17 wr ☐ p ☐ (매듭 등을) 풀다 ☐ 포장하다 → ____

18 docume ☐ tary ☐ 공연 ☐ 기록물 → ____

실전 모의고사 12회 →
┌ 모의고사 보통 속도
└ 모의고사 빠른 속도

✎ 들으면서 주요 표현 메모하기!

01 다음을 듣고, 'this'가 가리키는 것으로 가장 적절한 것을 고르시오.

① ② ③ ④ ⑤

02 대화를 듣고, 남자가 여동생에게 줄 지갑으로 가장 적절한 것을 고르시오.

① ② ③ ④ ⑤

03 다음을 듣고, 금요일의 날씨로 가장 적절한 것을 고르시오.

① ② ③ ④ ⑤

04 대화를 듣고, 여자가 한 마지막 말의 의도로 가장 적절한 것을 고르시오.

① 제안　　　② 사과　　　③ 허가　　　④ 반대　　　⑤ 동의

고난도 선택지 하나씩 체크하며 풀기

05 다음을 듣고, 남자가 조각상에 대해 언급하지 <u>않은</u> 것을 고르시오.

① 위치　　　　　　② 조각가　　　　　　③ 높이
④ 만들어진 연도　　⑤ 이름

06 대화를 듣고, 두 사람이 만날 시각을 고르시오.

① 9:00 a.m.　　　② 9:30 a.m.　　　③ 10:00 a.m.
④ 10:30 a.m.　　　⑤ 11:00 a.m.

✎ 들으면서 주요 표현 메모하기!

07 대화를 듣고, 여자의 장래 희망으로 가장 적절한 것을 고르시오.

① 영화감독　　　② 안무가　　　③ 여행 작가
④ 패션모델　　　⑤ 영화배우

12회
딕테이션

고난도 핵심 표현 메모하며 풀기
08 다음을 듣고, 도서관에 대한 내용으로 일치하지 <u>않는</u> 것을 고르시오.

① 오전 9시부터 오후 5시까지 연다.
② 매주 일요일은 휴관일이다.
③ 책을 대여하려면 도서관 카드가 있어야 한다.
④ 2주 동안 5권까지 책을 대여할 수 있다.
⑤ 자료 복사가 무료로 가능하다.

09 대화를 듣고, 남자가 대화 직후에 할 일로 가장 적절한 것을 고르시오.

① 약국 가기　　　② 냉장고 청소하기　　　③ 체온계 찾기
④ 따뜻한 차 끓이기　　　⑤ 침구 정리하기

10 대화를 듣고, 무엇에 관한 내용인지 가장 적절한 것을 고르시오.

① 스트레칭 방법　　　② 식당 예절　　　③ 피부 관리법
④ 물 절약 방법　　　⑤ 여름휴가 계획

틀린 문제는 Dictation에서
완벽하게 이해하세요.

실전 모의고사 [12]회

🖊 들으면서 주요 표현 메모하기!

11 대화를 듣고, 두 사람이 내일 이용할 교통수단으로 가장 적절한 것을 고르시오.

① 기차   ② 버스   ③ 지하철   ④ 배   ⑤ 비행기

12 대화를 듣고, 남자가 여자를 찾아 온 이유로 가장 적절한 것을 고르시오.

① 숙제를 제출하기 위해서   ② 과학 캠프 참가 신청을 하기 위해서
③ 우승 상품을 받아가기 위해서   ④ 시험 범위를 확인하기 위해서
⑤ 학부모 면담 날짜를 조정하기 위해서

13 대화를 듣고, 두 사람의 관계로 가장 적절한 것을 고르시오.

① 의사 – 환자   ② 도서관 사서 – 학생
③ 은행원 – 고객   ④ 주유소 직원 – 운전자
⑤ 구두 수선공 – 손님

14 대화를 듣고, 여자가 찾고 있는 휴대 전화 충전기의 위치로 가장 알맞은 것을 고르시오.

15 대화를 듣고, 여자가 남자에게 부탁한 일로 가장 적절한 것을 고르시오.

① 옷장 정리하기   ② 자동차 열쇠 찾기
③ 세탁소에 맡긴 옷 찾기   ④ 지하철역까지 차 태워주기
⑤ 오디션 장소 확인하기

16 대화를 듣고, 여자가 남자에게 제안한 것으로 가장 적절한 것을 고르시오.

① 새 여행가방 사기
② 여행 짐 목록 작성하기
③ 패키지여행 예약하기
④ 여행 일정 변경하기
⑤ 따뜻한 옷 가져가기

✎ 들으면서 주요 표현 메모하기!

17 대화를 듣고, 두 사람이 구입할 선물로 가장 적절한 것을 고르시오.

① 운동화
② 목도리
③ 연극 티켓
④ 화장품
⑤ 공기 정화 식물

18 대화를 듣고, 여자의 직업으로 가장 적절한 것을 고르시오.

① 코치 ② 가수 ③ 소설가 ④ 수영 선수 ⑤ 무용가

[19-20] 대화를 듣고, 여자의 마지막 말에 이어질 남자의 말로 가장 적절한 것을 고르시오.

19 Man: _____

① I apologize.
② Don't mention it.
③ What a pity!
④ I'm afraid not.
⑤ Congratulations!

여자의 마지막 말에
집중하기

고난도 핵심 표현 메모하며 풀기

20 Man: _____

① You can visit our website and email us.
② That sounds like a good idea. Thanks.
③ Not at all. Don't worry about me.
④ Cheer up. You can try next time.
⑤ We meet every Wednesday and Friday.

틀린 문제는 Dictation에서
완벽하게 이해하세요.

01 그림 지칭

*들을 때마다 체크

다음을 듣고, 'this'가 가리키는 것으로 가장 적절한 것을 고르시오.

①   ②   ③
④   ⑤

남 이것은 공과 같은 모양입니다. 이것은 위에 세계 지도를 가지고 있습니다. 이것은 우리가 지구를 전체적으로 공부하고 싶을 때 유용할 수 있습니다. 이것은 대개 스탠드 위에 고정되어 있으며 회전이 가능합니다. 이것은 무엇일까요?

M This is shaped _____ _____ _____. This has a _____ of the world on it. This can be useful when we want to study _____ _____ as a whole. This is _____ _____ on a stand and this can be turned around. What is this?

전체적으로

🎵 정답 근거

💡 **Sound Tip** whole

'전체의'라는 의미의 whole과 '구멍'이라는 의미의 hole은 발음이 같으므로 맥락상 의미를 판단해야 한다.

02 그림 묘사

대화를 듣고, 남자가 여동생에게 줄 지갑으로 가장 적절한 것을 고르시오.

①   ②   ③
④   ⑤

여 Dennis, 너 무엇을 포장하고 있니?
남 오, 이거? 내 여동생을 위한 지갑이야.
여 그 위에 있는 장미가 아름다워 보이는구나.
남 그렇다니 기뻐. 나는 이것과 별이 있는 또 다른 지갑 중에 선택하기가 어려웠거든.
여 음, 네 여동생은 장미와 별 중 무엇을 더 좋아하는데?
남 그녀는 둘 다 좋아해. 하지만 그건 이제 중요하지 않은 것 같아. 나는 이미 장미꽃 지갑을 선택했으니까.
여 맞아. 난 그녀가 그것을 마음에 들어할 거라고 확신해.

W Dennis, what are you _____?

M Oh, this? It's a purse for my sister.

W _____ _____ on it looks beautiful. 🎵 정답 근거

M I'm glad to hear that. I had a hard time choosing

have a hard time -ing: ~하는 데 어려움을 겪음

between this one and another _____ a _____ on it.

⚠️ 함정 주의

W Well, what does your sister like better, roses or stars?

선호를 묻는 표현

M She _____ _____. But I guess it doesn't matter

추측을 나타내는 표현

now. I already chose the rose purse.

W Right. I'm sure _____ _____ _____.

💡 **Sound Tip** matter

미국 영어에서는 강모음과 약모음 사이에 오는 [t]소리가 부드러운 [r]소리로 바뀌어 [매럴]로 발음된다. 영국 영어에서는 [매터]로 발음된다.

Dictation 12회 →
⌈ 전체 듣기
⌊ 문항별 듣기

Dictation의 효과적인 활용법
STEP1 들으면서 대본의 빈칸 채우기
STEP2 축쇄 문제를 보며 다시 풀어보기
STEP3 해석을 보며 영어로 말하거나 영작해 보기

공부한 날   월   일

03 날씨

다음을 듣고, 금요일의 날씨로 가장 적절한 것을 고르시오.

①   ②   ③

④   ⑤

W   Happy Monday, everyone. Here is this week's weather forecast. _____ _____ the weather to be very nice and warm today. There _____ _____ _____ _____ or rain. Tomorrow will be the same. On Wednesday and Thursday, _____, it will be very rainy. On Friday, it will clear up, but there will be _____ _____.
날씨가 개다
🔑정답 근거

여 즐거운 월요일입니다, 여러분. 이번 주 일기예보를 말씀드리겠습니다. 오늘 날씨는 매우 화창하고 따뜻할 것으로 예상됩니다. 구름도 없고 비도 내리지 않을 것입니다. 내일도 마찬가지겠습니다. 하지만 수요일과 목요일에는 비가 많이 오겠습니다. 금요일에는 날씨가 개겠지만, 강한 바람이 불겠습니다.

04 말의 의도

대화를 듣고, 여자가 한 마지막 말의 의도로 가장 적절한 것을 고르시오.
① 제안   ② 사과   ③ 허가
④ 반대   ⑤ 동의

M   Did you see the documentary about our city zoo?

W   Yes, I _____ _____ with my family last night. What did you think of it?
의견을 묻는 표현

M   It was interesting, but it _____ _____ _____.

W   Yeah, I also felt a bit sad after watching it.

M   I don't think _____ _____ for animals to live in small cages.

W   I _____ _____ _____.   🔑정답 근거

남 너 우리 시립 동물원에 관한 다큐멘터리를 봤니?
여 응. 나는 어젯밤에 가족과 함께 봤어. 너는 그것에 대해 어떻게 생각했니?
남 그건 흥미로웠지만, 내 마음을 몹시 아프게 했어.
여 그래, 나도 그것을 본 다음에 조금 슬펐어.
남 나는 동물들이 작은 우리에 사는 것이 옳지 않다고 생각해.
여 나도 그렇게 생각해.

 Solution Tip
상대방의 말에 맞장구치거나 동의를 나타낼 때 I feel the same (way). / I agree (with you). / I think so, too. 등의 표현을 쓸 수 있다.

05 언급하지 않은 것 ☐☐

다음을 듣고, 남자가 조각상에 대해 언급하지 <u>않은</u> 것을 고르시오.

① 위치   ② 조각가
③ 높이   ④ 만들어진 연도
⑤ 이름

M Let me tell you about a famous _____ in my town.
It stands in the _____ _____ the City Park. A
🔑정답 근거
famous sculptor, Henry Moore, _____ _____
└─동격 관계─┘
_____ in 2006. He named it *The Little Prince*.
name이 '이름을 붙이다'라는 의미의 동사로 쓰임
Many tourists visit the City Park to _____ _____
_____ _____.

남 여러분께 우리 마을의 유명한 조각상에 대해 이야기해 드리겠습니다. 그것은 시립 공원의 한가운데에 서 있습니다. 유명한 조각가인 Henry Moore가 2006년에 그 조각상을 만들었습니다. 그는 그것을 '어린 왕자'라고 이름 붙였습니다. 많은 관광객들은 그것의 사진을 찍기 위해 시립 공원을 방문합니다.

Solution Tip
조각상의 위치(시립 공원의 한가운데)와 조각상을 만든 조각가(Henry Moore), 조각상이 만들어진 연도(2006년)와 조각상의 이름(*The Little Prince*)은 언급했으나 조각상의 높이에 대해서는 언급하지 않았다.

06 시각 ☐☐

대화를 듣고, 두 사람이 만날 시각을 고르시오.

① 9:00 a.m.   ② 9:30 a.m.
③ 10:00 a.m.   ④ 10:30 a.m.
⑤ 11:00 a.m.

M How about going to the outdoor market tomorrow?

W Sure. _____ _____ _____ to go in the morning
or afternoon?

M Let's go in the morning. The earlier, the better.
the+비교급, the+비교급: ~할수록 …하다

W Okay. _____ _____ _____ leave at 10. 🔔함정 주의

M The market opens at 9. Are you okay with _____
너 ~가 괜찮니?(양해나 동의를 구할 때 쓰는 표현)
_____ _____ _____? Maybe 9:30?
🔑정답 근거

W Fine. Let's meet then.

M _____ _____.

남 내일 야외 시장에 가는 게 어때?
여 좋아. 너는 오전에 가길 원하니, 오후에 가길 원하니?
남 오전에 가자. 더 일찍 갈수록 더 좋아.
여 좋아. 10시에 출발하자.
남 시장은 9시에 열어. 좀 더 일찍 만나도 괜찮니? 9시 30분 어떠니?
여 괜찮아. 그때 만나자.
남 완벽해.

07 장래 희망

대화를 듣고, 여자의 장래 희망으로 가장 적절한 것을 고르시오.

① 영화감독 ② 안무가
③ 여행 작가 ④ 패션모델
⑤ 영화배우

M Hannah, what's the poster about?

W It's about a _____ _____ _____ for students.

M Are you going to enter the contest?
계획을 묻는 표현

W Yes, I'm interested in _____ _____. 🎵정답 근거
관심을 나타내는 표현

M Oh, I didn't know that.

W I hope to be a _____ _____ and win the Best Director Award at the Venice Movie Festival someday.

M I hope your _____ _____ _____.

남 Hannah, 그 포스터는 무엇에 관한 거니?
여 그건 학생들을 위한 단편 영화 경연대회에 관한 거야.
남 너 경연대회에 참가할 거니?
여 응, 나는 영화 만드는 것에 관심이 있어.
남 오, 나는 몰랐어.
여 나는 영화감독이 되어서 언젠가 베니스 영화제에서 최우수 감독상을 받고 싶어.
남 네 꿈이 이뤄지길 바라.

08 일치하지 않는 것

다음을 듣고, 도서관에 대한 내용으로 일치하지 <u>않</u>는 것을 고르시오.

① 오전 9시부터 오후 5시까지 연다.
② 매주 일요일은 휴관일이다.
③ 책을 대여하려면 도서관 카드가 있어야 한다.
④ 2주 동안 5권까지 책을 대여할 수 있다.
⑤ 자료 복사가 무료로 가능하다.

W Welcome to our library. We are _____ from 9 a.m. to 5 p.m. and _____ _____ every Sunday. If you want to borrow books, make sure to bring your _____
당부하는 표현
_____. You can borrow up to 5 books for 2 weeks.
~까지
🎵정답 근거
You can also use our copy machine, but _____ _____ _____ _____ 10-25 cents per copy.
~당[마다]
Thank you.

여 저희 도서관에 오신 것을 환영합니다. 저희는 오전 9시부터 오후 5시까지 문을 열고 매주 일요일은 휴관합니다. 책을 대여하고 싶으시면, 반드시 도서관 카드를 가지고 오세요. 여러분은 2주 동안 5권까지 책을 대여하실 수 있습니다. 여러분은 또한 저희의 복사기를 사용하실 수 있는데, 한 장당 10센트에서 25센트를 지불하셔야 합니다. 감사합니다.

Solution Tip
복사기는 돈을 지불하고 사용해야 한다고 했으므로 자료 복사가 무료라는 내용은 일치하지 않는다.

09 바로 할 일 □□

대화를 듣고, 남자가 대화 직후에 할 일로 가장 적절한 것을 고르시오.
① 약국 가기
② 냉장고 청소하기
③ 체온계 찾기
④ 따뜻한 차 끓이기
⑤ 침구 정리하기

남 너 왜 벌써 침대에 누웠니? 겨우 6시인데.
여 나는 힘이 없고 더워. 방금 체온을 재봤는데 약간 높았어.
남 오, 저런. 너는 감기에 걸린 것일지도 몰라.
여 그런 것 같아. 약국에 가서 약 좀 사다 주겠니?
남 물론이지. 바로 다녀올게.

M Why are you _____ _____ already? It's only 6 o'clock.

W I have no energy and _____ _____. I just checked my body temperature and it was a bit _____.

M Oh, no. Maybe you have a _____.

W I guess so. Will you please go to the pharmacy and
= I think so.   = Can you (please) ~?: 부탁하는 표현
_____ _____ _____ _____? 🔑정답 근거

M Of course. I'll be right back.

🔊 **Sound Tip** I guess so.
guess의 끝 음과 so의 첫 음이 [s]로 동일하여 [아이게쏘우]로 발음된다.

10 대화 화제 □□

대화를 듣고, 무엇에 관한 내용인지 가장 적절한 것을 고르시오.
① 스트레칭 방법
② 식당 예절
③ 피부 관리법
④ 물 절약 방법
⑤ 여름휴가 계획

여 너 무엇을 읽고 있니?
남 나는 피부를 관리하는 법에 관해 읽고 있어.
여 오, 봐 볼게. (...) 너는 하루에 두 번 세수를 해야 하는구나.
남 맞아. 그리고 많은 물을 마셔야 해.
여 좋은 조언이네. 또 다른 게 있니?
남 너무 많은 햇볕은 해로울 수 있기 때문에 자외선 차단제를 바르는 것이 중요하다고 여기 적혀 있어.

W What are you reading?

M I'm reading about how to take care of _____ _____.
how+to부정사: ~하는 방법   🔑정답 근거

W Oh, let me see. (...) So you should wash your face _____ _____ _____.

M Right. And you need to drink plenty of water.
많은

W That's a good tip. _____ _____?

M It says here wearing sunscreen is important because too
(that)
much sun _____ _____ _____ _____.

11 교통수단

대화를 듣고, 두 사람이 내일 이용할 교통수단으로 가장 적절한 것을 고르시오.

① 기차　② 버스　③ 지하철
④ 배　⑤ 비행기

남 나는 오늘이 파리에서 보내는 우리의 마지막 날이라는 것을 믿을 수 없어.
여 나도 알아, 하지만 난 내일 베를린으로 여행 갈 것이 기대가 돼.
남 우리의 비행기 티켓은 이미 예약했니?
여 아니. 우리는 기차를 탈 거야.
남 기차가 비행기보다 훨씬 더 느리지 않니?
여 조금 더 느릴 뿐이야. 하지만 더 싸고 더 편안해.
남 알겠어.

M I can't believe today is our last day in Paris.
(that)

W I know, but _____ _____ to travel to Berlin tomorrow.

M Did you already book our plane tickets? 함정 주의
'예약하다'라는 의미의 동사로 쓰임

W No. We're _____ _____ _____. 정답 근거

M Isn't the train much slower than a plane?
훨씬(비교급 강조)

W Just a little slower. It's _____ and _____ _____ though.
하지만, 그렇지만

M Okay.

12 이유

대화를 듣고, 남자가 여자를 찾아 온 이유로 가장 적절한 것을 고르시오.

① 숙제를 제출하기 위해서
② 과학 캠프 참가 신청을 하기 위해서
③ 우승 상품을 받아가기 위해서
④ 시험 범위를 확인하기 위해서
⑤ 학부모 면담 날짜를 조정하기 위해서

남 실례합니다, Hamilton 선생님. 잠깐 말씀 좀 나눌 수 있을까요?
여 물론이지, Kevin. 앉으렴. 무엇 때문에 그러니?
남 저는 겨울 과학 캠프 참가 신청을 하고 싶어요.
여 그렇구나. 여기 서식이 있어. 그것을 작성하고 부모님의 서명을 받으렴.
남 알겠습니다. 감사합니다.
여 천만에. 그리고 이번 주 금요일까지 내게 돌려주는 걸 잊지 말도록 해.

M Excuse me, Ms. Hamilton. Can I _____ _____ _____ for a minute?

W Of course, Kevin. Have a seat. What is it?

M I'd like to sign up for the winter _____ _____. 정답 근거
저는 ~하고 싶어요

W I see. Here's the form. Please _____ _____ _____ and have your parents sign it.
have+목적어+동사원형: ~에게 …을 하도록 하다[시키다]

M Okay. Thanks.

W Sure. And don't forget to _____ _____ to me by
감사함에 대한 대답
this Friday.

12회 받아쓰기

13 관계

대화를 듣고, 두 사람의 관계로 가장 적절한 것을 고르시오.
① 의사 – 환자
② 도서관 사서 – 학생
③ 은행원 – 고객
④ 주유소 직원 – 운전자
⑤ 구두 수선공 – 손님

남 안녕하세요. 무엇을 도와드릴까요?
여 저는 이 부츠를 수선하고 싶은데요. 가능한가요?
남 한번 볼게요. 제가 수선할 수 있을 것 같군요.
여 잘됐네요. 얼마인가요?
남 6달러입니다. 한 시간 후에 끝날 겁니다.
여 여기 있습니다. 그때 부츠를 찾으러 올게요.

M Hello. How can I help you?

W 🔖정답 근거 I need to have these boots _____. Can you do that?

M Let me _____ _____ _____. I think I can _____ them.
  ⌣ = the boots

W Great. How much _____ _____ _____?

M Six dollars. I'll be finished with them in an hour.

W Here you are. I'll come back then to _____ _____ _____.

14 그림 위치

대화를 듣고, 여자가 찾고 있는 휴대 전화 충전기의 위치로 가장 알맞은 것을 고르시오.

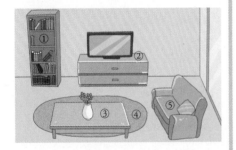

여 아빠, 제 휴대 전화 충전기를 사용하셨어요?
남 그래, 내가 오늘 아침에 사용했는데.
여 그것을 어디에 두셨어요? 어디에서도 찾을 수가 없어요.
남 내 생각엔 TV 옆에 있을 것 같구나.
여 거긴 이미 찾아봤어요. 거기 없었어요.
남 음. 그럼 아마도 탁자 위, 꽃병 옆에 있을지도 몰라.
여 확인해 볼게요. (...) 맞아요! 거기서 찾았어요.

🇬🇧

W Dad, did you use my cellphone charger?

M Yes, I _____ _____ this morning.

W Where did you leave it? I _____ _____ _____ anywhere.

M I think it's next to the TV. 💬함정 주의

W I _____ _____ _____. It wasn't there.

M Hmm. Then maybe it's on the table, _____ _____ _____ _____. 🔖정답 근거

W Let me check. (...) You were right! I found it there.

15 부탁한 일

대화를 듣고, 여자가 남자에게 부탁한 일로 가장 적절한 것을 고르시오.
① 옷장 정리하기
② 자동차 열쇠 찾기
③ 세탁소에 맡긴 옷 찾기
④ 지하철역까지 차 태워주기
⑤ 오디션 장소 확인하기

M Sally, are you still in your room?

W Yes, Dad. I _____ _____ what to wear to the
= what I should wear
audition.

M Hurry. _____ _____ _____ you have to be at the
audition at 3? It's already 2.
비인칭 주어(시각)

W Oh, I need a favor, Dad. Can you please _____
부탁하는 표현
_____ _____ _____ to the subway station? 🎵정답 근거

M Sure. Let me get my _____ _____.

남 Sally, 너 아직 네 방에 있니?
여 네, 아빠. 저는 오디션에 무엇을 입어야 할지 못 정하겠어요.
남 서두르렴. 3시에 오디션장에 도착해야 한다고 하지 않았니? 벌써 2시야.
여 오, 부탁이 있어요, 아빠. 지하철역까지 차로 태워주실 수 있으세요?
남 물론이지. 차 열쇠를 가지고 올게.

16 제안한 것

대화를 듣고, 여자가 남자에게 제안한 것으로 가장 적절한 것을 고르시오.
① 새 여행가방 사기
② 여행 짐 목록 작성하기
③ 패키지여행 예약하기
④ 여행 일정 변경하기
⑤ 따뜻한 옷 가져가기

W Roy, did you finish _____ for the trip?

M Well, no.

W You _____ _____ _____ packing yet, did you?
(부정문에서) 아직

M No, I'm sorry. I didn't have the time.
I didn't start packing yet.을 의미함

W We only have three days _____ _____ _____
_____ New Zealand.

M Yeah, I know, but there are so many things to pack. I
to부정사의 형용사적 용법
don't know how to start.

W Why don't you _____ _____ _____ of what you
～(한) 것
need to pack first? 🎵정답 근거

M Oh, thanks for the tip. I'll do that.

여 Roy, 너 여행 짐을 다 쌌니?
남 음, 아니.
여 너 아직 짐 싸기를 시작하지도 않았지, 그렇지?
남 응, 미안해. 난 시간이 없었어.
여 우리는 뉴질랜드로 떠나기 전 겨우 3일 밖에 없어.
남 응, 나도 알아, 하지만 짐 쌀 것이 너무 많아. 어떻게 시작해야 할지 모르겠어.
여 우선 네가 싸야 할 짐의 목록을 작성하는 게 어때?
남 오, 조언 고마워. 그렇게 할게.

12회

받아쓰기

17 특정 정보

대화를 듣고, 두 사람이 구입할 선물로 가장 적절한 것을 고르시오.
① 운동화   ② 목도리
③ 연극 티켓   ④ 화장품
⑤ 공기 정화 식물

여 Jason, 어버이날을 위해 특별한 뭔가를 사자.
남 운동화는 어때? 엄마는 새 운동화가 필요하시잖아.
여 하지만 아빠는 운동을 싫어하셔.
남 네게 더 좋은 생각이 있니?
여 나는 두 분이 함께 시간을 더 보내시도록 돕고 싶어. 두 분께 연극 티켓을 드리는 게 어때?
남 오, 좋아하실 것 같아. 온라인에서 선택해 보자.

W Jason, let's buy _____ _____ for Parents' Day.

M What about running shoes? Mom needs new ones.
   ⌣함정 주의   = running shoes

W But Dad _____ _____ _____.

M Do you have any better ideas?

W I'd like to help them spend more time together. How
   help+목적어+동사원형/to부정사: ~가 …하는 것을 돕다
   about _____ _____ _____ to a play? ♪정답 근거

M Oh, I think they'll like that. Let's _____ _____ and

   choose one.

---

18 직업

대화를 듣고, 여자의 직업으로 가장 적절한 것을 고르시오.
① 코치   ② 가수
③ 소설가   ④ 수영 선수
⑤ 무용가

남 저희 쇼에 오신 것을 환영합니다! 오늘 스튜디오에 특별한 손님을 모셨습니다. 시청자에게 인사해 주시죠, Theron 씨.
여 안녕하세요, 저는 Wendy Theron입니다. 여기 오게 되어 무척 기뻐요.
남 우승을 축하합니다, Theron 씨! 당신은 지난주에 200미터 수영 경주에서 금메달을 따셨죠.
여 감사합니다. 저희 부모님과 코치님께도 감사하다고 전하고 싶습니다.
남 경주를 위해 어떻게 준비했죠?
여 저는 매일 8시간 동안 수영했어요.
남 왜 그것은 연습하면 정말 완벽해진다는 것을 보여 주는군요.

M Welcome to our show! Today we have a special guest
   in our studio. Please _____ _____ _____ our
   viewers, Ms. Theron.

W Hi, I'm Wendy Theron. I'm really _____ to be here.

M Congratulations on your victory, Ms. Theron! You
   ~을 축하합니다!
   _____ _____ _____ _____ in the 200-meter
   swimming race last week. ♪정답 근거

W Thanks. I want to say thanks to my parents and my
   coach, too.

M How did you get ready for the race?

W I _____ _____ _____ _____ every day.

M Wow! It shows that practice really makes perfect.

19 이어질 말 ①

대화를 듣고, 여자의 마지막 말에 이어질 남자의 말로 가장 적절한 것을 고르시오.

Man: _____

① I apologize.   ② Don't mention it.
③ What a pity!   ④ I'm afraid not.
⑤ Congratulations!

남 네 배낭은 왜 그렇게 꽉 찼니?
여 그건 도서관 책들로 가득 차 있어. 그것들을 반납해야 하거든.
남 책들을 내게 줘. 내가 널 위해 반납해 줄게.
여 아냐, 괜찮아. 나는 널 귀찮게 하고 싶지 않아.
남 그건 문제가 되지 않아. 우리 아파트는 도서관 바로 옆이야. 집에 가는 길에 반납할 수 있어.
여 너는 정말 친절하구나!
남 ② 천만에.

M   Why is your backpack so full?

W   It's _____ _____ library books. I need to return them.

M   Give me the books. I can return them for you.
    = Give the books to me.

W   No, that's okay. I don't want to _____ _____.
                    제안을 거절하는 표현

M   It's not a problem. My _____ is right next to the library. I can return them on my way home.

W   That is so _____ _____ _____! 🎵정답 근거

M   ② Don't mention it.

① 사과할게.   ③ 안됐구나!
④ 유감이지만 그렇지 않아.   ⑤ 축하해!

---

20 이어질 말 ②

대화를 듣고, 여자의 마지막 말에 이어질 남자의 말로 가장 적절한 것을 고르시오.

Man: _____

① You can visit our website and email us.
② That sounds like a good idea. Thanks.
③ Not at all. Don't worry about me.
④ Cheer up. You can try next time.
⑤ We meet every Wednesday and Friday.

여 Steve, 너는 자원봉사 활동을 하니?
남 응. 나는 아동 병원에서 자원봉사 활동을 해. 너는?
여 난 하고 있지 않지만, 한번 해보고 싶어.
남 그럼 우리 봉사 동아리인 Helping Hands에 가입하는 게 어때?
여 너희 동아리에서는 어떤 종류의 자원봉사 활동을 하니?
남 우리는 아이들의 공부를 돕고 그들에게 책을 읽어 줘.
여 나도 할 수 있을 것 같아. 내가 동아리에 어떻게 가입할 수 있니?
남 ① 우리 웹사이트를 방문해서 우리에게 이메일을 보내면 돼.

W   Steve, do you do any _____ _____?

M   Yes. I do volunteer work at the children's hospital.
    _____ _____ _____?

W   I don't do any, but I want to try it.
                  (volunteer work)

M   Then _____ _____ _____ join our volunteer club, Helping Hands?

W   What kind of volunteer work does your club do?

M   We help children study and read books to them.

W   I think I can do that. _____ _____ _____ _____ the club? 🎵정답 근거

M   ① You can visit our website and email us.

② 그거 좋은 생각 같구나. 고마워.   ③ 전혀 아니야. 내 걱정은 하지 마.
④ 기운 내. 너는 다음번에 해볼 수 있어.   ⑤ 우리는 매주 수요일과 금요일에 만나.

모의고사를 먼저 풀고 싶으면 202쪽으로 이동하세요.

🎧 다음 표현을 듣고 모르는 것에 표시하시오.

- 01 ship 배
- 02 tool 도구
- 03 insect 곤충
- 04 local 지역의
- 05 far 먼, 멀리
- 06 beach 해변
- 07 stage 무대
- 08 yet 아직
- 09 festival 축제
- 10 thick 두꺼운
- 11 cousin 사촌
- 12 chef 요리사
- 13 favor 부탁
- 14 truck 트럭
- 15 regret 후회하다
- 16 butterfly 나비
- 17 sleeve 소매
- 18 museum 박물관
- 19 around 약, 대략
- 20 useful 쓸모 있는, 유용한
- 21 seafood 해산물
- 22 character 등장인물
- 23 spend 시간을 보내다
- 24 arrive 도착하다

- 25 perform 공연하다
- 26 decide 결정하다
- 27 expensive 비싼
- 28 presentation 발표
- 29 opposite 반대의 것
- 30 mammal 포유동물
- 31 popular 인기 있는
- 32 tooth 치아 (복수형 teeth)
- 33 branch 나뭇가지
- 34 social studies 사회 과목
- 35 turn off 끄다
- 36 hurry up 서두르다
- 37 wake up 깨우다
- 38 get up 일어나다
- 39 after school 방과 후에
- 40 go to bed 잠자리에 들다
- 41 search for ~을 찾다
- 42 give birth to ~을 낳다
- 43 put on makeup 화장을 하다
- 44 on the way to ~로 가는 길인

✏️ 알아두면 유용한 선택지 어휘

- 45 baker 제빵사
- 46 salesman 판매원

🎧 들으면서 표현을 완성한 다음, 뜻을 고르시오.

표현의 의미를 생각하며 다시 써 보기!

01 　ool　　☐ 장식　　☐ 도구　　→ _____

02 in　ect　　☐ 곤충　　☐ 인색한　　→ _____

03 lo　al　　☐ 지역의　　☐ 원래의　　→ _____

04 sta　e　　☐ 관중석　　☐ 무대　　→ _____

05 thic　　　☐ 두꺼운　　☐ 얇은　　→ _____

06 fa　or　　☐ 실수　　☐ 부탁　　→ _____

07 　egret　　☐ 후회하다　　☐ 되돌아오다　　→ _____

08 　utterfly　　☐ 파리　　☐ 나비　　→ _____

09 slee　e　　☐ 미끄러움　　☐ 소매　　→ _____

10 sea　ood　　☐ 해산물　　☐ 바닷가　　→ _____

11 ch　racter　　☐ 주인공　　☐ 등장인물　　→ _____

12 pre　entation　　☐ 발표　　☐ 선물　　→ _____

13 o　posite　　☐ 반대의 것　　☐ 옳은 것　　→ _____

14 　ammal　　☐ 젖소　　☐ 포유동물　　→ _____

15 　urn off　　☐ 끄다　　☐ 켜다　　→ _____

16 hurr　 up　　☐ 천천히 가다　　☐ 서두르다　　→ _____

17 wa　e up　　☐ 깨우다　　☐ 잠자다　　→ _____

18 give 　irth to　　☐ 환생하다　　☐ ~을 낳다　　→ _____

실전 모의고사 [13]회

실전 모의고사 13회 →
모의고사 보통 속도
모의고사 빠른 속도

✎ 들으면서 주요 표현 메모하기!

01 다음을 듣고, 'I'가 무엇인지 가장 적절한 것을 고르시오.

① ② ③ ④ ⑤

02 대화를 듣고, 남자가 구입할 옷으로 가장 적절한 것을 고르시오.

① ② ③ ④ ⑤

03 대화를 듣고, 현재 시드니의 날씨로 가장 적절한 것을 고르시오.

① ② ③ ④ ⑤

04 대화를 듣고, 여자가 한 마지막 말의 의도로 가장 적절한 것을 고르시오.

① 감사　　② 당부　　③ 사과　　④ 칭찬　　⑤ 불평

고난도 선택지 하나씩 체크하며 풀기

05 다음을 듣고, 여자가 동아리에 대해 언급하지 <u>않은</u> 것을 고르시오.

① 이름　　　　　② 회원 수　　　　　③ 활동 내용
④ 모임 장소　　　⑤ 모이는 날

06 대화를 듣고, 두 사람이 만날 시각을 고르시오.

🖊 들으면서 주요 표현 메모하기!

① 4:00 p.m.   ② 4:15 p.m.   ③ 4:30 p.m.
④ 4:40 p.m.   ⑤ 5:00 p.m.

07 대화를 듣고, 남자의 장래 희망으로 가장 적절한 것을 고르시오.

① chef   ② baker   ③ writer
④ designer   ⑤ car salesman

고난도 | 선택지 하나씩 체크하며 풀기

08 대화를 듣고, 여자의 이모에 대한 내용으로 일치하지 <u>않는</u> 것을 고르시오.

① 여자네 집 근처에 산다.   ② 최근 딸을 낳았다.
③ 넉 달 전에 출산했다.   ④ 딸이 한 명 있다.
⑤ 아들이 네 명 있다.

09 대화를 듣고, 두 사람이 오후에 할 일로 가장 적절한 것을 고르시오.

① 농구하기   ② 수영하기   ③ 자전거 타기
④ 배드민턴 치기   ⑤ 공원으로 소풍 가기

고난도 | 핵심 표현 메모하며 풀기

10 대화를 듣고, 무엇에 관한 뉴스 내용인지 가장 적절한 것을 고르시오.

① 선박 구조 활동   ② 해상 충돌 사건   ③ 위험한 남극 날씨
④ 산타클로스의 유래   ⑤ 러시아 선박의 선행

틀린 문제는 Dictation에서
완벽하게 이해하세요.

실전 모의고사 [13]회

🖊 들으면서 주요 표현 메모하기!

11 대화를 듣고, 여자가 이용한 교통수단으로 가장 적절한 것을 고르시오.
① 배 　　　 ② 버스 　　　 ③ 기차 　　　 ④ 트럭 　　　 ⑤ 비행기

12 대화를 듣고, 남자가 늦게 잔 이유로 가장 적절한 것을 고르시오.
① 잠이 안 와서 　　　　　　　 ② 컴퓨터를 수리해서
③ 메일을 보내야 해서 　　　　 ④ 인터넷 게임을 해서
⑤ 자료를 찾아야 해서

13 대화를 듣고, 두 사람이 대화하는 장소로 가장 적절한 곳을 고르시오.
① 공항 　　 ② 회의실 　　 ③ 공연장 　　 ④ 미술실 　　 ⑤ 결혼식장

고난도 핵심 표현 메모하며 풀기

14 대화를 듣고, *Peacock Park*의 위치로 가장 알맞은 것을 고르시오.

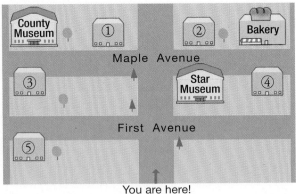

15 대화를 듣고, 남자가 여자에게 부탁한 일로 가장 적절한 것을 고르시오.
① 대신 발표하기 　　 ② 그림 그려주기 　　 ③ 사진 찍어 주기
④ 채소와 과일 사기 　　 ⑤ 시장에 함께 가기

16 대화를 듣고, 여자가 남자에게 제안한 것으로 가장 적절한 것을 고르시오.

① 핼러윈 파티하기 ② 공포 영화 보기 ③ 동아리 축제 가기
④ 연예인 따라하기 ⑤ 드라큘라 복장하기

들으면서 주요 표현 메모하기!

17 대화를 듣고, 남자가 토요일에 할 일로 가장 적절한 것을 고르시오.

① 여행 계획하기 ② 사촌 집 방문하기 ③ 서울 방문하기
④ 자전거 타기 ⑤ 해변에서 놀기

18 대화를 듣고, 남자의 직업으로 가장 적절한 것을 고르시오.

① pilot ② cook ③ tour guide
④ firefighter ⑤ police officer

[19-20] 대화를 듣고, 여자의 마지막 말에 이어질 남자의 말로 가장 적절한 것을 고르시오.

여자의 마지막 말에 집중하기

19 Man: _____

① That's all right. ② You're welcome.
③ That's a good idea. ④ I'm sorry to hear that.
⑤ None of your business.

20 Man: _____

① It's very cold. ② I'll go there by bus.
③ I'll stay at Roy Hotel. ④ It takes about 2 hours.
⑤ I'll visit my aunt in Boston.

틀린 문제는 Dictation에서 완벽하게 이해하세요.

01 그림 지칭
*들을 때마다 체크

다음을 듣고, 'I'가 무엇인지 가장 적절한 것을 고르시오.

① ② ③
④ ⑤

여 나는 나무에서 살지만 새가 아닙니다. 나는 포유동물입니다. 나는 긴 팔과 꼬리를 이용해서 나뭇가지 사이를 이동합니다. 나는 곤충, 과일, 식물과 같은 많은 종류의 음식을 먹습니다. 나는 인간처럼 도구를 이용할 수 있습니다. 나는 무엇일까요?

W I live in _____, but I'm not _____ _____. I'm
　　🔑정답 근거
a _____. I move between branches using my long
_____ and _____ _____. I eat many _____ of
food like _____, fruits, and plants. I can use _____
　　　　　　～처럼, ～과 같이
like humans. What am I?

🎵 **Sound Tip** not a bird / and a
not과 a가 연음이 되면 [나러]와 같이 발음된다. 앞 단어의 끝소리가 자음이고 뒤 단어의 첫소리가 모음이면 자연스럽게 연음이 되는 경향이 있다. 그래서 and a에서도 [앤더]와 같이 연음되어 발음된다.

02 그림 묘사

대회를 듣고, 남자가 구입할 옷으로 가장 적절한 것을 고르시오.

① ② ③
④ ⑤

여 도와드릴까요?
남 네. 저는 딸에게 줄 한복을 찾고 있어요.
여 그녀는 몇 살인가요?
남 6살입니다.
여 그럼 무지개 색깔의 소매가 있는 이 한복 저고리는 어떤가요?
남 그것 좋네요. 또한, 치마에 있는 나비들이 정말 아름답군요.
여 네. 그건 정말 인기 있어요.
남 좋아요. 그것을 살게요.

🇬🇧
W May I help you?

M Yes. I'm _____ for a *hanbok* for my _____.
　　　　　look for: ～을 찾다

W How _____ is she?

M She's 6 years old.

　　　　　　　　　　　　　　　　🔑정답 근거
W Then, how about this *hanbok* _____ with rainbow-
　　　　　～하는 것이 어떠세요? (제안하는 표현)
colored _____?

M That looks good. Also, the _____ on the skirt are
　　　　　　　　　　주어　　　　　　　　　　　　　동사
really _____.

W Yeah. It's really _____.

M Okay. I'll take it.

Dictation 13회 →
┌ 전체 듣기
└ 문항별 듣기

Dictation의 효과적인 활용법
STEP1 들으면서 대본의 빈칸 채우기
STEP2 축쇄 문제를 보며 다시 풀어보기
STEP3 해석을 보며 영어로 말하거나 영작해 보기

공부한 날　　　월　　　일

03 날씨

대화를 듣고, 현재 시드니의 날씨로 가장 적절한 것을 고르시오.

① 　② 　③

④ 　⑤

[휴대 전화가 울린다.]
남 안녕, 수미야.
여 안녕하세요, 아빠! 지금 시드니에 계세요?
남 그래, 지금 시드니란다.
여 거기 날씨는 어때요?
남 날씨가 좋아. 맑고 따뜻하단다. 인천 날씨는 어떠니?
여 하루 종일 비가 오고 있어요. 언제 돌아오세요?
남 다음 주 월요일에 돌아갈 거야. 그날 날씨가 눈이 내린다고 들었어.

📞 *Cellphone rings.*

M　Hello, Sumi.

W　Hello, Dad! Are you in Sydney now?

M　Yes, I'm in Sydney.

W　How's the ＿＿＿＿ ＿＿＿?

M　The weather is great. It's ＿＿＿ and ＿＿＿. 🔔정답 근거 How's the weather in Incheon?

W　It's ＿＿＿ ＿＿＿ day. When will you be back?
　　　　　　　　　　　　　돌아오다

M　I'll ＿＿＿ ＿＿＿ next Monday. I heard the weather (that) would be ＿＿＿ that day. 💣함정 주의

04 말의 의도

대화를 듣고, 여자가 한 마지막 말의 의도로 가장 적절한 것을 고르시오.

① 감사　　② 당부　　③ 사과
④ 칭찬　　⑤ 불평

여 준아, 잘 시간이야.
남 알겠어요, 엄마.
여 잠자리에서 전화를 쓰지 말거라.
남 알아요. 5분만 쓸게요.
여 난 네가 그러면 안 된다고 생각해. 전화기 불빛이 눈에 좋지 않아.
남 알겠어요. 끌게요.
여 네 방의 불을 끄는 것도 잊지 말거라.

W　Jun, it's time to go to ＿＿＿.
　　　　　　　　　　잠자러 가다

M　Okay, Mom.

W　Do not ＿＿＿ your ＿＿＿ in your bed.
　　　～하지 마라 (금지)

M　All right. I'll use it just for five ＿＿＿.

W　I think you ＿＿＿ ＿＿＿ that. The ＿＿＿ on the
　　　(that)
　　phone is not good for your ＿＿＿.

M　Okay, I'll ＿＿＿ ＿＿＿ ＿＿＿.

W　Don't ＿＿＿ to turn off the light in your room. 🔔정답 근거

◀ Solution Tip

Don't forget to …는 '~하는 것을 잊지 마라'는 뜻으로 당부하는 표현임에 유의한다.

05 언급하지 않은 것 □□

다음을 듣고, 여자가 동아리에 대해 언급하지 <u>않은</u> 것을 고르시오.
① 이름
② 회원 수
③ 활동 내용
④ 모임 장소
⑤ 모이는 날

여 춤추는 것을 좋아하세요? 그러면 Dancing Star Club에 가입하세요. 우리는 새로운 회원을 찾고 있어요. 우리 동아리는 학교 축제에서 공연을 할 거예요. 모두가 무대에 오를 겁니다. 수요일과 금요일마다 무용실로 오세요. 무용실은 학생 문화 건물 4층에 있어요. 여러분은 여러분의 선택을 후회하지 않을 거예요.

정답 근거

W Do you like _____? Then _____ the Dancing Star Club. We're _____ for new members. Our club
<u>look for: ~을 찾다</u>
will _____ in the school festival. Everybody will be on stage. Come to the dance room on Wednesdays and
무대에서
_____. The dance room is on the 4th _____ of the Student Culture Building. You won't _____ your
<u>will not의 줄임</u>
choice.

Solution Tip

동아리의 이름(Dancing Star Club), 활동 내용(학교 축제에서 공연), 모임 장소(학생 문화 건물 4층 무용실), 모이는 날(매주 수요일과 금요일)은 언급되어 있지만 회원 수는 언급되어 있지 않다.

06 시각 □□

대화를 듣고, 두 사람이 만날 시각을 고르시오.
① 4:00 p.m.
② 4:15 p.m.
③ 4:30 p.m.
④ 4:40 p.m.
⑤ 5:00 p.m.

남 미나야, 너는 액션 영화를 좋아하니?
여 응, 좋아해.
남 나에게 영화표가 두 장 있어. 내일 나와 함께 갈래?
여 물론이지. 영화가 언제 시작하니?
남 그것은 오후 5시에 시작해. 내 생각에 너는 4시 30분까지 한국 극장에 도착해야 해.
여 난 괜찮아.
남 좋아. 내일 보자.

M Mina, do you like _____ movies?
좋아하는 것을 묻는 표현
W Yes, I do.
M I have two movie _____. Do you want to _____
<u>~와 함께 가다</u>
with me tomorrow?
W Sure. _____ does the movie start?

정답 근거

M It starts at _____ o'clock in the afternoon. I think you
(that)
should arrive at Hanguk Cinema by _____ _____.
W That's fine with me.
M That's good. See you _____.

07 장래 희망

대화를 듣고, 남자의 장래 희망으로 가장 적절한 것을 고르시오.

① chef   ② baker   ③ writer
④ designer   ⑤ car salesman

남 주영아, 너는 장래에 무엇이 되고 싶어?
여 난 아직 잘 모르겠어. 유용한 직업을 갖고 싶어.
남 너는 무엇에 관심이 있니?
여 난 요리에 관심이 있어. 가족을 위해 요리하는 것이 기뻐.
남 그렇구나. 아마도 너는 요리사가 될 수 있겠어.
여 아마도. 너는 무엇이 되고 싶니?
남 디자이너가 되고 싶어. 난 멋진 차를 디자인하고 싶어.
여 재미있겠다.

M Juyeong, what do you want to be in the _____?

W I don't know _____. I want to have a _____ job.

M What are you interested in?
<u>be interested in</u>: ~에 흥미가 있다

W I'm interested in _____. I'm happy to cook for my family.

M Good. Maybe you can be a _____. 🔖함정 주의

W Maybe. What do you want to be?

M I want to be a _____. I want to _____ a wonderful car.
🔖정답 근거

W Sounds interesting.

13회 받아쓰기

08 일치하지 않는 것

대화를 듣고, 여자의 이모에 대한 내용으로 일치하지 <u>않는</u> 것을 고르시오.

① 여자네 집 근처에 산다.
② 최근 딸을 낳았다.
③ 넉 달 전에 출산했다.
④ 딸이 한 명 있다.
⑤ 아들이 네 명 있다.

남 이봐, 서진아. 어디 가고 있어?
여 안녕, Edin. 난 이모님 댁에 가는 길이야.
남 너의 이모가 이 근처에 사셔?
여 응, 이모가 석 달 전에 딸을 낳으셨어. 여자아이가 너무 귀여워.
남 와, 대단하다! 너에게 아기 사촌이 생겼네. 너의 이모는 딸이 하나니?
여 응, 하지만 아들이 넷이 있어.
남 정말? 믿을 수가 없어.

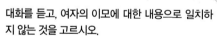

M Hey, Seojin. _____ are you going?

W Hi, Edin. I'm <u>on the way</u> to my aunt's house.
~로 가는 길인

M Does your aunt live _____ here?
이 근처에

W Yes, my aunt <u>gave</u> _____ to a baby girl three months
<u>give birth to</u>: ~을 낳다   🔖정답 근거
ago. She is so cute.

M Wow, great! You have a baby _____. Does your aunt have _____ one girl?

W Yes, but she has _____ _____.

M Really? I can't _____ it.

09 할 일

대화를 듣고, 두 사람이 오후에 할 일로 가장 적절한 것을 고르시오.
① 농구하기
② 수영하기
③ 자전거 타기
④ 배드민턴 치기
⑤ 공원으로 소풍 가기

남 Jenny, 너는 방과 후에 무엇을 할 거니?
여 난 특별한 계획이 없어.
남 그럼, 배드민턴 치자.
여 오, 미안하지만 난 배드민턴을 치지 못해.
남 그럼, 농구 할래?
여 아니, 못 해. 난 수영을 할 수 있어. 자전거도 탈 수 있고.
남 좋아. 함께 수영을 하자. 오늘 오후 2시에 수영장에서 만나자.
여 좋아.

M Jenny, what are you going to do _____ school?
　　계획을 묻는 표현
W I don't have any special plan.

M Then, let's play badminton. 함정 주의
　　~하자 (제안하는 표현)
W Oh, I'm _____ but I _____ play badminton.

M Then, can you play _____? 함정 주의

W No, I can't. I can swim. I can _____ a bike, too. 함정 주의

M All right. Let's swim together. Let's _____ at the pool
　　　　　　　　정답 근거
　at _____ this afternoon.

W Sure.

10 대화 화제

대화를 듣고, 무엇에 관한 뉴스 내용인지 가장 적절한 것을 고르시오.
① 선박 구조 활동
② 해상 충돌 사건
③ 위험한 남극 날씨
④ 산타클로스의 유래
⑤ 러시아 선박의 선행

여 너 쇄빙선 아라온호를 알지?
남 알아, 그 배에 나쁜 일이 생겼어?
여 아니, 정반대야. 그 배가 남극 근처에서 러시아 배를 구조했대.
남 와, 멋지다! 러시아 배가 위험에 처했었어?
여 러시아 배가 두꺼운 얼음 때문에 꼼짝을 할 수 없었어. 아라온호가 얼음을 깨서 그 배의 길을 만들어 줬지.
남 굉장하구나. 아라온호는 그들에게 산타클로스였던 거네.

W You know the Araon, an ice _____ _____?

M Yes, did something bad _____ to it?

W No, it's just the _____. It _____ a Russian boat 정답 근거
　near the Antarctic.

M Wow, that's great! Was the Russian boat in _____?

W It couldn't move at all because of _____ ice. The
　　　　　　　　　　　　　　　because of+명사(구): ~ 때문에
　Araon _____ the ice and made a _____ for the
　boat.

M That's wonderful. The Araon was Santa Claus for them.

 Solution Tip
Araon이라는 배는 얼음을 깨는 쇄빙선인데, 남극에서 위험에 처한 러시아 배를 구조했다는 뉴스에 관해 두 사람이 대화를 나누고 있다.

11 교통수단

대화를 듣고, 여자가 이용한 교통수단으로 가장 적절한 것을 고르시오.
① 배 ② 버스 ③ 기차
④ 트럭 ⑤ 비행기

남 Amy, 여름에 뭐 했어?
여 난 배로 가족 여행을 갔어.
남 멋지다! 무엇을 했는데?
여 많은 것들을 했지만, 해변에서 논 게 가장 좋았어.
남 좋네. 그러면 음식은 어땠어?
여 그 지역 푸드 트럭에서 아이스크림과 해산물을 즐겼어.

M Amy, what did you do in the _____?

W I took a family _____ by _____. ♪정답 근거

M Sounds great! What did you do?

W Many things, but I liked playing at the _____ best.

M Good. Then how was the _____?

W I _____ ice cream and _____ from the local food _____. ⚠함정 주의 여기서 트럭은 교통수단이 아님에 유의

💡 Sound Tip did you
did와 you가 연음되어 [디쥬]처럼 발음됨에 유의한다.

12 이유

대화를 듣고, 남자가 늦게 잔 이유로 가장 적절한 것을 고르시오.
① 잠이 안 와서
② 컴퓨터를 수리해서
③ 메일을 보내야 해서
④ 인터넷 게임을 해서
⑤ 자료를 찾아야 해서

여 Chris, 일어나, 일어나!
남 5분만 더요.
여 지금 일어나야 해. 그렇지 않으면 늦어.
남 알아요. 곧 일어날게요.
여 어젯밤에 몇 시에 잠자리에 들었니?
남 새벽 1시쯤이요.
여 그때까지 뭐 했니?
남 인터넷으로 정보를 좀 찾아야 했어요.

W _____ up, _____ up, Chris! 깨우다

M Five _____ minutes, please.

W You have to get up now. Or you'll be _____. 일어나다 그렇지 않으면

M I know that. I'll get up soon.

W What time did you go to _____ last night?

M _____ 1 a.m.

W What did you do till then? 그때까지

M I had to _____ for some _____ on the Internet. ♪정답 근거

13 장소

대화를 듣고, 두 사람이 대화하는 장소로 가장 적절한 곳을 고르시오.
① 공항 ② 회의실 ③ 공연장
④ 미술실 ⑤ 결혼식장

남 Jenny, 이 스피커를 거기로 옮겨 줄래요?
여 어디요?
남 거기요. 무대 밑에요.
여 알았어요. 그 밖에 다른 거요?
남 마이크 좀 확인해 줘요. 우리는 단지 15분 후에 쇼를 시작해야 해요.
여 알았어요. 정말 흥분돼요. 이건 우리의 첫 번째 연극 공연이잖아요.
남 맞아요. 난 우리가 공연을 잘할 수 있을 거라는 느낌이 들어요.

M Jenny, can you _____ this speaker there?

W Where?

M There. Under the _____.

W Sure. Anything _____?

M Check the microphone. We must start the show in only
~이 지나면
_____ minutes.

🎵정답 근거

W Okay. I'm so excited. This is our first play _____.

M Right. I feel we can perform better.

14 그림 위치

대화를 듣고, *Peacock Park*의 위치로 가장 알맞은 것을 고르시오.

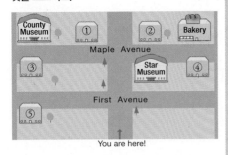

남 Jimmy가 Peacock 공원에서 춤 공연을 할 거래. 가서 보자.
여 좋아. 여기에서 멀어?
남 아니, 멀지 않아. 우리는 거기에 걸어갈 수 있어.
여 그럼, 거기까지 어떻게 가는데?
남 Maple Avenue까지 쭉 걸어가서 좌회전해.
여 Maple Avenue에서 좌회전. 그러고 나서는?
남 약 한 블록 정도 걸어가면, 왼쪽에 있어. County 박물관 건너편에 있어.

M Jimmy is going to have a _____ show at Peacock Park. Let's go and see.

W Sure. Is it _____ from here?

M No, it's not _____. We can _____ there.

W Then, how can I get there?
거기에 도착하다, 닿다

M Go _____ down to Maple Avenue and turn _____.

W Turn left at Maple Avenue. And then?

M Walk about one block and it's on the _____. It's _____ from the County Museum. 🎵정답 근거

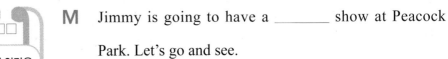

길 이름에 유의해서 듣고, 좌회전(turn left)이나 우회전(turn right)과 같은 방향에 유의한다. Maple Avenue까지 가서 turn left하면 ①과 ③을 볼 수 있다. County Museum 맞은편(across from)이라고 했으므로 ③이 답이 된다.

15 부탁한 일

대화를 듣고, 남자가 여자에게 부탁한 일로 가장 적절한 것을 고르시오.
① 대신 발표하기
② 그림 그려주기
③ 사진 찍어 주기
④ 채소와 과일 사기
⑤ 시장에 함께 가기

M Kate, can you do me a _____?
　　부탁하는 표현

W Sure. What is it?

M Can you _____ a picture for my presentation? 🎸정답 근거

W Your presentation?

M Yes. I will make a presentation in _____ _____
　　　　　　　발표하다
class tomorrow.

W Okay. What picture do you want?

M Can you _____ a _____ with some _____ and
　　　　　　　　　　　　　~이 있는
fruit shops?

W No problem.

남 Kate, 부탁 좀 들어 줄래?
여 물론이지. 무엇인데?
남 내 발표에 쓸 그림을 그려 줄 수 있어?
여 발표?
남 응. 내일 사회 수업 시간에 내가 발표를 할 거야.
여 좋아. 어떤 그림을 원하는데?
남 채소와 과일 가게들이 있는 시장을 그려줄 수 있어?
여 문제없어.

---

16 제안한 것

대화를 듣고, 여자가 남자에게 제안한 것으로 가장 적절한 것을 고르시오.
① 핼러윈 파티하기
② 공포 영화 보기
③ 동아리 축제 가기
④ 연예인 따라하기
⑤ 드라큘라 복장하기

🇬🇧

M This Friday our club is going to have a Halloween

party. Do you _____?

W Sure. I'll wear green _____ Shrek. How about you?

M I didn't _____ yet.

W Why don't you be a famous _____ like me?
　상대방에게 제안하는 표현

M I don't like it. Putting on makeup is not _____.
　　　　　　　　put on makeup: 화장을 하다, 분장하다

W Then, how about _____ Dracula? You just need two
　　　　　　　　　　　　　　　🎸정답 근거
big _____.

M That sounds good.

남 이번 주 금요일에 우리 동아리에서 핼러윈 파티를 할 거야. 기억하니?
여 물론이지. 난 슈렉처럼 초록색으로 입을 거야. 너는 어때?
남 난 아직 결정하지 못 했어.
여 나처럼 유명한 캐릭터가 되는 것은 어떠니?
남 난 그것이 별로야. 분장하는 것이 쉽지 않아.
여 그럼, 드라큘라가 되는 것은 어때? 두 개의 큰 이빨만 필요하잖아.
남 그거 좋겠다.

13회
받아쓰기

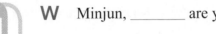

17 할 일

대화를 듣고, 남자가 토요일에 할 일로 가장 적절한 것을 고르시오.
① 여행 계획하기
② 사촌 집 방문하기
③ 서울 방문하기
④ 자전거 타기
⑤ 해변에서 놀기

W Minjun, _____ are you doing?

M Oh, hi, Serena. I'm _____ plans for the weekend.

W So, what are you going to do?
　　계획을 묻는 표현

M I'm going to _____ time _____ my _____.
　　~와 시간을 보내다

W Your cousin from Seoul?

M Yeah. He'll _____ us this Friday. We're going to _____ our _____ to the beach on Saturday. 🔑정답 근거

W Sounds cool!

여 민준아, 뭐 하고 있어?
남 어, 안녕, Serena. 주말 계획을 짜고 있어.
여 그래서, 뭐 할 계획인데?
남 사촌과 함께 시간을 보낼 거야.
여 서울에 사는 사촌?
남 응. 그가 이번 주 금요일에 우리집을 방문할 거야. 우리는 토요일에 해변까지 자전거를 타고 갈 계획이야.
여 멋지다!

18 직업

대화를 듣고, 남자의 직업으로 가장 적절한 것을 고르시오.
① pilot   ② cook
③ tour guide   ④ firefighter
⑤ police officer

M Hurry up, everyone. It's time to _____ on the bus.
　　타다, 승차하다

W Okay. Where are we going to visit now?

M We're going to the national _____.

W Good! Will we have _____ after that?

M Yes, we'll eat _____ at a Korean restaurant _____ the museum.

W Great! I will try *samgyetang*.

M I'm sure ∧you'll like it. After dinner, we'll have a night 🔑정답 근거
　　　　　(that)
_____ to Gyeongbok Palace.

W Sounds great!

남 모두들 서두르세요. 버스에 타실 시간입니다.
여 알겠어요. 이제 우리는 어디를 방문하나요?
남 우리는 국립박물관에 갈 계획입니다.
여 좋아요! 그 후에 저녁을 먹나요?
남 네, 박물관 근처 한식당에서 저녁을 먹을 겁니다.
여 좋아요! 전 삼계탕을 먹어 볼 거예요.
남 틀림없이 좋아하실 겁니다. 저녁 드시고 경복궁으로 야간 관광을 할 예정입니다.
여 좋아요!

🔊 Sound Tip get on
앞 단어의 끝자음 [t]와 뒤 단어의 첫소리 [o]가 연음되어 발음되는데, 보통 모음 사이의 [t]는 [ㄹ]로 약화되어 발음되는 경향이 있다. 따라서 [게론]과 비슷하게 발음된다.

19 이어질 말 ①

대화를 듣고, 여자의 마지막 말에 이어질 남자의 말로 가장 적절한 것을 고르시오.

Man: _____

① That's all right.
② You're welcome.
③ That's a good idea.
④ I'm sorry to hear that.
⑤ None of your business.

남 다음 주 일요일은 우리 엄마의 생신이야. 생신 선물에 대해 좋은 생각 있니?
여 휴대 전화 케이스가 어때?
남 그건 나에게 너무 비싸.
여 너의 어머니가 책을 읽는 것을 좋아하시니?
남 응, 좋아하셔.
여 그럼, 내 생각엔 너의 어머니께 인기 있는 책을 사다 드리는 게 좋겠어.
남 ③ 그거 좋은 생각이야.

M Next Sunday is my mom's birthday. Do you have some _____ for a birthday _____?

W How about a cellphone _____?

M That's too _____ for me.

W Does your mom like _____ books?

M Yes, she does.

W Then I think (that) you should buy a _____ book for your mom.
제안하는 표현 🎸정답 근거

M ③ That's a good idea.

① 괜찮아.　② 천만에.
④ 유감이야.　⑤ 참견하지 마.

13회 받아쓰기

20 이어질 말 ②

대화를 듣고, 여자의 마지막 말에 이어질 남자의 말로 가장 적절한 것을 고르시오.

Man: _____

① It's very cold.
② I'll go there by bus.
③ I'll stay at Roy Hotel.
④ It takes about 2 hours.
⑤ I'll visit my aunt in Boston.

M Good morning. May I help you?

W Yes, I want to _____ a _____ to Boston.

M How many are you?

W We are two _____ and me.

M Then it's _____ dollars.

W Here you are. Then how long does it take to Boston?
물건을 건넬 때 사용하는 표현　시간이 얼마나 걸리는지 묻는 표현　🎸정답 근거

M ④ It takes about 2 hours.
It takes + 시간 : (시간)이 걸리다

남 좋은 아침입니다. 도와 드릴까요?
여 예, 보스턴으로 가는 표를 사려고 합니다.
남 몇 분이신가요?
여 아이 둘과 저입니다.
남 그럼 70달러입니다.
여 여기 있습니다. 보스턴까지 얼마나 걸리나요?
남 ④ 약 2시간 걸립니다.

① 매우 추워요.　② 저는 거기에 버스로 갈 거예요.
③ 저는 Roy 호텔에 머무를 거예요.　⑤ 저는 보스턴에 있는 고모 집을 방문할 거예요.

모의고사를 먼저 풀고 싶으면 218쪽으로 이동하세요.

🎧 다음 표현을 듣고 모르는 것에 표시하시오.

01 lake 호수	25 under repair 수리 중인
02 clinic 병원	26 clear up 날씨가 개다
03 park 주차하다	27 speed limit 제한 속도
04 wood 목재, 나무	28 pay a fine 벌금을 내다
05 attic 다락	29 school clinic (학교) 보건실
06 scary 무서운	30 school nurse (학교) 보건 교사
07 stair 계단	31 driver's license 운전면허증
08 congratulations 축하해요	32 take care of ~를 돌보다, 보살피다
09 shake 흔들다, 떨다	33 make sense 이해가 되다
10 medicine 약	34 go ahead 어서 하세요
11 grow 자라다, 재배하다	35 be late for ~에 늦다
12 sunlight 햇빛	36 wedding anniversary 결혼기념일
13 decoration 장식	37 make noise 소음을 만들다
14 restroom 화장실	38 take a walk 산책하다
15 garage 차고	39 stay up late 늦게까지 깨어 있다
16 pregnant 임신한	40 had better ~하는 게 낫다
17 cough 기침하다	41 What if ...? 만일 ~라면 어쩌지?
18 direction 지시	42 have a sore throat 목이 아프다
19 bothersome 성가신, 귀찮은	43 homeroom teacher 담임 교사
20 matter 문제가 되다, 중요하다	44 elementary school 초등학교
21 comment 의견을 말하다	
22 recommend 추천하다	✏️ **알아두면 유용한 선택지 어휘**
23 focus on ~에 집중하다	45 pill 알약
24 parking lot 주차장	46 veterinarian 수의사

🎧 들으면서 표현을 완성한 다음, 뜻을 고르시오.

표현의 의미를 생각하며 다시 써 보기!

01 cou ☐ h 　 ☐ 아프다 　 ☐ 기침하다 　 →

02 woo ☐ 　 ☐ 철재 　 ☐ 목재, 나무 　 →

03 sha ☐ e 　 ☐ 흔들다, 떨다 　 ☐ 무섭게 하다 　 →

04 ☐ linic 　 ☐ 치약 　 ☐ 병원 　 →

05 ☐ edicine 　 ☐ 약 　 ☐ 병 　 →

06 sun ☐ ight 　 ☐ 해시계 　 ☐ 햇빛 　 →

07 parking ☐ ot 　 ☐ 주차장 　 ☐ 주차료 　 →

08 pay a ☐ ine 　 ☐ 용돈을 주다 　 ☐ 벌금을 내다 　 →

09 pre ☐ nant 　 ☐ 임신한 　 ☐ 날개 　 →

10 la ☐ e 　 ☐ 호수 　 ☐ 갈퀴 　 →

11 par ☐ 　 ☐ 공짜의 　 ☐ 주차하다 　 →

12 s ☐ ary 　 ☐ 화가 난 　 ☐ 무서운 　 →

13 de ☐ oration 　 ☐ 장식 　 ☐ 선반 　 →

14 ga ☐ age 　 ☐ 차고 　 ☐ 다락방 　 →

15 wedding ☐ nniversary 　 ☐ 결혼식 　 ☐ 결혼기념일 　 →

16 had ☐ etter 　 ☐ 많이 가지다 　 ☐ ~하는 게 낫다 　 →

17 speed l ☐ mit 　 ☐ 제한 속도 　 ☐ 속도 무제한 　 →

18 driver's ☐ icense 　 ☐ 운전자 과실 　 ☐ 운전면허증 　 →

중학 14일어

✎ 들으면서 주요 표현 메모하기!

01 다음을 듣고, 'this'가 가리키는 것으로 가장 적절한 것을 고르시오.

① 　② 　③ 　④ 　⑤

02 대화를 듣고, 여자가 구입할 케이크로 가장 적절한 것을 고르시오.

① 　② 　③ 　④ 　⑤

03 다음을 듣고, 부산의 오후 날씨로 가장 적절한 것을 고르시오.

① 　② 　③ 　④ 　⑤

04 대화를 듣고, 여자가 한 마지막 말의 의도로 가장 적절한 것을 고르시오.

① 승낙　② 거절　③ 사과　④ 비난　⑤ 당부

고난도 선택지 하나씩 체크하며 풀기

05 다음을 듣고, 여자가 Jessica에 대해 언급하지 <u>않은</u> 것을 고르시오.

① 직업　② 나이　③ 국적　④ 경력　⑤ 취미

고난도 핵심 표현 메모하며 풀기

06 대화를 듣고, 영화가 시작되는 시각을 고르시오.

① 3:13 p.m.　　　② 3:30 p.m.　　　③ 3:43 p.m.
④ 4:00 p.m.　　　⑤ 4:30 p.m.

🖉 들으면서 주요 표현 메모하기!

07 대화를 듣고, 남자의 장래 희망으로 가장 적절한 것을 고르시오.

① 축구선수　　　② 영화배우　　　③ 뉴스 앵커
④ 프로듀서　　　⑤ 스포츠 기자

고난도 선택지 하나씩 체크하며 풀기

08 대화를 듣고, 여자가 들고 있는 것에 대한 내용으로 일치하지 <u>않는</u> 것을 고르시오.

① 나무로 만들었다.　② 모형 주택이다.　③ 남동생이 만들었다.
④ 다락이 하나 있다.　⑤ 많은 계단이 있다.

09 대화를 듣고, 두 사람이 대화 직후에 할 일로 가장 적절한 것을 고르시오.

① 줄 서기　　　② 화장실 가기　　　③ 동물원 가기
④ 놀이기구 타기　⑤ 먹으러 가기

10 대화를 듣고, 무엇에 관한 내용인지 가장 적절한 것을 고르시오.

① 교통 체증 문제　　　② 학교 체육관 증축
③ 새 지하철역 개통　　　④ 학교 방문의 날 행사
⑤ 학교 주변 유해 시설

틀린 문제는 Dictation에서
완벽하게 이해하세요.

실전 모의고사 [14]회

✎ 들으면서 주요 표현 메모하기!

11 대화를 듣고, 두 사람이 이용할 교통수단으로 가장 적절한 것을 고르시오.

① 도보   ② 택시   ③ 버스

④ 자동차   ⑤ 자전거

`고난도` `핵심 표현 메모하며 풀기`

12 대화를 듣고, 남자가 건물에 주차할 수 없는 이유로 가장 적절한 것을 고르시오.

① 사고가 나서   ② 공사 중이어서

③ 장애인용이라서   ④ 거주자 전용이어서

⑤ 유료 주차장이어서

---

13 대화를 듣고, 두 사람의 관계로 가장 적절한 것을 고르시오.

① 교사 – 학생   ② 판사 – 피고인   ③ 경찰 – 운전자

④ 은행원 – 손님   ⑤ 시험 감독관 – 수험생

---

14 대화를 듣고, 남자가 찾고 있는 휴대 전화의 위치로 가장 알맞은 것을 고르시오.

---

15 대화를 듣고, 여자가 남자에게 부탁한 일로 가장 적절한 것을 고르시오.

① 길 알려주기   ② 숙제 도와주기   ③ 악수 대신하기

④ 다리 떨지 않기   ⑤ 계단에서 멈추기

16 대화를 듣고, 남자가 여자에게 제안한 것으로 가장 적절한 것을 고르시오.

① 식물에 영양제 주기　　　　② 식물에 물 자주 주기
③ 식물을 창문 밑에 두기　　　④ 식물을 창문 앞에 두기
⑤ 다른 화분으로 교체하기

✎ 들으면서 주요 표현 메모하기!

17 대화를 듣고, 남자가 지난 주말에 한 일로 가장 적절한 것을 고르시오.

① 보트 타기　　　　② 갈비찜 만들기　　　　③ 요리 수업 듣기
④ 호숫가 산책하기　　⑤ 호수에서 수영하기

18 대화를 듣고, 여자의 직업으로 가장 적절한 것을 고르시오.

① 판사　　　　② 약사　　　　③ 간호사
④ 수의사　　　⑤ 산후조리사

[19-20] 대화를 듣고, 남자의 마지막 말에 이어질 여자의 말로 가장 적절한 것을 고르시오.

남자의 마지막 말에 집중하기

19 Woman: _____

① I think I should.　　　　② I already took some pills.
③ You look much better now.　④ Can you help me with that?
⑤ I'm going to the movie theater.

20 Woman: _____

① I'll take it.　　　　② Let's watch a movie.
③ That's too late for me.　④ It's 10,000 won for each.
⑤ We have *The King's Man*.

틀린 문제는 **Dictation**에서 완벽하게 이해하세요.

01 그림 지칭

*들을 때마다 체크

다음을 듣고, 'this'가 가리키는 것으로 가장 적절한 것을 고르시오.

① ② ③ ④ ⑤

🎤 정답 근거

W This is _____ and usually stands on the street. This has _____ _____ of different colors. People and cars _____ the _____ of this. If the eye of this _____ _____, people or cars have to stop. But

빨갛게 변하다

they can go _____ _____ _____ when the eye is

go one's own way: 자기의 갈 길을 가다

_____. What is this?

여 이것은 키가 크고 보통 거리에 서 있습니다. 이것은 세 개의 서로 다른 색깔의 눈을 가지고 있습니다. 사람들과 자동차들은 이것의 지시를 따릅니다. 만약 이것의 눈이 빨갛게 변하면, 사람들이나 자동차들은 멈춰야 합니다. 하지만 그들은 그 눈이 초록색일 때 자신의 길을 갈 수 있습니다. 이것은 무엇일까요?

🔊 **Sound Tip** eye is

eye is와 같이 앞뒤 단어의 발음이 중복되는 경우에는 [아이스]와 같이 하나만 발음되는 경향이 있다.

02 그림 묘사

대화를 듣고, 여자가 구입할 케이크로 가장 적절한 것을 고르시오.

① ② ③ ④ ⑤

M Hello. What can I do for you?

W I want a _____ for my _____.

M How about this _____ cake?

W It looks nice but they like _____ cream cake more.

look+형용사: ~해 보이다

M Then I _____ this one. The flower _____ look great.

look+형용사

🎤 정답 근거

W Actually, I like that one with a big chocolate _____ in the middle. It's for their _____ anniversary.

결혼기념일

남 안녕하세요. 무엇을 도와드릴까요?
여 부모님께 드릴 케이크를 사고 싶어요.
남 이 초콜릿 케이크는 어떠세요?
여 좋아 보이지만 부모님이 생크림 케이크를 더 좋아하세요.
남 그렇다면 저는 이것을 추천합니다. 꽃 장식이 멋져보여요.
여 사실, 저는 가운데에 큰 하트 초콜릿이 있는 저 케이크가 좋아요. 부모님 결혼기념일 케이크거든요.

Dictation 14회 →
전체 듣기
문항별 듣기

Dictation의 효과적인 활용법
STEP1 들으면서 대본의 빈칸 채우기
STEP2 축쇄 문제를 보며 다시 풀어보기
STEP3 해석을 보며 영어로 말하거나 영작해 보기

공부한 날   월   일

03 날씨

다음을 듣고, 부산의 오후 날씨로 가장 적절한 것을 고르시오.

①   ②   ③

④   ⑤

M Good morning. Here's the weather _____ for today. In Seoul, it will be _____ and warm all day. It's 하루 종일 _____ now in Daejeon, but it will _____ 날씨가 개다 in the afternoon. In Busan, it is rainy now but the rain 합정 주의 will stop around noon and you will see _____ in the 약, ~쯤, ~ 무렵   정답 근거 afternoon. In Gwangju, it is _____ now.

남 안녕하세요. 오늘의 일기예보입니다. 서울은 하루 종일 화창하고 따뜻하겠습니다. 대전은 현재 흐리지만 오후에는 개겠습니다. 부산은 현재 비가 내리지만 정오쯤 비가 그치고 오후에는 햇빛을 볼 수 있겠습니다. 광주에는 지금 비가 내리고 있습니다.

04 말의 의도

대화를 듣고, 여자가 한 마지막 말의 의도로 가장 적절한 것을 고르시오.
① 승낙   ② 거절   ③ 사과
④ 비난   ⑤ 당부

M Oh, no! I'm _____ for soccer practice.

W I told you to _____ up many times.

M I went to sleep too _____ yesterday. Mom, could you 상대방에게 부탁하는 표현 do me a _____?

W What is it?

M Can you _____ me to school? Or to the subway station?

W ☜ The car is not in the _____ since it is now under 이유를 나타내는 접속사로 쓰임 _____. 정답 근거

남 오, 이런! 축구 연습에 늦었네.
여 네게 일어나라고 여러 번 얘기했잖아.
남 어제 늦게 잠자리에 들었거든요. 엄마, 부탁 하나만 들어주실 수 있어요?
여 뭔데?
남 학교까지 차로 태워다 주실 수 있어요? 아니면 지하철역까지라도요?
여 차가 지금 수리 중이라서 차고에 없어.

◀ **Solution Tip**
마지막 문장은 차가 수리 중이므로 차로 데려다 줄 수 없다는 거절의 의미를 담고 있다.

받아쓰기 14회

05 언급하지 않은 것 □□

다음을 듣고, 여자가 Jessica에 대해 언급하지 <u>않은</u> 것을 고르시오.
① 직업   ② 나이   ③ 국적
④ 경력   ⑤ 취미

W Jessica is a _____ 정답 근거 English teacher in my school. She started _____ here last year. Before that, she _____ at an _____ school. She is from New Zealand and she ~에서 오다, ~ 출신이다 came to Korea _____ years ago. She usually listens to music in her _____ time.

여 Jessica는 우리 학교의 영어 원어민 선생님이십니다. 그녀는 작년에 이곳에서 가르치기 시작하셨습니다. 그 이전에, 그녀는 초등학교에서 가르치셨습니다. 그녀는 뉴질랜드 출신이고 한국에 5년 전에 왔습니다. 그녀는 한가할 때 보통 음악을 듣습니다.

🔈 Solution Tip
여자의 직업(teacher), 국적(New Zealand), 경력(초등학교에서 가르침), 취미(여가에 음악 듣기)는 언급되어 있지만, 나이는 별도로 언급되지 않았다.

06 시각 □□

대화를 듣고, 영화가 시작되는 시각을 고르시오.
① 3:13 p.m.   ② 3:30 p.m.
③ 3:43 p.m.   ④ 4:00 p.m.
⑤ 4:30 p.m.

W Let's hurry. The _____ starts soon.

M What time is it now?

W It's _____ _____. 함정 주의 현재의 시각을 말한 것임

M We still have _____ _____ _____ before the movie starts. 정답 근거

W But I need to go to the _____ and buy some popcorn. ~할 필요가 있다, ~해야 한다

M Alright. Let's _____ fast.

여 서두르자. 영화가 곧 시작해.
남 지금 몇 시니?
여 3시 30분이야.
남 영화가 시작할 때까지 아직 30분이 남는걸.
여 하지만 나는 화장실도 가야 하고 팝콘도 사야 해.
남 알겠어. 빨리 걷자.

🔈 Solution Tip
현재 3시 30분이고, 영화가 시작하려면 30분(half an hour)이 남았다고 했으므로 영화는 4시에 시작함을 알 수 있다.

07 장래 희망

대화를 듣고, 남자의 장래 희망으로 가장 적절한 것을 고르시오.

① 축구선수   ② 영화배우
③ 뉴스 앵커   ④ 프로듀서
⑤ 스포츠 기자

여 너 피곤해 보인다. 어젯밤에 늦게까지 깨어 있었니?
남 응. 내가 가장 좋아하는 축구팀의 경기를 봤어.
여 너 정말 축구를 좋아하는구나. 장래에 축구 선수가 되고 싶니?
남 아니야. 나는 스포츠 기자가 되고 싶어.
여 스포츠 경기에 의견을 말하거나 보도하는 사람이지, 그렇지?
남 맞아. 잘 아는구나.
여 멋지다. 난 네가 훌륭한 스포츠 기자가 될 거라고 확신해.

W   You look tired. Did you stay up late last night?
<small>늦게까지 깨어 있다</small>

M   Yeah. I watched my favorite _____ team's game.

W   You really like soccer. Do you want to be a soccer player in the future? 🔴함정 주의

M   Not really. I want to be a _____ _____. 🔑정답 근거

W   It's someone _____ _____ or _____ on sporting events, right?

M   Right. You know well.

W   That's cool. I'm sure <small>(that)</small> you will be a great _____ _____.
<small>확신을 나타내는 표현</small>

14회 | 받아쓰기

---

08 일치하지 않는 것

대화를 듣고, 여자가 들고 있는 것에 대한 내용으로 일치하지 <u>않는</u> 것을 고르시오.

① 나무로 만들었다.
② 모형 주택이다.
③ 남동생이 만들었다.
④ 다락이 하나 있다.
⑤ 많은 계단이 있다.

남 Jenny, 손에 들고 있는 게 뭐야?
여 오, 이것은 나무로 만든 모형 주택이야.
남 멋지다. 어디서 났니?
여 오빠가 나를 위해서 만들어 줬어. 이 모형 주택에는 다락과 여러 개의 계단도 있어. 봐!
남 와! 놀라운걸. 나도 너처럼 형이 있었으면 좋겠다.
여 응. 가끔은 나를 화나게 하기도 하지만, 나는 오빠가 있어서 좋아.

🇬🇧

M   Jenny, what do you have in your _____?

W   Oh, it's a model house made of _____.

M   It's cool. Where did you _____ _____?

W   My _____ brother made it for me. It even has an 🔑정답 근거   ~조차도
_____ and many stairs. Look!

M   Wow! It's amazing. I wish I had an _____ brother
<small>놀람을 나타내는 표현</small>   <small>(that)</small>
like you.

W   Yeah. Sometimes he makes me _____, but I'm happy to have him.

09 바로 할 일

대화를 듣고, 두 사람이 대화 직후에 할 일로 가장 적절한 것을 고르시오.
① 줄 서기
② 화장실 가기
③ 동물원 가기
④ 놀이기구 타기
⑤ 먹으러 가기

남 롤러코스터는 정말 재미있었어.
여 오, 그건 너무 무서웠어. 나는 다시 타고 싶지 않아.
남 그러면 다음으로 어디에 갈까? 동물원을 방문하고 싶니?
여 물론 거기에 가야지. 하지만 그 전에 뭐 좀 먹자. 나 너무 배고파.
남 그래. 우리 햄버거 가게에 가자. 바로 저기 모퉁이에 있어.
여 좋아.

M The roller coaster was so exciting.

W Oh, it was too _____. I don't want to get on it again.
~을 타다, 승차하다

M So, where _____ we go next? Do you want to
~할까?
_____ the zoo?

W Of course we should go there. But before that, let's
_____ something. I'm so hungry.

M Okay. Let's go to the _____ store. It's just _____
정답 근거
the corner.

W That sounds good.

👉 **Solution Tip**
두 사람이 동물원(zoo)에 가기로 합의하였으나, 배가 고파서 햄버거 가게에 먼저 가기로 한 상황임에 유의한다.

10 대화 화제

대화를 듣고, 무엇에 관한 내용인지 가장 적절한 것을 고르시오.
① 교통 체증 문제
② 학교 체육관 증축
③ 새 지하철역 개통
④ 학교 방문의 날 행사
⑤ 학교 주변 유해 시설

남 이 신문 좀 봐. 올해 말에 새 지하철역이 개통된대.
여 오, 바로 우리 학교 옆이네.
남 맞아. 내년에는 우리가 버스를 타기 위해 길게 줄을 서서 기다리지 않아도 돼.
여 응, 하지만 우리 학교 주변에 너무 많은 사람이 모이면 어쩌지?
남 그게 문제가 돼?
여 많은 사람들이 많은 소음을 유발할 거야. 그러면 우리는 수업에 집중할 수가 없어.
남 같은 생각이야. 나도 그게 걱정이 돼.

M Look at this _____. A new subway station is opening
at the end of this year. 정답 근거
올해 말에

W Oh, it's right _____ _____ our school.

M That's right. Next year, we don't have to _____ in a
~할 필요가 없다
long line to get on the bus.

W Yeah, but _____ _____ there are so many people
만일 ~라면 어쩌지?
around our school?

M Does it matter?
문제가 되다, 중요하다

W Many people will make a lot of _____. Then we can't
_____ on the class.

M I agree with you. I'm also _____ about it.
동의하는 표현

11 교통수단

대화를 듣고, 두 사람이 이용할 교통수단으로 가장 적절한 것을 고르시오.

① 도보 ② 택시 ③ 버스
④ 자동차 ⑤ 자전거

여 연극이 언제 시작하지?
남 7시에 시작해. 아직 40분 남았어.
여 영화관까지 어떻게 가고 싶어? 버스로 아니면 택시로?
남 여기서 겨우 두 블록 떨어져 있어. 걸어가는 게 어때?
여 좋은 생각이야. 나는 저녁을 많이 먹어서 운동을 좀 해야 해.
남 그럼, 지금 출발하자.

W _____ does the play start?

M It starts at 7 o'clock. We still have _____ minutes.

W How do you want to go to the _____? By bus or taxi?

M It's only two _____ from here. Why don't we
제안하는 표현
_____? ♪정답 근거 ⌡

W That's a good idea. I had a _____ dinner, and need
푸짐한 저녁 식사를 했다
some exercise.

M Then, let's _____ now.

12 이유

대화를 듣고, 남자가 건물에 주차할 수 <u>없는</u> 이유로 가장 적절한 것을 고르시오.

① 사고가 나서
② 공사 중이어서
③ 장애인용이라서
④ 거주자 전용이어서
⑤ 유료 주차장이어서

여 실례합니다. 여기에 주차하실 건가요?
남 예, 여기는 주차장이잖아요, 그렇지 않나요?
여 예, 맞아요. 하지만 이곳은 이 건물에 사는 사람들만을 위한 곳이에요.
남 하지만 저는 이 건물에 있는 병원에 갈 건데요.
여 건물 뒤에 방문객들을 위한 또 다른 주차장이 있어요. 그곳에 주차하실 수 있어요.
남 오, 그렇군요. 감사합니다.

🇬🇧
W Excuse me. Are you going to _____ here?

M Yes, this is a parking _____, _____ it?
주차장   부가의문문

W Yes, it is. But it's only for the people living in this
building. ♪정답 근거 ⌡

M But I'm going to go to the _____ in this building.

W There's another parking lot for the _____ _____
the building. You can _____ there.

M Oh, I see. Thank you.

💡 **Sound Tip** behind the
behind와 the를 붙여 발음할 때 같은 음이나 비슷한 음이 중복되면 두 자음 중 앞의 자음이 탈락되고 뒤의 자음이 강조되어 발음되는 경향이 있다. 따라서 behind the가 [비하인더]와 같이 발음된다.

13 관계

대화를 듣고, 두 사람의 관계로 가장 적절한 것을 고르시오.

① 교사 – 학생　　② 판사 – 피고인
③ 경찰 – 운전자　④ 은행원 – 손님
⑤ 시험 감독관 – 수험생

여　선생님, 운전면허증을 제게 보여 주시겠어요?
남　예, 여기 있습니다. 경관님, 왜 저를 세우게 했는지 이유를 여쭤 봐도 될까요?
여　선생님께서는 과속을 하셨습니다.
남　아, 정말요? 몰랐습니다.
여　예. 제한 속도가 시속 60킬로미터이지만 선생님께서는 시속 70킬로미터로 운전하셨습니다.
남　제가 그렇게 과속을 했다는 것을 몰랐습니다. 정말 죄송합니다.
여　이해합니다만, 선생님께서는 벌금을 내셔야 합니다.

W　Sir, please show me your driver's _____. 🎵정답 근거

M　Okay, here it is. Officer, can I ask why you _____
　　　　　　여기 있다
me?

W　You were driving way too _____.
　　　　　　　way too: 너무 ~한

M　Oh, really? I had no idea.

W　Yes. The speed _____ is 60 kilometers _____ hour,
　　　　　　　　　　　시간당 킬로미터
but you were driving 70 kilometers _____ hour.

M　I didn't _____ I was driving so fast. I'm very sorry.
　　　　　　　(that)

W　I understand, but you still have to pay a _____.
　　　　　　　　　　　　　벌금을 내다

14 그림. 위치

대화를 듣고, 남자가 찾고 있는 휴대 전화의 위치로 가장 알맞은 것을 고르시오.

남　엄마, 제가 휴대 전화를 잃어버린 것 같아요.
여　소파와 TV를 확인해 봤니?
남　예. 거기에 없어요.
여　식탁 아래는 어때?
남　확인해 볼게요. (...) 아니요, 거기에서도 보이지 않아요.
여　흠. 어쩌면 그게 소파 아래로 떨어졌을지도.
남　오, 맞아요! 그게 내내 거기에 있었네요.

🇦🇺

M　Mom, I think I _____ my cellphone.
　　　　　　　(that)

W　Did you check on the _____ and TV?
　　　　　　　　　~을 확인하다

M　Yes. It's not there.

W　What about _____ the table?

M　Let me check. (...) No, I don't see it there.

W　Hmm. Maybe it _____ under the sofa. 🎵정답 근거

M　Oh, you're right! It was there the _____ time.
　　　　　　　　　　　　　　　　내내, 줄곧

15 부탁한 일

대화를 듣고, 여자가 남자에게 부탁한 일로 가장 적절한 것을 고르시오.
① 길 알려주기
② 숙제 도와주기
③ 악수 대신하기
④ 다리 떨지 않기
⑤ 계단에서 멈추기

여 실례합니다만, 뭐 좀 부탁해도 될까요?
남 뭐죠? 말씀하세요.
여 저기, 당신이 다리를 떨고 있는데요.
남 뭐라고요? 제가요?
여 예, 그리고 그게 조금 거슬리네요. 다리 떠는 것을 멈춰 주실 수 있나요?
남 죄송해요. 저는 제가 다리를 떨고 있는지조차 몰랐어요.
여 괜찮아요. 이제부터 멈춰 주세요.

W Excuse me, can I _____ you something?

M What is it? Go _____.
어서 (말씀)하세요.

W You know, you are _____ your _____.

M What? Am I?

W Yes, and it is a little _____. Can you please stop
약간
_____ your _____? 🔑정답 근거

M I'm sorry. I didn't even know∧I was doing that.
(that)

W That's okay. Just stop it from _____ on.
지금부터

16 제안한 것

대화를 듣고, 남자가 여자에게 제안한 것으로 가장 적절한 것을 고르시오.
① 식물에 영양제 주기
② 식물에 물 자주 주기
③ 식물을 창문 밑에 두기
④ 식물을 창문 앞에 두기
⑤ 다른 화분으로 교체하기

남 스마트폰으로 무엇을 검색하고 있니?
여 너도 알다시피 내가 식물을 기르고 있거든. 하지만 잘 자라지를 않아.
남 물은 잘 주고 있니?
여 물론이지. 그래서 식물을 기르는 것에 관한 정보를 찾으려 하고 있어.
남 식물들을 어디에 두었니? 어쩌면 충분한 햇빛을 받지 못하고 있는지도 몰라.
여 그게 맞는 것 같아. 내가 식물들을 창문 아래에 두고 있었거든.
남 이제 식물들을 창문 앞에 두는 게 좋겠어.

M What are you _____ on your smart phone?

W You know∧I'm _____ some plants. But they aren't
(that)
_____ well.

M Do you _____ them well?
동사로 쓰이면 '물을 주다'의 의미이다.

W Of course I do. So I'm _____ to find some information
about growing plants.

M Where did you put them? Maybe they aren't getting
enough _____.

W That makes _____. I kept them under the windows.
상대방의 말이 맞다고 인정하는 표현   ⚠함정 주의

M Now you should put them in _____ _____ the
~의 앞에
windows. 🔑정답 근거

[Dictation]실전 모의고사 **14**회

17 과거에 한 일

대화를 듣고, 남자가 지난 주말에 한 일로 가장 적절한 것을 고르시오.
① 보트 타기
② 갈비찜 만들기
③ 요리 수업 듣기
④ 호숫가 산책하기
⑤ 호수에서 수영하기

여 좋은 주말 보냈니, 하준아?
남 응. 나는 가족들과 포천에 갔어.
여 오, 거기에는 갈비를 파는 식당들이 많잖아. 갈비 먹었니?
남 응, 먹었어. 정말 맛있었어.
여 그밖에 무엇을 했니? 호수에서 배를 탔니?
남 아니, 누나가 원하지 않았어. 그래서 우리는 그 큰 호수 주위를 산책했어.

W Did you have a good _____, Hajun?

M Yes. I went to Pocheon with my family.

W Oh, there are many _____ selling *galbi*. Did you _____ it?

M Yes, I did. It was so _____.

W What _____ did you do? Did you ride a _____ in the _____? 🔎함정 주의

M No, my sister didn't want to. So we just took a _____ around the big _____.
    take a walk : 산책하다

18 직업

대화를 듣고, 여자의 직업으로 가장 적절한 것을 고르시오.
① 판사   ② 약사   ③ 간호사
④ 수의사   ⑤ 산후조리사

여 그녀의 문제가 무엇인가요?
남 어제와 오늘 잘 먹지도 잘 자지도 못했어요. 하지만 아파 보이지는 않아요.
여 확인해 볼게요. (...) 오; 축하드려요! 임신했네요.
남 뭐라고요? 새끼를 가졌다고요?
여 예, 내년 봄에는 엄마 개가 될 거예요. 잘 돌봐 주세요.
남 예, 그럴게요. 너무 기쁘네요.

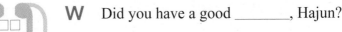

W What's the _____ with her?

M She didn't _____ or _____ well yesterday and today. She doesn't look _____, _____.
    look+형용사 : ~해 보이다

W Let me _____ _____. (...) Oh, congratulations! She is _____.

M What? Will she have babies?

W Yes, she will be a mother dog next _____. Take good _____ her. 🎸정답 근거
    take care of = care for : ~를 돌보다, 보살피다

M Yes, I will. I'm so happy for her.

🔊 Solution Tip

대화의 시작 부분부터 나오는 '그녀(she, her)'가 결국 a mother dog이었음을 파악하는 것이 중요하다. 동물을 치료하는 사람이므로 수의사(veterinarian)가 가장 적절하다.

19 이어질 말 ①

대화를 듣고, 남자의 마지막 말에 이어질 여자의 말로 가장 적절한 것을 고르시오.

Woman: _____

① I think I should.
② I already took some pills.
③ You look much better now.
④ Can you help me with that?
⑤ I'm going to the movie theater.

M Are you okay? You are _____ a lot.

W I think I have a _____. I have a _____.
(that)감기에 걸리다   목이 아프다

M Did you take _____?

W I went to the school clinic, but the school _____ wasn't there.

M Then, let's go to our homeroom teacher. You'd _____ 🔑정답 근거
go home now.
You had better의 축약형이다.

W ① I think I should.

남 너 괜찮니? 기침을 많이 한다.
여 나 감기에 걸린 것 같아. 목이 아파.
남 약은 먹었니?
여 학교 보건실에 갔는데, 보건 선생님이 안 계셨어.
남 그러면 담임 선생님께 가자. 너는 지금 집에 가는 게 좋을 것 같아.
여 ① 내 생각에도 그래야 할 것 같아.

② 이미 약을 먹었어.   ③ 너는 이제 훨씬 나아 보여.
④ 나 좀 도와줄 수 있니?   ⑤ 나는 영화관에 갈 거야.

20 이어질 말 ②

대화를 듣고, 남자의 마지막 말에 이어질 여자의 말로 가장 적절한 것을 고르시오.

Woman: _____

① I'll take it.
② Let's watch a movie.
③ That's too late for me.
④ It's 10,000 won for each.
⑤ We have The King's Man.

M Hello, can I get two _____ for *Spiderman*?

W For _____ showing?

M For _____ o'clock.

W Sorry, we have only one ticket _____ for that time.

M Then, do you have any _____ tickets for _____ people for showing at two? 🔑정답 근거
2시에 상영하는 영화

W ⑤ We have *The King's Man*.

남 안녕하세요, "Spiderman" 표 두 장을 살 수 있을까요?
여 몇 시 영화요?
남 2시요.
여 죄송하지만, 그 시간에는 겨우 한 장만 남아 있어요.
남 그러면, 2시 타임에 하는 2인용 다른 영화표가 있나요?
여 ⑤ "The King's Man"이 있어요.

🔙 Solution Tip
이어질 정확한 말을 고를 때는 바로 앞 문장이 의문문인지 평서문인지에 유의한다. Then, do you have ...?로 물었으므로, 대답에는 have나 don't have 등의 표현이 있는지 유의해야 한다.

① 그걸로 사겠습니다.   ② 우리 영화 봅시다.
③ 그건 제게 너무 늦습니다.   ④ 각각 만원입니다.

14회

받아쓰기

모의고사를 먼저 풀고 싶으면 234쪽으로 이동하세요.

🎧 다음 표현을 듣고 모르는 것에 표시하시오.

- [ ] 01 fan 선풍기
- [ ] 02 ocean 대양, 바다
- [ ] 03 turtle 거북이
- [ ] 04 upset 속상한
- [ ] 05 wallet 지갑
- [ ] 06 receive 받다
- [ ] 07 way 방식
- [ ] 08 feed 먹이다, 먹이를 주다
- [ ] 09 worm 벌레
- [ ] 10 fin 지느러미
- [ ] 11 front 앞면
- [ ] 12 gentle 온순한
- [ ] 13 expect 기대하다
- [ ] 14 perfect 완벽한
- [ ] 15 elephant 코끼리
- [ ] 16 secret 비밀
- [ ] 17 blanket 담요
- [ ] 18 trunk (코끼리의) 코
- [ ] 19 nervous 초조한
- [ ] 20 relax 긴장을 풀다
- [ ] 21 translate 번역하다
- [ ] 22 bloom 꽃이 피다
- [ ] 23 breathe 숨을 쉬다
- [ ] 24 connect 연결하다

- [ ] 25 external 외부의
- [ ] 26 annoyed 짜증이 난
- [ ] 27 personality 성격
- [ ] 28 suggestion 제안
- [ ] 29 celebrate 기념하다
- [ ] 30 support 지지, 지원
- [ ] 31 appointment 약속
- [ ] 32 convenient 편리한
- [ ] 33 business trip 출장
- [ ] 34 department store 백화점
- [ ] 35 turn off (전원이) 꺼지다
- [ ] 36 cherry blossom 벚꽃
- [ ] 37 across from ~의 맞은편에
- [ ] 38 look forward to ~을 고대하다
- [ ] 39 the lost and found 분실물 보관소
- [ ] 40 community service center 주민 센터

📝 알아두면 유용한 선택지 어휘

- [ ] 41 duck 오리
- [ ] 42 frog 개구리
- [ ] 43 octopus 문어
- [ ] 44 editor 편집자
- [ ] 45 personal 개인의
- [ ] 46 broadcasting 방송

🎧 들으면서 표현을 완성한 다음, 뜻을 고르시오.

표현의 의미를 생각하며 다시 써 보기!

01 b☐oom ☐ 시들다 ☐ 꽃이 피다 → ___

02 ☐nnoyed ☐ 유쾌한 ☐ 짜증이 난 → ___

03 ☐onnect ☐ 연결하다 ☐ 충전하다 → ___

04 blan☐et ☐ 담요 ☐ 빈칸 → ___

05 ☐uggestion ☐ 기대 ☐ 제안 → ___

06 ☐in ☐ 지느러미 ☐ 마무리 → ___

07 ex☐ernal ☐ 외부의 ☐ 내부의 → ___

08 ☐orm ☐ 벌레 ☐ 근로 → ___

09 ☐ranslate ☐ 초조하다 ☐ 번역하다 → ___

10 brea☐he ☐ 숨을 쉬다 ☐ 기대하다 → ___

11 perso☐ality ☐ 성격 ☐ 개인 → ___

12 ge☐tle ☐ 사나운 ☐ 온순한 → ___

13 ☐eed ☐ 먹이를 주다 ☐ 당기다 → ___

14 cele☐rate ☐ 응원하다 ☐ 기념하다 → ___

15 su☐port ☐ 감사 ☐ 지지, 지원 → ___

16 appoin☐ment ☐ 약속 ☐ 파기 → ___

17 ☐herry ☐lossom ☐ 벚꽃 ☐ 주민 센터 → ___

18 con☐enient ☐ 불편한 ☐ 편리한 → ___

영어 15회

실전 모의고사 15회 →
┌ 모의고사 보통 속도
└ 모의고사 빠른 속도

✎ 들으면서 주요 표현 메모하기!

01 다음을 듣고, 'I'가 무엇인지 가장 적절한 것을 고르시오.

①   ②   ③   ④   ⑤

02 대화를 듣고, 남자의 모자로 가장 적절한 것을 고르시오.

①  ②   ③   ④  ⑤

03 다음을 듣고, 서울의 날씨로 가장 적절한 것을 고르시오.

①   ②   ③  ④  ⑤

04 대화를 듣고, 남자가 한 마지막 말의 의도로 가장 적절한 것을 고르시오.

① 위로 ② 충고 ③ 사과 ④ 거절 ⑤ 놀람

고난도 선택지 하나씩 체크하며 풀기

05 다음을 듣고, 남자가 가장 좋아하는 동물에 대해 언급하지 <u>않은</u> 것을 고르시오.

① 종류 ② 체중 ③ 외모
④ 성질 ⑤ 지능

06 대화를 듣고, 두 사람이 만날 시각을 고르시오.

① 6:00 p.m.　　　② 6:30 p.m.　　　③ 7:00 p.m.
④ 7:30 p.m.　　　⑤ 8:00 p.m.

✎ 들으면서 주요 표현 메모하기!

07 대화를 듣고, 남자의 장래 희망으로 가장 적절한 것을 고르시오.

① 의사　　　　　② 간호사　　　　③ 변호사
④ 소방관　　　　⑤ 사회복지사

08 대화를 듣고, 여자의 애완동물에 대한 내용으로 일치하지 <u>않는</u> 것을 고르시오.

① 이름이 Doc이다.　　　　② 작년에 데려 왔다.
③ 삼촌이 선물로 주셨다.　　④ 주로 채소를 먹는다.
⑤ 벌레를 아주 싫어한다.

09 대화를 듣고, 남자가 이번 추수감사절에 할 일로 가장 적절한 것을 고르시오.

① 집에 있기　　　② 혼자 지내기　　③ 해외여행 가기
④ 중국 출장 가기　⑤ 부모님과 식사하기

10 대화를 듣고, 무엇에 관한 내용인지 가장 적절한 것을 고르시오.

① 이사　　　　　② 학교생활　　　③ 건강 문제
④ 친구의 소중함　⑤ 운동 스트레스

틀린 문제는 **Dictation**에서
완벽하게 이해하세요.

실전 모의고사 [15]회

✎ 들으면서 주요 표현 메모하기!

11 대화를 듣고, 두 사람이 이용할 교통수단으로 가장 적절한 것을 고르시오.
　① 도보　　　② 택시　　　③ 버스　　　④ 자가용　　　⑤ 자전거

12 대화를 듣고, 내일 꽃구경을 갈 수 <u>없는</u> 이유로 가장 적절한 것을 고르시오.
　① 일이 바빠서　　　　　　② 황사가 심해서
　③ 꽃이 피지 않아서　　　　④ 비가 올 거라고 해서
　⑤ 차가 준비되지 않아서

13 대화를 듣고, 두 사람이 대화하는 장소로 가장 적절한 곳을 고르시오.
　① 공원　　　　　　② 길거리　　　　　　③ 경찰서
　④ 우체국　　　　　⑤ 주민 센터

14 대화를 듣고, *Sky Bank*의 위치로 가장 알맞은 것을 고르시오.

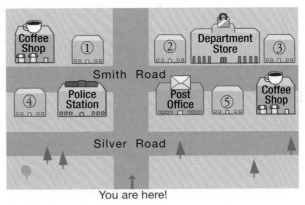

15 대화를 듣고, 남자가 여자에게 부탁한 일로 가장 적절한 것을 고르시오.
　① 번역하기　　　　② 호텔에 전화하기　　　③ 여행 계획 세우기
　④ 이메일 작성하기　　⑤ 중국 지도 그리기

16 대화를 듣고, 여자가 남자에게 제안한 것으로 가장 적절한 것을 고르시오.

① 전화번호 바꾸기　　　② 휴대 전화 구입하기
③ 배터리팩 구입하기　　④ 인터넷 다시 연결하기
⑤ 충전 시각 변경하기

> ✎ 들으면서 주요 표현 메모하기!

고난도 핵심 표현 메모하며 풀기

17 대화를 듣고, 여자가 휴가 때 한 일로 가장 적절한 것을 고르시오.

① 등산하기　　　② 영화 보기　　　③ 집안 청소하기
④ 수영 강습 받기　　⑤ 가족과 여행하기

18 대화를 듣고, 여자의 직업으로 가장 적절한 것을 고르시오.

① 모델　　　　② 가수　　　　③ 편집자
④ 광고 기획자　　⑤ 패션 디자이너

[19-20] 대화를 듣고, 여자의 마지막 말에 이어질 남자의 말로 가장 적절한 것을 고르시오.

> 여자의 마지막 말에
> 집중하기

19 Man: _____

① I have to make them.　　② I'm washing the dishes.
③ I didn't do my homework.　④ I was busy making videos.
⑤ I like personal broadcasting.

20 Man: _____

① No worries!　　　　② Here we are.
③ That's too bad.　　④ You can't miss it.
⑤ Help yourself, please.

> 틀린 문제는 Dictation에서
> 완벽하게 이해하세요.

01 그림 지칭
*들을 때마다 체크

다음을 듣고, 'I'가 무엇인지 가장 적절한 것을 고르시오.

①   ②   ③

④   ⑤

여 나는 강, 호수, 바다 또는 대양에 삽니다. 나는 물을 마시면서 주로 숨을 쉬기 때문에 물 밖에서는 살 수 없습니다. 나는 어떠한 팔과 다리도 가지고 있지 않습니다. 대신에 나는 수영할 수 있는 몇 개의 지느러미를 가지고 있습니다. 어떤 사람들은 나를 잡아서 먹는 것을 좋아합니다. 나는 빠르게 수영할 수 있고 때로는 내 친구들과 큰 무리를 지어 수영하기도 합니다. 나는 많은 다양한 색을 가질 수 있습니다. 나는 무엇일까요?

W I live in a _____, _____, sea or ocean. I can't live out of the _____ because I usually _____ by taking in water. (정답 근거) I don't have any arms and _____. Instead I have several _____ to _____. 형용사적 용법의 to부정사 Some people like to _____ me and eat me. I can swim fast, and I sometimes swim in big _____ with my friends. I can be many different _____. What am I?

(Sound Tip) out of
out과 of가 연음되면서 t가 [ㄹ]소리로 약화되어 [아우러브]처럼 들린다.

02 그림 묘사

대화를 듣고, 남자의 모자로 가장 적절한 것을 고르시오.

①   ②   ③

④   ⑤

남 안녕하세요. 여기가 분실물 보관소가 맞나요? 제가 가장 좋아하는 모자를 잃어버렸어요.
여 네, 제가 도와드리겠습니다. 그것이 어떻게 생겼나요?
남 야구 모자이고 앞면에 큰 T가 있어요.
여 좋아요. 글자 T를 의미하시는 거죠?
남 예. 한 측면에는 호랑이 그림이 있어요.
여 오, 이것이 당신 것임에 틀림없네요. 이것인가요?
남 예! 정말 고맙습니다.

M Hello. This is the lost and _____, right? I lost my favorite _____.
분실물 보관소

W Okay, I can help. What does it look like? 생김새를 묻는 표현 (정답 근거)

M It's a baseball _____, and it has a large "T" on the _____.

W Okay. Do you mean the _____ "T"?

M Yes. It also has a picture of a _____ on one side.

W Oh, this _____ be your cap. Is this it?

M Yes! Thank you very much.

Dictation 15회 → 전체 듣기 / 문항별 듣기

Dictation의 효과적인 활용법
STEP1 들으면서 대본의 빈칸 채우기
STEP2 축쇄 문제를 보며 다시 풀어보기
STEP3 해석을 보며 영어로 말하거나 영작해 보기

공부한 날　　월　　일

03 날씨

다음을 듣고, 서울의 날씨로 가장 적절한 것을 고르시오.

① ② ③

④ ⑤

W　I'm Sara Smith, your local weather _____, and here is today's weather report for cities _____ the world. It will be _____ and sunny in Paris, but it will rain all day in London. It will be very _____ in _____ Tokyo and Seoul today. People in Beijing may have to stay inside because of _____ snow and strong winds.

날씨를 나타낼 때 사용하는 비인칭 주어 it
하루 종일
~ 때문에

여　저는 여러분의 지역 날씨 리포터 Sara Smith인데요, 여기 전 세계 도시들의 오늘의 일기예보가 있습니다. 파리는 맑고 해가 비칠 것이지만, 런던은 하루 종일 비가 올 것입니다. 오늘 도쿄와 서울 둘 다 바람이 많이 불 것입니다. 폭설과 강풍 때문에 베이징 사람들은 실내에 머물러야 할지도 모르겠습니다.

Solution Tip
리포터가 날씨를 먼저 말하고 이어서 도시를 말하고 있음에 유의한다. 따라서 날씨가 언급될 때, 해당 날씨 그림 밑에 도시 이름을 간단히 표기하면서 들으면 문제 해결에 도움이 된다.

04 말의 의도

대화를 듣고, 남자가 한 마지막 말의 의도로 가장 적절한 것을 고르시오.
① 위로　② 충고　③ 사과
④ 거절　⑤ 놀람

M　Hey, what do you _____ in that bag?

W　Sorry, it's a _____.

M　That's strange. Why can't you tell me what's _____ the bag?

W　In fact, it's a _____ for you.

M　Really? That's so nice of you.
인정 많은, 친절한

W　Well, it's just something small for your _____.

M　I didn't _____ a present. ♪정답 근거

남　이봐요, 그 가방에 무엇이 있어요?
여　미안하지만 비밀이에요.
남　수상한데요. 그 가방 안에 무엇이 있는지 왜 제게 말할 수 없죠?
여　사실, 당신에게 줄 선물이에요.
남　정말요? 참 친절하시네요.
여　음, 당신 생일을 위한 작은 것일 뿐이에요.
남　선물은 기대하지 않았어요.

Sound Tip it's a
it's와 a는 연음되어 [잇츠] + [어] = [잇처]로 발음된다.

15회 | 듣기 모의고사

05 언급하지 않은 것

다음을 듣고, 남자가 가장 좋아하는 동물에 대해 언급하지 **않은** 것을 고르시오.
① 종류　　　　② 체중
③ 외모　　　　④ 성질
⑤ 지능

남 저는 모든 동물을 사랑하지만 코끼리를 가장 좋아해요. 제가 코끼리를 가장 좋아하는 많은 이유가 있어요. 먼저, 저는 코끼리의 생김새가 좋아요. 그들의 커다란 귀와 긴 코는 아주 귀여워요. 저는 또한 대부분의 코끼리들이 지닌 점잖은 성격도 사랑해요. 코끼리들은 무섭지도 않고, 다른 동물이나 사람들을 해치려고 하지 않아요. 마지막으로, 코끼리들은 매우 똑똑하기 때문에 제가 가장 좋아하는 동물입니다.

M I love all animals, but _____ are my favorite. There are many reasons why I like elephants best. First, I like the way elephants _____. Their large _____ and long trunks are very cute. I also love the _____ personality of most elephants. They are not _____, and they don't try to _____ other animals or humans. Finally, elephants are my favorite animal because they are very _____.

간접의문문: 의문사+주어+동사

🔑정답 근거

🔵 Solution Tip

화자가 가장 좋아하는 동물의 종류가 코끼리이고, 코끼리의 외모, 온화한 성질과 매우 똑똑한 지능을 가지고 있어서 코끼리를 좋아한다. 코끼리의 체중에 관해서는 언급하지 않았다.

06 시각

대화를 듣고, 두 사람이 만날 시각을 고르시오.
① 6:00 p.m.　　② 6:30 p.m.
③ 7:00 p.m.　　④ 7:30 p.m.
⑤ 8:00 p.m.

남 Erin, 내일 밤에 우리 같이 영화관에 가는 것 맞아?
여 응. 정말 기대가 돼. 영화가 몇 시야?
남 영화는 8시에 시작하지만, 극장에 가기 전에 함께 저녁 먹자.
여 좋아. 극장 옆에 있는 스테이크 식당에 가자.
남 좋은 생각이야. 거기서 7시에 만나는 게 어때?
여 내 생각엔 더 일찍 만나야 할 것 같아. 6시 30분에 만나는 게 어때?
남 물론이지. 정말 기다려진다!

M Erin, are we still going to the movie theater tomorrow night?

W Yes. I'm _____ _____ to it. What time is the movie?

~을 고대하다, 기대하다

M It starts _____ _____, but let's have _____ together before we go to the theater.

W Okay. Let's go to the _____ restaurant _____ to the theater.

M Great idea. How about _____ there at 7? 🔴함정 주의

W I think we should meet _____. Are you okay with
(that)
meeting at 6:30? 🔑정답 근거

M Of course. I can't _____!

07 장래 희망

대화를 듣고, 남자의 장래 희망으로 가장 적절한 것을 고르시오.
① 의사
② 간호사
③ 변호사
④ 소방관
⑤ 사회복지사

여 Dan, 나는 오늘 아침에 병원에 가야 했어.
남 이런, 너 아프니? 괜찮기를 바라.
여 아니, 그냥 건강 검진 받으러 갔어. 긴장이 되었지만, 간호사들이 참 친절하더라.
남 잘 됐다. 나도 언젠가 그들처럼 사람들을 돕고 싶어.
여 간호사가 되고 싶다고?
남 응. 그것은 내 꿈의 직업이야.

W Dan, I _____ _____ go to the _____ this morning.

M Oh, are you _____? I hope (that) you're okay.
소망을 나타내는 표현

W No, I just went to get a _____ check. I was _____, but the nurses were so kind.

M That's great. I hope to help people like them someday.
~처럼, ~과 같이

W You want to be a _____? 🔑정답 근거

M Yes. It's my dream job.

08 일치하지 않는 것

대화를 듣고, 여자의 애완동물에 대한 내용으로 일치하지 않는 것을 고르시오.
① 이름이 Doc이다.
② 작년에 데려 왔다.
③ 삼촌이 선물로 주셨다.
④ 주로 채소를 먹는다.
⑤ 벌레를 아주 싫어한다.

남 이게 네 애완 거북이니?
여 응. 귀엽지 않니? 그의 이름이 Doc이야.
남 이름 좋네. 언제 그를 데려온 거야?
여 작년에 데려왔어. 삼촌이 내 생일에 내게 주셨어.
남 멋진 선물이네! 그가 무엇을 먹니?
여 나는 그에게 주로 채소를 먹이지만, 그가 가장 좋아하는 먹이는 벌레야.

M Is this your _____ _____?

함정 주의 발음이 dog과 비슷함
W Yes. Isn't he cute? His name is Doc.

M Cool name. When did you get him?

W I _____ _____ last year. My uncle _____ him to me for my _____.

M What a nice _____! What does he eat?

W I feed him mostly _____, but his favorite thing to eat
🔑정답 근거
is _____.

09 할 일

대화를 듣고, 남자가 이번 추수감사절에 할 일로 가장 적절한 것을 고르시오.
① 집에 있기
② 혼자 지내기
③ 해외여행 가기
④ 중국 출장 가기
⑤ 부모님과 식사하기

남 소라야, 추수감사절에 특별한 계획이 있니?
여 아니, 나는 그냥 집에 있을 거야. 너는 어때?
남 나는 부모님과 저녁 식사를 할 예정이야.
여 멋지네. 너는 주로 부모님과 함께 추수감사절을 기념하니?
남 응, 하지만 작년에는 추수감사절에 혼자였어.
여 오, 저런. 왜 혼자였는데?
남 중국으로 출장을 가야 했거든.

M   Sora, do you have any special plans for Thanksgiving?
    계획을 묻는 표현
W   No, _____ _____ _____ at home. What about you?
M   I'm going to have _____ with my _____. 🎵정답 근거
W   That's nice. Do you usually _____ Thanksgiving with your parents?
M   Yes, but last year, I was _____ on Thanksgiving.
W   Oh, that's too bad. Why were you _____?
    동정을 나타내는 표현
M   I had to go to China for a business _____. 🔺함정 주의
    출장

10 대화 화제

대화를 듣고, 무엇에 관한 내용인지 가장 적절한 것을 고르시오.
① 이사   ② 학교생활
③ 건강 문제   ④ 친구의 소중함
⑤ 운동 스트레스

남 미나야, 너 오늘 슬퍼 보여.
여 그래. 방금 아빠에게서 우리가 다른 도시로 이사해야 한다고 들었거든.
남 정말 안됐구나. 네 가족이 언제 이사하니?
여 다음 달. 참 속상해. 나는 이 학교와 여기 친구들을 정말 좋아해.
남 이해해. 이사는 힘들지. 하지만 너는 어쩌면 새로운 학교도 역시 좋아하게 될 거야.
여 그렇게 생각하지 않아. 이사 때문에 정말 속상해.

M   Mina, you seem _____ today.
W   I am. I just _____ from my dad that we have to _____ to another city. 🎵정답 근거
M   I'm sorry to hear that. When will your family move?
    유감을 나타내는 표현
W   Next month. I'm so _____. I love this school and my friends here.
M   I understand. _____ is hard. But maybe you'll like your new school, too.
W   I don't think so. I'm really _____ about it.

🔙 Solution Tip
여자가 슬퍼하는 근본적인 원인은 이사 때문임에 유의한다.

11 교통수단

대화를 듣고, 두 사람이 이용할 교통수단으로 가장 적절한 것을 고르시오.

① 도보   ② 택시   ③ 버스
④ 자가용   ⑤ 자전거

남 Christy, 오늘 의사 선생님과 진료 예약이 되어 있지 않았니?
여 맞아. 나와 같이 갈래?
남 좋아. 몇 분 후에 지하철역으로 가자.
여 사실은, 거기까지 운전하는 게 더 편할 것 같아.
남 아, 오늘은 내가 차가 없어. 차가 수리 중이야.
여 괜찮아. 그럼 택시를 타자.
남 알았어.

M Christy, don't you have a doctor's _____ today?

W I do. Would you come with me?

M Sure. Let's _____ _____ the subway station in a few minutes.
(~로 향하다) (몇 분 안에, 곧)

W Actually, it would be _____ _____ to drive there.
(가주어 (it)) (진주어 (to부정사구)) (함정 주의)

M Oh, I don't have my car today. It's _____ _____.

W No problem. Then let's take a _____.
(정답 근거)

M Okay.

12 이유

대화를 듣고, 내일 꽃구경을 갈 수 <u>없는</u> 이유로 가장 적절한 것을 고르시오.

① 일이 바빠서
② 황사가 심해서
③ 꽃이 피지 않아서
④ 비가 올 거라고 해서
⑤ 차가 준비되지 않아서

남 Elizabeth, 벚나무에 꽃이 피었다는 뉴스를 봤어.
여 정말? 올해는 꽃들이 일찍 피었구나.
남 응, 나도 놀랐어. 음, 내일 꽃구경 갈까?
여 내일은 가고 싶지 않은데. 일기예보에 비가 올 거라고 했어.
남 좋아. 그러면 일요일은 어때?
여 그래. 나는 한가해. 그때 가자.

M Elizabeth, I saw on the news that the _____ blossom trees bloomed.

W Really? The flowers came _____ this year.

M Yeah, I was surprised. Well, shall we go see the
(제안하는 표현: ~할까?)
_____ tomorrow?

W I don't want to go tomorrow. The weather report said it
(정답 근거) (that)
will _____.

M Okay. Then how about _____ _____ Sunday?

W Sure. I'm _____. Let's go then.
(= on Sunday)

[Dictation]실전 모의고사 15회

13 장소

대화를 듣고, 두 사람이 대화하는 장소로 가장 적절한 곳을 고르시오.
① 공원　　② 길거리
③ 경찰서　④ 우체국
⑤ 주민 센터

남 안녕하세요, 무엇을 도와드릴까요?
여 길에서 이 지갑을 주웠어요.
남 제 생각에는 경찰서에 가셔야 할 것 같아요. 이 건물 옆에 있어요.
여 오, 제가 경찰서에 들어왔다고 생각했어요. 지금 제가 있는 곳이 어디죠?
남 이곳은 주민 센터예요.
여 정말 죄송합니다.
남 괜찮아요.

M　Hello, how can I help you?

W　I found this _____ on the street.

M　I think you should go to the _____ station. It's
(that)
_____ _____ to this building.

W　Oh, I thought I _____ the police station. Where am I now?

M　This is the Community _____ Center. 🎣정답 근거

W　I'm so sorry.

M　That's all _____.

🔙 Solution Tip
여자가 경찰서라고 생각하고 들어간 곳이 사실 주민 센터임을 알게 된 상황임에 유의한다.

14 그림 위치

대화를 듣고, *Sky Bank*의 위치로 가장 알맞은 것을 고르시오.

남 Jenna, 나는 지금 은행에 가야 해. 가장 가까운 곳이 어디야?
여 Sky Bank가 겨우 5분 거리에 있어.
남 좋아. 걸어서 5분을 의미하는 거지?
여 응. 이 길로 내려가서 Smith Road에서 우회전하렴.
남 아, 나 그 도로 알아. 백화점이 Smith Road에 있어.
여 맞아. 그 은행은 백화점 옆, 커피숍 건너편에 있어.

M　Jenna, I need to go to a _____. Where is the _____ one?
은행을 의미함

W　Sky Bank is only five minutes away.

M　Perfect. Do you mean five minutes on _____?
걸어서, 도보로

W　Yes. Go down this road and _____ _____ on Smith Road.

M　Oh, I know that road. The department store is on Smith Road.

W　Right. The bank is _____ _____ the department store and _____ _____ the coffee shop. 🎣정답 근거

15 부탁한 일

대화를 듣고, 남자가 여자에게 부탁한 일로 가장 적절한 것을 고르시오.
① 번역하기
② 호텔에 전화하기
③ 여행 계획 세우기
④ 이메일 작성하기
⑤ 중국 지도 그리기

남 수지야, 중국어 할 줄 알지, 맞니?
여 맞아. 왜 묻는 건데?
남 난 다음 주에 중국에 갈 예정인데, 내가 머무를 호텔로부터 이메일을 받았거든.
여 알았어. 그래서 내 생각인데 그 이메일이 중국어로 되어 있니?
남 맞아. 나를 위해 번역해 줄 수 있니?
여 좋아. 지금 내가 시간이 있어. 그 이메일을 보여줘.

M Suji, you can _____ Chinese, right?

W That's right. Why do you ask?

M I'm going to China next week, and I _____ an email
be going to+장소+미래 표현: ~에 갈 예정이다
from my _____.

W I see. So I guess that the email is in Chinese?
(that)   중국어로 된

M You _____ it. Can you _____ it for me?

W Sure. I have some time now. Show me the email.

16 제안한 것

대화를 듣고, 여자가 남자에게 제안한 것으로 가장 적절한 것을 고르시오.
① 전화번호 바꾸기
② 휴대 전화 구입하기
③ 배터리팩 구입하기
④ 인터넷 다시 연결하기
⑤ 충전 시각 변경하기

남 정말 짜증이 나! 내 휴대 전화 배터리가 너무 빨리 닳아.
여 매일 밤 휴대 전화를 완전히 충전하니?
남 응, 당연하지. 그러나 배터리가 항상 오후 3시에는 다 닳아서 전원이 꺼지게 돼.
여 네가 왜 그렇게 화가 나는지 알겠어. 외부 배터리팩을 하나 사는 게 어때?
남 그게 뭐야?
여 그것은 네 휴대 전화에 연결할 수 있는 작은 배터리팩이야.
남 그것은 훌륭한 제안이야. 고마워!

M I'm so _____! My cellphone runs out of battery
run out of: ~을 다 써 버리다, ~이 없어지다
power _____ _____.

W Do you _____ it fully every night?

M Yes, of course. But the battery always dies and turns off
(전원이) 꺼지다
by 3 p.m.

정답 근거

W I can see why you're so _____. How about _____
an external battery pack?

M What is that?

W It's a small battery pack which you can _____ to
목적격 관계대명사
your phone.

M That's a great _____. Thank you!

17 과거에 한 일

대화를 듣고, 여자가 휴가 때 한 일로 가장 적절한 것을 고르시오.
① 등산하기
② 영화 보기
③ 집안 청소하기
④ 수영 강습 받기
⑤ 가족과 여행하기

남 Sarah, 멋진 휴가를 보냈니?
여 응, 잘 쉬었어. 힘든 학교 생활 후에 휴식이 필요했거든.
남 그래. 그래서 무엇을 하니?
여 부모님과 함께 호주 여행을 했어.
남 왜! 거기에서 뭐 했어?
여 우리는 해변에서 쉬고 바다에서 수영하느라 대부분의 시간을 보냈어.
남 멋지다. 네 여행 사진 좀 보여줄 수 있니?

M Sarah, did you have a nice vacation?

W Yes, it was so _____. I needed a _____ after a hard school year.

M I bet. So, what did you do?
상대의 말에 동의하는 표현

W I _____ to Australia with my parents. 🔑정답 근거

M Wow! What did you do there?

W We mostly _____ _____ _____ on the beach
A and B의 구문에서 A와 B는 병렬구조로 같은 형태로 써야 함에 유의한다.
and swimming in the ocean.

M That sounds wonderful. Can you show me some _____ of your trip?

18 직업

대화를 듣고, 여자의 직업으로 가장 적절한 것을 고르시오.
① 모델   ② 가수
③ 편집자   ④ 광고 기획자
⑤ 패션 디자이너

남 쇼를 할 준비가 되었니?
여 예! 제 디자인을 마침내 모두에게 보여줄 수 있어서 기뻐요.
남 맞아. 너는 이 모든 옷들을 디자인하고 만드느라 정말 고생이 많았어.
여 네. 멋진 옷들을 디자인하기 위해 제가 패션 학교에서 배웠던 모든 것들을 이용했어요.
남 맞아. 옷들이 멋져 보여. 네가 디자인한 옷을 입고 있는 모델들을 빨리 보고 싶어.
여 지지해 주셔서 고맙습니다.

M Are you ready for the show?

W Yes! I'm glad I can finally show everyone my designs. 🔑정답 근거
     (that)

M I bet. You worked really _____ on designing and making all these _____.

W I did. I used everything I learned at fashion school to
 = worked   (that)
design great _____.
to부정사의 부사적 용법(목적)

M I agree. The _____ look great. I _____ _____
      ~하는 것을 빨리 보고 싶다
_____ see the models _____ your designs.
     (who are 생략)

W Thanks for your _____.

19 이어질 말 ①

대화를 듣고, 여자의 마지막 말에 이어질 남자의 말로 가장 적절한 것을 고르시오.

Man: _____

① I have to make them.
② I'm washing the dishes.
③ I didn't do my homework.
④ I was busy making videos.
⑤ I like personal broadcasting.

여 Jimmy, 네 과제물을 내 책상 위에 올려 놓아주렴.
남 정말 죄송합니다, Carter 선생님. 제가 과제물이 없어요.
여 정말로? 이번이 이 달에 네가 과제를 가져오지 않은 세 번째야.
남 압니다. 그것에 대해 정말 죄송하지만, 제가 어제 너무 바빴습니다.
여 무엇을 하느라 바빴던 거니?
남 ④ 저는 비디오를 만드느라 바빴어요.

W Jimmy, please put your _____ on my desk.

M I'm so sorry, Mrs. Carter. I don't have my homework.

W Really? This is the _____ time this month that you didn't _____ your homework.

M I know. I feel very _____ about it, but I was _____ _____ yesterday.

W What were you busy doing? 🎸정답 근거
　　무엇을 하느라 바빴는지 묻는 표현

M ④ I was busy making videos.

① 저는 그것들을 만들어야 해요.　　② 저는 설거지를 하고 있어요.
③ 저는 숙제를 하지 않았어요.　　⑤ 저는 개인 방송을 좋아해요.

20 이어질 말 ②

대화를 듣고, 여자의 마지막 말에 이어질 남자의 말로 가장 적절한 것을 고르시오.

Man: _____

① No worries!
② Here we are.
③ That's too bad.
④ You can't miss it.
⑤ Help yourself, please.

여 여기는 덥네요. 제가 선풍기를 켤게요.
남 잠시만요. 사실은, 제가 좀 춥거든요. 대신에 창문을 여시겠어요?
여 하지만 밖은 정말 더워요. 창문을 여는 것으로는 방을 시원하게 할 수 없을 거예요.
남 당신 말이 맞아요. 어서 선풍기를 켜세요.
여 고마워요. 제가 가서 담요를 갖다 드리면 어떨까요?
남 ① 괜찮습니다!

W It's hot in here. I'm going to turn on the _____.

M Wait. Actually, I'm a _____ _____. Can you open the window _____?

W But it's really hot _____. Opening the window _____ cool down the room.
　　　　　　　　　　서늘하게 하다

M I guess you're right. Go _____ and turn on the fan.
　　　　　(that)

W Thanks. How about I go get you a _____? 🎸정답 근거
　　　　　　　제안하는 표현

M ① No worries!
　　괜찮다는 표현

🔊 Sound Tip get you a
[겟ㅌ] + [유] + [어] = [게츄어 / 게춰]와 같이 연음되어 발음된다.

② 다 왔어요.　　　　　　　③ 안됐네요.
④ 틀림없이 찾으실 수 있을 거예요.　　⑤ 부디 마음껏 드세요.

받아쓰기 15회

[VOCABULARY] 실전 모의고사 16회

어휘를 알아야 들린다

모의고사를 먼저 풀고 싶으면 250쪽으로 이동하세요.

🎧 다음 표현을 듣고 모르는 것에 표시하시오.

- 01 **tap** 수도꼭지
- 02 **wolf** 늑대
- 03 **borrow** 빌리다
- 04 **mind** 꺼려하다
- 05 **wet** 젖은
- 06 **expert** 전문가
- 07 **extra** 추가의
- 08 **airport** 공항
- 09 **attend** 참석하다
- 10 **awesome** 멋진, 근사한
- 11 **continue** 계속되다
- 12 **creative** 창의적인
- 13 **mention** 언급하다
- 14 **curious** 호기심의
- 15 **dangerous** 위험한
- 16 **dig** 파다
- 17 **drawer** 서랍
- 18 **fear** 무서움, 공포
- 19 **unfortunately** 불행하게도
- 20 **nervous** 초조한
- 21 **packed** 짐을 다 챙긴
- 22 **pocket** 호주머니
- 23 **pour** 쏟다, 붓다
- 24 **release** 출시하다

- 25 **fail** 실패하다
- 26 **various** 다양한
- 27 **reserve** 예약하다
- 28 **terrific** 아주 멋진
- 29 **instrument** 악기, 도구
- 30 **architect** 건축가
- 31 **campsite** 캠핑장
- 32 **allowance** 용돈
- 33 **meaningful** 의미 있는
- 34 **loud noise** 시끄러운 소음
- 35 **credit card** 신용 카드
- 36 **a little bit** 약간
- 37 **sold out** 다 팔린, 매진된
- 38 **deep breath** 심호흡
- 39 **drain out** 배수하다, 흘려보내다
- 40 **school uniform** 교복
- 41 **take a rest** 휴식을 취하다

✏️ 알아두면 유용한 선택지 **어휘**

- 42 **fearful** 무서운
- 43 **upset** 기분이 상한
- 44 **devil** 악마
- 45 **brave** 용감한
- 46 **bakery** 빵집

공부한 날　　월　　일

🎧 들으면서 표현을 완성한 다음, 뜻을 고르시오.

표현의 의미를 생각하며 다시 써 보기!

01 ☐eserve　　☐ 취소하다　☐ 예약하다　➡ ------

02 ☐ear　　☐ 즐거움　☐ 무서움　➡ ------

03 ar☐hitect　　☐ 건축가　☐ 예술가　➡ ------

04 po☐r　　☐ 파다　☐ 쏟다, 붓다　➡ ------

05 re☐ease　　☐ 배수하다　☐ 출시하다　➡ ------

06 c☐eative　　☐ 창의적인　☐ 이상한　➡ ------

07 me☐tion　　☐ 언급하다　☐ 피하다　➡ ------

08 ☐rawer　　☐ 천장　☐ 서랍　➡ ------

09 a☐esome　　☐ 멋진, 근사한　☐ 별로인　➡ ------

10 con☐inue　　☐ 아프다　☐ 계속되다　➡ ------

11 allo☐ance　　☐ 용돈　☐ 제비　➡ ------

12 me☐ningful　　☐ 무의미한　☐ 의미 있는　➡ ------

13 ner☐ous　　☐ 초조한　☐ 기분 좋은　➡ ------

14 terri☐ic　　☐ 고통스러운　☐ 아주 멋진　➡ ------

15 ins☐rument　　☐ 악기　☐ 지식　➡ ------

16 cre☐it☐ard　　☐ 현금 카드　☐ 신용 카드　➡ ------

17 dee☐☐reath　　☐ 깊은 수면　☐ 심호흡　➡ ------

18 ☐nfortunately　　☐ 불행하게도　☐ 운이 좋게도　➡ ------

중학 **16회**

✎ 들으면서 주요 표현 메모하기!

01 다음을 듣고, 'this'가 가리키는 것으로 가장 적절한 것을 고르시오.

① 　② 　③ 　④ 　⑤

02 대화를 듣고, 남자가 구입할 필통으로 가장 적절한 것을 고르시오.

① 　② 　③ 　④ 　⑤

03 다음을 듣고, 화요일의 날씨로 가장 적절한 것을 고르시오.

① 　② 　③ 　④ 　⑤

04 대화를 듣고, 여자가 한 마지막 말의 의도로 가장 적절한 것을 고르시오.

① 안도　　② 후회　　③ 반대　　④ 당부　　⑤ 비난

고난도 선택지 하나씩 체크하며 풀기

05 다음을 듣고, 남자가 동아리 활동에 대해 언급하지 않은 것을 고르시오.

① 모임 시간　　② 음악 감상　　③ 콘서트 관람
④ 봉사 활동　　⑤ 악기 만들기

06 대화를 듣고, 두 사람이 만날 시각을 고르시오.

① 3:00 p.m.   ② 4:00 p.m.   ③ 4:15 p.m.
④ 4:30 p.m.   ⑤ 4:50 p.m.

✎ 들으면서 주요 표현 메모하기!

07 대화를 듣고, 남자의 장래 희망으로 가장 적절한 것을 고르시오.

① 화가   ② 수학자   ③ 투자자
④ 건축가   ⑤ 디자인 교수

08 대화를 듣고, 여자의 현재 심정으로 가장 적절한 것을 고르시오.

① upset   ② fearful   ③ proud
④ curious   ⑤ excited

고난도 핵심 표현 메모하며 풀기

09 대화를 듣고, 여자가 대화 직후에 할 일로 가장 적절한 것을 고르시오.

① 청소하기   ② 설거지하기   ③ 교복 다리기
④ 옷 수선하기   ⑤ 세탁소에 전화하기

10 대화를 듣고, 무엇에 관한 내용인지 가장 적절한 것을 고르시오.

① 감사 카드   ② 쇼핑 목록   ③ 파티 초대
④ 카드 연체   ⑤ 결혼 선물

틀린 문제는 Dictation에서
완벽하게 이해하세요.

실전 모의고사 [16]회

✎ 들으면서 주요 표현 메모하기!

11 대화를 듣고, 두 사람이 이용할 교통수단으로 가장 적절한 것을 고르시오.
① 택시 　　　　② 기차 　　　　③ 버스
④ 자전거 　　　⑤ 자동차

12 대화를 듣고, 여자가 새 스마트폰을 살 수 없는 이유로 가장 적절한 것을 고르시오.
① 품절이어서 　　　② 용돈이 부족해서 　　　③ 외출 금지이므로
④ 출시가 연기되어서 　⑤ 집에 슬픈 일이 생겨서

13 대화를 듣고, 두 사람의 관계로 가장 적절한 것을 고르시오.
① 교사 – 학생 　　　② 점원 – 손님 　　　③ 의사 – 환자
④ 지휘자 – 공연자 　⑤ 조율사 – 의뢰인

고난도 핵심 표현 메모하며 풀기
14 대화를 듣고, 남자가 찾고 있는 신용 카드의 위치로 가장 알맞은 것을 고르시오.

15 대화를 듣고, 여자가 남자에게 부탁한 일로 가장 적절한 것을 고르시오.
① 역에 마중 나오기 　② 함께 테니스 치기 　③ 공항에 데려다주기
④ 비행기표 예매하기 　⑤ 운전 연습 도와주기

16 대화를 듣고, 여자가 남자에게 제안한 것으로 가장 적절한 것을 고르시오.

① 산책하기   ② 도시 관광하기   ③ 공원에서 쉬기
④ 머리 짧게 자르기   ⑤ 친구들과 만나기

✏ 들으면서 주요 표현 메모하기!

고난도 핵심 표현 메모하며 풀기

17 대화를 듣고, 남자가 방학에 한 일로 가장 적절한 것을 고르시오.

① 가사일 돕기   ② 영어 공부하기   ③ 공포 영화 보기
④ 자원봉사 활동하기   ⑤ 아프리카 관광하기

18 대화를 듣고, 남자의 직업으로 가장 적절한 것을 고르시오.

① 미용사   ② 사진작가   ③ 영화배우
④ 아나운서   ⑤ 가발 제작자

[19-20] 대화를 듣고, 여자의 마지막 말에 이어질 남자의 말로 가장 적절한 것을 고르시오.

19 Man: _____

① You look very tired.
② The bakery will be open at 8.
③ How about climbing mountains?
④ You can borrow one from a friend.
⑤ It's killing two birds with one stone.

여자의 마지막 말에
집중하기

20 Man: _____

① Here we are.   ② You're very brave.
③ It's too expensive.   ④ Speak of the devil.
⑤ You can say that again.

틀린 문제는 **Dictation**에서
완벽하게 이해하세요.

[Dictation] 실전 모의고사 **16**회

손으로 써야 내 것이 된다

01 그림 지칭

*들을 때마다 체크

다음을 듣고, 'this'가 가리키는 것으로 가장 적절한 것을 고르시오.

① ② ③
④ ⑤

여 이것은 주로 욕실과 부엌에서 발견될 수 있습니다. 사람들은 손을 씻고 양치질을 하고 설거지를 하기 위해 이것을 이용합니다. 이것은 주로 젖어 있습니다. 물은 수도꼭지에서 나와 이것에 쏟아집니다. 이것은 보통 물이 빠질 수 있도록 구멍을 하나 가지고 있습니다. 만약 당신이 이 구멍을 덮는다면, 이것은 물로 가득 찰 수 있습니다. 이것은 무엇일까요?

W This can usually be _____ in bathrooms and _____.

정답 근거
People use this to wash their hands, _____ _____
~하기 위해서'와 같이 목적을 나타내는 부사적 용법의 to부정사
_____, and wash dishes. This is usually _____.

Water comes from a tap and _____ into this. This

usually has a hole for water to drain out. If you cover
배수하다, 흘려보내다
this hole, this can fill up with water. What is this?
~으로 가득 채우다

Sound Tip **fill up**
fill과 up이 연음되어 [필] + [업] → [피럽]으로 발음된다.

02 그림 묘사

대화를 듣고, 남자가 구입할 필통으로 가장 적절한 것을 고르시오.

① ② ③
④ ⑤

남 실례합니다. 필통이 있나요?
여 물론이죠. 그것들은 바로 여기에 있습니다.
남 자를 담을 수 있는 긴 필통을 사고 싶어요.
여 저희는 여기 다양한 필통이 있습니다. 이것은 어떠세요?
남 앞에 큰 별이 하나 있는 게 마음에 들지만, 지퍼가 없네요.
여 그러면 지퍼가 있고 달과 별 디자인이 있는 이것은 어떠세요?
남 완벽해요! 그걸로 할게요.

M Excuse me. Do you have any pencil cases?

W Of course. They're right here.
바로 여기에

M I'd like to _____ a _____ pencil case to hold a
앞 명사를 수식하는 to부정사의 형용사적 용법
_____.

W We have _____ pencil cases here. How about this

one?

M I like the one with the big star on the _____, but it

doesn't have a _____.

W Then how about this one with a zipper and a moon and

star design? 정답 근거

M That's _____! I'll take it.

Dictation 16회 →
┌ 전체 듣기
└ 문항별 듣기

Dictation의 효과적인 활용법
STEP1 들으면서 대본의 빈칸 채우기
STEP2 축쇄 문제를 보며 다시 풀어보기
STEP3 해석을 보며 영어로 말하거나 영작해 보기

공부한 날 　 월 　 일

03 날씨

다음을 듣고, 화요일의 날씨로 가장 적절한 것을 고르시오.

① 　② 　③

④ 　⑤

W Welcome back. I'm sure everyone is waiting for the
(that)
weather report, so here it is. On Saturday, you should
자, 여기 있어요
_____ your umbrella because _____ rains are
_____. Thankfully, on Sunday, the rain will stop and
there will just be a few _____ in the sky. The cloudy
weather will _____ on Monday, and the rain will
come back on Tuesday. 정답 근거

여 다시 오신 것을 환영합니다. 모든 분들이 일기예보를 기다리고 있을 거라 확신하는데요, 자, 여기 있습니다. 토요일에는 폭우가 예상되기 때문에 우산을 가지고 가셔야 합니다. 고맙게도, 일요일에는 비가 그치고 하늘에는 약간의 구름만 있겠습니다. 구름이 낀 날씨는 월요일에도 지속되겠고 화요일에는 다시 비가 내리겠습니다.

Sound Tip waiting / Saturday
강세가 있는 모음과 일반 모음 사이에 t가 있는 경우에 [ㄹ]로 소리가 약화되는 경향이 있다. 따라서 waiting이 [웨이링]처럼, Saturday가 [쌔러데이]처럼 발음된다.

04 말의 의도

대화를 듣고, 여자가 한 마지막 말의 의도로 가장 적절한 것을 고르시오.

① 안도　② 후회　③ 반대
④ 당부　⑤ 비난

W Mike, do you have a _____ to talk?

M Sure, Helen. You look worried. Is something _____?

W Yes, actually. I'm _____ for Europe tomorrow, but
I'm _____ of flying in an airplane.

M I see. That must be hard. I used to feel that way, too.
강한 추측: ~임에 틀림없다　　　　그와 같이, 그런 방식으로

W Really? Sometimes it feels like I'm the only one with
~와 같은 느낌이다
this _____.

M Not at all! Lots of people feel the same as you. One
~와 마찬가지로
thing that helped me was _____ _____ _____.
주격 관계대명사　　　take deep breaths: 심호흡을 하다

W I feel so much better than before. 정답 근거

여 Mike, 이야기할 시간이 있니?
남 물론이지, Helen. 걱정스러워 보이는구나. 문제가 있니?
여 응, 맞아. 나는 내일 유럽으로 떠나는데, 비행기를 타는 것이 무서워.
남 그렇구나. 그것은 힘든 일임에 분명해. 나도 그렇게 느끼곤 했어.
여 정말? 때로는 내가 이런 공포를 가진 유일한 사람처럼 느껴져.
남 전혀 아니야! 많은 사람이 너처럼 느껴. 내게 도움이 됐던 한 가지는 심호흡을 하는 것이었어.
여 전보다 훨씬 더 기분이 나아진 것 같아.

Solution Tip
여자는 두려웠던 마음이 한결 나아져서 안심이 된 상황이다.

05 언급하지 않은 것

다음을 듣고, 남자가 동아리 활동에 대해 언급하지 않은 것을 고르시오.
① 모임 시간
② 음악 감상
③ 콘서트 관람
④ 봉사 활동
⑤ 악기 만들기

남 저는 학교 음악 동아리 회원입니다. 우리 동아리의 활동에 대해 말씀 드릴게요. 우리는 방과 후 매주 화요일에 만납니다. 우리 모임은 한 시간 정도 합니다. 우리는 가장 좋아하는 가수와 밴드에 대해 이야기를 나누고, 몇 개의 노래를 감상하기도 합니다. 음악 동아리 회원들은 또한 한 달에 한 번 콘서트에 갑니다. 우리는 우리 시에서 하는 콘서트를 인터넷에서 찾아보고 모두가 참석하고 싶은 한 콘서트를 고릅니다. 우리는 또한 초등학교에서 자원봉사 활동을 합니다. 우리는 어린 학생들에게 악기 연주하는 법을 가르칩니다.

M I'm a member of the music club at school. Let me tell you _____ our club does. We meet every Tuesday after school. Our meetings are one hour _____. We talk about our _____ singers and _____, and we also listen to several songs. The music club members also go to a concert _____ a month. We _____
한 달에 한 번
the Internet for concerts in our city and choose one concert that we all _____ _____ _____. We also _____ at the elementary school. We teach the young students how to play _____.
how to+동사원형: ~하는 방법

정답 근거

06 시각

대화를 듣고, 두 사람이 만날 시각을 고르시오.
① 3:00 p.m. ② 4:00 p.m.
③ 4:15 p.m. ④ 4:30 p.m.
⑤ 4:50 p.m.

여 Jack, 내가 시립 도서관 옆에 문을 연 새 카페를 봤어.
남 정말? 같이 가 보자. 수요일 오후 3시에 가는 게 어때?
여 수요일에 가고 싶지만, 4시까지 동아리 모임이 있어.
남 좋아. 방과 후에 내가 도서관에 가서 네가 모임을 마칠 때까지 기다릴게.
여 그래. 모임 끝나고 내가 도서관으로 걸어갈게. 4시 15분에 거기에서 만나면 괜찮을까?
남 물론이지. 도서관에서 보자. 그리고 나서 우리는 그 카페에 함께 갈 수 있어.

W Jack, I saw that a new cafe _____ next to the city
~의 옆에
_____.

M Really? Let's try it out. How about going on Wednesday
한번 해 보다
at _____ _____?

W I'd love to go on Wednesday, but I have a club meeting _____ _____. **함정 주의**

M That's fine. I'll go to the library after school and wait _____ you finish your meeting.
정답 근거

W Great. I'll _____ to the library after my meeting. Is it okay if I meet you there _____ _____ : _____?

M Sure. See you at the library. Then we can go to the cafe together.

07 장래 희망

대화를 듣고, 남자의 장래 희망으로 가장 적절한 것을 고르시오.

① 화가 ② 수학자
③ 투자자 ④ 건축가
⑤ 디자인 교수

M Lauren, look at the tall building. Isn't it beautiful?

W Um, I guess so. Why are you so _____ in buildings?

M Well, I want to design buildings _____ _____ _____ _____.
자라다, 성장하다

W Oh, I see. So you want to be an _____?

M Yes. It seems like such an interesting and _____ job.
such+a+형용사+명사: 정말 ~한 (명사)

W Right. I think you would be an awesome _____.
(that) 🎸정답 근거

남 Lauren, 저 높은 건물을 보렴. 아름답지 않니?
여 음, 그런 것 같아. 왜 그렇게 건물들에 관심이 많니?
남 글쎄, 내가 크면 건물들을 디자인하고 싶어.
여 오, 알겠다. 그래서 너는 건축가가 되고 싶은 거니?
남 그래. 그것은 정말 흥미롭고 창의적인 직업 같아.
여 맞아. 내 생각에 너는 멋진 건축가가 될 거야.

Sound Tip architect
architect가 [알키텍트]처럼 발음되듯이 ch가 [ㅋ] 소리로 발음되는 단어들이 있다.
• 치통 toothache [투스에이크] • 복부 stomach [스토먹] • 화학 chemistry [케미스트리]

08 심정

대화를 듣고, 여자의 현재 심정으로 가장 적절한 것을 고르시오.

① upset ② fearful ③ proud
④ curious ⑤ excited

M Kylie, stop moving! I see a _____ _____ over there.
stop+동명사 / 저쪽에, 저기에

W Really? What is it?

M It looks like a _____. We should be really _____.
look like: ~처럼 보이다

W Okay, I'll try. But I'm not very _____.

M You should be. _____ are really _____.

W I didn't know that. Now _____ _____. 🎸정답 근거

남 Kylie, 움직이지 마! 내가 저기 있는 야생 동물을 보고 있어.
여 정말? 무엇인데?
남 늑대 같아. 우리는 정말 조용히 있어야 해.
여 알겠어, 노력할게. 그런데 많이 걱정되지는 않아.
남 걱정해야 해. 늑대들은 정말 위험해.
여 몰랐어. 이제는 무섭다.

09 바로 할 일

대화를 듣고, 여자가 대화 직후에 할 일로 가장 적절한 것을 고르시오.

① 청소하기
② 설거지하기
③ 교복 다리기
④ 옷 수선하기
⑤ 세탁소에 전화하기

남 엄마, 제 교복이 어디 있어요?
여 어제 세탁을 맡겼는데.
남 세탁을 맡겼다고요? 내일 학교에 입고 가야 해요.
여 하지만 내일은 토요일이잖아. 학교에 갈 필요 없단다.
남 학교에 특별 행사가 있고 저는 교복을 입어야 해요.
여 오, 그게 문제네. 네 교복이 준비가 되는지 지금 세탁소에 전화해서 알아볼게.

M Mom, where is my school _____?

W I took it to get _____ yesterday.

M You did? I need to wear it to school tomorrow.

W But tomorrow is _____. You don't have to go to
~할 필요가 없다
school.

M There's a special _____ at school and I have to
_____ my uniform.
정답 근거

W Oh, that's a problem. I'll _____ the _____ now to
see if your uniform is _____.
if는 '~인지 아닌지'의 뜻을 가진다.

10 대화 화제

대화를 듣고, 무엇에 관한 내용인지 가장 적절한 것을 고르시오.

① 감사 카드   ② 쇼핑 목록
③ 파티 초대   ④ 카드 연체
⑤ 결혼 선물

여 아빠, 이 예쁜 카드는 누가 보냈어요?
남 네 할머니야. 감사 카드란다.
여 친절하셔라. 그런데 할머니는 우리에게 무엇이 고맙다는 것인가요?
남 우리가 생신 때 큰 과일 상자를 보냈잖아. 그리고 네가 실크 스카프를 보내드렸고.
여 오, 맞아요! 제가 그걸 잊고 있었네요. 할머니가 카드에 스카프를 언급하셨어요?
남 응, 할머니가 그게 아주 부드럽고 색깔이 마음에 드신대.

W Dad, who _____ us this beautiful card?

M Your grandmother. It's a thank-you card. 정답 근거

W That's nice of her. But what is she _____ us for?
thank A for B: A에게 B에 대해 감사하다

M We sent her a big box of _____ for her birthday. And
you sent her a silk _____.
4형식 구문: 주어+동사+간접목적어+직접목적어

W Oh, that's right! I _____ about that. Did she _____
the scarf in the card? 함정 주의

M Yes, she said it's very _____ and that she loves the
(that)
colors.

11 교통수단

대화를 듣고, 두 사람이 이용할 교통수단으로 가장 적절한 것을 고르시오.

① 택시　　② 기차　　③ 버스
④ 자전거　　⑤ 자동차

[휴대 전화가 울린다.]
남　안녕, Trisha. 부산으로 떠날 준비되었니?
여　응, 짐 다 쌌어. 우린 기차만 타면 되는 거지?
남　음. 말할 게 있는데. 표를 예매하려고 노력했지만, 실패했어.
여　오, 안 돼. 그러면 거기에 어떻게 가?
남　우리에게는 두 가지 선택이 있어. 엄마의 차를 빌려서 거기에 운전해서 갈 수 있어. 그렇지 않으면 버스를 탈 수 있고.
여　버스를 타자, 그래서 우리는 가는 길에 눈을 좀 붙일 수 있을 거야.
남　좋은 생각이야.

📞 *Cellphone rings.*

M　Hi, Trisha. Are you ready to _____ for Busan?
<u>~로 떠나다</u>

W　Yes, I'm _____ _____. Are we still going to take the train there?

M　Um. I need to tell you something. I tried to _____ tickets, but I failed.

W　Oh, no. Then how can we get there?
거기에 도착하다

M　We have two choices. We can _____ my mom's car and drive there. Or we can _____ _____ _____.
🔑함정 주의

🎵정답 근거
W　Let's take the bus, so we can sleep on the way there.

M　Sounds good.

16회

받아쓰기

12 이유

대화를 듣고, 여자가 새 스마트폰을 살 수 <u>없는</u> 이유로 가장 적절한 것을 고르시오.

① 품절이어서
② 용돈이 부족해서
③ 외출 금지이므로
④ 출시가 연기되어서
⑤ 집에 슬픈 일이 생겨서

남　Jane, 새 스마트폰 모델이 방금 출시됐어.
여　알아. 오늘 밤에 사고 싶어!
남　음. 불행하게도 그건 불가능해.
여　왜 안 되는데? 나는 내 용돈을 올해 내내 저축했기에 돈은 충분해.
남　잘했어. 하지만 그 폰은 이미 품절이야.
여　오, 안 돼! 그게 나를 정말 슬프게 하네. 나는 기다려야 할 것 같아.

M　Jane, a new smart phone model was just _____.

W　I know. I want to buy it tonight!

M　Um. Unfortunately that's not _____.

W　Why not? I saved my _____ all year, so I have _____ money.

M　Good for you. But the phone is _____ _____.
<u>잘했다고 칭찬하는 표현</u>　　　　　　　<u>be sold out 품절이 되다, 매진되다</u>
_____. 🎵정답 근거

W　Oh, no! That makes me really sad. I guess I'll have to _____.
(that)

13 관계

대화를 듣고, 두 사람의 관계로 가장 적절한 것을 고르시오.

① 교사 – 학생　　② 점원 – 손님
③ 의사 – 환자　　④ 지휘자 – 공연자
⑤ 조율사 – 의뢰인

남　Lia, 왜 그렇게 일찍 왔어? 네 수업은 5시까지는 시작하지 않는데.
여　알아요, Kingsley 선생님. 선생님께 도움을 요청하기 위해 일찍 왔어요.
남　좋아. 무엇인데?
여　다음 주 피아노 연주회 때문에 긴장이 되어서요. 어떻게 하면 좋을까요?
남　흠. 어쩌면 이번 주말에 추가 피아노 수업을 받으러 와도 좋단다.
여　정말요? 그게 정말 도움이 될 것 같아요.
남　물론이지. 네게 피아노 치는 방법을 가르치는 것은 즐겁단다.

M　Lia, why are you so early? Your lesson doesn't start ＿＿＿＿ ＿＿＿＿.

W　I know, Mr. Kingsley. I came early to ＿＿＿＿ ＿＿＿＿ your help.
～하기 위해서: 목적을 나타내는 부사적 용법의 to부정사

M　Okay. What is it?

W　I'm ＿＿＿＿ about the piano concert next week. What can I do?
be nervous about ～에 긴장하다

M　Hmm. Maybe you can come for an ＿＿＿＿ piano lesson this weekend.

W　Really? That would really ＿＿＿＿ me.

M　Of course. I enjoy ＿＿＿＿ you how to play the piano. 🎸정답 근거

14 그림 위치

대화를 듣고, 남자가 찾고 있는 신용카드의 위치로 가장 알맞은 것을 고르시오.

[휴대 전화가 울린다.]
여　아빠, 뭐가 잘못된 게 있나요?
남　내 생각에 신용카드를 잃어버린 것 같아. 찾아봐 주겠니?
여　잠시만요. 흠, 책상 위에는 없어요.
남　그러면 내 책상의 서랍 안을 확인해 보는 게 어때?
여　거기에도 없어요.
남　옷장에 있는 내 재킷의 호주머니를 확인해 보렴.
여　오, 찾았어요. 호주머니 안에 있었어요.

📞 *Cellphone rings.*

W　Dad, is there something wrong?

M　I think I lost my ＿＿＿＿ ＿＿＿＿. Would you find it, please?
(that)

W　Wait a minute. Hmm, it's not on the ＿＿＿＿.

M　Then how about ＿＿＿＿ in the ＿＿＿＿ of my desk? 함정 주의

W　It's not there, ＿＿＿＿.

M　Check the ＿＿＿＿ of my jacket in the ＿＿＿＿.

W　Oh, I found it. It was in the ＿＿＿＿. 🎸정답 근거

15 부탁한 일 🎧

대화를 듣고, 여자가 남자에게 부탁한 일로 가장 적절한 것을 고르시오.

① 역에 마중 나오기
② 함께 테니스 치기
③ 공항에 데려다주기
④ 비행기표 예매하기
⑤ 운전 연습 도와주기

여 Dennis, 내일 무슨 계획이 있니?
남 아침에만. 남동생과 함께 테니스를 할 예정이야.
여 알겠어. 그럼 오후에는 한가하니?
남 응. 오후에는 할 일이 없어.
여 좋아. 네가 꺼려하지만 않는다면, 나를 공항까지 차로 데려다줄 수 있니?
남 좋아, 할 수 있어. 내가 너를 몇 시에 태우러 가면 될까?
여 4시가 좋을 것 같아. 네가 최고야!

W Dennis, do you have any plans tomorrow?

M Only in the morning. I'm going to play _____ with my brother. 🔔함정 주의

W I see. So _____ _____ in the afternoon?

M Yes. I have nothing to do in the afternoon.
　　　　　　　　　　　　　to부정사의 형용사적 용법

W Good. If you don't _____, could you _____ me to
　　요청할 때 쓰는 정중한 표현: 괜찮으시다면　　　　🎸정답 근거
the _____?

M Okay, I can do that. What time shall I _____ you up?
　　　　　　　　　　　　제안하는 표현: 제가 ~할까요?

W Four o'clock would be great. You're the best!

16 제안한 것 🎧

대화를 듣고, 여자가 남자에게 제안한 것으로 가장 적절한 것을 고르시오.

① 산책하기
② 도시 관광하기
③ 공원에서 쉬기
④ 머리 짧게 자르기
⑤ 친구들과 만나기

남 와, Lina는 훌륭한 여행 가이드예요.
여 고맙습니다. 저는 친구들에게 제 도시의 가장 좋은 부분들을 보여주는 게 정말 좋아요.
남 당신은 아주 친절하세요. 우리는 다음에 어디 가나요?
여 공원에 들러서 휴식을 취하는 게 어떨까요?
남 좋은 생각이에요. 하루 종일 걸은 후라서, 저는 상당히 피곤함을 느끼고 있거든요.
여 예, 저도 그렇게 생각했어요. 저를 따라 오세요. 우리는 공원으로 가는 지름길로 갈 거예요.

M Wow, you're a great _____ _____, Lina.

W Thanks. I love _____ my friends the best parts of my city.

M You're too kind. Where are we going next?

W How about stopping at the park and _____ _____
　　제안하는 표현
_____? 🎸정답 근거

M Good idea. I feel pretty _____ after walking all day.
　　　　　　　　　　매우

W Yes, I thought so. Follow me. We'll _____ _____
_____ to the park.

[VOCABULARY] 실전 모의고사 **17**회

어휘를 알아야 들린다

모의고사를 먼저 풀고 싶으면 266쪽으로 이동하세요.

🎧 다음 표현을 듣고 모르는 것에 표시하시오.

- 01 solve 풀다
- 02 brightly 밝게
- 03 chase 쫓다
- 04 history 역사
- 05 cool 멋진
- 06 tongue 혀
- 07 view 풍경, 조망
- 08 tail 꼬리
- 09 storm 폭풍
- 10 safely 안전하게
- 11 dark 어두운
- 12 entire 전체의
- 13 change 잔돈
- 14 serious 심각한
- 15 definitely 확실히
- 16 difficult 어려운
- 17 donate 기부하다
- 18 damage 피해를 입히다
- 19 excellent 뛰어난
- 20 crowded 붐비는, 복잡한
- 21 awesome 멋진
- 22 hospital 병원
- 23 medicine 약
- 24 mice 쥐들(mouse의 복수형)

- 25 pharmacist 약사
- 26 pharmacy 약국
- 27 physics 물리학
- 28 restaurant 식당
- 29 shopper 쇼핑객
- 30 situation 상황
- 31 teammate 팀 동료
- 32 stressful 스트레스가 많은
- 33 announcement 발표, 공지
- 34 available 이용할 수 있는
- 35 comfortable 편안한
- 36 bad fever 고열, 심한 열
- 37 not yet 아직도 ~ 않다
- 38 fall down 넘어지다
- 39 get rid of ~을 제거하다
- 40 grocery store 식료품점
- 41 halftime break 중간 휴식
- 42 department store 백화점

✏️ 알아두면 유용한 선택지 **어휘**

- 43 broke 무일푼의, 빈털터리의
- 44 behavior 행동
- 45 chemist 화학자
- 46 engineer 엔지니어

🎧 들으면서 표현을 완성한 다음, 뜻을 고르시오.

표현의 의미를 생각하며 다시 써 보기!

01 c□ase　　　☐ 도망가다　　☐ 쫓다

➜ _____

02 de□initely　　☐ 불확실한　　☐ 확실히

➜ _____

03 do□ate　　　☐ 기부하다　　☐ 승진하다

➜ _____

04 da□age　　　☐ 피해를 입히다　☐ 출시하다

➜ _____

05 □rowded　　☐ 광대　　　☐ 붐비는

➜ _____

06 awe□ome　　☐ 멋진　　　☐ 보기 흉한

➜ _____

07 me□icine　　☐ 약　　　　☐ 의사

➜ _____

08 □harmacist　☐ 조리사　　☐ 약사

➜ _____

09 □harmacy　　☐ 약국　　　☐ 병원

➜ _____

10 phy□ics　　　☐ 물리학　　☐ 화학

➜ _____

11 □estaurant　☐ 교회　　　☐ 식당

➜ _____

12 situ□tion　　☐ 언덕　　　☐ 상황

➜ _____

13 st□essful　　☐ 스트레스가 많은　☐ 스트레스 없는

➜ _____

14 □nnouncement　☐ 고객　　☐ 발표, 공지

➜ _____

15 a□ailable　　☐ 이용할 수 있는　☐ 필요없는

➜ _____

16 com□ortable　☐ 불편한　　☐ 편안한

➜ _____

17 □et rid of　　☐ ~을 제거하다　☐ ~을 옹호하다

➜ _____

18 gr□cery store　☐ 백화점　　☐ 식료품점

➜ _____

실전 모의고사 [17]회

실전 모의고사 17회 ➜
┌ 모의고사 보통 속도
└ 모의고사 빠른 속도

✎ 들으면서 주요 표현 메모하기!

01 다음을 듣고, 'I'가 무엇인지 가장 적절한 것을 고르시오.

① ② ③ ④ ⑤

02 대화를 듣고, 여자가 구입할 휴대 전화 케이스로 가장 적절한 것을 고르시오.

① ② ③ ④ ⑤

03 다음을 듣고, 시애틀의 날씨로 가장 적절한 것을 고르시오.

①  ② ③  ④  ⑤

04 대화를 듣고, 남자가 한 마지막 말의 의도로 가장 적절한 것을 고르시오.
① 부탁　　② 거절　　③ 동의　　④ 비난　　⑤ 반대

고난도 　선택지 하나씩 체크하며 풀기

05 다음을 듣고, 여자가 할인 행사에 대해 언급하지 <u>않은</u> 것을 고르시오.
① 의류 할인　　　② 신발 할인　　　③ 할인 기간
④ 할인율　　　　⑤ 할인 제외 품목

06 대화를 듣고, 남자가 건네줄 잔돈으로 가장 적절한 것을 고르시오.

① $1   ② $2   ③ $7   ④ $8   ⑤ $10

✎ 들으면서 주요 표현 메모하기!

07 대화를 듣고, 남자의 장래 희망으로 가장 적절한 것을 고르시오.

① 교통경찰관   ② 디자이너   ③ 엔지니어
④ 영화 제작자   ⑤ 비행기 조종사

고난도 선택지 하나씩 체크하며 풀기

08 대화를 듣고, 남자의 숙제에 대한 내용으로 일치하지 <u>않는</u> 것을 고르시오.

① 아직 끝내지 못 했다.   ② 숙제는 어렵지 않다.
③ 역사책을 읽어야 한다.   ④ 감상문을 써야 한다.
⑤ 수학 문제 20개를 풀어야 한다.

09 대화를 듣고, 여자가 대화 직후에 할 일로 가장 적절한 것을 고르시오.

① 표 예매하기   ② 콘서트 가기   ③ 음악 감상하기
④ 애완견 먹이 주기   ⑤ 홈페이지 만들기

10 대화를 듣고, 무엇에 관한 내용인지 가장 적절한 것을 고르시오.

① 일기 쓰기   ② 요가 운동   ③ 취미 생활
④ 학생의 임무   ⑤ 스트레스 해소법

틀린 문제는 Dictation에서
완벽하게 이해하세요.

✎ 들으면서 주요 표현 메모하기!

11 대화를 듣고, 두 사람이 이용할 교통수단으로 가장 적절한 것을 고르시오.

① 도보　　　　　　② 택시　　　　　　③ 버스
④ 지하철　　　　　⑤ 비행기

12 대화를 듣고, 남자가 직장에 가지 <u>못한</u> 이유로 가장 적절한 것을 고르시오.

① 버스를 놓쳐서　　　　　　② 다리를 다쳐서
③ 열이 심하게 나서　　　　　④ 배가 많이 아파서
⑤ 병원 정기 검진일이라서

13 대화를 듣고, 두 사람이 대화하는 장소로 가장 적절한 곳을 고르시오.

① 병원　　　　　　② PC방　　　　　　③ 음악실
④ 경기장　　　　　⑤ 볼링장

14 대화를 듣고, 이탈리아 식당의 위치로 가장 알맞은 것을 고르시오.

15 대화를 듣고, 남자가 여자에게 부탁한 일로 가장 적절한 것을 고르시오.

① 유리창 닦기　　　　② 같이 게임하기　　　③ 시력 검사하기
④ 안경점 같이 가기　　⑤ 선글라스 빌려주기

16 대화를 듣고, 남자가 여자에게 제안한 것으로 가장 적절한 것을 고르시오.

① 등산하기 ② 사진 찍기 ③ 풍경화 그리기
④ 강에서 수영하기 ⑤ 일기장에 기록하기

✎ 들으면서 주요 표현 메모하기!

17 대화를 듣고, 남자가 지난 주말에 한 일로 가장 적절한 것을 고르시오.

① 집 청소하기 ② 새집 구하기 ③ 아파트 도배하기
④ 여행 준비하기 ⑤ 가족 행사 참석하기

18 대화를 듣고, 남자의 직업으로 가장 적절한 것을 고르시오.

① 의사 ② 약사 ③ 교사
④ 간호사 ⑤ 화학자

[19-20] 대화를 듣고, 남자의 마지막 말에 이어질 여자의 말로 가장 적절한 것을 고르시오.

남자의 마지막 말에 집중하기

19 Woman: _____

① That's all right. ② You look great.
③ Don't mention it. ④ We were very hungry.
⑤ Sorry, I need to finish my work.

20 Woman: _____

① What a great idea!
② Because I'm broke.
③ It'll be sunny tomorrow.
④ I don't like his behavior.
⑤ It was too expensive to buy.

틀린 문제는 **Dictation**에서 완벽하게 이해하세요.

01 그림 지칭
*들을 때마다 체크

다음을 듣고, 'I'가 무엇인지 가장 적절한 것을 고르시오.

① ② ③
④ ⑤

여 나는 네 개의 다리와 하나의 꼬리가 있습니다. 나는 때때로 애완동물로 사람들의 집에서 삽니다. 나는 생선 먹는 것을 좋아합니다. 나는 보통 개들은 좋아하지 않습니다. 쥐를 쫓는 것과 잡는 것은 나에게 즐거움입니다. 나는 혀로 내 자신을 깨끗하게 할 수 있습니다. 나는 무엇일까요?

W I have _____ _____ and a _____. I sometimes live in people's homes as a _____. I like to eat fish. I usually don't like dogs. _____ after _____ and catching them is fun for me. I can _____ myself with my _____. What am I?

🎵 정답 근거
mouse의 복수형

💡 자기 자신에게 하는 행동이므로 재귀대명사가 쓰인 것임

🔊 Sound Tip tongue
tongue에서 ue가 묵음으로 처리되기 때문에 [텅]과 같이 발음된다. 묵음 현상이 있는 단어로 다음과 같은 것이 있다.
• handsome [핸썸] • doubt [다우트] • knife [나이프] • should [슈드]

02 그림 묘사

대화를 듣고, 여자가 구입할 휴대 전화 케이스로 가장 적절한 것을 고르시오.

① ② ③
④ ⑤

남 이 멋진 휴대 전화 케이스들을 보세요.
여 와, 전부 훌륭하네요. 하나 사고 싶어요.
남 이것은 케이스 위에 다이아몬드 모양이 있는데 멋지죠.
여 저는 그것이 마음에 들지 않아요. 흠. 하트 모양이 있는 이것이 귀엽네요.
남 예, 하지만 정말 비싸요. 세 개의 하트 모양이 있는 이 케이스는 어떠세요?
여 그것이 완벽하네요! 그리고 너무 비싸지도 않고요.

M Look at all these cool phone _____.

W Wow, they're all great. I want to buy one.

M This one with a _____ on it is nice.
주어 / 동사

W I don't like that one. Hmm. This one with the _____ is cute. 〰️함정 주의

M Yeah, but it's really expensive. What about this case
제안하는 표현
with _____ _____ on it? 🎵 정답 근거

W That one is perfect! And it's not _____ expensive.

Dictation 17회 →
ㄷ 전체 듣기
ㄴ 문항별 듣기

Dictation의 효과적인 활용법
STEP1 들으면서 대본의 빈칸 채우기
STEP2 축쇄 문제를 보며 다시 풀어보기
STEP3 해석을 보며 영어로 말하거나 영작해 보기

공부한 날   월   일

03 날씨

다음을 듣고, 시애틀의 날씨로 가장 적절한 것을 고르시오.

①   ②   ③

④   ⑤

남 오늘의 전국 일기예보입니다. 뉴욕은 흐린 하루가 되겠습니다. 뉴욕 시민들은 오늘 확실히 선글라스가 필요하지는 않겠습니다. 하지만 시카고 사람들은 해가 밝게 비출 것이므로 선글라스가 필요할지 모르겠습니다. LA의 날씨도 해가 비치겠습니다. 시애틀은 하루 종일 비가 내릴 것입니다만, 바람은 불지 않을 것입니다.

M This is today's _____ weather report. In New York, it will be a _____ day. New Yorkers definitely _____ need their _____ today. But people in Chicago might need them as the sun will _____ brightly there. The
앞에 언급된 sunglasses를 가리킴   in Chicago를 의미함
weather in L.A. will also be _____. _____ will fall
정답 근거
all day in Seattle, but there won't be any _____. 함정 주의

04 말의 의도

대화를 듣고, 남자가 한 마지막 말의 의도로 가장 적절한 것을 고르시오.

① 부탁   ② 거절   ③ 동의
④ 비난   ⑤ 반대

남 밖에 나가는 거니?
여 응, 곧 돌아올게.
남 밖은 벌써 어두워졌어.
여 알아, 하지만 난 정말 할머니 댁에 가야만 해.
남 할머니? 할머니에게 무슨 일이 생겼어?
여 아주 좋지 않은 일은 없어. 하지만 할머니가 내게 전화를 하셨고 매우 슬퍼 보이셨어.
남 좋아. 그러면 그녀를 방문하는 것은 좋은 생각이야.

M Are you going out?

W Yes, I'll be _____ _____.

M It's already _____ _____.
비인칭 주어(명암)

W I know, but I really have to go _____ Grandma.

M Grandma? What _____ _____ her?

W Nothing too bad. But she called me and _____ very sad.

M Okay, it's a good idea to _____ _____ then. 정답 근거
가주어 it   진주어(to부정사구)

Sound Tip happened to
자음 [t], [d]가 단어의 끝에 올 때 그 발음이 탈락되는 현상이 생긴다. 따라서 happened to는 [해펀투]처럼 들리게 된다.

05 언급하지 않은 것

다음을 듣고, 여자가 할인 행사에 대해 언급하지 않은 것을 고르시오.
① 의류 할인 ② 신발 할인 ③ 할인 기간
④ 할인율 ⑤ 할인 제외 품목

여 모든 고객 여러분들을 환영합니다! 오늘 Valley 백화점을 방문해 주셔서 감사드립니다. 저희 휴일 세일 관련한 특별 안내를 드리겠습니다. 옷과 신발에 큰 할인이 있습니다. 여러분이 구입하는 어떤 옷이든 30% 할인을 받으실 수 있으며, 신발은 절반 할인한 가격에 구입하실 수 있습니다. 맞습니다! 모든 신발들은 오늘 50% 할인입니다. 이들 할인은 오늘만 이용할 수 있으므로, 기다리지 마세요!

W Welcome, all _____! Thank you for visiting Valley Department Store today. This is a special _____ for our _____ _____. There are big discounts on _____ and _____. You will receive a _____% discount on any clothes you buy, and you can buy shoes at _____ off. That's right! All shoes are _____% off today. These discounts are only available today, so don't wait!

[부사] 할인하여

🔑정답 근거

Solution Tip
의류와 신발 할인, 할인율(30%, 50%), 할인 기간(하루)은 언급하고 있지만, 할인 제외 품목에 대해서는 언급하고 있지 않다.

06 금액

대화를 듣고, 남자가 건네줄 잔돈으로 가장 적절한 것을 고르시오.
① $1 ② $2 ③ $7
④ $8 ⑤ $10

남 안녕하세요, 무엇을 드릴까요?
여 햄 샌드위치 2개 주세요.
남 알겠습니다. 그것은 7달러입니다.
여 오, 커피 한 잔도 주문하고 싶어요.
남 좋습니다, 그러면 1달러 더 주시면 됩니다. 고객님의 새 합계는 8달러입니다.
여 여기 10달러짜리 지폐입니다.
남 고맙습니다. 잔돈을 바로 드리겠습니다.

M Hello, what can I get _____ you?
손님에게 무엇을 드릴지 묻는 표현 = What can I get you?

W Two ham _____, please.

M All right. That will be _____ dollars.

W Oh, I would also like one cup of coffee.

M Okay, that's one dollar more. Your new _____ is _____ dollars. 🔑정답 근거

W Here is a ten-dollar _____. 함정 주의

M Thanks. I'll be right back with your _____.
잔돈, 거스름돈

Solution Tip
여자가 주문한 금액은 8달러(샌드위치 7달러+커피 1달러)이고, 10달러 지폐를 내밀었으므로 점원인 남자는 2달러(10달러−8달러)를 잔돈으로 거슬러 줄 것이다.

07 장래 희망

대화를 듣고, 남자의 장래 희망으로 가장 적절한 것을 고르시오.

① 교통경찰관 　　② 디자이너
③ 엔지니어 　　　 ④ 영화 제작자
⑤ 비행기 조종사

W Jason, what are you _____?

M I'm making a _____ _____.

W It looks great. You must love airplanes.
　　　강한 추측을 나타내는 조동사 must

M I do. In _____, I want to _____ them one day.

W Wow! You would be an _____ _____. 🎸정답 근거

M I hope so. I'm going to work really _____ to become one.
　　부정대명사로 앞에 나온 an excellent pilot을 의미함

여 Jason, 무엇을 만들고 있니?
남 비행기 모형을 만들고 있어요.
여 좋아 보이는데. 너는 분명 비행기를 사랑하는구나.
남 네. 사실은, 언젠가는 비행기를 조종하고 싶어요.
여 왜! 너는 훌륭한 조종사가 될 수 있을 거야.
남 그렇게 됐으면 좋겠어요. 저는 조종사가 되기 위해 정말 열심히 노력할 거예요.

08 일치하지 않는 것

대화를 듣고, 남자의 숙제에 대한 내용으로 일치하지 <u>않는</u> 것을 고르시오.

① 아직 끝내지 못 했다.
② 숙제는 어렵지 않다.
③ 역사책을 읽어야 한다.
④ 감상문을 써야 한다.
⑤ 수학 문제 20개를 풀어야 한다.

W Did you _____ your homework?

M Not yet. It is very _____ to do my homework. 🎸정답 근거

W What is your homework?

M I must read a book about _____ and write my
　　의무를 나타내는 조동사 must
_____ about it.

W Is that all?
　　바로 앞의 남자가 한 말 = 역사책 읽고 감상문 쓰기

M I also have to _____ _____ _____ problems.

W Oh, you must be _____.
　　강한 추측을 나타내는 조동사 must

여 너의 숙제를 끝냈니?
남 아직요. 제 숙제를 하는 것은 매우 힘들어요.
여 숙제가 무엇이니?
남 저는 역사에 관한 책을 한 권 읽어야 하고 그것에 관한 제 느낌을 써야 해요.
여 그게 전부니?
남 저는 또한 20개의 수학 문제를 풀어야 해요.
여 오, 틀림없이 피곤하겠구나.

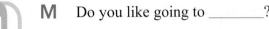

09 바로 할 일

대화를 듣고, 여자가 대화 직후에 할 일로 가장 적절한 것을 고르시오.
① 표 예매하기
② 콘서트 가기
③ 음악 감상하기
④ 애완견 먹이 주기
⑤ 홈페이지 만들기

남 콘서트 가는 거 좋아하니?
여 물론이지. 내가 음악 좋아하는 거 너도 알잖아.
남 음, 내가 가장 좋아하는 밴드인 "The Big Dogs"가 이번 주말에 콘서트를 하기 위해 우리 도시에 올 거야.
여 오, 나도 "The Big Dogs" 정말 좋아해! 벌써 표를 샀니?
남 아직. 우리는 곧 표를 사야만 해. 표가 다 팔릴지 모르니까.
여 좋아. 내가 지금 그들의 웹사이트를 방문해서 표를 살게.

M Do you like going to _____?

W Of course. You know‸I like music.
　　　　　　　　　(that)

M Well, my favorite band, *The Big Dogs*, is coming to town for a concert this _____.

W Oh, I love *The Big Dogs*! Did you _____ _____ tickets?

M _____ _____. We should buy them soon. They might _____ _____.

W Okay. I'll go to their website and buy tickets now. 🎵정답 근거

🔙 Solution Tip
웹사이트를 방문하는 목적이 표를 구입하기 위한 것임을 유의해야 한다.

10 대화 화제

대화를 듣고, 무엇에 관한 내용인지 가장 적절한 것을 고르시오.
① 일기 쓰기　　② 요가 운동
③ 취미 생활　　④ 학생의 임무
⑤ 스트레스 해소법

남 나, 정말 스트레스 받아.
여 이해해. 학생이 되는 것은 정말 스트레스야.
남 하지만 너는 매우 편안해 보여. 너는 스트레스를 없애기 위해 무엇을 하니?
여 몇 가지를 하지. 첫째, 매일 아침에 요가를 연습해.
남 알겠다. 그밖에는?
여 나는 또한 매일 밤에 일기를 써. 나의 느낌과 걱정거리들에 관해 써.
남 오, 그 아이디어 좋다. 나도 그것을 시도해 볼게.

M I'm so _____ out.

W I understand. Being a student is really _____.

M But you seem so _____. What do you do to get rid of
your stress? 🎵정답 근거
　　　　　　　　　　　　　　　　　　~을 제거하다

W I do a few things. First, I practice yoga every morning.

M I see. What _____?

W I also write in a _____ every night. I write about my _____ and _____.

M Oh, I like that idea. I'm going to try that.

앞에 언급된 여자의 말로, 일기에 자신의 느낌과 걱정들을 쓰는 것

11 교통수단 ☐☐

대화를 듣고, 두 사람이 이용할 교통수단으로 가장 적절한 것을 고르시오.

① 도보   ② 택시   ③ 버스
④ 지하철   ⑤ 비행기

M That was a long _____!

W Yes, it was. I'm glad we _____ _____ in New York.
(that)

M Me, too. How can we get to our hotel?

W We can take a _____ or take the _____ bus.

M I think it would be more _____ to take a taxi. The bus will be _____ _____.
(that) 가주어   진주어(to부정사구)   정답 근거   함정 주의

W I agree. Let's go try to _____ one now.
taxi를 의미한다.

남 긴 비행이었어요!
여 예, 맞아요. 우리가 뉴욕에 안전하게 도착하게 되어 기뻐요.
남 저도요. 우리는 호텔까지 어떻게 갈 수 있을까요?
여 우리는 택시를 타거나 대중 버스를 탈 수 있어요.
남 택시를 타는 게 더 편할 것 같다고 생각해요. 버스는 너무 혼잡할 거예요.
여 동의해요. 이제 가서 택시를 잡아 보도록 하죠.

Solution Tip
여자는 택시를 타거나 대중 버스를 탈 수 있다고 했다. 이에 남자가 택시가 더 편할 것 같고, 버스는 너무 혼잡할 것 같다고 말했다. 따라서 두 사람은 택시를 이용할 것이다.

12 이유 ☐☐

대화를 듣고, 남자가 직장에 가지 못한 이유로 가장 적절한 것을 고르시오.

① 버스를 놓쳐서
② 다리를 다쳐서
③ 열이 심하게 나서
④ 배가 많이 아파서
⑤ 병원 정기 검진일이라서

W Dad, is that you? I'm surprised you're _____ home.
(that)

M Yes, I _____ go to _____ today.

W Really? You never _____ _____.

M I know, but this is a _____ _____.

W Oh, no. What's so serious?
정답 근거

M I have a _____ _____, and I need to go to the _____.

여 아빠, 맞죠? 아빠가 아직 집에 있어서 놀랐어요.
남 응, 오늘은 일하러 가지 않았어.
여 정말요? 아빠가 결근한 적은 없으시잖아요.
남 알아, 하지만 이번에는 심각한 상황이야.
여 오, 이런. 뭐가 그렇게 심각해요?
남 내가 열이 심해서 병원에 가야 해.

17회 유형익히기

Dictation **275**

13 장소

대화를 듣고, 두 사람이 대화하는 장소로 가장 적절한 곳을 고르시오.
① 병원　　② PC방　　③ 음악실
④ 경기장　　⑤ 볼링장

남 미아야, 경기할 준비되었니?
여 예, 저는 경기에 합류해서 제 팀 동료들을 도우려고 대기하고 있는 중이었어요.
남 좋아. 너는 중간 휴식 시간 후에 경기를 시작할 수 있을 거야.
여 알겠습니다. 코치님, 저를 위해 조언해 주실 게 있나요?
남 좀 더 자주 팀 동료들에게 공을 패스하도록 노력하렴.
여 알겠어요. 최선을 다할게요. 저는 우리 팀이 이기기를 바라고 있어요.
남 넘어져서 다리를 다치지 않도록 조심하렴.

M　Mia, are you ready to play?

W　Yes, I've been waiting to _____ the game and help my teammates.

M　Great. You can start playing after the _____ _____.
　　　　　　　　　　　　　　　　　　　　　　　　정답 근거

W　Sure. Coach, do you have any _____ for me?

M　Try to pass the _____ to your teammates more _____.

W　Okay, I'll _____ my best. I hope₍that₎ we win the game.

M　Be careful not to _____ _____ and _____ your
　　　　　　　　　　to부정사의 부정: not+to부정사
　_____, please.

14 그림 위치

대화를 듣고, 이탈리아 식당의 위치로 가장 알맞은 것을 고르시오.

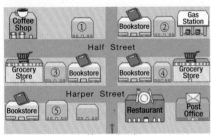

You are here!

남 점심에 새로운 이탈리아 식당에 가보는 게 어때?
여 그 식당이 어디에 있는지 모르겠어. 거기에 어떻게 가는지 알아?
남 응. 먼저 Harper 가로 한 블록 걸어서 직진해야 해.
여 좋아. 한 블록 걸은 후, 어디로 가?
남 좌회전해야 해.
여 이탈리아 식당이 모퉁이에 있니?
남 아니, 서점과 식료품점 사이에 있어.

M　How about going to the new Italian restaurant for
　　~하는 게 어때? (제안하는 표현)
　lunch?

W　I don't know _____ it is. Do you know how to
　　　　　　　간접의문문: 의문사+주어+동사　　　　거기에 가는 방법
　_____ there?

M　Yes. First, we have to _____ straight _____ block
　on Harper Street. 정답 근거

W　Okay. After _____ _____ block, where do we go?

M　We have to turn _____.

W　Is the Italian restaurant on the corner? 함정 주의

M　No, it's _____ the bookstore and the _____ store.

15 부탁한 일

대화를 듣고, 남자가 여자에게 부탁한 일로 가장 적절한 것을 고르시오.
① 유리창 닦기
② 같이 게임하기
③ 시력 검사하기
④ 안경점 같이 가기
⑤ 선글라스 빌려주기

남 Tati, 안경을 껴 본 적이 있니?
여 이제는 더 이상 아니야. 나는 안경을 낀 적이 있었지만, 지금은 콘택트렌즈를 착용해.
남 알아. 내가 새 안경을 껴야 할 것 같아.
여 아, 내가 좋은 안경점을 알고 있어.
남 네가? 나와 함께 안경점에 갈 시간이 있니?
여 물론이지. 내일은 한가해.

M Tati, do you ever _____ glasses?

W Not _____. I used to _____ glasses, but now I
　　이제는 아니다.　　　　　규칙적인 습관: ~하곤 했다
wear _____ lenses.

M I see. I need to get some new glasses.

W Oh, I know _____ a good glasses shop.
　　　　　~에 관하여 알다

M You do? Do you have time to go with me to the

_____? 🎸정답 근거

W Sure. I'm _____ tomorrow.

16 제안한 것

대화를 듣고, 남자가 여자에게 제안한 것으로 가장 적절한 것을 고르시오.
① 등산하기
② 사진 찍기
③ 풍경화 그리기
④ 강에서 수영하기
⑤ 일기장에 기록하기

남 와, 산 정상에서 보는 풍경이 아름답네요.
여 확실히 그러네요! 여기에서는 시 전체를 볼 수 있어요.
남 그리고 저기를 보세요. 강과 모든 다리를 볼 수 있어요.
여 멋지네요. 이 장면을 영원히 기억하고 싶어요.
남 저도요. 있잖아요. 우리 함께 사진을 찍는 게 좋겠어요.
여 좋아요. 제가 휴대 전화를 가져올게요.

🇬🇧

M Wow, the _____ from the top of the mountain is
beautiful.

W It sure is! You can see the _____ city from here.

M And look over there. You can see the river and all the
　　　　　저기에, 저쪽을
_____.

W It's _____. I want to _____ this view _____.

M Me, too. You know what? We should _____ a picture
　　　　　그거 알아? / 있잖아. = Guess what?　　　사진을 찍다
together.

W Okay. Let me _____ my cellphone.

[Dictation] 실전 모의고사 **17**회

17 과거에 한 일

대화를 듣고, 남자가 지난 주말에 한 일로 가장 적절한 것을 고르시오.
① 집 청소하기
② 새집 구하기
③ 아파트 도배하기
④ 여행 준비하기
⑤ 가족 행사 참석하기

여 Jack, 조금 피곤해 보여. 주말에 뭐 했니?
남 아주 바빴어. 쉴 시간이 없었거든.
여 저런. 무엇을 했어?
남 가족과 함께 몇 개의 아파트들을 보았어.
여 오, 새로운 아파트로 이사 갈 거니?
남 응, 다음 달에 우리 이사 갈 거야.
여 이사 갈 좋은 아파트는 구했어?
남 응, 좋은 곳 하나를 발견했어. 우리 학교 바로 옆에 있어.

W Jack, you look a bit _____. What did you do _____ the weekend?
  약간의   주말에

M I was really busy. I had no time to _____.
  to부정사의 형용사적 용법

W That's too bad. What did you do?
  동정 표현하기

M I looked at _____ apartments with my family. 🎵정답 근거

W Oh, are you going to move to a new apartment?

M Yes, we're _____ next _____.

W Did you find a good apartment to _____ _____?

M Yes, we found a great one. It's right next to our school.
            apartment를 의미함   바로

18 직업

대화를 듣고, 남자의 직업으로 가장 적절한 것을 고르시오.
① 의사   ② 약사   ③ 교사
④ 간호사   ⑤ 화학자

여 Todd, 어젯밤에 약국에서 너를 봤어.
남 나는 거기서 너를 못 봤는데.
여 나는 그저 옆을 지나면서 창문으로 너를 봤어. 너 약사니?
남 아니, 난 물리 교사야. 나는 거기서 어머니가 일을 마치기를 기다리는 중이었어.
여 오, 맞아. 너의 어머니가 약국에서 일하신다고 네가 말했지?
남 응. 어머니가 약사셔. 어머니는 다양한 약에 관해 많이 알고 계셔.

W Todd, I saw you at the _____ last night.

M I didn't see you there.

W I was just walking by and I saw you in the _____.
           walk by: ~을 지나치다
  Are you a _____? 💣함정 주의

M No, I'm a _____ teacher. I was there waiting for my
         🎵정답 근거   pharmacy를 의미함
  mom to finish work.
  for+목적격: to부정사의 의미상 주어

W Ah, that's right. You said your mom works at the
                    (that)
  _____.

M Yes. She is a pharmacist. She knows a lot about
  different _____.

🔔 Solution Tip

여자는 어젯밤 약국 창문으로 남자를 봤기 때문에 남자에게 약사냐고 물은 것이다. 남자는 약사인 어머니를 기다리는 중이었고 자신은 물리 교사라고 말한 상황이다.

19 이어질 말 ①

대화를 듣고, 남자의 마지막 말에 이어질 여자의 말로 가장 적절한 것을 고르시오.

Woman: _____

① That's all right.
② You look great.
③ Don't mention it.
④ We were very hungry.
⑤ Sorry, I need to finish my work.

M Are we still meeting at _____ o'clock today?

W Yes, at the movie _____. I'm excited.

M I hope ˄ the movie is good. I heard ˄ it's about three
       (that)   (that)
   _____ _____.

W Three hours? Then I have to _____ _____ right
                                           그 직후, 바로 후에
   after the movie.

M I thought ˄ we were going to _____ _____ together.
          (that)   🔑정답 근거

W ⑤ Sorry, I need to finish my work.

남 오늘 우리 여전히 5시에 만나는 거니?
여 응, 영화관에서. 기대가 된다.
남 영화가 좋기를 바라고 있어. 영화가 세 시간짜리라고 들었어.
여 세 시간? 그러면 나는 영화가 끝나면 바로 집으로 가야 해.
남 나는 우리가 함께 저녁을 먹을 것이라고 생각했어.
여 ⑤ 미안, 나는 내 일을 끝내야 해.

① 괜찮아.   ② 넌 멋져 보여.
③ 천만에.   ④ 우리는 매우 배가 고팠어.

20 이어질 말 ②

대화를 듣고, 남자의 마지막 말에 이어질 여자의 말로 가장 적절한 것을 고르시오.

Woman: _____

① What a great idea!
② Because I'm broke.
③ It'll be sunny tomorrow.
④ I don't like his behavior.
⑤ It was too expensive to buy.

W Did you hear about the big _____ in Busan?

M A little. Was it a _____ _____?
   little 앞에 a가 붙으면 '조금 있다'는 의미가 된다.

W Yes, many houses and buildings were _____.

M I'm _____ to hear that.
   안 됐다. 유감이다. 정말 안타깝다.

W Yes, it's very sad. I want to help in some _____, but I
   don't know how.

M Why don't you _____ some money to help _____
   제안하는 표현
   people's houses? 🔑정답 근거

W ① What a great idea!

여 부산의 태풍에 관해 들었니?
남 조금. 심각한 태풍이었니?
여 응, 많은 집들과 건물들이 피해를 입었어.
남 참 딱하게 되었네.
여 응, 매우 슬픈 상황이지. 어떤 방식으로든 내가 도움을 주고 싶지만, 방법을 모르겠어.
남 사람들의 집을 고치는 데 도울 수 있도록 약간의 돈을 기부하는 게 어때?
여 ① 좋은 생각이야!

② 왜냐하면 나는 빈털터리이기 때문이야.   ③ 내일은 맑을 거야.
④ 나는 그의 행동을 좋아하지 않아.   ⑤ 그것은 너무 비싸서 살 수 없어.

모의고사를 먼저 풀고 싶으면 282쪽으로 이동하세요.

🎧 다음 표현을 듣고 모르는 것에 표시하시오.

01 **pair** 짝, 쌍	25 **speech** 연설, 웅변
02 **sharp** 날카로운	26 **company** 회사
03 **pot** 화분	27 **triangle** 삼각형
04 **latest** 최근의	28 **firefighter** 소방관
05 **grade** 성적	29 **experience** 경험하다
06 **steak** 스테이크	30 **fantastic** 환상적인
07 **carry** 나르다, 운반하다	31 **touching** 감동적인
08 **match** 시합	32 **cooperation** 협조
09 **scared** 무서운	33 **memorable** 기억할 만한
10 **pack** 짐을 싸다	34 **impressive** 인상적인
11 **drink** 음료수	35 **misunderstand** 오해하다
12 **super** 대단히, 굉장히	36 **turn in** 돌려주다, 제출하다
13 **library** 도서관	37 **get home** 귀가하다
14 **appear** 나타나다	38 **school play** 학예회
15 **fantasy** 환상	39 **drop by** ~에 들르다
16 **bookshelf** 책꽂이, 책장	40 **work out** 운동하다
17 **tragedy** 비극	41 **lead role** 주인공 역할
18 **stuff** 것, 물건, 잡동사니	
19 **garden** 정원	📝 알아두면 유용한 선택지 **어휘**
20 **plant** 식물; 심다	42 **spoon** 숟가락
21 **handle** 손잡이	43 **chopsticks** 젓가락
22 **include** 포함하다	44 **poet** 시인
23 **socks** 양말	45 **athlete** (육상) 선수
24 **peanut** 땅콩	46 **novelist** 소설가

🎧 들으면서 표현을 완성한 다음, 뜻을 고르시오.

표현의 의미를 생각하며 다시 써 보기!

01 la◻est
☐ 최근의   ☐ 오래된
➜ _____

02 st◻ff
☐ 악기   ☐ 것, 물건
➜ _____

03 soc◻s
☐ 양말   ☐ 장갑
➜ _____

04 ◻ompany
☐ 회사   ☐ 국가
➜ _____

05 ◻nclude
☐ 배제하다   ☐ 포함하다
➜ _____

06 shar◻
☐ 둔한   ☐ 날카로운
➜ _____

07 s◻ared
☐ 무서운   ☐ 익숙한
➜ _____

08 drop◻y
☐ ~에 들르다   ☐ 제출하다
➜ _____

09 li◻rary
☐ 강당   ☐ 도서관
➜ _____

10 ◻ppear
☐ 나타나다   ☐ 사라지다
➜ _____

11 fan◻asy
☐ 현실   ☐ 환상
➜ _____

12 ◻riangle
☐ 삼각형   ☐ 오각형
➜ _____

13 fan◻astic
☐ 비극적인   ☐ 환상적인
➜ _____

14 coo◻eration
☐ 협조   ☐ 회사
➜ _____

15 pea◻ut
☐ 꼬마   ☐ 땅콩
➜ _____

16 book◻helf
☐ 책상   ☐ 책꽂이, 책장
➜ _____

17 ◻isunderstand
☐ 오해하다   ☐ 이해하다
➜ _____

18 work o◻t
☐ 외출하다   ☐ 운동하다
➜ _____

실전 모의고사 18회 →
모의고사 보통 속도
모의고사 빠른 속도

🖊 들으면서 주요 표현 메모하기!

01 다음을 듣고, 'this'가 가리키는 것으로 가장 적절한 것을 고르시오.

① ②  ③ ④ ⑤

02 대화를 듣고, 두 사람이 구입할 화분으로 가장 적절한 것을 고르시오.

① ② ③ ④ ⑤

03 다음을 듣고, 목요일의 날씨로 가장 적절한 것을 고르시오.

① ② ③  ④  ⑤

04 대화를 듣고, 남자가 한 마지막 말의 의도로 가장 적절한 것을 고르시오.

① 부탁　　② 칭찬　　③ 사과　　④ 비난　　⑤ 위로

고난도 선택지 하나씩 체크하며 풀기

05 다음을 듣고, 여자가 교복에 대해 언급하지 않은 것을 고르시오.

① 착용 시기　　　② 착용 대상　　　③ 낡은 교복 반납일
④ 구입 장소　　　⑤ 구입 가격

06 대화를 듣고, 남자가 일어날 시각을 고르시오.

① 7:00 a.m.   ② 8:00 a.m.   ③ 9:00 a.m.
④ 10:00 a.m.   ⑤ 11:00 a.m.

✎ 들으면서 주요 표현 메모하기!

07 대화를 듣고, 남자의 장래 희망으로 가장 적절한 것을 고르시오.

① 육상 선수   ② 보디빌더   ③ 개인 트레이너
④ 음악 교사   ⑤ 기관차 운전수

고난도 선택지 하나씩 체크하며 풀기

08 대화를 듣고, 두 사람의 걷기에 대한 내용으로 일치하지 않는 것을 고르시오.

① 벤치에서 휴식을 취했다.   ② 여자의 가방에 먹을 것이 있었다.
③ 먹을 것은 사탕과 땅콩이었다.   ④ 두 사람은 30분 동안 걸었다.
⑤ 여자는 휴식이 더 필요했다.

09 대화를 듣고, 여자가 대화 직후에 할 일로 가장 적절한 것을 고르시오.

① 마트에 가기   ② 남편 양말 꺼내기   ③ 학교에 데려다주기
④ 연극 보러 나가기   ⑤ 이웃집에 가기

10 대화를 듣고, 무엇에 관한 내용인지 가장 적절한 것을 고르시오.

① 좋아하는 게임   ② 스노보드의 장점   ③ 겨울 가족 여행
④ 영화관 이용법   ⑤ 게임 중독 치료법

틀린 문제는 **Dictation**에서
완벽하게 이해하세요.

실전 모의고사 [18]회

🖊 들으면서 주요 표현 메모하기!

11 대화를 듣고, 두 사람이 이용할 교통수단으로 가장 적절한 것을 고르시오.

① 도보   ② 택시   ③ 지하철
④ 자전거   ⑤ 스케이트보드

12 대화를 듣고, 남자가 수영장에 들어가지 <u>않는</u> 이유로 가장 적절한 것을 고르시오.

① 손을 다쳐서   ② 겁이 많아서   ③ 수영을 못해서
④ 속이 좋지 않아서   ⑤ 삼촌을 기다려야 해서

13 대화를 듣고, 두 사람의 관계로 가장 적절한 것을 고르시오.

① 경찰 – 범인   ② TV 기자 – 영화배우
③ 신문 기자 – 시인   ④ 영화감독 – 평론가
⑤ 소방관 – 아나운서

14 대화를 듣고, 여자가 찾고 있는 펜의 위치로 가장 알맞은 것을 고르시오.

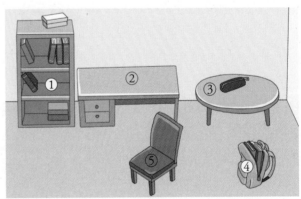

15 대화를 듣고, 여자가 남자에게 부탁한 일로 가장 적절한 것을 고르시오.

① 응원하기   ② 라디오 듣기   ③ 숙제 도와주기
④ 도서관 자리 잡기   ⑤ 연설 듣고 조언하기

16 대화를 듣고, 남자가 여자에게 제안한 것으로 가장 적절한 것을 고르시오.

① 상담 받기　　　② 축구하기　　　③ 시험 보기
④ 함께 공부하기　　⑤ 함께 숙제하기

✎ 들으면서 주요 표현 메모하기!

17 대화를 듣고, 남자가 오늘 한 일로 가장 적절한 것을 고르시오.

① 산책하기　　　② 나무 베기　　　③ 봉사 활동하기
④ 놀이 공원 가기　　⑤ 동아리실 청소하기

고난도 핵심 표현 메모하며 풀기

18 대화를 듣고, 여자의 직업으로 가장 적절한 것을 고르시오.

① 화가　　　② 소설가　　　③ 대통령
④ 리포터　　⑤ 영화감독

[19-20] 대화를 듣고, 남자의 마지막 말에 이어질 여자의 말로 가장 적절한 것을 고르시오.

남자의 마지막 말에 집중하기

19 Woman: _____

① It's Friday.　　　　② I'll take it.
③ It's very kind of you.　　④ It took me three hours.
⑤ It seems that you're tired.

20 Woman: _____

① Yes, please.　　　　② No, that's all.
③ It's 29 dollars.　　　④ For here or to go?
⑤ There is nothing like home.

틀린 문제는 **Dictation**에서 완벽하게 이해하세요.

01 그림 지칭

*들을 때마다 체크 ☐☐

다음을 듣고, 'this'가 가리키는 것으로 가장 적절한 것을 고르시오.

① ② ③
④ ⑤

여 여러분은 식사 중에 이것을 이용할 수 있습니다. 이것은 매우 날카롭고, 여러분은 음식을 자르기 위해 이것을 이용할 수 있습니다. 이것은 스테이크나 채소를 자르는 데에 능숙합니다. 이것은 날카롭지 않은 손잡이가 있고, 사람들은 물건을 자르는 동안에 이것의 손잡이를 잡습니다. 이것은 무엇일까요?

♪정답 근거

W You can _____ this while you _____. This is very
  ~하는 동안에
_____, and you can use this to _____ food. This
                          ~하기 위해: 목적을 나타내는 부사적 용법의 to부정사
is great at _____ _____ or vegetables. This has a
  be great at: ~을 잘하다
_____ that is not sharp, and people hold its _____
          주격 관계대명사
while cutting things. What is this?

02 그림 묘사

☐☐

대화를 듣고, 두 사람이 구입할 화분으로 가장 적절한 것을 고르시오.

① ② ③
④ ⑤

남 이 시장에는 많은 식물들이 있어요. 우리는 어떤 종류의 식물을 사야 할까요?
여 저는 잎과 꽃이 둘 다 있는 식물을 원해요.
남 좋아요. 여기에 그와 같은 것들이 있어요. 이것은 꽃이 3개 있어요.
여 저는 그것보다 더 많은 꽃을 원해요.
남 이것은 꽃이 5개이고 잎도 많아요.
여 좋아요. 화분도 마음에 드네요. 정면에 있는 삼각형이 멋져 보여요.
남 네, 저것을 사죠.

M There are lots of _____ at this market. What kind of
                                              어떤 종류의 ~
plant should we get?

W I want a plant with _____ _____ and flowers.
                      both A and B: A와 B 둘 다
M Okay. There are some like that here. This one has three
_____.

W I want more _____ than that.
♪정답 근거   꽃이 세 개인 식물
M This one has five flowers and lots of _____, too.

W Great. I love the _____, too. The _____ on the
front looks nice.

M Sure, let's get that one.
              저것(정면에 삼각형이 있는 화분)

Dictation 18회 →
┌ 전체 듣기
└ 문항별 듣기

Dictation의 효과적인 활용법
STEP1 들으면서 대본의 빈칸 채우기
STEP2 축쇄 문제를 보며 다시 풀어보기
STEP3 해석을 보며 영어로 말하거나 영작해 보기

공부한 날   월   일

03 날씨

다음을 듣고, 목요일의 날씨로 가장 적절한 것을 고르시오.

①   ②   ③

④   ⑤

M Hello, everyone. I hope you are having a great Monday!
(that)
Today's weather will be _____. It will be sunny with
no _____ at all. Tomorrow, it will be very _____.
전혀, 조금도 (~ 아니다)
On Wednesday, we expect _____ _____ from
morning to _____. The rain will stay _____
from A to B: A부터 B까지   정답 근거
through Thursday. But I'm happy to report that the
~하게 되어 기쁘다
_____ will come back on _____.

남 여러분, 안녕하세요. 저는 여러분이 멋진 월요일을 보내고 있기를 바랍니다! 오늘의 날씨는 환상적이겠습니다. 구름이 전혀 없이 화창할 것입니다. 내일은 구름이 많이 끼겠습니다. 수요일에는 아침부터 밤까지 비가 많이 올 것으로 예상합니다. 그 비는 목요일까지 많이 내리겠습니다. 하지만 저는 금요일에 다시 해가 뜰 것이라는 것을 보도하게 되어 기쁩니다.

🔊 Solution Tip

특정한 요일의 날씨를 물을 때는, 해당 요일을 영어로 정확히 파악하고 있어야 한다. 문제 지시문에서 '목요일'을 언급했으면 Thursday를 염두에 두고 녹음을 듣는다.

Sunday 일요일   Monday 월요일   Tuesday 화요일   Wednesday 수요일
Thursday 목요일   Friday 금요일   Saturday 토요일

18회
독해구문

04 말의 의도

대화를 듣고, 남자가 한 마지막 말의 의도로 가장 적절한 것을 고르시오.
① 부탁   ② 칭찬   ③ 사과
④ 비난   ⑤ 위로

W Dad, I'm so _____ that I got home _____.
get home: 귀가하다
M Ali, I was _____ about you. What happened?
W I had to _____ by the police station.
~에 들르다
M What? Why were you there?
W I found a _____ and _____ to the station to
_____ _____ in.
turn in: 돌려주다, 제출하다
M I'm _____ of you for doing the _____ thing. 🔊정답 근거
올바른

여 아빠, 집에 늦게 와서 정말 죄송해요.
남 Ali, 너에 대해 걱정했단다. 무슨 일이 있었니?
여 저는 경찰서에 들러야 했어요.
남 무엇이라고? 네가 거기에는 왜?
여 제가 지갑을 하나 발견해서 그것을 돌려주러 경찰서에 갔어요.
남 나는 네가 올바른 일을 해서 자랑스럽단다.

05 언급하지 않은 것

다음을 듣고, 여자가 교복에 대해 언급하지 <u>않은</u> 것을 고르시오.
① 착용 시기
② 착용 대상
③ 낡은 교복 반납일
④ 구입 장소
⑤ 구입 가격

여 교복에 관한 특별 공지입니다. 다음 주부터 모든 학생들은 새로운 교복을 입어야 할 것입니다. 월요일에 낡은 교복을 여러분의 선생님께 드리세요. 여러분은 우리 학교 맞은편 도로에 있는 교복 가게에서 새로운 교복을 구입할 수 있습니다. 여러분은 또한 학교 웹사이트를 방문해서 거기에서도 구입할 수 있습니다. 여러분의 협조에 감사드립니다.

W This is a special _____ about school _____.
정답 근거
Starting next week, all students **will have to** _____
~해야만 할 것이다
the new school uniform. Please give your old _____
to your teacher on Monday. **You can buy the new**
uniform at the uniform _____ _____ the street
from our school. You can also visit the school website
and buy it there. **Thank you for your** _____.
학교 웹사이트

Solution Tip
① 착용 시기(다음 주부터), ② 착용 대상(모든 학생들), ③ 낡은 교복 반납일(월요일), ④ 구입 장소(교복 가게, 웹사이트)는 언급되어 있지만 ⑤ 구입 가격은 언급되어 있지 않다.

06 시각

대화를 듣고, 남자가 일어날 시각을 고르시오.
① 7:00 a.m.   ② 8:00 a.m.
③ 9:00 a.m.   ④ 10:00 a.m.
⑤ 11:00 a.m.

남 어머니, 내일 제가 몇 시에 일어나야 하나요?
여 글쎄, 네가 아침에 축구 시합이 있으니까 8시에 일어나는 것이 가장 좋지.
남 어, 너무 일러요!
여 알아, 하지만 너는 시합에 늦어서는 안 된단다.
남 하지만 시합은 11시가 되어서야 시작해요.
여 실제로, 시합은 내일 10시에 시작하고, 거기까지 가는 데 30분이나 걸린단다.

M Mom, what time do I have to _____ _____
tomorrow?

W Well, you have a soccer _____ in the morning, so **it's**
가주어 it
best to _____ _____ at _____.
진주어

M Ugh, it's so early!

W I know, but you shouldn't be _____ for the match.
~에 늦다, 지각하다

M But the match doesn't start until _____.
함정 주의
not A until B: B가 되어서야 비로소 A하다

W Actually, it _____ at 10 tomorrow, and it _____
가주어 it
_____ minutes to get there.
진주어

07 장래 희망

대화를 듣고, 남자의 장래 희망으로 가장 적절한 것을 고르시오.

① 육상 선수 ② 보디빌더
③ 개인 트레이너 ④ 음악 교사
⑤ 기관차 운전수

여 Logan, 난 네가 오늘 아침에 공원에서 뛰고 있는 것을 봤어. 자주 달리기 하니?
남 응, 매일 운동하려고 해.
여 그렇구나. 나는 더 건강해지고 싶어. 어쩌면 우리가 함께 운동할 수 있을지도 몰라.
남 나도 그러고 싶어. 사실, 나는 내 미래 직업을 위해 그러고 싶어.
여 난 이해가 되지 않아. 운동하는 것은 직업이 아니야.
남 너는 잘못 이해했어. 나는 개인 트레이너가 되어서 사람들이 운동하는 것을 돕고 싶어.

W Logan, I saw you running in the park this morning. Do you run _____?

M Yes, I try to _____ every day.

W I see. I want to get _____. Maybe we can work out together.

M I'd love to. Actually, I want to do that for my _____ _____.

W I don't understand. _____ _____ isn't a job.

M You _____. I want to be a _____ _____ and help people _____. 🔑정답 근거

08 일치하지 않는 것

대화를 듣고, 두 사람의 걷기에 대한 내용으로 일치하지 않는 것을 고르시오.

① 벤치에서 휴식을 취했다.
② 여자의 가방에 먹을 것이 있었다.
③ 먹을 것은 사탕과 땅콩이었다.
④ 두 사람은 30분 동안 걸었다.
⑤ 여자는 휴식이 더 필요했다.

남 어휴, 피곤해. 걷는 것은 쉽지가 않아.
여 나도 그래. 멈춰서 저 벤치에서 쉬자.
남 좋아. 네 가방에 먹을거리가 있니?
여 응, 사탕과 땅콩을 조금 싸왔어. 여기 조금 먹어.
남 정말 고마워. 맛있다. 우리가 얼마나 오래 걸었지?
여 약 한 시간하고 반 정도야.
남 계속 걸을 준비가 되었니?
여 아직. 나는 아직 휴식이 더 필요해.

M Whew, I'm tired. _____ is not easy.

W Me, too. Let's stop and take a _____ on the bench.

M Okay. Do you have any _____ in your bag?

W Yes, I _____ some candies and _____. Here, take some.

M Thanks a lot. It tastes great. How long did we walk?

W About one hour and a _____. 🔑정답 근거

M You ready to keep going?

W Not yet. I still need to _____ more.

Solution Tip
half an hour는 '30분'을 의미하지만, one hour and a half는 '1시간 30분'을 의미한다.

09 바로 할 일

대화를 듣고, 여자가 대화 직후에 할 일로 가장 적절한 것을 고르시오.
① 마트에 가기
② 남편 양말 꺼내기
③ 학교에 데려다주기
④ 연극 보러 나가기
⑤ 이웃집에 가기

남 엄마, 제 검정 양말을 못 찾겠어요.
여 나도 양말이 어디에 있는지 모르는데. 오늘 다른 양말을 신을 수 있니?
남 아니요, 오늘 저는 학예회 때문에 검정 양말이 필요해요.
여 흠. 큰일이네.
남 어쩌면 아빠의 검정 양말을 빌릴 수 있을지도 몰라요.
여 좋은 생각이야. 내가 그의 옷장에서 양말을 가져올게.

M   Mom, I _____ find my _____ _____.

W   I don't know _____ they are. Can you wear another
간접의문문: 의문사+주어+동사
_____ of _____ today?
다른 한 쌍의 ~

M   No, I need _____ socks for the school _____
학예회
today.

W   Hmm. That's a problem.

M   Maybe I can _____ Dad's _____ socks.

W   Good idea. I'll go get them from his _____. 정답 근거
~을 가져오다

10 대화 화제

대화를 듣고, 무엇에 관한 내용인지 가장 적절한 것을 고르시오.
① 좋아하는 게임
② 스노보드의 장점
③ 겨울 가족 여행
④ 영화관 이용법
⑤ 게임 중독 치료법

여 네가 가장 좋아하는 게임 종류가 뭐니?
남 한 종류를 고르기가 힘들어. 나는 모든 게임을 즐겨.
여 나도 그래. 모든 게임은 재미있지만, 내가 가장 좋아하는 유형은 보드 게임이야.
남 응, 보드 게임은 가족이나 친구들과 함께 하기에 좋지.
여 그래, 보드 게임은 너도 가장 좋아하니?
남 글쎄, 아니야. 모든 게임 중에서 나는 비디오 게임이 가장 좋아.

W   What's your favorite _____ of game? 정답 근거

M   It's hard to _____ one kind. I enjoy all games.

W   Me, too. All games are fun, but my favorite _____ is
board games.

M   Yeah, board games are good to _____ with family or
~와 놀다
_____.

W   So, board games are your favorite, _____?

M   Well, no. Of all games, I like _____ _____ best.
~ 중에서

11 교통수단

대화를 듣고, 두 사람이 이용할 교통수단으로 가장 적절한 것을 고르시오.

① 도보　　② 택시　　③ 지하철
④ 자전거　　⑤ 스케이트보드

남　Madison, 밖에 비가 정말 많이 내려.
여　오, 몰랐어.
남　그것은 우리가 도서관까지 스케이트보드를 탈 수 없다는 의미야.
여　맞아, 그리고 우리는 자전거를 타거나 걸을 수도 없어.
남　그러면 지하철을 타자.
여　좋아, 나는 갈 준비가 됐어.

M　Madison, it's _____ _____ really hard.

W　Oh, I had no idea.

M　That _____ we can't skateboard to the _____. 🔔함정 주의
(that)

W　Right, and we can't _____ our _____ or _____, either.

M　Let's take the _____ then. 🔑정답 근거

W　Okay, I'm _____ to go.

---

12 이유

대화를 듣고, 남자가 수영장에 들어가지 <u>않는</u> 이유로 가장 적절한 것을 고르시오.

① 손을 다쳐서
② 겁이 많아서
③ 수영을 못해서
④ 속이 좋지 않아서
⑤ 삼촌을 기다려야 해서

여　난 이 수영장에 뛰어드는 것이 정말 기대가 돼.
남　좋아. 난 그냥 앉아서 너를 지켜볼게.
여　뭐라고? 수영장에서 수영을 하지 않겠다고?
남　하고는 싶지만, 난 할 수가 없어.
여　왜 안 되는데? 최고로 재미있을 텐데.
남　전에 네게 말하는 게 겁이 났지만, 나는 수영을 못해.

🇬🇧

W　I can't wait to _____ in this swimming pool.
~하는 것이 정말 기다려진다

M　Okay. I'll just _____ and _____ you.

W　Excuse me? You're not going _____ _____ in the pool?

M　I _____ I could, but I can't.

W　Why not? It'll be _____ fun.

M　I was _____ to tell you before, but I can't swim.
🔑정답 근거

🔊 **Sound Tip** can't

can't를 미국 영어에서는 [캔트], 영국 영어에서는 [카안트]로 발음된다. 특히 미국 영어에서 [캔트]의 t는 거의 들리지 않는 대신 그 뒤에 이어지는 동사를 강하게 발음하는 경향이 있다.

13 관계

대화를 듣고, 두 사람의 관계로 가장 적절한 것을 고르시오.
① 경찰 – 범인
② TV 기자 – 영화배우
③ 신문 기자 – 시인
④ 영화감독 – 평론가
⑤ 소방관 – 아나운서

여 Johnson 씨! 인터뷰할 시간이 있으세요?
남 좋아요, 하지만 잠시 동안이요.
여 고맙습니다. 저는 KBB News의 Sara Stephens 입니다. 가장 최근의 영화에 관해 말씀해 주시겠어요?
남 음, 판타지 영화죠. 제가 주연이었고요.
여 알겠습니다. 이 역할에 관해 기억할 만한 점이 있었나요?
남 저는 영화에서 소방관들의 삶을 경험했습니다. 그들의 삶은 힘들지만 의미있었어요.
여 고맙습니다. 만약 보도를 시청하고 싶으시면, 제 보도는 10시 정각 뉴스에 나올 것입니다.

W Mr. Johnson! Do you have time for an _____?

M Okay, but just for a minute.
_잠시 동안, 잠깐_

W Thanks. I'm Sara Stephens with KBB News. What can you tell me about your _____ _____?

M Well, it's a fantasy movie. I played the lead role. 🎸정답 근거
주인공을 연기했다

W I see. Was there anything memorable about this role?

M I experienced the life of _____ in the movie. Their lives were _____ but _____.

W Thanks. My report will _____ on the 10 o'clock news if you want to watch it.
~에 나오다

14 그림 위치

대화를 듣고, 여자가 찾고 있는 펜의 위치로 가장 알맞은 것을 고르시오.

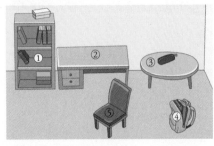

여 아빠, 제 파란색 펜 보셨어요?
남 미안하구나, 못 봤는데. 필통이나 책장을 확인해 봤니?
여 예. 거기에 없어요. 제 배낭에도 없고요.
남 그러면 책상 위를 보렴. 네가 가끔씩 펜들을 거기에 놓더라.
여 알겠어요, 거기 살펴볼게요. (...) 아, 여기 있어요. 도와주셔서 고맙습니다, 아빠.
남 별것 아니야.

W Dad, did you see my _____ pen?

M Sorry, I didn't. Did you check in your _____ _____ or _____?

W Yes. It's not there. It's not in my backpack, either.

M Then look on your desk. You sometimes _____ your
🎸정답 근거
pens there.

W Okay, I'll look there. (...) Ah, _____ it is. Thanks for your help, Dad.

M No problem.

🔊 Sound Tip **leave**
leave를 live와 같게 발음해서는 안 된다. live는 [리브]처럼 단모음이고, leave는 [리이브]처럼 입을 좌우로 길게 늘려 치아가 많이 보이게 해서 발음하는 장모음임에 유의한다.

15 부탁한 일

대화를 듣고, 여자가 남자에게 부탁한 일로 가장 적절한 것을 고르시오.

① 응원하기
② 라디오 듣기
③ 숙제 도와주기
④ 도서관 자리 잡기
⑤ 연설 듣고 조언하기

남 무엇을 하고 있니? 열심히 하고 있는 것처럼 보여.
여 웅변 대회를 위해 말하기 연습을 하고 있어.
남 넌 잘 거라고 난 확신해. 내 생각에 너는 일등도 할 수 있을 거야.
여 그건 잘 모르겠어. 잠시 동안 나를 도와 줄 수 있을 것 같니?
남 그래. 무엇이 필요한데?
여 내 연설을 듣고 몇 가지 조언을 줄 수 있니?
남 좋아. 난 들을 준비가 됐어. 준비되면 시작해 보렴.

M What are you doing? It looks like you're working hard.
　　　look like: ~처럼 보이다

W I'm _____ my _____ for the speech _____.

M I'm sure you'll do well. I think you could even _____
　　　(that)　　　　　　　　　　(that)
first _____.

W I don't know about that. Do you think you could help
　　　　　　　　　　　　　　　(that)
me for a few minutes?

M _____. What do you need?

W Could you listen to my _____ and give me some
_____? 🔑정답 근거

M Okay. I'm all _____. Go _____ when you're ready.
　　　나는 들을 준비가 됐어.

16 제안한 것

대화를 듣고, 남자가 여자에게 제안한 것으로 가장 적절한 것을 고르시오.

① 상담 받기
② 축구하기
③ 시험 보기
④ 함께 공부하기
⑤ 함께 숙제하기

남 내일 중요한 과학 시험 준비 됐니?
여 잘 모르겠어. 난 과학이 정말 어려워.
남 응, 하지만 네가 충분히 공부한다면, 너는 좋은 성적을 얻을 수 있어.
여 그러기를 바라. 하지만 나는 정말 시험이 걱정스러워.
남 내게 좋은 생각이 있어. 축구 연습을 한 후에 오늘 밤에 함께 공부하는 게 어때?
여 오, 그거 좋을 것 같아. 나는 받을 수 있는 도움은 모두 받을 필요가 있어.

M Are you _____ _____ the big science test
　　　　　　　　　　　　　　중요한
tomorrow?

W I don't know. Science is really _____ for me.

M Yeah, but if you study enough, you can get a good
　　　　　　　　　　　　　　　　좋은 성적을 받다
_____.

W I hope so. I'm really worried about it, though.
　　　　　　　be worried about: ~에 대해 걱정하다

M I have an idea. _____ _____ _____ study
together tonight _____ soccer practice? 🔑정답 근거

W Oh, that would be great. I need all the help I can get.

17 과거에 한 일

대화를 듣고, 남자가 오늘 한 일로 가장 적절한 것을 고르시오.
① 산책하기
② 나무 베기
③ 봉사 활동하기
④ 놀이 공원 가기
⑤ 동아리실 청소하기

W Dave, you're home. How was your day?

M It was super fun but _____.

W I bet. How many trees did you _____?
   상대방의 말에 이해를 표할 때 쓰는 표현

M We _____ about 100 trees. ♪정답 근거

W That's great. It was really _____ of you to _____
   of+목적격: to부정사의 의미상 주어
   (형용사가 사람의 성격을 나타내는 경우
   with the _____ club.

M Thanks, Mom. I'll never _____ _____ trees with
   forget+동명사: (과거에 했던 일)을 잊다
   cf. forget+to부정사: (앞으로 할 일)을 잊다
   my club members today.

여 Dave, 집에 있구나. 오늘 하루 어땠니?
남 아주 즐거웠지만 지쳤어요.
여 왜 안 그러겠니. 얼마나 많은 나무를 심었니?
남 우리는 100그루의 나무를 심었어요.
여 멋지네. 원예 동아리와 함께 자원봉사 활동을 하다니 너는 정말 친절하구나.
남 고맙습니다, 엄마. 저는 오늘 제 동아리 회원들과 함께 나무를 심었던 것을 결코 잊지 못할 거예요.

18 직업

대화를 듣고, 여자의 직업으로 가장 적절한 것을 고르시오.
① 화가   ② 소설가   ③ 대통령
④ 리포터   ⑤ 영화감독

M Your latest work was very impressive.

W Thank you. I had _____ _____ about the _____
   have difficulty -ing: ~하는 데 어려움을 겪다
   _____.

M Could you explain in more _____?
   보다 자세하게

W They didn't want to show their _____. They thought
   they might say something wrong.   (that)
   -thing+형용사

M Then, how did they open their minds?

W I said that the _____ was not their _____ and we
   needed to _____ the _____.

M On that point, every reader thinks your recent _____
                                          (that)
   is very _____.

남 당신의 최근 작품은 매우 인상적이었어요.
여 고맙습니다. 저는 그 여성분들의 삶에 관하여 쓰는데 어려움을 겪었습니다.
남 좀 더 자세하게 설명해 주실 수 있나요?
여 그들은 자신의 고통을 드러내고 싶지 않았어요. 그들은 잘못된 것을 말할지도 모른다고 생각했죠.
남 그러면, 어떻게 그들의 마음을 열었나요?
여 그 비극은 그들의 잘못이 아니며 우리는 진실을 말해야 한다고 했어요.
남 그런 점에서, 모든 독자가 당신의 최근 소설이 감동적이라고 생각하고 있어요.

19 이어질 말 ①

대화를 듣고, 남자의 마지막 말에 이어질 여자의 말로 가장 적절한 것을 고르시오.

Woman: _____

① It's Friday.
② I'll take it.
③ It's very kind of you.
④ It took me three hours.
⑤ It seems that you're tired.

남 Janice, 뭐 하고 있니?
여 내 사무실 짐 싸고 있는 중이야.
남 무엇 때문에? 다른 회사에 일하러 갈 거니?
여 아니. 나는 그냥 5층에 새로운 사무실로 이사를 가야 해서.
남 알겠어. 네가 운반해야 할 짐이 많은 것 같아.
여 이 세 박스뿐이야.
남 내가 도와줄게.
여 ③ 넌 정말 친절하구나.

M Janice, what are you doing?

W I'm _____ _____ my office.

M What for? Are you going to work at a different _____?
목적이나 이유를 묻는 표현

W No. I just need to _____ to a new _____ on the _____ _____.

M I see. It looks like you have a lot of _____ to _____.
~처럼 보이다   앞 명사를 수식하는 형용사적인 용법의 to부정사

W Only these _____ boxes.

M Let me _____ you. 🎵정답 근거

W ③ It's very kind of you.

① 금요일이야.   ② 그것을 살게.
④ 세 시간 걸렸어.   ⑤ 넌 피곤해 보여.

20 이어질 말 ②

대화를 듣고, 남자의 마지막 말에 이어질 여자의 말로 가장 적절한 것을 고르시오.

Woman: _____

① Yes, please.
② No, that's all.
③ It's 29 dollars.
④ For here or to go?
⑤ There is nothing like home.

여 저기요, 사장님. 오늘 점심 특별 요리가 있나요?
남 예, 수프와 샐러드 스페셜이 있습니다. 맛있답니다.
여 비용이 어떻게 되나요?
남 9달러입니다. 그리고 음료수가 포함되어 있습니다.
여 좋아요. 탄산음료와 함께 그 스페셜을 먹을게요.
남 네. 그밖에 필요한 것이 있으세요?
여 ② 아니요, 그거면 됐습니다.

🇬🇧

W Excuse me, sir. Are there any lunch specials today?

M Yes, we have a _____ and salad special. It's delicious.

W How much does it _____?

M It _____ nine dollars. And it _____ a drink.
음료수 한 잔

W Okay. I'll have the special with a _____, please.

M Of course. Anything _____? 🎵정답 근거

W ② No, that's all.

① 예, 부탁합니다.   ③ 29달러입니다.
④ 여기서 드실래요, 아니면 가져가실래요?   ⑤ 집 같은 곳이 없습니다.

모의고사를 먼저 풀고 싶으면 298쪽으로 이동하세요.

🎧 다음 표현을 듣고 모르는 것에 표시하시오.

- [ ] 01 **nearby** 근처에
- [ ] 02 **hatch** 부화하다
- [ ] 03 **hobby** 취미
- [ ] 04 **clay** 점토, 찰흙
- [ ] 05 **area** 지역
- [ ] 06 **watch** 손목시계
- [ ] 07 **outside** 밖에
- [ ] 08 **subject** 과목
- [ ] 09 **cancel** 취소하다
- [ ] 10 **boring** 따분한
- [ ] 11 **certainly** 물론이죠, 확실히
- [ ] 12 **protect** 보호하다
- [ ] 13 **quickly** 빨리
- [ ] 14 **feather** 깃털
- [ ] 15 **properly** 적절하게
- [ ] 16 **kitchen** 부엌
- [ ] 17 **machine** 기계
- [ ] 18 **recipe** 요리법
- [ ] 19 **bankbook** 통장
- [ ] 20 **breakfast** 아침 식사
- [ ] 21 **sneakers** 운동화
- [ ] 22 **withdraw** 인출하다
- [ ] 23 **square** 정사각형의
- [ ] 24 **snowstorm** 눈보라

- [ ] 25 **comfortable** 편안한
- [ ] 26 **credit card** 신용 카드
- [ ] 27 **rectangular** 직사각형의
- [ ] 28 **professional** 전문적인
- [ ] 29 **refrigerator** 냉장고
- [ ] 30 **gardener** 정원사
- [ ] 31 **register** 등록하다
- [ ] 32 **cheer up** 응원하다
- [ ] 33 **ingredient** 재료
- [ ] 34 **sculpture** 조소, 조각 작품
- [ ] 35 **thankfully** 고맙게도
- [ ] 36 **unfortunately** 불행하게도
- [ ] 37 **post office** 우체국
- [ ] 38 **bank account** 은행 계좌
- [ ] 39 **be willing to** 기꺼이 ~하다
- [ ] 40 **burn down** 다 타버리다
- [ ] 41 **checking account** 당좌 예금 계좌
- [ ] 42 **savings account** 보통 예금 계좌
- [ ] 43 **relief** 안심, 안도

📝 알아두면 유용한 선택지 **어휘**

- [ ] 44 **snake** 뱀
- [ ] 45 **eagle** 독수리
- [ ] 46 **milk cow** 젖소

🎧 들으면서 표현을 완성한 다음, 뜻을 고르시오.

표현의 의미를 생각하며 다시 써 보기!

01 ▢rotect ▢ 탈출하다 ▢ 보호하다 → ____

02 ma▢hine ▢ 기계 ▢ 사전 → ____

03 reci▢e ▢ 식사 ▢ 요리법 → ____

04 ▢eather ▢ 날개 ▢ 깃털 → ____

05 c▢ncel ▢ 결정하다 ▢ 취소하다 → ____

06 re▢ister ▢ 등록하다 ▢ 퇴근하다 → ____

07 cer▢ainly ▢ 희미하게 ▢ 확실히 → ____

08 snea▢ers ▢ 운동화 ▢ 구두 → ____

09 gar▢ener ▢ 마당 ▢ 정원사 → ____

10 in▢redient ▢ 재료 ▢ 작품 → ____

11 scul▢ture ▢ 예술품 ▢ 조소, 조각 작품 → ____

12 break▢ast ▢ 저녁 식사 ▢ 아침 식사 → ____

13 with▢raw ▢ 인출하다 ▢ 예금하다 → ____

14 com▢ortable ▢ 편안한 ▢ 불편한 → ____

15 rectan▢ular ▢ 직사각형의 ▢ 정사각형의 → ____

16 re▢rigerator ▢ 세탁기 ▢ 냉장고 → ____

17 pro▢essional ▢ 전문적인 ▢ 비전문적인 → ____

18 bank▢ccount ▢ 은행 직원 ▢ 은행 계좌 → ____

19회
중학

실전 모의고사 19회 →
┌ 모의고사 보통 속도
└ 모의고사 빠른 속도

✎ 들으면서 주요 표현 메모하기!

01 다음을 듣고, 'I'가 무엇인지 가장 적절한 것을 고르시오.

① ② ③ ④ ⑤

02 대화를 듣고, 여자가 구입할 지갑으로 가장 적절한 것을 고르시오.

① ② ③ ④ ⑤

03 다음을 듣고, 토요일의 날씨로 가장 적절한 것을 고르시오.

① ② ③ ④ ⑤

04 대화를 듣고, 남자가 한 마지막 말의 의도로 가장 적절한 것을 고르시오.

① 부탁   ② 거절   ③ 사과   ④ 승낙   ⑤ 위로

고난도 선택지 하나씩 체크하며 풀기

05 다음을 듣고, 남자가 자기소개에서 언급하지 않은 것을 고르시오.

① 이름   ② 주소   ③ 나이
④ 취미   ⑤ 좋아하는 과목

06 대화를 듣고, 콘서트가 시작되는 시각을 고르시오.

① 4:00 p.m.　　　② 5:00 p.m.　　　③ 6:00 p.m.
④ 7:00 p.m.　　　⑤ 8:00 p.m.

✎ 들으면서 주요 표현 메모하기!

07 대화를 듣고, 여자의 장래 희망으로 가장 적절한 것을 고르시오.

① 농부　　　　　② 정원사　　　　　③ 식물학자
④ 프로 농구 선수　⑤ 환경 운동가

19회

머그하기

고난도 선택지 하나씩 체크하며 풀기

08 대화를 듣고, 여자의 주말에 대한 내용으로 일치하지 <u>않는</u> 것을 고르시오.

① 조금 따분했다.　　　　② 주로 집에 있었다.
③ 방 청소를 했다.　　　　④ 호주 여행을 준비했다.
⑤ 조부모님이 오셨다.

09 대화를 듣고, 남자가 대화 직후에 할 일로 가장 적절한 것을 고르시오.

① 전화하기　　　② 동생과 놀기　　　③ 학교 숙제하기
④ 친구 방문하기　⑤ 전화 수리하기

10 대화를 듣고, 무엇에 관한 내용인지 가장 적절한 것을 고르시오.

① 자원봉사 활동　② 할머니의 건강　　③ 부엌 수리하기
④ 감자 요리 비법　⑤ 저녁 식사 만들기

틀린 문제는 Dictation에서
완벽하게 이해하세요.

실전 모의고사 [19]회

✎ 들으면서 주요 표현 메모하기!

11 대화를 듣고, 두 사람이 이용할 교통수단으로 가장 적절한 것을 고르시오.
① 도보　　　　　② 택시　　　　　③ 버스
④ 자동차　　　　⑤ 자전거

12 대화를 듣고, 남자가 TV를 살 수 <u>없는</u> 이유로 가장 적절한 것을 고르시오.
① 가격이 비싸서　　　　　　② 최신 제품이 아니라서
③ 신용 카드를 놓고 와서　　　④ 주차 기계가 고장이라서
⑤ 카드 단말기가 고장 나서

13 대화를 듣고, 두 사람이 대화하는 장소로 가장 적절한 곳을 고르시오.
① 은행　　　　　② 교무실　　　　　③ 도서관
④ 증권 거래소　　⑤ 물품 보관소

14 대화를 듣고, 커피숍의 위치로 가장 알맞은 것을 고르시오.

15 대화를 듣고, 여자가 남자에게 부탁한 일로 가장 적절한 것을 고르시오.
① 산책하기　　　　② 책 반납하기　　　③ 모자 빌려주기
④ 날씨 알려주기　　⑤ 분실물 신고하기

16 대화를 듣고, 남자가 여자에게 제안한 것으로 가장 적절한 것을 고르시오.

① 등산하기   ② 음료수 마시기
③ 방수 가방 챙기기   ④ 편안한 옷 구입하기
⑤ 다른 신발로 바꾸기

✎ 들으면서 주요 표현 메모하기!

17 대화를 듣고, 여자가 휴가 때 한 일로 가장 적절한 것을 고르시오.

① 스키 타기   ② 수영하기   ③ 집에서 지내기
④ 가족과 여행하기   ⑤ 겨울 바다에 가기

18 대화를 듣고, 남자의 직업으로 가장 적절한 것을 고르시오.

① 경찰   ② 의사   ③ 소방관
④ 요리사   ⑤ 간호사

[19-20] 대화를 듣고, 남자의 마지막 말에 이어질 여자의 말로 가장 적절한 것을 고르시오.

남자의 마지막 말에 집중하기

19 Woman: _____

① Yes, you can.   ② That's all right.
③ You're welcome.   ④ Yes, it will be great.
⑤ The teachers helped us a lot.

고난도   핵심 표현 메모하며 풀기

20 Woman: _____

① She will be okay.
② Let me help her.
③ It is too expensive.
④ My mother really likes you.
⑤ A card might make him feel better.

틀린 문제는 Dictation에서 완벽하게 이해하세요.

[Dictation] 실전 모의고사 19회

손으로 써야 내 것이 된다

01 그림 지칭
*들을 때마다 체크

다음을 듣고, 'I'가 무엇인지 가장 적절한 것을 고르시오.

① ② ③
④ ⑤

W I usually live on a _____. I have two _____ and _____. I can _____ eggs. My babies _____ from my eggs. Sometimes, people eat my eggs. I can fly, but I usually walk _____. What am I?

정답 근거
알을 낳다
~에서 부화하다/깨다
걸어다니다

여 나는 주로 농장에서 살고 있습니다. 나는 두 개의 다리와 깃털들이 있습니다. 나는 알을 낳을 수 있습니다. 우리 아기들은 내 알에서 부화합니다. 때때로 사람들은 내 알을 먹습니다. 나는 날 수 있지만 주로 걸어 다닙니다. 나는 무엇일까요?

🔊 Sound Tip walk around
walk의 끝 자음과 around의 첫 모음이 연음되어 [워커라운드]처럼 발음되기도 한다.

02 그림 묘사

대화를 듣고, 여자가 구입할 지갑으로 가장 적절한 것을 고르시오.

① ② ③
④ ⑤

W Excuse me. Do you have _____ for _____?

M Yes. They are right here. What _____ of _____ would you like?
바로 여기에 / 어떤 종류의 ~

W I want a long, _____ wallet. I don't like _____ wallets.
정답 근거

M Okay. How about this one with a _____ on it?
제안하는 표현 / wallet을 가리킴 / this one을 가리킴
함정 주의

W It looks okay, but are there any other animal designs?

M There is this one with a _____ _____ design.

W It's perfect. Thanks for your help.

여 실례합니다. 할인해서 팔고 있는 지갑이 있나요?
남 예. 바로 여기에 있습니다. 어떤 종류의 지갑을 원하세요?
여 긴 직사각형 지갑을 원합니다. 제가 정사각형 지갑은 좋아하지 않아요.
남 알겠습니다. 새가 그려진 이것은 어떠신가요?
여 좋아 보입니다만 다른 동물 디자인이 있나요?
남 귀여운 고양이 디자인이 있는 것이 있어요.
여 완벽하네요. 도와주셔서 고맙습니다.

Dictation 19회 →
┌ 전체 듣기
└ 문항별 듣기

Dictation의 효과적인 활용법
STEP1 들으면서 대본의 빈칸 채우기
STEP2 축쇄 문제를 보며 다시 풀어보기
STEP3 해석을 보며 영어로 말하거나 영작해 보기

공부한 날   월   일

03 날씨

다음을 듣고, 토요일의 날씨로 가장 적절한 것을 고르시오.

①   ②   ③

④   ⑤

여 안녕하세요, 여러분! 여기는 일기예보입니다. 와, 오늘은 아름답고 화창한 날이었습니다! 고맙게도 이 멋지고 화창한 날씨는 내일까지 내내 이어지겠습니다. 그러고 나서 목요일에는 큰 눈보라가 우리 지역으로 올 것입니다. 목요일과 금요일 내내 눈이 올 것으로 예상됩니다. 하지만 눈보라가 주말에는 물러갈 것이라고 전하게 되어 기쁩니다. 토요일과 일요일에는 화창한 하늘이 다시 돌아오겠습니다!

W Hello, everyone! This is the weather report. Wow, it was a beautiful _____ day today! Thankfully, this nice, _____ weather will continue _____ tomorrow. 내일까지 내내
Then, on Thursday, a big _____ will come to our 큰 눈보라
_____. Expect snow to fall all day Thursday and Friday. But I'm happy to report that the snowstorm will be _____ by the weekend. On Saturday and Sunday, _____ skies will _____! 🎯정답 근거

19회

실전모의고사

04 말의 의도

대화를 듣고, 남자가 한 마지막 말의 의도로 가장 적절한 것을 고르시오.
① 부탁   ② 거절   ③ 사과
④ 승낙   ⑤ 위로

[휴대 전화가 울린다.]
남 이봐, Katie. 너에게서 연락을 받아 놀랐어.
여 오, 내가 방해했니? 좋지 않은 시간이니?
남 아니야, 집에서 그냥 책 읽고 있었어. 무슨 일이야?
여 음, 네가 뭐 좀 도와줬으면 해.
남 좋아. 난 항상 내가 가장 좋아하는 친구를 기꺼이 도울 거야.
여 내 냉장고가 고장이 났어. 내일 와서 내가 고치는 것을 도와줄 수 있니?
남 아침에 잠깐 들를게.

📞 Cellphone rings.

M Hey, Katie. I'm surprised to hear from you.

W Oh, did I _____ you? Is this a _____ time? 좋지 않은 시간이니? (이야기하기) 곤란하니?

M No, I'm just _____ at home. What's up? 무슨 일이야?

W Well, I need your _____ with something.

M Sure. I'm always _____ to help my best friend. be willing to: 기꺼이 ~하다

W My refrigerator is _____. Could you _____ and help me _____ it tomorrow? 🎯정답 근거

M I'll come by in the morning. 잠깐 들르다

🔆 Solution Tip
내일 와서 도와줄 수 있느냐는 여자의 말에 남자는 아침에 잠깐 들르겠다고 말한 것으로 보아, 여자의 부탁을 승낙한 것으로 볼 수 있다.

05 언급하지 않은 것

다음을 듣고, 남자가 자기소개에서 언급하지 **않은** 것을 고르시오.
① 이름   ② 주소
③ 나이   ④ 취미
⑤ 좋아하는 과목

남 여러분, 안녕하세요. 저는 여러분의 새 학급 친구 입니다. 제 이름은 Dylan이고 캐나다에서 이곳으로 막 이사를 왔습니다. 저는 13살이고 취미가 많습니다. 저는 농구하는 것과 비행기 모형 만드는 것을 좋아합니다. 학교에서 제가 가장 좋아하는 과목은 역사입니다. 하지만 수학은 좋아하지 않습니다. 여러분 모두를 만나게 되어 기쁘며, 우리가 좋은 친구가 될 수 있기를 희망합니다.

M Hi, everyone. I'm your new classmate. My name is
　🎵정답 근거
Dylan, and I just _____ here _____ Canada. I'm
　　　　　　　　　　　　이곳으로 이사를 왔다
_____ years old, and I have many _____. I like to play basketball and make model airplanes. My favorite _____ at school is _____. I don't like _____ though. It's nice to meet you all, and I _____ we can
[부사] 그렇지만, 하지만
be great friends.

06 시각

대화를 듣고, 콘서트가 시작되는 시각을 고르시오.
① 4:00 p.m.   ② 5:00 p.m.
③ 6:00 p.m.   ④ 7:00 p.m.
⑤ 8:00 p.m.

남 Karen, 콘서트가 내일 밤인 것 맞아?
여 맞아. 거기까지 함께 택시 타고 가고 싶니?
남 물론이지. 5시에 네가 있는 곳까지 가서 거기에서 우리는 택시를 잡을 수 있을 거야.
여 5시? 왜 그렇게 빨리?
남 콘서트가 6시에 시작해.
여 정말? 난 그렇게 생각하지 않는데. 표를 확인 좀 해줄래?
남 좋아. (...) 아, 네 말이 맞네. 그것은 7시에 시작해.
여 그러면 6시에 들르는 게 어때?
남 알았어.

M Karen, the concert is tomorrow _____, right?

W Right. Do you want to _____ a taxi there together?
　　　　　　　　　　택시를 타다

M Sure. I'll come to your _____ at five o'clock and we
can _____ a taxi from there.
　택시를 잡다

W Five? Why so early?

M The concert starts at 6. 🔵함정 주의

W Really? I don't think so. Can you check the _____?

M Okay. (...) Oh, you're right. It starts at _____. 🎵정답 근거

W Then how about coming _____ at _____? 🔵함정 주의
　　　　　　　　들르다, 건너오다

M Sure.

🔙 Solution Tip

남자는 콘서트가 6시에 시작하는 것으로 착각하고 있었고, 다시 확인해 보니 7시에 콘서트가 시작한다는 것을 알게 되었다. 남자가 6시에 여자에게 들르고, 콘서트 시작은 7시임에 유의한다.

07 장래 희망

대화를 듣고, 여자의 장래 희망으로 가장 적절한 것을 고르시오.

① 농부
② 정원사
③ 식물학자
④ 프로 농구 선수
⑤ 환경 운동가

🇬🇧

M Did you _____ these flowers? They're so beautiful.

W Thanks a lot. I love _____ things in my garden and helping them _____.

M I see. Well, it seems that you have a _____ _____.
식물 재배를 잘하다, 원예에 재능이 있다

W Yes, but I want to _____ getting better at _____.
get better: 나아지다, 좋아지다

M Why? You're already great at it.
be great at: ~을 잘하다

W Well, I hope to be a professional _____ in the future.
🔑정답 근거

남 네가 이 꽃들을 심었니? 꽃들이 정말 아름다워.
여 고마워. 나는 내 정원에 무언가를 심는 것과 자라도록 돕는 것을 아주 좋아해.
남 알아. 음, 너는 정원을 가꾸는 솜씨가 있는 것 같아.
여 응, 하지만 나는 원예를 계속 더 잘하고 싶어.
남 왜? 너는 이미 그걸 아주 잘하는데.
여 음, 나는 미래에 전문적인 정원사가 되고 싶어.

08 일치하지 않는 것

대화를 듣고, 여자의 주말에 대한 내용으로 일치하지 않는 것을 고르시오.

① 조금 따분했다.
② 주로 집에 있었다.
③ 방 청소를 했다.
④ 호주 여행을 준비했다.
⑤ 조부모님이 오셨다.

M How was your _____?

W It was a little _____. I mostly _____ _____ and
조금, 약간
cleaned up my room.

M Why didn't you go out?

W I had to get _____ for my family trip to _____.
🔑정답 근거
And my grandparents _____ us on Saturday.

M I'm sure you'll have a great time in Europe.
즐거운 시간을 보내다

W Yeah, I'm really _____ to it!
look forward to: ~을 기대하다, 즐거운 마음으로 기다리다

남 주말은 어떻게 보냈니?
여 조금 따분했어. 대부분 집에 있으면서 내 방을 청소했어.
남 왜 밖에 나가지 않고?
여 유럽으로 가는 가족 여행을 준비해야 했거든. 그리고 조부모님이 토요일에 방문하셨어.
남 난 네가 유럽에서 즐거운 시간을 보낼 것이라고 확신해.
여 응, 정말 기대가 돼!

🔊 Sound Tip cleaned up / visited us
cleaned의 끝 자음과 up의 첫 소리가 연음되어 [클린덥]처럼 발음되기도 한다. visited us도 빠르게 말할 경우 연음되어 [비지티더스]와 같은 소리가 난다.

19회
받아쓰기

09 바로 할 일

대화를 듣고, 남자가 대화 직후에 할 일로 가장 적절한 것을 고르시오.
① 전화하기
② 동생과 놀기
③ 학교 숙제하기
④ 친구 방문하기
⑤ 전화 수리하기

여 Brandon, 바로 지금 여기로 올래? 너와 이야기 좀 해야겠어.
남 알았어요, 엄마. 화가 나신 것 같네요. 제가 잘못한 일이라도 있나요?
여 응. 방금 네 선생님으로부터 전화를 받았어.
남 아, 제 생각에 선생님이 제가 Alex와 싸운 것에 관해 말씀하셨겠네요.
여 맞아. 너는 Alex에게 전화해서 미안하다고 말해야겠구나.
남 알았어요, 제 전화기 가져와서 바로 할게요.

W Brandon, come here right now. I need to talk to you.
　바로 지금, 지금 당장
M Okay, Mom. You look _____. Did I do something
　look+형용사: ~처럼 보이다
wrong?

W Yes. I just _____ a call from your teacher.

M Oh, I guess she told you about my _____ with Alex.

W Right. You _____ _____ _____ Alex and say

sorry.

M Okay, I'll go _____ my _____ and do it now. 정답 근거
　~을 가져오다

🔊 **Sound Tip** told you

told의 d와 you의 y가 만나 [ʧ]로 변하는 현상을 구개음화라고 한다. 따라서 told you는
[토울드]＋[유우]＝[토울쥬]처럼 발음된다.

10 대화 화제

대화를 듣고, 무엇에 관한 내용인지 가장 적절한 것을 고르시오.
① 자원봉사 활동
② 할머니의 건강
③ 부엌 수리하기
④ 감자 요리 비법
⑤ 저녁 식사 만들기

남 할머니, 잠시만 부엌으로 오실 수 있어요?
여 Tom, 바로 거기로 가마. (...) 이 가방들 모두에는 무엇이 들어 있는 거니?
남 두부찌개에 쓸 재료들이에요. 제가 오늘 저녁 식사로 두부찌개를 만들고 싶어요.
여 음, 어떻게 만드는지 아니?
남 글쎄요, 제게 요리법이 있지만 어려워 보여요.
여 자, 내가 도와주마. 내 특별한 요리법을 너에게 가르쳐 줄게.
남 정말요? 그러면 정말 좋을 것 같아요, 할머니.

M Grandma, can you come to the _____ for a few
　　　　　　　　　　　　　　　　　　　　　　　　　잠시
minutes?

W Be right there, Tom. (...) What's in all these _____?

M _____ for *tofu* soup. I want to make it for dinner
　~에 쓰는, ~용의
tonight. 🔑정답 근거

W Um, do you know _____ to make it?
　　　　　　　　　　~하는 방법

M Well, I have a _____, but it seems difficult.

W Here, let me help you. I'll _____ you my _____

_____.

M Really? That would be great, Grandma.
　앞에서 언급된 내용: 할머니가 특별 요리법을 가르쳐 주신다는 것

11 교통수단

대화를 듣고, 두 사람이 이용할 교통수단으로 가장 적절한 것을 고르시오.

① 도보 ② 택시 ③ 버스
④ 자동차 ⑤ 자전거

M Julia, here's your breakfast.

W Dad, I don't have time for breakfast. I'm already running _____ for school.

be running late for는 '~에 늦을 것 같다'라는 의미로 아직 지각은 아니지만 늦을 거라고 예상하는 표현이다.

M You have time. It's 7:30 now, and the bus _____ _____ _____ 7:45.

W Um, I think your _____ is _____. It's already _____.

M 🔑정답 근거 Really? Then I need to _____ you to school in my car. I don't want you to be _____.

W Okay. I'll go _____ my backpack and then we can _____.

남 Julia, 여기 네 아침 식사야.
여 아빠, 저 아침 먹을 시간 없어요. 저는 이미 학교에 늦었어요.
남 넌 시간이 있어. 지금이 7시 30분이고 버스는 7시 45분까지는 오지 않아.
여 음, 제 생각에 아빠 시계가 고장인 듯해요. 벌써 8시예요.
남 정말? 그러면 내가 너를 차로 학교까지 데려다줘야겠네. 난 네가 늦는 것을 원하지 않아.
여 좋아요. 제가 가서 가방을 가져올게요, 그러고 나서 우린 떠날 수 있어요.

12 이유

대화를 듣고, 남자가 TV를 살 수 <u>없는</u> 이유로 가장 적절한 것을 고르시오.

① 가격이 비싸서
② 최신 제품이 아니라서
③ 신용 카드를 놓고 와서
④ 주차 기계가 고장이라서
⑤ 카드 단말기가 고장 나서

M Excuse me. How much does this television _____?

W It's 200 dollars. There's a sale right now.
지금 바로, 당장

M Wow, that's a great _____. I'll _____ it.
그것으로 살게요.

W Great. You can _____ at the _____ over there.

M Oh, can I _____ with a _____ card?

W Unfortunately, our credit card _____ is not _____ _____ today. 🔑정답 근거

M That's too bad. I _____ _____ the TV then.

남 실례합니다. 이 텔레비전은 얼마인가요?
여 200달러입니다. 지금 바로 할인 중입니다.
남 와, 가격이 좋네요. 그것으로 살게요.
여 좋습니다. 저기 계산대에서 지불하실 수 있습니다.
남 아, 신용 카드로 결제해도 되나요?
여 불행하게도, 오늘 저희 신용 카드 기계가 제대로 작동하지 않아요.
남 저런. 그러면 저는 TV를 살 수 없어요.

13 장소

대화를 듣고, 두 사람이 대화하는 장소로 가장 적절한 곳을 고르시오.
① 은행　　　　② 교무실
③ 도서관　　　④ 증권 거래소
⑤ 물품 보관소

남 안녕하세요. 오늘은 어떻게 도와드릴까요?
여 제가 새로운 은행 계좌를 열어야 해서요.
남 물론이죠. 저희 쪽에 계좌가 이미 있으신가요?
여 예, 보통 예금 계좌가 있어요. 이제 당좌 예금 계좌를 열려고요.
남 알겠습니다. 제가 해드릴 수 있습니다. 고객님의 은행 통장을 볼 수 있을까요?
여 여기 있습니다. 아, 그리고 제가 제 예금 계좌에서 돈을 좀 인출해야 해요.

M　Hello. How may I help you today?

W　I need to _____ a new bank _____. 　정답 근거
　　　　　　　　　은행 계좌

M　Certainly. Do you already have an _____ here?

W　Yes, I have a _____ account. Now I want to open
　　　　　　　　보통 은행 계좌
　　a checking account.
　　당좌 예금 계좌

M　I see. I can do that for you. May I please see your

　　_____?

W　Here it is. Oh, also, I need to _____ some money
　　　　　　　　　　　　　　　　withdraw (one's) money from an
　　　　　　　　　　　　　　　　account: 계좌에서 돈을 인출하다
　　from my savings account.

14 그림 위치

대화를 듣고, 커피숍의 위치로 가장 알맞은 것을 고르시오.

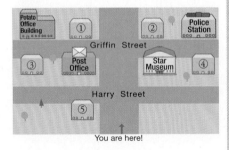

남 Carly, 근처에 커피숍이 있니?
여 응. Griffin 가에 하나 있어.
남 좋아. Griffin 가에는 어떻게 가지?
여 두 블록 직진해서 걸어가렴.
남 알았어. 그리고 나서 어느 길로 돌아야 해?
여 Griffin 가에서 왼쪽으로 돌면 그 커피숍이 우체국 맞은편에 있어.
남 알았어. 지금 거기로 갈게.

M　Carly, is there a coffee shop _____?

W　Yes. There's one on Griffin Street.

M　Okay. How do I get to Griffin Street?
　　　　　　　　　　　~에 닿다, 도착하다

W　_____ _____ _____ blocks.

M　Okay. Then which way do I _____?

W　Turn _____ on Griffin Street, and the coffee shop is

　　_____ from the _____ _____.
　　~의 맞은편에　　　　　　　　　　　정답 근거

M　Got it. I'll go there now.

15 부탁한 일

대화를 듣고, 여자가 남자에게 부탁한 일로 가장 적절한 것을 고르시오.

① 산책하기
② 책 반납하기
③ 모자 빌려주기
④ 날씨 알려주기
⑤ 분실물 신고하기

M Let's go _____ and take a _____.
<u>산책하다</u>

W Okay. How's the weather _____?

M It's really _____.

W Oh, I need _____ _____ then. 🎸정답 근거

M You don't have one?

W I _____ _____ yesterday. Can I _____ one _____ _____?

M Sure. Here you _____.
(자) 여기 있어.

남 밖에 나가서 산책하자.
여 좋아. 밖에 날씨는 어때?
남 정말 화창해.
여 오, 그러면 모자가 필요해.
남 네 것 없니?
여 어제 내 것을 잃어버렸어. 네 것 하나를 빌릴 수 있을까?
남 물론이지. 여기 있어.

16 제안한 것

대화를 듣고, 남자가 여자에게 제안한 것으로 가장 적절한 것을 고르시오.

① 등산하기
② 음료수 마시기
③ 방수 가방 챙기기
④ 편안한 옷 구입하기
⑤ 다른 신발로 바꾸기

M I prepared some drinks. Are you ready to leave?

W Yes, I can't wait to go to the mountains.
~하는 것을 기다릴 수 없다, 너무 기대된다

M Me, too. Um, why are you _____ _____?

W They're my favorite _____. They're really _____.

M Sandals don't _____ your feet though. You should _____ sneakers or _____. 🎸정답 근거

W You're right. I'll go _____ my _____.
go+동사(go and 동사): ~하러 가다

남 내가 음료수를 준비했어. 떠날 준비가 됐니?
여 응, 산에 빨리 가고 싶다.
남 나도 그래. 음, 왜 샌들을 신고 있니?
여 내가 가장 좋아하는 신발이야. 정말 편하거든.
남 하지만 샌들은 네 발을 보호하지 않아. 운동화나 부츠를 신는 게 좋겠어.
여 네 말이 맞아. 신발 바꿔 신으러 갈게.

17 과거에 한 일

대화를 듣고, 여자가 휴가 때 한 일로 가장 적절한 것을 고르시오.
① 스키 타기
② 수영하기
③ 집에서 지내기
④ 가족과 여행하기
⑤ 겨울 바다에 가기

남 미나야, 새해 복 많이 받아! 겨울 방학은 어땠니?
여 고마워, John. 방학은 좋았어.
남 그저 좋았다고? 가족과 함께 스키 여행 가지 않았니?
여 여행을 가기로 계획했지만, 여행이 취소되었어.
남 유감이다. 그래서 대신에 무엇을 했어?
여 그저 집에 있었어. 매일 책을 읽고 TV를 봤어.
남 오, 내 방학이랑 비슷하다. 다소 따분했거든.

M Happy New Year, Mina! How was your _____ vacation?

W Thanks, John. My vacation was okay.

M Just okay? Didn't you go on a _____ _____ with your family?
  go on a trip: 여행 가다

W We _____ to go on a trip, but our trip was _____.
  plan to: ~할 계획이다

M Sorry to hear that. So, what did you do _____?

W I just _____ at home. I read books and _____ TV
  🎸정답 근거
  every day.

M Oh, my vacation was like yours. It was kind of _____.
  약간, 다소, 어느 정도

18 직업

대화를 듣고, 남자의 직업으로 가장 적절한 것을 고르시오.
① 경찰   ② 의사   ③ 소방관
④ 요리사   ⑤ 간호사

남 부인, 괜찮으세요?
여 괜찮아요, 고맙습니다. 집 전체가 다 타버렸나요?
남 아니요. 불은 부엌에만 났습니다. 저희가 큰 물 호스로 불을 껐습니다.
여 그것 다행이네요. 아주 빨리 와 주셔서 정말 고맙습니다.
남 그럼요. 불이 났을 때 바로 오는 게 저희 일이니까요.
여 매우 용감하세요.

M Ma'am, are you okay?

W I'm fine, thanks. Did the _____ house _____
  (화재로) 다 타버리다, 소실되다
  down?

M No, the _____ was only in your kitchen. We
  put _____ out with our big water hoses.
  put out: (불을) 끄다

W That's a _____. Thank you very much for _____
  그것 다행이네요.
  so quickly.

M Of course. It's our job to _____ right away when
  바로 지금, 당장
  there's a _____. 🎸정답 근거

W You're very _____.

 Sound Tip put it out
put의 끝 자음과 it의 첫소리가 연음되어 [푸릿 아웃]처럼 발음된다.

19 이어질 말 ①

대화를 듣고, 남자의 마지막 말에 이어질 여자의 말로 가장 적절한 것을 고르시오.

Woman: _____

① Yes, you can.
② That's all right.
③ You're welcome.
④ Yes, it will be great.
⑤ The teachers helped us a lot.

M   Did you do anything _____ last _____?

W   Yes, I went to an _____ class with my _____.

M   Sounds fun. Did you learn to _____ something?

W   No, we actually _____ how to make _____ with _____.
(만드는 방법)

M   Wow. Wasn't it _____? 🔑정답 근거

W   ⑤ The teachers helped us a lot.

남 지난주에 재미있는 일 있었니?
여 응, 남동생과 함께 미술 수업에 갔어.
남 재미있었겠다. 그리는 것을 배웠니?
여 아니야, 우리는 실제로 점토로 조소 작품 만드는 법을 배웠어.
남 와. 어렵지는 않았니?
여 ⑤ 선생님들이 우리를 많이 도와주셨어.

① 응, 너는 할 수 있어.　　② 괜찮아.
③ 천만에요.　　④ 응, 그것은 멋질 거야.

20 이어질 말 ②

대화를 듣고, 남자의 마지막 말에 이어질 여자의 말로 가장 적절한 것을 고르시오.

Woman: _____

① She will be okay.
② Let me help her.
③ It is too expensive.
④ My mother really likes you.
⑤ A card might make him feel better.

M   Did you see Spenser today? He looks _____.

W   Yeah, I feel so _____ for him.

M   What do you mean? I didn't _____ anything.

W   Oh, you didn't _____? His grandfather is in the hospital.

M   That's too bad. I wish we could _____ _____.
(cheer up: 격려하다, 응원하다)
_____. 🔑정답 근거

W   ⑤ A card might make him feel better.

남 오늘 Spenser 봤니? 슬퍼 보이던데.
여 응, 그가 정말 안쓰러워.
남 무슨 말이니? 나는 아무 것도 듣지 못했는데.
여 아, 너 못 들었니? 그의 할아버지께서 입원 중이셔.
남 저런 안됐구나. 우리가 그를 격려해 줄 수 있으면 좋을 텐데.
여 ⑤ 카드가 그의 기분을 낫게 할지도 모르겠다.

Solution Tip
평서문에 이어질 말을 고를 때는 앞에서 언급된 내용들을 종합적으로 이해해야 한다. 슬퍼 보이는 Spenser를 위해 남자가 격려하고 싶다는 바람을 나타냈으므로, 여자는 격려하는 것에 대한 의견을 말하는 것이 자연스럽다.

① 그녀는 괜찮을 거야.　　② 내가 그녀를 도와줄게.
③ 너무 비싸다.　　④ 우리 엄마가 정말 너를 좋아해.

모의고사를 먼저 풀고 싶으면 314쪽으로 이동하세요.

🎧 다음 표현을 듣고 모르는 것에 표시하시오.

- 01 bottle 병
- 02 fasten 매다
- 03 actor 배우
- 04 rest 나머지
- 05 smile 미소
- 06 career 직업
- 07 chore 집안일
- 08 deal 거래
- 09 electricity 전기
- 10 amazing 놀라운
- 11 anywhere 어디에서도
- 12 free 한가한; 공짜의
- 13 land 착륙하다
- 14 librarian 사서
- 15 meal 식사
- 16 dessert 후식
- 17 odd 이상한, 기묘한
- 18 pale 창백한
- 19 dentist 치과의사
- 20 prize 상
- 21 trophy 트로피
- 22 counter 조리대, 계산대
- 23 stripe 줄무늬
- 24 pillow 베개

- 25 delicious 맛있는
- 26 sunshine 햇빛
- 27 seat belt 안전벨트
- 28 time off 휴식
- 29 condition 상태
- 30 passenger 승객
- 31 regular price 정가
- 32 get better 좋아지다
- 33 final test 기말고사
- 34 tune into ~으로 채널을 맞추다
- 35 underwater 수중의, 물속의
- 36 as long as ~하는 한
- 37 be allowed to ~하는 것이 허용되다
- 38 be busy with ~으로 바쁘다
- 39 make a mistake 실수하다
- 40 by the way 그런데
- 41 in addition to ~에 더하여

📝 알아두면 유용한 선택지 어휘

- 42 calm down 진정하다
- 43 lamp 램프, 스탠드
- 44 submarine 잠수함
- 45 give up 포기하다
- 46 flight attendant 비행 승무원

🎧 들으면서 표현을 완성한 다음, 뜻을 고르시오.

표현의 의미를 생각하며 다시 써 보기!

01 ☐eal　　☐ 욕심　　☐ 거래　　➜

02 stri☐e　　☐ 기린　　☐ 줄무늬　　➜

03 b☐ttle　　☐ 병　　☐ 질병　　➜

04 ☐essert　　☐ 사막　　☐ 후식　　➜

05 ☐ale　　☐ 창백한　　☐ 안색이 좋은　　➜

06 fas☐en　　☐ 매다　　☐ 풀다　　➜

07 c☐ore　　☐ 중요한 일　　☐ 집안일　　➜

08 pillo☐　　☐ 베개　　☐ 방석　　➜

09 con☐ition　　☐ 비상사태　　☐ 상태　　➜

10 p☐ssenger　　☐ 메신저　　☐ 승객　　➜

11 e☐ectricity　　☐ 전기　　☐ 가전제품　　➜

12 li☐rarian　　☐ 도서관　　☐ 사서　　➜

13 as ☐ong as　　☐ 오랫동안　　☐ ~하는 한　　➜

14 re☐ular price　　☐ 정가　　☐ 할인가　　➜

15 tu☐e into　　☐ 조사하다　　☐ 채널을 맞추다　　➜

16 by the ☐ay　　☐ 그런데　　☐ 하지만　　➜

17 un☐erwater　　☐ 수중의　　☐ 물 밖의　　➜

18 in ☐ddition to　　☐ ~에 더하여　　☐ ~을 배제하고　　➜

어휘 **20**회

실전
모의고사 [20]회

실전 모의고사 20회 →
⎡ 모의고사 보통 속도
⎣ 모의고사 빠른 속도

✎ 들으면서 주요 표현 메모하기!

01 다음을 듣고, 'this'가 가리키는 것으로 가장 적절한 것을 고르시오.

①   ②   ③   ④   ⑤

02 대화를 듣고, 두 사람이 구입할 베개로 가장 적절한 것을 고르시오.

①   ②   ③   ④   ⑤

03 다음을 듣고, 대구의 날씨로 가장 적절한 것을 고르시오.

①   ②   ③   ④  ⑤

04 대화를 듣고, 여자가 한 마지막 말의 의도로 가장 적절한 것을 고르시오.

① 칭찬 ② 제안 ③ 감사 ④ 비난 ⑤ 위로

고난도 선택지 하나씩 체크하며 풀기

05 다음을 듣고, 여자가 가족 사진에 대해 언급하지 <u>않은</u> 것을 고르시오.

① 가족 구성원 수 ② 형제 ③ 남동생
④ 찍은 장소 ⑤ 가족 휴가

06 대화를 듣고, 여자가 지불한 금액을 고르시오.

① $18 　　② $40 　　③ $50
④ $80 　　⑤ $80.50

✎ 들으면서 주요 표현 메모하기!

07 대화를 듣고, 남자의 장래 희망으로 가장 적절한 것을 고르시오.

① 배우 　　② 사진작가 　　③ 골프 선수
④ 치과 의사 　　⑤ 테니스 선수

20회 DICTATION

고난도 ‥선택지 하나씩 체크하며 풀기

08 대화를 듣고, 여자의 사촌에 대한 내용으로 일치하지 <u>않는</u> 것을 고르시오.

① 이번 주에 여자의 집에 머문다. 　② 다른 도시에서 살고 있다.
③ 여자보다 나이가 많다. 　④ 내년에 고등학교를 졸업한다.
⑤ 다른 여자보다 훨씬 키가 크다.

09 대화를 듣고, 남자가 대화 직후에 할 일로 가장 적절한 것을 고르시오.

① 숙제하기 　　② 예매하기 　　③ 방 청소하기
④ 설거지하기 　　⑤ 쓰레기 버리기

10 대화를 듣고, 무엇에 관한 내용인지 가장 적절한 것을 고르시오.

① 기말고사 　　② 여름 방학 　　③ 도서관 이용
④ 동아리 활동 　　⑤ 효과적인 학습법

틀린 문제는 Dictation에서
완벽하게 이해하세요.

11 대화를 듣고, 두 사람이 이용할 교통수단으로 가장 적절한 것을 고르시오.

① 배   ② 택시   ③ 버스

④ 비행기   ⑤ 잠수함

12 대화를 듣고, 여자가 축구를 하지 <u>않는</u> 이유로 가장 적절한 것을 고르시오.

① 다리를 다쳐서   ② 축구를 싫어해서   ③ 배가 너무 고파서

④ 숙제를 해야 해서   ⑤ 친구 병문안을 가야 해서

13 대화를 듣고, 두 사람의 관계로 가장 적절한 것을 고르시오.

① 교사 – 학생   ② 조종사 – 부조종사   ③ 경찰관 – 민원인

④ 승무원 – 탑승객   ⑤ 식당 종업원 – 손님

14 대화를 듣고, 여자가 찾고 있는 물병의 위치로 가장 알맞은 것을 고르시오.

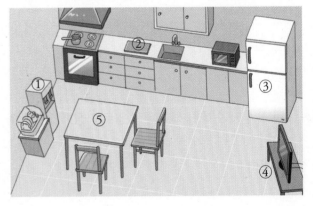

15 대화를 듣고, 여자가 남자에게 부탁한 일로 가장 적절한 것을 고르시오.

① 산책하기   ② 안부 전하기   ③ 책 가져오기

④ 다리 부축하기   ⑤ 노트북 가져오기

16 대화를 듣고, 남자가 여자에게 제안한 것으로 가장 적절한 것을 고르시오.

① 쇼핑하러 가기   ② 회사 면접 보기
③ 창의적인 지원서 쓰기   ④ 새로운 홈페이지 만들기
⑤ 면접 볼 회사에 대해 미리 알기

✎ 들으면서 주요 표현 메모하기!

고난도 핵심 표현 메모하며 풀기

17 대화를 듣고, 여자가 지난 화요일에 한 일로 가장 적절한 것을 고르시오.

① 시험 보기   ② 휴대 전화 수리하기   ③ 전화번호 바꾸기
④ 부모님과 면담하기   ⑤ 가족 여행 다녀오기

18 대화를 듣고, 남자의 직업으로 가장 적절한 것을 고르시오.

① 잡지 기자   ② 카운슬러   ③ 식당 종업원
④ 식품 연구원   ⑤ 마트 계산원

[19-20] 대화를 듣고, 남자의 마지막 말에 이어질 여자의 말로 가장 적절한 것을 고르시오.

19 Woman: _____

① I won first prize.   ② Okay, I'll be there.
③ You never give up.   ④ I'm very proud of you.
⑤ See you at the bus stop tomorrow.

남자의 마지막 말에 집중하기

20 Woman: _____

① That's a good idea.   ② You made a mistake.
③ It's in the refrigerator.   ④ You can be a great athlete.
⑤ You should try to calm down.

틀린 문제는 Dictation에서 완벽하게 이해하세요.

01 그림 지칭

*들을 때마다 체크

다음을 듣고, 'this'가 가리키는 것으로 가장 적절한 것을 고르시오.

① ② ③
④ ⑤

W You can _____ this on desks, tables, or on the

🔑정답 근거

_____. If you _____ this on, the room will

<small>turn on의 목적어로 대명사 it이나 this 등을 쓸 때는 반드시 turn과 on 사이에 넣어야 한다.</small>

_____ _____. This comes in many different

_____. This can be tall or _____. This _____

batteries or electricity to _____ _____. What is

this?

여 여러분은 이것을 책상, 탁자, 혹은 마루 위에서 발견할 수 있습니다. 여러분이 이것을 켜면, 방은 더 환해질 것입니다. 이것은 많은 다양한 형태로 나옵니다. 이것은 키가 크거나 작을 수 있습니다. 이것은 켜기 위해서 건전지나 전기가 필요합니다. 이것은 무엇일까요?

🔑 **Sound Tip** batteries or electricity

t나 tt가 단어들 사이에 있고 특별히 강세가 없는 경우, 해당 단어를 빠르게 읽으면 소리가 약화되어 [d] 또는 [ㄹ]처럼 변한다. batteries [배러리스], electricity [일렉트리시리]의 발음에 유의한다.

02 그림 묘사

대화를 듣고, 두 사람이 구입할 베개로 가장 적절한 것을 고르시오.

① ② ③
④ ⑤

M Jackie, look at this _____ with _____ on it.

W Sorry, but I don't like it. How about this one with

<small>~은 어때? (제안하는 표현)</small>

_____ _____?

M No, it's too _____. We need a _____ pillow. 🔑정답 근거

W You're right. Oh, look at that one!

<small>(a large) pillow를 가리킨다.</small>

M You mean the big one with two _____?

W Exactly. I love it.

M Me _____. Let's buy it.

남 Jackie야, 줄무늬가 있는 이 베개를 보렴.
여 미안하지만 나는 그게 맘에 들지 않아. 별 세 개가 있는 이것은 어때?
남 아니, 그것은 너무 작아. 우리는 큰 베개가 필요해.
여 맞아. 오, 저것 좀 봐!
남 별 두 개가 있는 큰 베개 말이니?
여 맞아. 그게 마음에 들어.
남 나도 그래. 저것을 사자.

 Dictation 20회 →
┌ 전체 듣기
└ 문항별 듣기

Dictation의 효과적인 활용법
STEP1 들으면서 대본의 빈칸 채우기
STEP2 축쇄 문제를 보며 다시 풀어보기
STEP3 해석을 보며 영어로 말하거나 영작해 보기

공부한 날   월   일

03 날씨

다음을 듣고, 대구의 날씨로 가장 적절한 것을 고르시오.

①   ②   ③

④   ⑤

남 전국 뉴스 네트워크로 채널을 맞춰 주셔서 감사합니다. 저는 John Jones이며 여기는 전국 도시의 일기예보입니다. 서울에서는 비가 오고 바람이 부는 날씨가 될 것입니다. 인천은 서울과 같은 날씨 상태를 보이겠습니다. 하지만 부산에서는 비가 오지 않을 것입니다. 하늘은 구름 한 점 없이 해가 환하게 비치겠습니다. 하지만 대구는 어떠한 햇빛도 비치지 않을 것입니다. 거기는 구름이 잔뜩 끼겠습니다.

M Thanks for _____ into National News Network. I'm
　　　　　　tune into: ~으로 채널을 맞추다
John Jones and this is your weather report for cities
_____ the country. In Seoul, the weather will be
전국의, 온 나라의
_____ and _____. Incheon will have the same
weather _____ as Seoul. However, in Busan, it will
the same A as B: B와 같은 A
not _____. The sky will be _____ of _____,
　　　　　　　　　　　　　　~이 없는
and the sun will shine brightly. Daegu will not have any
sunshine _____. It will be very _____ there. 정답 근거

04 말의 의도

대화를 듣고, 여자가 한 마지막 말의 의도로 가장 적절한 것을 고르시오.
① 칭찬   ② 제안   ③ 감사
④ 비난   ⑤ 위로

남 있잖아요, 엄마.
여 와, David, 행복해 보이는구나. 내 생각에 넌 좋은 소식이 있는 것 같은데.
남 그래요. 오늘은 춤 경연대회가 있었고 제가 우승했어요.
여 축하해! 네가 정말 열심히 연습한 것을 알지.
남 고마워요, 엄마. 이 큰 금빛 트로피를 받았어요.
여 그것을 TV 옆에 두는 게 어떠니?

M Mom, _____ what?

W Wow, you _____ happy, David. I guess you have
good news.

M I do. Today was the dance contest and I _____ first
　　　　　　　　　　　　　　　win first prize: 일등상을 타다
prize.

W Congratulations! I know you _____ really hard.

M Thanks, Mom. I got this big _____ trophy.

W How _____ _____ it _____ the TV? 정답 근거
How about -ing?는 '~하는 게 어때?'라는 뜻으로 상대방에게 제안하는 표현이다.

05 언급하지 않은 것

다음을 듣고, 여자가 가족 사진에 대해 언급하지 않은 것을 고르시오.
① 가족 구성원 수   ② 형제
③ 남동생   ④ 찍은 장소
⑤ 가족 휴가

 정답 근거

W   This is a picture of my family. Here you can see that my family has _____ members. In _____ to my mom
~에 더하여, ~을 추가하여
and dad, I have _____ _____ sisters. I am the _____ child in my family. This picture was _____ in _____ during our family vacation. We go on a family vacation _____ a year. My family and I love
일 년에 한 번
traveling to new _____ together.
travel to: ~로 여행하다

여   이것은 우리 가족사진입니다. 여기 우리 가족이 5명이라는 것을 보실 수 있습니다. 엄마와 아빠에 더하여, 저는 두 명의 여동생이 있습니다. 저는 우리 가족 중 첫째 아이(맏이)입니다. 이 사진은 우리 가족 휴가 동안에 인도에서 찍은 것입니다. 우리는 일 년에 한 번 가족 휴가를 갑니다. 우리 가족과 저는 함께 새로운 나라로 여행하는 것을 좋아합니다.

 Solution Tip

여자는 두 명의 여동생만 있고 남동생은 없다.

06 금액

대화를 듣고, 여자가 지불한 금액을 고르시오.
① $18   ② $40   ③ $50
④ $80   ⑤ $80.50

M   Cool _____! Are they new?

W   Yes, I just _____ them yesterday.
cool pants를 가리킴

M   I see. They look _____.

W   Yeah, the _____ price was 80 dollars. 정답 근거

M   Wow, you _____ _____ dollars for them? 함정 주의

W   No way! I got a _____ _____ discount.
절대 아니다! 말도 안 돼!

M   That's a great _____!
그것은 정말 싸구나!

남   멋진 바지다! 새것이니?
여   응, 어제 샀어.
남   그렇군. 바지가 비싸 보여.
여   맞아, 정가가 80달러였어.
남   와, 바지 값으로 80달러를 지불했어?
여   절대 아니야! 50% 할인을 받았어.
남   그것은 정말 싸구나!

Solution Tip

바지의 정가가 80달러였으나 50% 할인을 받았다고 했으므로 여자가 지불한 금액은 40달러가 된다.

07 장래 희망

대화를 듣고, 남자의 장래 희망으로 가장 적절한 것을 고르시오.

① 배우   ② 사진작가
③ 골프 선수   ④ 치과 의사
⑤ 테니스 선수

남 Sue는 아름다운 미소를 가졌어.
여 고마워. 너는 종종 사람들의 미소를 보는 것 같아.
남 맞아. 나는 치아에 관심이 있어.
여 치아? 그거 조금 이상한데.
남 꼭 그렇지는 않아. 우리 엄마가 치과 의사셔.
여 그래서 너도 치과 의사가 되고 싶구나?
남 응, 내 생각에 그것은 매우 재미있는 직업이 될 것 같아.

M Sue, you have a beautiful _____.

W Thanks. It _____ that you often look at people's _____.
~처럼 보이다   ~을 보다

M You're right. I'm _____ in _____.
be interested in: ~에 관심이 있다

W Teeth? That's a bit _____.
약간, 조금

M Not really. My mom is a _____.
완곡하게 부정하는 말: 꼭 그렇지는 않아. 설마.

W So you want to be a _____, _____? 🔑정답 근거

M Yes, I think it would be a very interesting _____.

08 일치하지 않는 것

대화를 듣고, 여자의 사촌에 대한 내용으로 일치하지 <u>않는</u> 것을 고르시오.

① 이번 주에 여자의 집에 머문다.
② 다른 도시에서 살고 있다.
③ 여자보다 나이가 많다.
④ 내년에 고등학교를 졸업한다.
⑤ 다른 여자보다 훨씬 키가 크다.

남 전에 난 네가 한 여자아이와 함께 걸어가는 것을 보았어. 누구니?
여 그녀는 내 사촌이야. 그녀는 이번 주에 우리 집에 머무르고 있어.
남 그래서 그녀는 이 근처에 살지 않니?
여 응, 그녀는 다른 도시에 살아.
남 알겠어. 그녀가 너보다 어리니?
여 아니, 그녀는 나보다 두 살 많아. 그녀는 내년에 고등학교에 들어갈 거야.
남 놀랐어. 그녀는 어려 보이지만 다른 어떤 여자아이보다도 훨씬 키가 커서.

M I saw you _____ with a girl earlier. Who is she?
지각동사+목적어+목적격보어(동사원형 혹은 현재분사형)

W She's my _____. She's staying at my house this week.

M So she doesn't live _____ here?

W No, she lives in another city.

M I see. Is she _____ than you?

W No, she's two years _____ _____ me. She'll start high school next year. 🔑정답 근거

M I'm surprised. She looks young, but she's so much _____ than any _____ _____.
비교급+than any other+단수명사: 최상급의 의미를 가짐

09 바로 할 일

대화를 듣고, 남자가 대화 직후에 할 일로 가장 적절한 것을 고르시오.

① 숙제하기　　② 예매하기
③ 방 청소하기　④ 설거지하기
⑤ 쓰레기 버리기

남 엄마, 오늘 밤에 영화 보러가도 괜찮아요?
여 물론이지, 가기 전에 네 집안일을 끝낸다면.
남 저는 이미 제 침실을 청소했어요.
여 좋아, 하지만 네가 해야 할 다른 집안일이 있어.
남 설거지감 말씀이세요?
여 맞아. 넌 오늘밤 떠나기 전에 그것들을 설거지해야 해.
남 좋아요. 지금 하러 갈게요.

M Mom, is it _____ if I go to the movies tonight?
'~해도 괜찮을까요?'라는 의미로 허락이나 허가를 구하는 표현이다.

W Sure, as _____ as you finish your chores _____
~하는 한, ~하기만 하면
you go.

M I already _____ my _____. 🍎함정 주의

W That's good, but there's another _____ you need to do.

M Do you mean the _____?
그릇들, 식기류, 설거지감

W Right. You have to _____ them before you _____
the dishes를 가리킴
tonight. 🎵정답 근거

M Okay. I'll go do that now.

10 대화 화제

대화를 듣고, 무엇에 관한 내용인지 가장 적절한 것을 고르시오.

① 기말고사　　② 여름 방학
③ 도서관 이용　④ 동아리 활동
⑤ 효과적인 학습법

남 우리의 여름 방학이 곧 시작해! 난 정말 기뻐.
여 그래, 쉬는 것은 멋지지. 하지만 먼저 우리는 기말고사를 치러야 해.
남 네 말이 맞아. 공부하는 것 시작했니?
여 물론이지. 나는 요즘 도서관에서 주로 공부해. 너는 어때?
남 음, 아직. 나는 컴퓨터 동아리 때문에 바빠.
여 그것 안됐구나. 공부하는 데 도움 좀 필요하니?
남 응. 난 혼자 공부하는 것을 잘하지 못해.

M Our summer vacation starts soon! I'm so happy.

W Yeah, having time _____ will be great. But first, we
휴식
have to take our _____ tests. 🎵정답 근거

M You're right. _____ you _____ studying?

W Of course. I usually study in the library these days.
What _____ _____?
= How about you?

M Um, not yet. I'm _____ with my computer club.
be busy with: ~으로 바쁘다

W That's not good. Do you need some help studying?

M Yes. I'm not good _____ _____ _____.
be not good at: ~을 잘하지 못하다

11 교통수단

대화를 듣고, 두 사람이 이용할 교통수단으로 가장 적절한 것을 고르시오.

① 배　　② 택시　　③ 버스
④ 비행기　⑤ 잠수함

남 난 런던에서의 우리의 시간이 거의 되어간다는 게 믿기지 않아.
여 응, 시간이 휙 지나갔어. 하지만 난 파리가 기대돼. 우리 거기에서 비행기를 타니?
남 비행 요금이 너무 비싸. 우리는 거기에서 배를 탈 수 있어.
여 배를 타면 내가 멀미를 해. 다른 방법은 없니?
남 우리가 탈 수 있는 버스가 있어. 버스는 프랑스까지 가는 수중 터널을 통과해.
여 멋지대! 버스로 가고 싶어.
남 좋아. 내가 표를 예매할게.

M　I can't believe our time in London is almost done.

W　Yeah, the time flew. But I'm excited for Paris. Are we taking a _____ there?
　　fly의 과거형

M　The flights are too _____. We can take a boat there.
　　　　　　　　　　　　　　　　　　🔔함정 주의

W　Boats make me feel _____. Isn't there any other way?
　　멀미하다, 토할 것 같다

M　🎵정답 근거
　　There are some buses we can take. They go _____ the underwater _____ to France.
　　buses를 가리킴

W　Cool! I want to go by bus.

M　Sounds good. I'll _____ the tickets.

12 이유

대화를 듣고, 여자가 축구를 하지 않는 이유로 가장 적절한 것을 고르시오.

① 다리를 다쳐서
② 축구를 싫어해서
③ 배가 너무 고파서
④ 숙제를 해야 해서
⑤ 친구 병문안을 가야 해서

남 Janet, 너 방과 후에 바쁘니?
여 아니, 한가해. 무슨 일이야?
남 우리 친구들 모두가 함께 축구하러 갈 예정이야.
여 정말 재미있을 것 같아. 나도 운동할 수 있다면 좋을 테지만 오늘은 할 수 없어.
남 음, 네가 바쁘지 않다고 방금 말했는데.
여 맞아, 하지만 어제 발을 다쳤어. 의사 선생님이 한 동안 운동하지 말라고 하셨어.
남 아, 알겠어.

🇬🇧

M　Janet, are you busy _____ school?

W　No, I'm _____. What's up?
　　여기에서는 무슨 일이 있는지를 묻는 표현으로 쓰였다.

M　All our _____ are going to play soccer together.

W　That sounds really fun. I wish I could _____, but I can't today.

M　Um, you just said that you _____ _____.

W　Yes, but I _____ my _____ yesterday. The doctor said not to play sports for a _____. 🎵정답 근거
　　to부정사의 부정형: not+to부정사　　*얼마 동안, 잠시 동안*

M　Oh, I understand.

13 관계

대화를 듣고, 두 사람의 관계로 가장 적절한 것을 고르시오.
① 교사 – 학생
② 조종사 – 부조종사
③ 경찰관 – 민원인
④ 승무원 – 탑승객
⑤ 식당 종업원 – 손님

여 선생님, 마실 것을 드릴까요?
남 물을 부탁드립니다.
여 여기 있습니다. 남은 비행시간을 즐기시기 바랍니다.
남 고맙습니다. 아, 비행기가 언제 착륙하는지 말씀해 주실 수 있나요?
여 약 2시간이 지나면 착륙합니다.
남 알겠습니다. 그리고 저녁식사는 언제 제공되나요?
여 모든 승객분들이 음료수를 마신 후입니다. 그때까지는 자리에 앉아서 안전벨트를 매셔야 합니다.
남 알겠습니다.

W Sir, would you like something to _____?
~ 하시겠습니까? ~ 드시겠습니까?

M Water, please.

W Here you are. Enjoy the _____ of the _____. 🎤정답 근거

M Thank you. Oh, can you tell me when the _____ _____?

W It lands in about two hours.
약, 대략

M Okay. And when will _____ be _____?

W After all the _____ have their drinks. Until then, please stay in your _____ and keep your seat belt _____.
keep+목적어+과거분사: (목적어)가 ~한 상태가 되도록 유지하다

M Okay.

14 그림 위치

대화를 듣고, 여자가 찾고 있는 물병의 위치로 가장 알맞은 것을 고르시오.

남 엄마, 뭔가 찾고 계세요?
여 응. 물병을 어디에서도 찾을 수가 없구나.
남 엄마 물병이요? 냉장고 안에 두시지 않나요?
여 주로 그렇지만 오늘 아침에 내가 꺼냈거든.
남 식탁은요? 아마 거기 있을 것 같아요.
여 거기에서도 보이지 않아. 아, 찾았다!
남 어디에 있었어요?
여 싱크대 옆 조리대에 있었어.

M Mom, are you looking _____ something?
~을 찾다

W Yes. I can't find my _____ _____ anywhere.

M Your water _____? Don't you keep _____ in the refrigerator?
~ 속에 넣어 두다, 보관하다

W Usually, but I took it _____ this morning.

M What about the _____? Maybe it's there.

W I don't see it there. Ah, I found it!

M Where was it?

W It was on the _____ _____ _____ the sink. 🎤정답 근거

15 부탁한 일

대화를 듣고, 여자가 남자에게 부탁한 일로 가장 적절한 것을 고르시오.

① 산책하기
② 안부 전하기
③ 책 가져오기
④ 다리 부축하기
⑤ 노트북 가져오기

[휴대 전화가 울린다.]
남 이봐, Rachel. 다리는 어떠니?
여 좋아지고 있지만, 아직은 여전히 걸을 수는 없어.
남 넌 집에 머물러 있느라 따분해질지도 모르겠다.
여 응, 내가 할 게 없어. 그런데 너 지금 바쁘니?
남 꼭 그렇지는 않아. 왜?
여 내게 읽을 만한 새 책 몇 권 가져다줄 수 있어?
남 물론이지. 20분 후에 도착할게.

📞 *Cellphone rings.*

M Hey, Rachel. How's your _____?

W It's getting _____, but I still can't _____ _____.

M You must be getting _____ with staying at home.
~에 따분해지다

W Yeah, I have nothing to do. By the way, are you busy
그런데
now?

M Not really. Why?
꼭 그렇지는 않아, 별로   🔑정답 근거

W Can you _____ me some new books to _____?

M Sure. I'll be there in _____ minutes.

16 제안한 것

대화를 듣고, 남자가 여자에게 제안한 것으로 가장 적절한 것을 고르시오.

① 쇼핑하러 가기
② 회사 면접 보기
③ 창의적인 지원서 쓰기
④ 새로운 홈페이지 만들기
⑤ 면접 볼 회사에 대해 미리 알기

남 내일 쇼핑하러 가고 싶니?
여 난 갈 수 없어. 취업 면접이 있어.
남 행운을 빌어! 그 회사에 관해 많이 알고 있니?
여 아니, 그 회사에 관해서 많이 알고 있지 않아.
남 음, 난 네가 그 회사 홈페이지를 체크하고 그 회사에 관해 알아야 한다고 생각해.
여 알았어. 제안 고마워.

M Do you want to go _____ tomorrow?

W I can't. I have a _____ interview.

M Good luck! Do you know a lot about the _____?

W No, I don't know much about it.

M Um, I think you should _____ _____ the company
충고나 권유의 의미를 지닌 조동사가 쓰였다.
_____ and _____ about the company. 🔑정답 근거

W Okay. Thanks for the _____.

🔊 Sound Tip **know a lot about**
know a lot about을 빠르게 읽으면 단어와 단어 사이가 연음되면서 [노워 라 러바웃]처럼 발음된다. t가 약화되어 [ㄹ]소리가 됨에 유의한다.

17 과거에 한 일

대화를 듣고, 여자가 지난 화요일에 한 일로 가장 적절한 것을 고르시오.
① 시험 보기
② 휴대 전화 수리하기
③ 전화번호 바꾸기
④ 부모님과 면담하기
⑤ 가족 여행 다녀오기

남 지난 화요일에 너에게 전화를 했지만 네가 받지를 않더라.
여 그 일에 대해 미안해. 그날 내가 휴대 전화를 갖고 있지 않았어.
남 이상하다. 너는 항상 휴대 전화를 지니고 있잖아.
여 맞아, 하지만 화요일에는 휴대 전화가 허용되지 않았어.
남 네 부모님이 휴대 전화를 가져가셨니?
여 아니야, 난 중요한 시험이 있었고 내 휴대 전화를 가지고 가는 게 허락되지 않았어.

M I tried to _____ you _____ Tuesday, but you didn't answer.

W Sorry about that. I didn't have my _____ that day.

M That's _____. You always _____ your phone with you.

W True, but I wasn't _____ to have it on Tuesday.
  be not allowed to: ~하는 것이 허용되지 않다　　앞에서 언급된 your phone이다.

M Did your _____ take your phone?

W No, I had to _____ an important test, and I wasn't 🔑정답 근거
  take a test: 시험을 보다
allowed to bring my phone.

18 직업

대화를 듣고, 남자의 직업으로 가장 적절한 것을 고르시오.
① 잡지 기자　　② 카운슬러
③ 식당 종업원　　④ 식품 연구원
⑤ 마트 계산원

남 식사는 맛있었나요?
여 맛있었어요. 이 식당은 후식 메뉴가 있나요?
남 예. 아이스크림이나 케이크가 있습니다.
여 좋아요, 우리는 아이스크림을 먹을게요.
남 알겠습니다. 바로 잠시 후에 오겠습니다. (…) 여기 아이스크림이 있습니다.
여 고맙습니다. 저는 또한 차 한 잔도 마시고 싶어요.

M How did you _____ your _____? 🔑정답 근거

W It was delicious. Does this restaurant have a _____ _____?

M Yes. We have ice cream or _____.

W Okay, we'll have some ice cream.

M Certainly. I'll be _____ back. (…) Here is your ice
  바로 돌아오겠습니다
cream.

W Thank you. I would also like a _____ of tea, please.
  한 잔의 차

💡 **Sound Tip** cup of
cup of가 [커버브]처럼 연음되어 발음됨에 유의한다.

19 이어질 말 ①

대화를 듣고, 남자의 마지막 말에 이어질 여자의 말로 가장 적절한 것을 고르시오.

Woman: _____

① I won first prize.
② Okay, I'll be there.
③ You never give up.
④ I'm very proud of you.
⑤ See you at the bus stop tomorrow.

남 좋은 소식이 있어!
여 쉿! 조용히 하렴. 저 사서가 여기를 보고 있어.
남 오, 미안. 나 정말 기뻐서. 나 콘서트 표 2장 공짜로 받았어.
여 놀라운데. 너는 누구를 콘서트에 초대하려고 하니?
남 물론, 너지! 오늘밤 7시에 역에서 보자.
여 ② 좋아. 거기로 갈게.

🇬🇧

M I have great news!

W Shh! _____ down. The librarian is looking over here.
조용히 해라. 진정해라.   look over 살펴보다

M Oh, sorry. I'm just so _____. I _____ two _____ concert tickets.

W That's amazing. _____ are you going to _____ to the concert?

M You, of course! Let's meet at the _____ tonight at _____. 🎵정답 근거

W ② Okay, I'll be there.

① 일등 상 받았어.   ③ 너는 절대 포기하지 않지.
④ 나는 네가 자랑스러워.   ⑤ 내일 버스 정류장에서 보자.

20 이어질 말 ②

대화를 듣고, 남자의 마지막 말에 이어질 여자의 말로 가장 적절한 것을 고르시오.

Woman: _____

① That's a good idea.
② You made a mistake.
③ It's in the refrigerator.
④ You can be a great athlete.
⑤ You should try to calm down.

남 네 얼굴이 창백해 보여. 아프니?
여 아니, 그냥 초조해서.
남 오늘밤 뮤지컬을 이야기하는 거니?
여 응, 내가 공연을 할 수 없을 것 같아. 너무 두려워.
남 너는 할 수 있어! 너는 뛰어난 배우이자 가수야.
여 그렇게 말해줘서 고맙지만 실수를 할까봐 겁이 나.
남 ⑤ 너는 차분해지도록 노력하는 게 좋겠다.

W Your face looks _____. Are you sick?
창백해 보이다

M No, I'm just _____.

W Are you _____ about the musical tonight?

M Yeah, I don't think I can _____. I'm too _____.

W You can do it! You are a great actor and _____.

🎵정답 근거
M Thanks for saying that, but I'm worried about making a
be worried about: ~에 대해 걱정하다
_____.
make a mistake: 실수하다

W ⑤ You should try to calm down.
진정하다

🔎 Solution Tip
실수를 할까봐 염려하고 있는 남자에게 해줄 수 있는 말을 고른다.

① 좋은 생각이야.   ② 너는 실수를 했어.
③ 그것은 냉장고 안에 있어. ④ 너는 훌륭한 선수가 될 수 있어.

[VOCABULARY] 실전 모의고사 21회

어휘를 알아야 들린다

모의고사를 먼저 풀고 싶으면 330쪽으로 이동하세요.

🎧 다음 표현을 듣고 모르는 것에 표시하시오.

- [ ] 01 **doubt** 의심
- [ ] 02 **charity** 자선 단체
- [ ] 03 **button** 버튼
- [ ] 04 **choice** 선택
- [ ] 05 **order** 주문하다
- [ ] 06 **downtown** 시내
- [ ] 07 **exhibition** 전시회
- [ ] 08 **shape** 모양
- [ ] 09 **customer** 손님
- [ ] 10 **exact** 정확한
- [ ] 11 **score** 점수
- [ ] 12 **collect** 모으다
- [ ] 13 **deliver** 배달하다
- [ ] 14 **exhausted** 지친, 탈진한
- [ ] 15 **flyer** 안내문
- [ ] 16 **owner** 주인
- [ ] 17 **for a while** 잠시 동안
- [ ] 18 **gym** 체육관
- [ ] 19 **hand out** 나눠주다
- [ ] 20 **marathon** 마라톤
- [ ] 21 **closet** 벽장
- [ ] 22 **message** 메시지
- [ ] 23 **parents** 부모
- [ ] 24 **aquarium** 아쿠아리움, 수족관

- [ ] 25 **twice** 두 번
- [ ] 26 **artist** 예술가
- [ ] 27 **battery** 건전지
- [ ] 28 **brilliant** 훌륭한, 빛나는
- [ ] 29 **traffic** 교통
- [ ] 30 **return** 반납하다
- [ ] 31 **schedule** 일정, 계획표
- [ ] 32 **pumpkin** 호박
- [ ] 33 **movie theater** 영화관
- [ ] 34 **performance** 공연
- [ ] 35 **someday** 언젠가, 훗날
- [ ] 36 **president** 회장
- [ ] 37 **used item** 중고품
- [ ] 38 **photographer** 사진작가
- [ ] 39 **depend on** ~에 달려 있다
- [ ] 40 **documentary movie** 기록 영화
- [ ] 41 **pay a fee** 수수료를 지불하다

📖 알아두면 유용한 선택지 **어휘**

- [ ] 42 **prepare** 준비하다
- [ ] 43 **psychologist** 심리학자
- [ ] 44 **bookstore** 서점
- [ ] 45 **announcer** 아나운서
- [ ] 46 **washing machine** 세탁기

🎧 들으면서 표현을 완성한 다음, 뜻을 고르시오.

표현의 의미를 생각하며 다시 써 보기!

01 pu[ ]pkin　　□ 오이　　□ 호박

➡ _____

02 ha[ ]d out　　□ 나눠주다　　□ 거둬들이다

➡ _____

03 c[ ]oset　　□ 벽장　　□ 벽시계

➡ _____

04 [ ]owntown　　□ 시내　　□ 시외

➡ _____

05 tr[ ]ffic　　□ 정체　　□ 교통

➡ _____

06 pre[ ]are　　□ 준비하다　　□ 복습하다

➡ _____

07 a[ ]uarium　　□ 동물원　　□ 수족관

➡ _____

08 [ ]rilliant　　□ 훌륭한　　□ 어두운

➡ _____

09 cus[ ]omer　　□ 주인　　□ 손님

➡ _____

10 cha[ ]ity　　□ 자선 단체　　□ 불우 이웃

➡ _____

11 dou[ ]t　　□ 신뢰　　□ 의심

➡ _____

12 wa[ ]hing machine　　□ 건조기　　□ 세탁기

➡ _____

13 ex[ ]austed　　□ 활기찬　　□ 지친, 탈진한

➡ _____

14 presi[ ]ent　　□ 회장　　□ 감사

➡ _____

15 de[ ]end on　　□ 무시하다　　□ ~에 달려 있다

➡ _____

16 use[ ] item　　□ 신제품　　□ 중고품

➡ _____

17 s[ ]hedule　　□ 일정　　□ 취소

➡ _____

18 photo[ ]rapher　　□ 사진학　　□ 사진작가

➡ _____

어휘 **21**회

실전 모의고사 21회 →
┌ 모의고사 보통 속도
└ 모의고사 빠른 속도

✎ 들으면서 주요 표현 메모하기!

01 다음을 듣고, 'this'가 가리키는 것으로 가장 적절한 것을 고르시오.

① ② ③ ④ ⑤

02 대화를 듣고, 남자가 구입할 연필로 가장 적절한 것을 고르시오.

① ② ③ ④ ⑤

03 다음을 듣고, 주말의 날씨로 가장 적절한 것을 고르시오.

① ② ③ ④ ⑤

04 대화를 듣고, 남자가 한 마지막 말의 의도로 가장 적절한 것을 고르시오.

① 후회   ② 거절   ③ 당부   ④ 비난   ⑤ 불평

고난도 선택지 하나씩 체크하며 풀기

05 다음을 듣고, 여자가 동아리에 대해 언급하지 **않은** 것을 고르시오.

① 이름   ② 회장   ③ 신규 회원 수
④ 모임 시각   ⑤ 모임 장소

06 대화를 듣고, 두 사람이 만날 시각을 고르시오.

① 4:00 p.m.　　　② 5:00 p.m.　　　③ 6:00 p.m.
④ 7:00 p.m.　　　⑤ 8:00 p.m.

07 대화를 듣고, 여자의 장래 희망으로 가장 적절한 것을 고르시오.

① 화가　　　　　② 의사　　　　　③ 보육 교사
④ 사진작가　　　⑤ 아동 심리학자

고난도 선택지 하나씩 체크하며 풀기

08 대화를 듣고, 남자가 오늘 한 일에 대한 내용으로 일치하지 <u>않는</u> 것을 고르시오.

① 12시간 일했다.　　　　　② 열심히 일해야 했다.
③ 기업주와 회의했다.　　　④ 샐러드를 주문했다.
⑤ 회사 밖에서 식사했다.

09 대화를 듣고, 남자가 대화 직후에 할 일로 가장 적절한 것을 고르시오.

① 체크인 하기　　　② 여행 짐 꾸리기　　　③ 시계 수리하기
④ 호텔에 전화하기　　⑤ 알람시계 설정하기

10 대화를 듣고, 무엇에 관한 내용인지 가장 적절한 것을 고르시오.

① 공연 준비　　　② 공사 안내　　　③ 기말 고사
④ 자선 바자회　　⑤ 불우이웃 돕기

틀린 문제는 Dictation에서
완벽하게 이해하세요.

✎ 들으면서 주요 표현 메모하기!

11 대화를 듣고, 두 사람이 이용할 교통수단으로 가장 적절한 것을 고르시오.
① 택시　　　　　② 버스　　　　　③ 자동차
④ 지하철　　　　⑤ 자전거

12 대화를 듣고, 남자가 호박 샐러드를 추천한 이유로 가장 적절한 것을 고르시오.
① 가장 맛있어서　　　　　　② 고기가 없으므로
③ 점심에만 제공되므로　　　④ 베이컨이 들어 있어서
⑤ 가장 인기 있는 메뉴라서

13 대화를 듣고, 두 사람이 대화하는 장소로 가장 적절한 곳을 고르시오.
① 서점　　　　　② 은행　　　　　③ 도서관
④ 경찰서　　　　⑤ 주민 센터

고난도 핵심 표현 메모하며 풀기

14 대화를 듣고, *Flower Garden*의 위치로 가장 알맞은 것을 고르시오.

You are here!

15 대화를 듣고, 남자가 여자에게 부탁한 일로 가장 적절한 것을 고르시오.
① 선물 포장하기　　② 생일 선물 사오기　　③ 신용 카드 만들기
④ 가족 여행 계획하기　　⑤ 가족에게 메시지 보내기

16 대화를 듣고, 여자가 남자에게 제안한 것으로 가장 적절한 것을 고르시오.

① 산책하기　　　② 공부하기　　　③ 음악 듣기
④ 운동하기　　　⑤ 모의시험 보기

들으면서 주요 표현 메모하기!

고난도 ｜ 핵심 표현 메모하며 풀기

17 대화를 듣고, 남자가 지난 주말에 한 일로 가장 적절한 것을 고르시오.

① 영화 보기　　　　　　② 부모님과 여행가기
③ 피카소 생가 방문하기　④ 다큐멘터리 제작하기
⑤ 피카소 미술관 관람하기

18 대화를 듣고, 여자의 직업으로 가장 적절한 것을 고르시오.

① 교사　　　　② 경찰　　　　③ 의사
④ 배우　　　　⑤ 아나운서

[19-20] 대화를 듣고, 여자의 마지막 말에 이어질 남자의 말로 가장 적절한 것을 고르시오.

19 Man: _____

① It was May 15th.　　　② It is thirty dollars.
③ It's tomorrow morning.　④ It's very far from here.
⑤ It's in the washing machine.

여자의 마지막 말에 집중하기

20 Man: _____

① No, they like it.
② Don't mention it.
③ Yes, we can buy some clothes.
④ No, we aren't going to sell clothes.
⑤ We are preparing our performance.

틀린 문제는 Dictation에서 완벽하게 이해하세요.

01 그림 지칭

*들을 때마다 체크 □□

다음을 듣고, 'this'가 가리키는 것으로 가장 적절한 것을 고르시오.

① ② ③ ④ ⑤

여 여러분은 이것을 TV를 켜거나 끌 때 사용할 수 있습니다. 이것은 겉에 많은 버튼을 가지고 있습니다. 이것을 작동하려면 주로 건전지가 필요합니다. 이것은 보통 직사각형 모양입니다. 이것은 무엇일까요?

W You can _____ this to _____ the TV _____ or
'~하기 위해서'와 같이 목적을 나타내는 부사적인 용법의 to부정사
_____. This has many _____ on it. This usually
needs batteries to work. This usually is a rectangular
_____. What is this?

🎵정답 근거

🔊 **Sound Tip** buttons on it
button은 [벝은/버른]처럼 발음되고 on it은 [오닡]처럼 서로 연음되어 발음된다.

02 그림 묘사

□□

대화를 듣고, 남자가 구입할 연필로 가장 적절한 것을 고르시오.

① ② ③ ④ ⑤

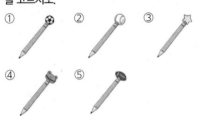

남 저기요. 연필들이 어디에 있나요?
여 손님 바로 뒤에 있습니다.
남 오, 알겠습니다. 꼭대기에 지우개가 있는 연필이 있나요?
여 죄송하지만 그것들은 다 팔렸어요. 하지만 이 연필을 보세요. 인기가 많답니다.
남 음. 마음에 들지 않아요. 너무 짧아요.
여 좋아요. 음, 여기 축구공이 달린 긴 연필이 있어요.
남 그것이 아주 좋아 보이네요. 그것으로 두 개 살게요.

M Excuse me. Where are the _____?

W They are right _____ you.
바로

M Oh, I see. Are there any pencils with _____ on top?
~을 가진

W Sorry, they're sold _____. But look at this pencil. It's
be sold out: 다 팔리다, 품절이다
very _____.

M Um. I don't like it. It's too _____.

W Okay. Well, here is a long pencil with a _____ ball
on it. 🎵정답 근거

M That one looks good enough. I'll take _____ of them.
부정대명사로 pencil을 의미함

Dictation 21회 →
┌ 전체 듣기
└ 문항별 듣기

Dictation의 효과적인 활용법
STEP1 들으면서 대본의 빈칸 채우기
STEP2 축쇄 문제를 보며 다시 풀어보기
STEP3 해석을 보며 영어로 말하거나 영작해 보기

공부한 날 ☐ 월 ☐ 일

03 날씨

다음을 듣고, 주말의 날씨로 가장 적절한 것을 고르시오.

①   ②   ③

④   ⑤

M Hi, I'm Jason Perry and this is the _____ report. It
날씨를 나타낼 때 쓰는 비인칭 주어 it
will be cold and _____ today and tomorrow. The
snow will be _____ by Wednesday, but there will
완료의 의미: ~까지
be _____ instead. The rain will continue through
_____ and Friday unfortunately. However, the rain
앞의 내용과 상반되는 내용이 이어지는 역접의 접속사
will finally stop on _____, and the weekend will be
🔑정답 근거
_____ and _____.

남 안녕하세요. 저는 Jason Perry이고, 여기는 일기예보입니다. 오늘과 내일은 춥고 눈이 내리겠습니다. 눈은 수요일에 물러가겠지만 대신 비가 내릴 것입니다. 그 비는 불행하게도 목요일과 금요일까지 지속되겠습니다. 하지만 비는 토요일에 마침내 멈추고 주말에는 따뜻하고 해가 비치겠습니다.

04 말의 의도

대화를 듣고, 남자가 한 마지막 말의 의도로 가장 적절한 것을 고르시오.
① 후회   ② 거절   ③ 당부
④ 비난   ⑤ 불평

M Susie, are you _____ tomorrow?

W Yes, I think so. What's _____?

M I was thinking about playing tennis. Do you want to
join me?

W Sorry, but I don't think I can tomorrow.

M Why not?
🔑정답 근거
W My body needs some _____. I ran a marathon this
morning.

M Oh, then you _____ _____ for a _____.
당분간, 얼마 동안은

남 Susie야, 내일 한가하니?
여 응, 그럴 것 같아. 무슨 일인데?
남 테니스를 칠까 생각하고 있었어. 나랑 같이 할래?
여 미안하지만 내일은 할 수 없을 것 같아.
남 왜 안 되는데?
여 내 몸이 휴식이 좀 필요해서. 내가 오늘 오전에 마라톤을 했어.
남 오, 그러면 너는 당분간 운동을 하지 않는 게 좋겠어.

🔔 Solution Tip
여자가 오늘 오전에 마라톤을 해서 휴식이 필요하다고 한 상황에서 남자가 당분간 운동하지 않는 게 좋겠다고 말한 것은 조언 혹은 당부의 뜻이 담겨있다고 봐야 한다.

05 언급하지 않은 것

다음을 듣고, 여자가 동아리에 대해 언급하지 <u>않은</u> 것을 고르시오.

① 이름
② 회장
③ 신규 회원 수
④ 모임 시각
⑤ 모임 장소

여 여러분, 안녕하세요. Valley 중학교 배드민턴 동아리의 첫 모임에 오신 것을 환영합니다! 제 이름은 Samantha이고 저는 동아리 회장입니다. 저는 올해 다섯 명의 새로운 동아리 회원들을 받게 되어 아주 기쁩니다. 여러분들도 이미 알다시피, 우리 동아리는 학교 체육관에서 일주일에 두 번 모입니다. 여러분이 배드민턴을 잘하지 못하더라도 걱정하지 마세요. 여러분의 실력이 좋아지도록 우리가 도울 수 있습니다!

W Hello, everyone. Welcome to the _____ meeting of
정답 근거
the Valley Middle School Badminton Club! My name
is Samantha and I am the _____ of the club. I am
so happy to _____ that we have _____ new club
'~하게 되어서'와 같이 감정의 이유를 나타내는 부사적인 용법의 to부정사
members **this year**. As you may already know, our club
_____ _____ a week in the school _____. Don't
일주일에 두 번
worry **if** you're not very good at badminton. We can
'비록 ~하더라도'라는 의미를 가지는 if
help you get _____!
좋아지다, 나아지다

🔊 Solution Tip

twice a week는 만남 횟수를 의미하는 말이며, 모임 시각은 정확히 나타나 있지 않다.

06 시각

대화를 듣고, 두 사람이 만날 시각을 고르시오.

① 4:00 p.m.
② 5:00 p.m.
③ 6:00 p.m.
④ 7:00 p.m.
⑤ 8:00 p.m.

남 Jess야, 새 아쿠아리움이 시내에 생겼다는 것 들었니?
여 응, 정말 가서 확인해 보고 싶다.
남 나도. 내일 가 볼까?
여 좋아. 4시까지는 수업이 있어. 거기서 5시에 볼까?
남 축구 시합 때문에 5시까지는 갈 수 없어. 6시는 어때?
여 좋아, 괜찮은 것 같아. 거기서 보자.

M Jess, did you _____ that there's a new aquarium
downtown?

W Yes, I really want to go and _____ it out.
check out: 확인하다, 조사하다

M Me, too. How about going tomorrow?
제안하는 표현

W Okay. I have _____ until 4. Should we meet there at
5? 함정 주의

M I can't get there by 5 because _____ my _____
~ 때문에
game. What about _____? 정답 근거

W Sure, that sounds fine. I'll see you there.
a new aquarium을 가리킴

07 장래 희망

대화를 듣고, 여자의 장래 희망으로 가장 적절한 것을 고르시오.

① 화가　　　　　② 의사
③ 보육 교사　　　④ 사진작가
⑤ 아동 심리학자

남　Tarin, 어제 뭐 했니?
여　행사 사진을 찍으려고 어린이 병원에 갔어.
남　아, 그 자선행사에 관해 들었어. 내가 사진 좀 봐도 될까?
여　물론이지. 여기 내가 좋아하는 사진들 몇 장이 있어. 이 사진들 속에서 아이들이 너무나 행복해 보여.
남　왜 이 사진들 멋지다.
여　고마워. 난 항상 사진 찍는 게 좋아. 언젠가 사진작가가 되고 싶어.
남　네가 잘할 것이라는 것을 의심치 않아.

M　Tarin, what did you do yesterday?

W　I went to the children's _____ to _____ photos of
　　목적을 나타내는 부사적인 용법의 to부정사
　　an event.

M　Oh, I heard about that _____ event. Can I take a look
　　　　　　　　　　　　　　　　_한번 보다_
　　at the pictures?

W　Sure. Here are a few of my favorites. The kids look so
　　happy in these photos.

M　Wow! These pictures are _____.

W　Thanks. I always love taking photos. I hope I can be a
　　　　　　　　　　　take photos: 사진을 찍다
　　_____ someday. 🔑 정답 근거

M　I have _____ that you'll be great at that.
　　의심하지 않다

08 일치하지 않는 것

대화를 듣고, 남자가 오늘 한 일에 대한 내용으로 일치하지 <u>않는</u> 것을 고르시오.

① 12시간 일했다.
② 열심히 일해야 했다.
③ 기업주와 회의했다.
④ 샐러드를 주문했다.
⑤ 회사 밖에서 식사했다.

여　Wesley, 오늘 일은 어땠니?
남　나쁘지 않았지만 긴 하루였어. 난 12시간 동안 일했어.
여　오, 너 피곤하겠구나. 왜 그렇게 많이 일해야 했니?
남　기업주와 특별 모임이 있었어.
여　그렇군. 점심시간은 있었니?
남　응. 샐러드를 주문했는데 내 사무실까지 배달되었어.
여　난 네가 건강에 좋은 것을 먹어서 기뻐.

W　Wesley, how was work today?

M　Not bad, but it was a long day. I worked for _____
　　hours.

W　Oh, you must be _____. _____ did you have to
　　　　　　강한 추측을 나타내는 must　　　_의무를 나타내는 조동사로 쓰임_
　　work so much?

M　There was a special meeting with the company _____.
　　　　　　　　　　　　　　　　　　　　　　　　_~와 함께_

W　I see. Did you even have time for _____?

M　Yes. I _____ a salad and it was _____ to my office.
　　　　　　　　　　　　　　　　　　　　　　　🔑 정답 근거

W　I'm glad you had something _____.
　　　　　　　　　　　　　　= ate

 Sound Tip did you / Did you / I'm glad you
did you [디쥬], I'm glad you [암 글래쥬]와 같이 연음되어 발음된다.

09 바로 할 일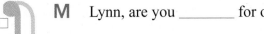

대화를 듣고, 남자가 대화 직후에 할 일로 가장 적절한 것을 고르시오.
① 체크인 하기
② 여행 짐 꾸리기
③ 시계 수리하기
④ 호텔에 전화하기
⑤ 알람시계 설정하기

남 Lynn, 우리 여행이 기대가 되니?
여 물론이지. 내 가방은 벌써 꾸려놨어.
남 좋아. 내일 우리가 몇 시에 떠나야 하지?
여 그것은 호텔 체크인 시간에 달려 있어.
남 음, 우리가 언제 체크인 할 수 있는지 확실하지 않아. 내 생각에는 오후 3시경이야.
여 좋아, 하지만 내 생각에 정확한 시간을 알 필요가 있어.
남 네 말이 맞아. 지금 호텔에 전화해서 물어볼게.

M Lynn, are you _____ for our trip?

W Of course. My bag is already _____. 함정 주의

M Great. What time should we _____ tomorrow?

W It _____ on the hotel check-in time.
~에 달려 있다

M Um, I'm not _____ when we can check in. I guess it's around 3 p.m.
약, 대략

W Okay, but I think we need to know the _____ time.

M You're right. I'll _____ the _____ now and ask.
정답 근거

Sound Tip I think we need to know the exact time.
need to는 [니투]와 같이 d 소리가 거의 나지 않는다. exact time [이그젝 타임]에서는 t가 중복되어 하나만 발음한다고 생각하면 된다.

10 대화 화제

대화를 듣고, 무엇에 관한 내용인지 가장 적절한 것을 고르시오.
① 공연 준비 ② 공사 안내
③ 기말 고사 ④ 자선 바자회
⑤ 불우이웃 돕기

여 Ben, 무엇을 보고 있니?
남 학교에서 온 안내문이요. 선생님이 오늘 나눠 주셨어요.
여 무엇에 관한 것이니?
남 다음 주 금요일 학교 축제 일정에 관한 것이에요.
여 알겠다. 공연 준비는 되었니?
남 대부분이요, 하지만 여전히 더 연습해야 해요.
여 좋은 생각이야. 내가 이번 주말에 네가 연습하는 것을 도울 수 있어.

W Ben, what are you looking at?
~을 보다

M It's a flyer from school. My teacher _____
안내문, 광고 전단   hand out: 나눠 주다, 배포하다
out today.

W What's it about?
flyer를 가리킴

M It's about the school festival _____ next Friday.

W I see. Are you _____ for your _____? 정답 근거
be ready for: ~할 준비가 되다

M Mostly, but I still _____ _____ practice more.

W Good idea. I can help you _____ this weekend.
help+목적어+목적격 보어

Sound Tip handed it
handed와 it이 연음되면서 [핸디딭]처럼 발음된다.

11 교통수단

대화를 듣고, 두 사람이 이용할 교통수단으로 가장 적절한 것을 고르시오.

① 택시   ② 버스   ③ 자동차
④ 지하철   ⑤ 자전거

남 전시회가 곧 시작해. 가자.
여 좋아, 준비됐어. 거기까지 우리 차를 운전해서 가는 거니?
남 아니. 전시회가 너무 유명해서 주차장을 찾기가 힘들 거야.
여 좋아. 그러면 내가 버스 승차권을 가져올게.
남 교통이 혼잡할 거야, 그래서 버스도 좋은 선택이 아니야. 지하철은 어때?
여 좋아. 그러나 전시회 근처에 지하철역이 없어서 유감이다.
남 그렇게 멀지는 않아. 자, 서두르자.

M The _____ starts soon. Let's go.

W Okay, I'm ready. Are we driving our car there?

M No. The exhibition is so _____ that it will be
   가주어 it
   _____ to find _____.
   진주어 to부정사구

W Okay. I'll bring my _____ pass then.

M The traffic will be _____, so the bus isn't a good
   choice _____. How about the _____? 🔑정답 근거

W Fine. It's too bad there isn't a subway station near the
   아쉽다, 유감이다
   exhibition _____.

M It's not that far. Come on, let's hurry.
   [부사] 그렇게

12 이유

대화를 듣고, 남자가 호박 샐러드를 추천한 이유로 가장 적절한 것을 고르시오.

① 가장 맛있어서
② 고기가 없으므로
③ 점심에만 제공되므로
④ 베이컨이 들어 있어서
⑤ 가장 인기 있는 메뉴라서

남 Sweet Greens에 오신 것을 환영합니다. 여기 점심 메뉴가 있습니다.
여 고맙습니다. 어떤 샐러드를 추천하시나요?
남 이 샐러드는 제가 가장 좋아하는 것입니다. 고객분들 역시 좋아하시는 것 같습니다.
여 좋아요. 제가 먹어 볼게요. 잠시만요, 거기에 고기도 들어 있나요?
남 예, 맨 위에 베이컨 조각들이 있습니다.
여 아, 그러면 그것을 원하지 않아요. 저는 고기를 먹지 않거든요.
남 알겠습니다. 그런 경우라면, 제 생각에 이 호박 샐러드가 마음에 드실 겁니다.

M Welcome to Sweet Greens. Here's the lunch menu.

W Thanks. Which salad do you _____?

M This salad is my _____. Customers seem to _____
   ~인 것 같다, ~한 모양이다
   it, too.

W Okay. I'll try it. Wait, does it have any _____?

M Yes, there are _____ of bacon on the _____.
   조그마한, 작은

W Oh, then I don't want that one. I never _____ meat. 🔑정답 근거

M I see. In that _____, I think you'll like this _____
   그러한 사례[경우]라면,
   salad.

Dictation **339**

13 장소

대화를 듣고, 두 사람이 대화하는 장소로 가장 적절한 곳을 고르시오.
① 서점 ② 은행 ③ 도서관
④ 경찰서 ⑤ 주민 센터

여 안녕하세요. 이 책을 반납하고 싶어요.
남 알겠습니다. (...) 음, 3주 전에 이 책을 빌리셨네요.
여 맞습니다. 문제가 있나요?
남 음, 선생님은 책 한 권을 2주간 빌리도록 허용됩니다.
여 정말이요? 몰랐습니다. 정말 죄송합니다.
남 괜찮습니다만, 책을 늦게 반납할 경우에는 1달러 수수료를 지급하셔야 합니다.
여 알겠습니다. 여기 1달러요.

W Hello. I'd like to _____ this book.

M Okay. (...) Um, you borrowed this book _____ weeks ago. ♪정답 근거

W That's right. Is that a problem?

M Well, you're only _____ to _____ a book for
    be allowed to: ~하는 것이 허용되다
    _____ weeks.

W Really? I had _____ idea. I'm very sorry.
    몰랐다는 표현

M It's okay, but you must pay a one-dollar _____ if you
    pay a fee: 수수료를 지불하다
    return a book _____.

W I understand. Here's a dollar.

14 그림 위치

대화를 듣고, *Flower Garden*의 위치로 가장 알맞은 것을 고르시오.

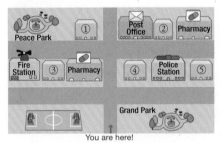

남 미나야, 이 근처에 괜찮은 꽃가게를 알고 있니?
여 Flower Garden이 예쁜 꽃들을 파는데, 여기에서 그렇게 멀지 않아.
남 그곳에 어떻게 가니?
여 두 블록을 걸어가서 오른쪽으로 돌아. 꽃가게는 우체국과 약국 사이에 있어.
남 그 가게가 경찰서 근처에 있니?
여 맞아. 경찰서 맞은편에 있어. 쉽게 찾을 수 있을 거야.
남 고마워.

M Mina, do you know a good _____ shop around here?
    여기 주변에

W Flower Garden sells beautiful flowers, and it's not too
    _____ from _____.
    여기로부터, 여기에서

M How can I go there?

W _____ _____ blocks and turn right. It's between
    the post office and the _____. ♪정답 근거

M Is the shop _____ the police station?

W Right. It is across _____ the police station. You
    ~의 맞은편에
    _____ miss it.
    쉽게 찾을 수 있다. 금방 알 수 있다.

M Thanks.

15 부탁한 일

대화를 듣고, 남자가 여자에게 부탁한 일로 가장 적절한 것을 고르시오.
① 선물 포장하기
② 생일 선물 사오기
③ 신용 카드 만들기
④ 가족 여행 계획하기
⑤ 가족에게 메시지 보내기

남 다음 주 월요일이 우리 할아버지 생신이야.
여 맞아. 할아버지께 선물 드릴 거니?
남 글쎄, 우리 가족 모두가 할아버지께 드릴 선물을 함께 만들어야 한다고 생각해.
여 무엇을 만들어야 할까?
남 흠, 내 생각에 할아버지는 큰 생신 카드를 좋아하실 거야.
여 좋은 생각이야! 우리 모두 거기에 서명하고 작은 그림들을 그릴 수 있을 거야.
남 좋았어. 우리 가족 모두에게 카드에 관한 메시지를 보내줄래?
여 그럼.

M Next Monday is our grandpa's birthday.

W Right. Are you going to give him a gift?

M Well, I think everyone in our family should work _____ to make _____ a gift.
함께 일하다
4형식동사 make+간접목적어+직접목적어: ~에게 …을 만들어 주다

W What should we make?

M Hmm. I think he _____ _____ a big birthday card.

W Great idea! We could all _____ it and _____ little pictures on it.

M Exactly. Would you _____ sending a message about
공손하게 부탁하는 표현
the _____ _____ all our family members? 🔑정답 근거

W No problem.
Would you mind -ing?에 대한 긍정적인 대답

16 제안한 것

대화를 듣고, 여자가 남자에게 제안한 것으로 가장 적절한 것을 고르시오.
① 산책하기   ② 공부하기
③ 음악 듣기   ④ 운동하기
⑤ 모의시험 보기

여 Jason, 지금 공부하고 있니?
남 예, 심지어 오늘 이 책상을 떠나지도 않았어요.
여 틀림없이 피곤하겠구나.
남 아니요, 저 괜찮아요. 시험에서 완벽한 점수를 받기 위해서 저는 계속 공부해야 해요.
여 그게 좋은 생각인지는 잘 모르겠구나.
남 무슨 말씀이세요?
여 넌 공부로부터 휴식이 필요해. 밖에 나가서 산책하는 게 어때?

🇬🇧

W Jason, are you studying now?

M Yes, I haven't even _____ this desk today.

W You must be _____.
강한 추측을 나타내는 must

M No, I'm fine. I need to _____ studying to get a
'~하기 위해서'와 같이 목적을 나타내는 to부정사
perfect _____ on my test.

W I don't know if that's a good _____.
~인지 아닌지

M What do you mean?

W You need to take a _____ from studying. Why not go
휴식을 취하다   ~하는 게 어때?
outside and _____ _____ _____? 🔑정답 근거

17 과거에 한 일

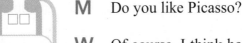

대화를 듣고, 남자가 지난 주말에 한 일로 가장 적절한 것을 고르시오.
① 영화 보기
② 부모님과 여행가기
③ 피카소 생가 방문하기
④ 다큐멘터리 제작하기
⑤ 피카소 미술관 관람하기

남 피카소를 좋아하니?
여 물론이지. 내 생각에 그는 훌륭한 예술가야. 왜 묻는 거니?
남 역 옆에 있는 영화관에서 그의 삶과 작품에 관한 다큐멘터리를 상영하고 있어.
여 멋진데! 정말 재있을 것 같아. 너는 봤니?
남 응. 지난주에 부모님과 함께 그 다큐멘터리 영화를 봤어.
여 잘했어. 나도 그 영화를 보고 싶다.
남 확신하건대, 후회하지 않을 거야.

M Do you like Picasso?

W Of course. I think he was a _____ _____. Why do you ask?

M The movie _____ by the station is showing a
   (~의 옆에 있는)
   documentary about his _____ and _____.

W Cool! That sounds really interesting. Did you see it?

M Yes. I saw the documentary movie with my _____
   last weekend. 🎵정답 근거

W Good. _____ _____ to see it, too.

M I'm sure you won't _____ it.
   (will not의 줄임말)

18 직업

대화를 듣고, 여자의 직업으로 가장 적절한 것을 고르시오.
① 교사   ② 경찰   ③ 의사
④ 배우   ⑤ 아나운서

[전화벨이 울린다.]
남 여보세요? 저는 Smith입니다.
여 안녕하세요. Smith 씨. 저는 Jackson입니다. 아드님 때문에 전화드립니다.
남 Jackson 선생님, 목소리 듣게 되어 기쁩니다. Ryan에게 무슨 일이 있나요?
여 그가 모든 시험에서 뛰어난 점수를 받았다는 것을 알려드리고 싶었습니다.
남 그것 좋은 소식이네요! 항상 그를 잘 가르쳐 주셔서 감사드립니다. 그 밖에 제가 알아야 할 게 있나요?
여 음, 지난주에 그가 몇 번 학교에 늦었습니다.

📞 *Telephone rings.*

M Hello? This is Mr. Smith.

W Hi, Mr. Smith. This is Ms. Jackson. I'm _____ about
   your _____.

M It's good to _____ from you, Ms. Jackson. What's
   (무슨 일이 일어나고 있나요? 무슨 일인가요?)
   _____ _____ with Ryan?

W I wanted to let you _____ that he got excellent
   (사역동사+목적어+동사원형)
   _____ on all his tests.
   🎵정답 근거

M That's great news! Thank you for always _____ him
   well. Anything _____ I need to know?

W Well, he was _____ to school a _____ times last
   (몇 번)
   week.

19 이어질 말 ①

대화를 듣고, 여자의 마지막 말에 이어질 남자의 말로 가장 적절한 것을 고르시오.

Man: _____

① It was May 15th.
② It is thirty dollars.
③ It's tomorrow morning.
④ It's very far from here.
⑤ It's in the washing machine.

여 Nathan, 피곤해 보여. 어젯밤에 어떻게 잤니?
남 잘 자지는 못 했어. 내 취업 면접에 관해 늦게까지 걱정을 했어.
여 오, 넌 걱정할 필요가 없어. 잘할 거야.
남 고마워, Lauren, 하지만 어쩔 수가 없어. 나는 정말 그 일이 필요해.
여 이해해. 면접은 언제니?
남 ③ 내일 오전이야.

W Nathan, you seem _____. How did you sleep last night?

M Not very well. I was up _____ _____ about my job interview.

W Oh, you don't need to _____. You'll be great.

M Thanks, Lauren, but I can't _____ it. I really want the job.
어쩔 수가 없다

W I understand. _____ is the interview? 🎸정답 근거

M ③ It's tomorrow morning.

① 5월 15일이었어.　　　　　② 30달러야.
④ 여기에서 매우 멀어.　　　⑤ 그것은 세탁기 안에 있어.

20 이어질 말 ②

대화를 듣고, 여자의 마지막 말에 이어질 남자의 말로 가장 적절한 것을 고르시오.

Man: _____

① No, they like it.
② Don't mention it.
③ Yes, we can buy some clothes.
④ No, we aren't going to sell clothes.
⑤ We are preparing our performance.

남 엄마, 우리가 더 이상 사용하지 않는 오래된 책과 장난감이 있을까요?
여 그럴 거야. 그것으로 무엇을 할 거니?
남 우리 반 친구들이 학교 축제에서 팔 중고 물건들을 모으고 있어요.
여 알겠다. 좋아, 내가 벽장 속을 확인해 볼게.
남 고맙습니다. 저는 제 방에 있는 물건들을 살펴볼게요.
여 Ted, 중고 옷들은 어때? 그것들도 필요하니?
남 ④ 아니요. 우리는 옷들은 팔지 않을 거예요.

M Mom, do we have any old books and _____ that we _____ _____ anymore?

W I think so. What are you going to do with them?

M My classmates are _____ used items to _____ at the school festival. 🎸정답 근거
중고품

W I see. Okay, let me _____ in the _____.

M Thanks. I'll go _____ the stuff in my room.
go through something: ~을 살펴보다, 조사하다

W Ted, what about used _____ Do you want them, too?
제안하는 표현

M ④ No, we aren't going to sell clothes.

① 아니요, 그들이 좋아할 거예요.　　　② 천만에요.
③ 예, 우리 옷을 좀 살 수 있어요.　　　⑤ 우리는 공연을 준비하고 있어요.

[VOCABULARY] 실전 모의고사 22회

어휘를 알아야 들린다

모의고사를 먼저 풀고 싶으면 346쪽으로 이동하세요.

🎧 다음 표현을 듣고 모르는 것에 표시하시오.

- [ ] 01 **goal** 목표
- [ ] 02 **island** 섬
- [ ] 03 **policy** 정책
- [ ] 04 **text** 문자 메시지를 보내다
- [ ] 05 **volume** 음량
- [ ] 06 **lovely** 사랑스러운
- [ ] 07 **artwork** 예술 작품
- [ ] 08 **booth** 부스
- [ ] 09 **calendar** 달력
- [ ] 10 **treat** 대접하다
- [ ] 11 **spill** 흘리다
- [ ] 12 **employee** 점원
- [ ] 13 **safety** 안전
- [ ] 14 **manage** 관리하다
- [ ] 15 **pleasure** 기쁨, 즐거움
- [ ] 16 **rainstorm** 폭풍우
- [ ] 17 **professor** 교수
- [ ] 18 **mop** 걸레로 닦아내다
- [ ] 19 **normally** 보통
- [ ] 20 **pattern** 무늬, 패턴
- [ ] 21 **feature** 특징
- [ ] 22 **resident** 거주자
- [ ] 23 **equipment** 장비
- [ ] 24 **spare** 여분의, 남는

- [ ] 25 **purchase** 구입하다
- [ ] 26 **require** 요구하다
- [ ] 27 **downstairs** 아래층으로
- [ ] 28 **university** 대학교
- [ ] 29 **volleyball** 배구
- [ ] 30 **chargeable** 충전 가능한
- [ ] 31 **apartment** 아파트
- [ ] 32 **take place** 개최하다
- [ ] 33 **checkered** 체크무늬의
- [ ] 34 **vacuum** 진공청소기
- [ ] 35 **convenient** 편리한
- [ ] 36 **hang out** 많은 시간을 보내다
- [ ] 37 **including** ～을 포함하여
- [ ] 38 **emergency** 비상, 긴급
- [ ] 39 **close down** 문을 닫다, 폐쇄하다
- [ ] 40 **roller coaster** 롤러코스터
- [ ] 41 **travel agency** 여행사
- [ ] 42 **amusement park** 놀이공원

📔 알아두면 유용한 선택지 **어휘**

- [ ] 43 **hot air balloon** 열기구
- [ ] 44 **comfort** 위로
- [ ] 45 **sociologist** 사회학자
- [ ] 46 **guard** 경비원

🎧 들으면서 표현을 완성한 다음, 뜻을 고르시오.

표현의 의미를 생각하며 다시 써 보기!

01 s □ ill ☐ 흘리다 ☐ 담다 ➡

02 ma □ age ☐ 관리자 ☐ 관리하다 ➡

03 □ niversity ☐ 대학교 ☐ 우주 ➡

04 mo □ ☐ 물을 뿌리다 ☐ 걸레로 닦아내다 ➡

05 re □ uire ☐ 관리하다 ☐ 요구하다 ➡

06 □ olleyball ☐ 배구 ☐ 농구 ➡

07 fea □ ure ☐ 크기 ☐ 특징 ➡

08 p □ licy ☐ 정부 ☐ 정책 ➡

09 p □ rchase ☐ 팔다 ☐ 구입하다 ➡

10 r □ sident ☐ 거주자 ☐ 피난민 ➡

11 pro □ essor ☐ 공무원 ☐ 교수 ➡

12 take □ lace ☐ 개최하다 ☐ 끝나다 ➡

13 va □ uum ☐ 진공청소기 ☐ 우주 ➡

14 a □ usement park ☐ 생태 공원 ☐ 놀이공원 ➡

15 e □ ployee ☐ 주인 ☐ 점원 ➡

16 e □ ergency ☐ 비상, 긴급 ☐ 안정 ➡

17 e □ uipment ☐ 전자제품 ☐ 장비 ➡

18 tra □ el agency ☐ 여행사 ☐ 여행사 직원 ➡

실전 모의고사 [22]회

실전 모의고사 22회 →
┌ 모의고사 보통 속도
└ 모의고사 빠른 속도

✎ 들으면서 주요 표현 메모하기!

01 다음을 듣고, 'this'가 가리키는 것으로 가장 적절한 것을 고르시오.

①   ②   ③   ④   ⑤

02 대화를 듣고, 여자가 구입할 옷으로 가장 적절한 것을 고르시오.

①   ②   ③   ④   ⑤

03 다음을 듣고, 금요일의 날씨로 가장 적절한 것을 고르시오.

①   ②   ③   ④   ⑤

04 대화를 듣고, 남자가 한 마지막 말의 의도로 가장 적절한 것을 고르시오.

① 비난   ② 위로   ③ 후회   ④ 감사   ⑤ 칭찬

고난도 선택지 하나씩 체크하며 풀기

05 다음을 듣고, 여자가 학교 노래 대회에 대해 언급하지 <u>않은</u> 것을 고르시오.

① 장소   ② 참가 자격   ③ 날짜
④ 시간   ⑤ 우승 상금

06 대화를 듣고, 두 사람이 만날 시각을 고르시오.

① 5:00 p.m.　　② 6:00 p.m.　　③ 6:30 p.m.
④ 7:00 p.m.　　⑤ 7:30 p.m.

✎ 들으면서 주요 표현 메모하기!

07 대화를 듣고, 여자의 장래 희망으로 가장 적절한 것을 고르시오.

① 소설가　　　　② 사회학자　　　　③ 박물관장
④ 국어 교사　　　⑤ 역사학 교수

고난도 선택지 하나씩 체크하며 풀기

08 대화를 듣고, 여자의 주말 계획에 대한 내용으로 일치하지 <u>않는</u> 것을 고르시오.

① 놀이공원에 갈 것이다.　　　② 기분이 들떠 있다.
③ 롤러코스터를 탈 것이다.　　　④ 공원에서 산책할 것이다.
⑤ 친구들과 이야기할 것이다.

09 대화를 듣고, 남자가 대화 직후에 할 일로 가장 적절한 것을 고르시오.

① 영화 보기　　　② 노래하기　　　③ 학교에 가기
④ 동영상 보여주기　⑤ 대회 참가하기

10 대화를 듣고, 무엇에 관한 내용인지 가장 적절한 것을 고르시오.

① 수학여행　　　② 제주도의 역사　　　③ 일기예보
④ 여행 계획 취소　⑤ 새로운 여행지

틀린 문제는 **Dictation**에서
완벽하게 이해하세요.

실전 모의고사 [22]회

✎ 들으면서 주요 표현 메모하기!

11 대화를 듣고, 두 사람이 이용할 교통수단으로 가장 적절한 것을 고르시오.
① 버스 　　　　　 ② 택시 　　　　　 ③ 기차
④ 비행기 　　　　 ⑤ 케이블카

고난도 핵심 표현 메모하며 풀기

12 대화를 듣고, 여자가 물건을 구입하지 <u>않는</u> 이유로 가장 적절한 것을 고르시오.
① 가격이 비싸서 　　　　　　 ② 작동시켜 볼 수 없어서
③ 소리가 너무 커서 　　　　　 ④ 충전 배터리가 없어서
⑤ 무선으로 작동해서

13 대화를 듣고, 두 사람의 관계로 가장 적절한 것을 고르시오.
① 선수 – 심판 　　 ② 코치 – 선수 　　 ③ 손님 – 식당 주인
④ 은행원 – 고객 　 ⑤ 소비자 – 판매원

14 대화를 듣고, 남자가 찾고 있는 책의 위치로 가장 알맞은 것을 고르시오.

15 대화를 듣고, 남자가 여자에게 부탁한 일로 가장 적절한 것을 고르시오.
① 계산하기 　　　　　 ② 약국 가기 　　　　 ③ 사진 찍기
④ 점원에게 알리기 　 ⑤ 커피 다시 주문하기

16 대화를 듣고, 남자가 여자에게 제안한 것으로 가장 적절한 것을 고르시오.

① 나무 심기   ② 원예 강의 듣기   ③ 동아리 가입하기
④ 헬스장 등록하기   ⑤ 친구 많이 사귀기

🖊 들으면서 주요 표현 메모하기!

17 대화를 듣고, 여자가 휴일에 한 일로 가장 적절한 것을 고르시오.

① 도서관 가기   ② 음악 연주회 가기
③ 백화점 쇼핑하기   ④ 기말고사 대비하기
⑤ 미술 작품 만들기

18 대화를 듣고, 남자의 직업으로 가장 적절한 것을 고르시오.

① 경찰   ② 경비원   ③ 소방관
④ 청소부   ⑤ 변호사

[19-20] 대화를 듣고, 남자의 마지막 말에 이어질 여자의 말로 가장 적절한 것을 고르시오.

19 Woman: _____

① I'm good at drawing.
② Of course, I can help her.
③ Right. It might be in the drawer.
④ Exactly. I'm really terrible at drawing.
⑤ I really want to be a student president.

남자의 마지막 말에 집중하기

고난도 | 핵심 표현 메모하며 풀기

20 Woman: _____

① It is twenty dollars.   ② It is a new game title.
③ It closed down last month.   ④ I like to play the game, too.
⑤ In fact, the movie was so boring.

틀린 문제는 Dictation에서 완벽하게 이해하세요.

[Dictation] 실전 모의고사 **22**회

손으로 써야 내 것이 된다

01 그림 지칭

*들을 때마다 체크

다음을 듣고, 'this'가 가리키는 것으로 가장 적절한 것을 고르시오.

 ① ② ③
 ④ ⑤

여 이것은 하늘을 날 수 있습니다. 이것은 몇 개의 날개와 하나의 꼬리를 가지고 있습니다. 각 면에는 많은 창문이 있습니다. 이것은 짧은 시간에 사람들을 한 장소에서 다른 장소로 데려갈 수 있습니다. 사람들은 이것의 내부에서 먹거나 영화를 볼 수도 있습니다. 이것은 무엇일까요?

정답 근거

W This can _____ through the _____. This has some _____ and a _____. There are many windows on each side. This can take people from one place to _____ in a short time. People can _____ and watch movies _____ of this. What is this?

from A to B: A부터 B까지

Sound Tip People can eat and
eat과 and이 연음되면서, 모음과 모음 사이에 위치하는 t가 [ㄹ]로 발음되는 경향이 있다. 따라서 eat and이 [이: 랜]처럼 들리게 된다.

02 그림 묘사

대화를 듣고, 여자가 구입할 옷으로 가장 적절한 것을 고르시오.

 ① ② ③
 ④ ⑤

남 안녕하세요. 어떻게 도와드릴까요?
여 안녕하세요, 제가 재킷을 사야 해서요. 재킷 구역으로 안내해 주시겠어요?
남 물론이죠. 바로 이쪽으로 오세요. (...) 자, 여기입니다.
여 좋습니다. 큰 단추가 있는 재킷을 찾고 있어요.
남 알겠습니다. 체크무늬가 있는 이것은 어떠세요?
여 저는 그것을 정말 좋아하지 않아요. 단추가 있는 다른 것은요?
남 예. 5개의 단추가 있는 이 긴 재킷을 보세요.
여 예쁘네요. 제가 원하던 것이에요.

M Hello. How may I help you?

W Hi, I need to _____ a jacket. Can you show me to the _____ section?

M Certainly. Right this _____. (...) Okay, here we are.

어떤 장소에 도착했음을 나타내는 표현

W Great. I'm _____ for a jacket with large buttons.

look for: ~을 찾다

M Okay. How about this one with a _____ pattern? **함정 주의**

W I don't really like it. Are there any others with buttons?

M Yes. Take a _____ at this long one with _____ buttons. **정답 근거**

~을 (한 번) 보다

W It's lovely. That's the one I want.

Dictation 22회 →
전체 듣기
문항별 듣기

Dictation의 효과적인 활용법
STEP1 들으면서 대본의 빈칸 채우기
STEP2 축쇄 문제를 보며 다시 풀어보기
STEP3 해석을 보며 영어로 말하거나 영작해 보기

공부한 날   월   일

03 날씨

다음을 듣고, 금요일의 날씨로 가장 적절한 것을 고르시오.

①   ②   ③

④   ⑤

M Hello, everyone. This is an _____ weather report. A large storm will _____ our area tonight. There will be strong winds and _____ rains. The storm will move very slowly, so we expect these strong storm conditions until _____ night. On Friday, the storm will head _____ and we will have _____ weather again. But on Saturday, there will be another _____.

~이 있을 것이다
정답 근거
북쪽으로 향하다

남 안녕하세요, 여러분. 여기는 긴급 일기예보입니다. 큰 폭풍이 오늘밤 우리 지역을 강타하겠습니다. 강한 바람과 폭우가 있을 것입니다. 폭풍은 매우 천천히 움직이므로, 내일 밤까지는 이 강한 폭풍 상태가 예상됩니다. 금요일에는 폭풍이 북쪽으로 향할 것이고 우리는 다시 맑은 날씨가 될 것입니다. 하지만 토요일에는 다른 폭풍우가 있겠습니다.

04 말의 의도

대화를 듣고, 남자가 한 마지막 말의 의도로 가장 적절한 것을 고르시오.
① 비난   ② 위로   ③ 후회
④ 감사   ⑤ 칭찬

M Tina, you look _____. What's going on?
무슨 일이야?

W I got a terrible _____ on my math test today.

M Oh, I'm sorry to hear that. You're normally _____ at math. What happened?

W I didn't even know we had a _____ today, so I _____ study _____ all.
not ... at all: 전혀 ~하지 않다

M Really?

W Yes, I forgot to _____ down the date of the test in my calendar.
forget+to부정사: ~하는 것을 잊다(미래의 일)

M That's really too _____. 정답 근거

남 Tina야 기분이 안 좋아 보여. 무슨 일이니?
여 오늘 수학 시험에서 끔찍한 점수를 받았어.
남 오, 안됐구나. 너는 보통 수학을 잘하는데, 무슨 일이 있었니?
여 나는 오늘 시험이 있다는 것조차 몰라서 전혀 공부를 하지 않았어.
남 정말?
여 응, 내 달력에 시험 날짜를 적어 놓는다는 것을 잊어버렸어.
남 정말 안타깝다.

05 언급하지 않은 것

다음을 듣고, 여자가 학교 노래 대회에 대해 언급하지 <u>않은</u> 것을 고르시오.

① 장소　　　② 참가 자격
③ 날짜　　　④ 시간
⑤ 우승 상금

여 학급 여러분, 안녕하세요. 여러분 모두 멋진 주말을 보냈기를 바랍니다. 학교 노래 대회에 관해 알려드리겠습니다. 대회는 모든 학생에게 열려 있습니다. 노래 동아리의 회원이 될 필요는 없습니다. 대회는 12월 15일 저녁 7시에 열립니다. 여러분의 부모나 친구를 포함하여 누구라도 대회에 구경을 오실 수 있습니다. 대회의 우승자는 100달러의 상금을 받게 됩니다.

W　Hello, class. I hope you all had a nice weekend. Let me tell you about the school _____ _____. The contest is open to all _____. Being a member of the singing club is not _____. The contest will take _____ on December _____ at 7 o'clock in the evening. Anybody, including your _____ and friends, can come to watch the contest. The _____ of the contest will receive a _____ of 100 dollars.

주어(~이 되는 것)
주어가 동명사이므로 단수 동사가 쓰임
개최하다
~을 포함하여

Solution Tip
② 참가 자격(모든 학생), ③ 날짜(12월 15일), ④ 시간(저녁 7시), ⑤ 우승 상금(100달러)은 언급되어 있지만, 특별히 ① 장소는 언급되어 있지 않다.

06 시각

대화를 듣고, 두 사람이 만날 시각을 고르시오.

① 5:00 p.m.　　② 6:00 p.m.
③ 6:30 p.m.　　④ 7:00 p.m.
⑤ 7:30 p.m.

남 나는 이번 주 일요일 저녁에 연극을 보러 갈 건데, 여분의 표가 한 장 있어.
여 오, 재미있을 것 같아. 나도 가고 싶어.
남 좋아. Grand 극장에서 7시에 만나자.
여 음, 연극 전에 내가 너에게 저녁을 사 주고 싶어. 연극이 몇 시에 시작하니?
남 7시 30분에 시작해.
여 좋아. 그러면 그 극장 옆에 있는 중국 식당에 가자. 6시에 보는 게 어때?
남 좋은 생각이야. 기대가 된다!

M　I'm going to a play this Sunday evening, and I have an extra _____.
여분의

W　Oh, that sounds fun. I would love to go.

M　Great. Let's _____ at _____ at Grand Theater.
함정 주의

W　Well, I'd like to treat you to _____ before the play.
treat A to B: A에게 B를 대접하다
What time does the _____ start?

M　It starts at _____ : _____.

W　Okay. So, let's go to the Chinese restaurant _____ to the theater. How about meeting there at _____? 정답 근거

M　Sounds good. I'm looking _____ to it!
look forward to: ~을 갈망하다

07 장래 희망

대화를 듣고, 여자의 장래 희망으로 가장 적절한 것을 고르시오.

① 소설가
② 사회학자
③ 박물관장
④ 국어 교사
⑤ 역사학 교수

🇬🇧

M Allie, what are you _____?

W It's my history _____.

M You always work so hard on your history homework.

W Right. I actually enjoy it. I hope to study history in _____.

M I see. So, do you want to work at a history _____ in the future?
<u>앞으로, 미래에</u>

W No. My goal is to _____ a history _____ at a good university. 🎵정답 근거

M That'll take a lot of work, but I'm sure you can do it.

남 Allie야, 무엇을 타이핑하고 있니?
여 역사 보고서야.
남 너는 항상 역사 숙제를 열심히 하는구나.
여 맞아. 난 사실 역사가 좋아. 대학에서 역사를 공부하고 싶어.
남 알겠다. 그래서 앞으로 역사박물관에서 일하고 싶니?
여 아니. 내 목표는 좋은 대학에서 역사학 교수가 되고 싶어.
남 그것은 많이 힘든 일이겠지만, 넌 해낼 수 있을 거라고 난 확신해.

08 일치하지 않는 것

대화를 듣고, 여자의 주말 계획에 대한 내용으로 일치하지 <u>않는</u> 것을 고르시오.

① 놀이공원에 갈 것이다.
② 기분이 들떠 있다.
③ 롤러코스터를 탈 것이다.
④ 공원에서 산책할 것이다.
⑤ 친구들과 이야기할 것이다.

M Lana, any _____ for the weekend?

W Yes, I'm going to an _____ park. I'm excited!

M I bet. It's always exciting to _____ roller coasters.
<u>가주어</u> <u>진주어</u>

W Oh, I never _____ roller coasters. 🎵정답 근거

M Then _____ would you go to an amusement park?

W I just like to _____ around and _____ _____ my friends. It's fun.

M Really? That's a bit _____. I don't feel the same at _____.
<u>조금, 약간</u>

남 Lana야, 주말에 무슨 계획이라도 있어?
여 응, 놀이공원에 갈 거야. 기대가 돼.
남 왜 안 그렇겠니. 롤러코스터를 타는 것은 항상 신나는 일이지.
여 오, 나는 롤러코스터는 결코 타지 않아.
남 그러면 넌 왜 놀이공원에 가려는 거니?
여 그냥 내 친구들과 함께 산책하고 이야기하는 것이 좋아. 그게 재미있거든.
남 정말? 그거 조금 이상한데. 나는 전혀 공감이 되질 않아.

🔊 **Sound Tip** I'm excited! / exciting

excited와 exciting에서 t가 모음과 모음 사이에 위치할 경우 상대적으로 약화되면서 t가 [ㄹ]로 발음되는 경향이 있다. 따라서 빨리 발음하면 [익싸이리드], [익싸이링]처럼 들리게 된다.

09 바로 할 일

대화를 듣고, 남자가 대화 직후에 할 일로 가장 적절한 것을 고르시오.
① 영화 보기
② 노래하기
③ 학교에 가기
④ 동영상 보여주기
⑤ 대회 참가하기

W Tim, you're back. We were _____ about you.
be worried about: ~에 대해 걱정하다

M Really? Our teacher knew I was going to _____ school on _____.

W Oh, she _____ _____ us. Where were you?

M I was with my _____ team. We had to go _____ of
~을 떠나다
town for a contest.

W That sounds fun. How did your team do in the contest?

M We won first _____! I have a video of our performance.

W Fantastic! _____ _____ _____ me the video now? 🔑정답 근거

M No problem.

여 Tim, 왔구나. 우린 너를 걱정했단다.
남 정말? 우리 선생님은 내가 금요일에 학교에 빠질 거라는 것을 알고 계셨는데.
여 오, 선생님이 우리에게 말씀하지 않으셨어. 넌 어디에 있었니?
남 댄스 팀과 함께 있었어. 우리는 대회를 위해 도시를 벗어나야만 했어.
여 재미있을 것 같아. 네 팀은 대회에서 어땠니?
남 우리가 일등상을 탔어! 내가 우리 공연 동영상을 가지고 있어.
여 멋진데! 그 동영상을 지금 보여줄래?
남 그래.

10 대화 화제

대화를 듣고, 무엇에 관한 내용인지 가장 적절한 것을 고르시오.
① 수학여행
② 제주도의 역사
③ 일기예보
④ 여행 계획 취소
⑤ 새로운 여행지

M Callie, who was that on the phone?
be on the phone: (전화로) 통화 중이다

W It was the _____ _____.

M Oh, no. Is there a problem with our _____ to Jeju
~로의 여행
Island? 🔑정답 근거

W Yes, unfortunately it was _____.

M What? That's so _____! Why was it canceled?

W There's a big _____ _____. They canceled it for our _____.

M I see. I'm not happy about it, but I understand.

남 Callie, 누구와 통화했니?
여 여행사였어.
남 오, 이런. 제주도로 여행하는 데 문제가 있는 거니?
여 응, 불행히도 취소됐대.
남 뭐라고? 그것 참 속상하네! 왜 취소되었는데?
여 태풍이 오고 있대. 그들이 우리의 안전을 위해서 취소한 거야.
남 알겠어. 그것에 대해 기쁘지는 않지만 이해해.

11 교통수단

대화를 듣고, 두 사람이 이용할 교통수단으로 가장 적절한 것을 고르시오.

① 버스 ② 택시 ③ 기차
④ 비행기 ⑤ 케이블카

남 다음 달에 Bear 산으로 여행 가자.
여 좋아. 가을의 색깔들을 보는 것은 멋진 일이 될 거야. 거기에 어떻게 가니?
남 글쎄, 내가 마지막으로 방문했을 때 난 기차를 탔거든.
여 좋아, 내가 표를 확인해 볼게. (...) 이런, 표가 다 팔렸어.
남 버스표는 어때?
여 글쎄. (...) 버스표는 조금 남아 있어.
남 좋아. 매진되기 전에 그 표를 사자.

M Let's take a _____ to Bear Mountain next month.
~로 여행을 가다

W Sure. _____ be nice to see the _____ colors. How can we _____ there?
거기에 가다, 도착하다

M Well, the last time I visited, I took the train.

W Okay, I'll check the tickets. (...) Oh, they're all _____ out.
sell out: 다 팔리다, 매진되다

M _____ about the bus tickets? 🔑정답 근거

W Let me see. (...) There are a few bus tickets _____.

M Good. Let's _____ the tickets now before they _____ out.

🔊 Sound Tip before
before를 원어민에 따라 [비포] 또는 [버포]라고 발음하기도 한다.

12 이유

대화를 듣고, 여자가 물건을 구입하지 않는 이유로 가장 적절한 것을 고르시오.

① 가격이 비싸서
② 작동시켜 볼 수 없어서
③ 소리가 너무 커서
④ 충전 배터리가 없어서
⑤ 무선으로 작동해서

여 사장님, 질문이 있어요.
남 예, 말씀하십시오.
여 이 진공청소기는 다른 것들보다 훨씬 더 비싸네요. 특별한 점이 있나요?
남 예, 그것은 (전기) 코드가 없어요. 대신에 내부에 충전지가 있어요.
여 아주 편하겠네요. 제가 켜 봐도 될까요? 얼마나 시끄러운지 들어보고 싶어요.
남 정말 죄송하지만 불가능합니다.
여 그러면 여기 가게에서는 구입할 수가 없겠네요. 제게는 음량을 체크하는 것이 중요하거든요.

W Sir, I have some questions.

M Okay. Go _____.
'계속 말씀하세요.'라는 의미

W This _____ is much _____ _____ than the others. Does it have special _____?

M Yes. It doesn't have a cord. Instead, it has a chargeable battery _____.

W That's convenient. Can I _____ it on? I want to hear _____ _____ it is.
turn on: ~을 켜다, 작동시키다

M I'm very sorry, but that's not possible.

W Then I can't buy it here at your store. It's important for me to check the _____. 🔑정답 근거
for+목적격: to부정사의 의미상 주어를 나타냄

13 관계

□□

대화를 듣고, 두 사람의 관계로 가장 적절한 것을 고르시오.
① 선수 – 심판 ② 코치 – 선수
③ 손님 – 식당 주인 ④ 은행원 – 고객
⑤ 소비자 – 판매원

남 부인, 물건 찾는 것을 제가 도와드릴까요?
여 예, 부탁합니다. 남동생을 위한 선물을 찾고 있어요.
남 남동생분이 어떤 운동을 하시나요?
여 예, 배구와 가끔은 테니스도 해요.
남 알겠습니다. 저희는 여기 모든 종류의 운동 기구를 구비하고 있습니다. 그분도 이 테니스 라켓을 좋아하실 거예요.
여 아주 멋지네요.

M Ma'am, can I help you _____ something?
<u>help+목적어+목적격보어: (목적어)가 ~하는 것을 돕다</u>

W Yes, please. I'm looking for a _____ for my _____.
<u>look for: ~을 찾다</u>

M Does your brother play any sports?

W Yes, he _____ _____ and sometimes _____.

M Okay. We have all _____ of sports equipment here.
<u>모든 종류의</u>
He _____ like this tennis racket.

W It's very nice.

14 그림 위치

□□

대화를 듣고, 남자가 찾고 있는 책의 위치로 가장 알맞은 것을 고르시오.

남 Jennifer, 내 과학책을 가지고 있니?
여 아니. 어제 너에게 되돌려 줬어. 아마도 네 책장에 있을 거야.
남 내가 이미 봤지만 거기에 없었어.
여 흠. 네 소파를 보렴. 이전에 거기에서 네 책들을 봤거든.
남 좋아, 지금 거기를 확인해 볼게. (…) 보이지 않아.
여 의자 아래도 보았니?
남 오, 지금 봤어! 그게 침대 위에 있었어.

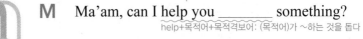

M Jennifer, do you have my science book?

W No. I gave it _____ to you yesterday. Maybe it's
<u>give ... back to: ~에게 …을 돌려 주다</u>
_____ _____ _____.

M I already looked, but it's not there.

W Hmm. Look on your sofa. I saw some books there _____.

M Okay, I'll go _____ there now. (…) I don't see it.

W Did you look _____ _____ _____, too?

M Oh, I see it now! It was on the _____.

15 부탁한 일

대화를 듣고, 남자가 여자에게 부탁한 일로 가장 적절한 것을 고르시오.
① 계산하기
② 약국 가기
③ 사진 찍기
④ 점원에게 알리기
⑤ 커피 다시 주문하기

W This is a lovely cafe. The decorations are so pretty.

M Yes, I thought you would like it.

W Thanks for _____ _____ _____.

M It's my pleasure. (...) Oh, no! I _____ my coffee.

W I think someone _____ _____ _____ the floor
   (대걸레로) 마루를 닦다
   right now. 🔑정답 근거

M Right. Can you go downstairs and _____ _____
   아래층으로 내려가다
   _____?

W Sure, no problem.

여 여기는 사랑스러운 카페네. 장식들도 너무 예뻐.
남 그래, 난 네가 좋아할 거라고 생각했어.
여 여기 데려와 줘서 고마워.
남 내가 좋아서 한 것인데 뭘. (...) 오 이런! 커피를 흘렸어.
여 내 생각에 누군가가 바로 마루를 닦아야 할 것 같아.
남 맞아. 아래층으로 내려가서 점원에게 말 좀 해 주겠니?
여 좋아, 문제 없어.

16 제안한 것

대화를 듣고, 남자가 여자에게 제안한 것으로 가장 적절한 것을 고르시오.
① 나무 심기
② 원예 강의 듣기
③ 동아리 가입하기
④ 헬스장 등록하기
⑤ 친구 많이 사귀기

W Leo, these plants look so _____ and healthy.

M Thanks. I try my _____ to take _____ of them.
   try one's best: 최선을 다하다 ~을 보살피다

W That's nice. You must be _____ _____ _____
   plants.

M Not really. Anybody can _____ healthy plants.

W I'm not so sure about that. All my plants died. I don't
   know what _____ _____ _____.

M You should _____ the garden club. I think you could
   🔑정답 근거
   learn a lot.

W I'll think about it. Thanks.

여 Leo, 이들 식물들은 정말 푸르고 건강해 보여.
남 고마워. 식물들을 돌보느라고 최선을 다하고 있어.
여 멋지다. 넌 식물 전문가임에 틀림없어.
남 그렇진 않아. 누구라도 건강한 식물들을 기를 수 있어.
여 그것에 관해서는 그렇게 확신하지 못하겠어. 내 식물들은 모두 죽었거든. 내가 무엇을 잘못하고 있는지를 모르겠어.
남 너는 원예 동아리에 가입하는 게 좋겠다. 내 생각에 너는 많이 배울 수 있을 거야.
여 그것에 대해 생각해 볼게. 고마워.

17 과거에 한 일

대화를 듣고, 여자가 휴일에 한 일로 가장 적절한 것을 고르시오.
① 도서관 가기
② 음악 연주회 가기
③ 백화점 쇼핑하기
④ 기말고사 대비하기
⑤ 미술 작품 만들기

여 어린이날에 특별한 것이라도 했니?
남 꼭 그렇지는 않아. 그냥 도서관에 갔어.
여 알겠다. 음, 나는 시청 근처에 있는 축제에 갔어.
남 멋지다. 어떤 종류의 축제였어?
여 미술 축제였어. 많은 예술가들을 만났고 그들의 작품을 봤어.
남 재밌었겠다.
여 한 축제 부스에서는 내 자신만의 미술품을 만들 수 있었어.
남 멋지다. 어쩌면 나중에 그것을 내게 보여줄 수 있을 거야.

W   Did you do anything _____ on Children's Day?

M   Not really. I just _____ _____ the _____.

W   I see. Well, I went to a _____ _____ City Hall.

M   Cool. What _____ of festival was it?
     어떤 종류의 ~

W   It was an art festival. I met lots of _____ and looked at their _____.

M   Sounds fun.

W   At one festival booth, I was able to make my _____
     = could
     _____. 🔑정답 근거

M   Great. Maybe you can show it to me later.

18 직업

대화를 듣고, 남자의 직업으로 가장 적절한 것을 고르시오.
① 경찰   ② 경비원   ③ 소방관
④ 청소부   ⑤ 변호사

남 아주머니, 여기에 친구분 방문하러 오셨나요?
여 김준을 만나러 왔어요. 아파트 506호에 살아요.
남 알겠습니다. 이름과 전화번호를 이 양식에 적어 주세요.
여 음, 제 전화번호를 왜 써야 하나요?
남 이 아파트의 정책입니다. 이 건물을 관리하고 거주자분들을 안전하게 지키는 것이 제 일입니다.
여 알겠습니다, 이해합니다.

M   Ma'am, are you here to visit a friend?

W   I'm _____ to visit Kim Jun. He lives in apartment
     ~을 하러 여기에 오다
     506.

M   Okay. Please write your name and phone number on
     _____ _____.

W   Um, why do I have to _____ my phone number?

M   It's the _____ for this apartment building. It's my
     _____ _____ _____ this building and keep the
                    keep+목적어+목적격보어: (목적어)를
                    ~한 상태로 유지하다
     residents _____. 🔑정답 근거

W   Okay, I understand.

19 이어질 말 ①

대화를 듣고, 남자의 마지막 말에 이어질 여자의 말로 가장 적절한 것을 고르시오.

Woman: _____

① I'm good at drawing.
② Of course, I can help her.
③ Right. It might be in the drawer.
④ Exactly. I'm really terrible at drawing.
⑤ I really want to be a student president.

여 Austin, 내일 한가한 시간이 있니?
남 아마도. 해야 할 잡다한 일이 좀 있긴 하지만 빨리 끝내도록 노력할 수 있어.
여 좋아. 음, 네가 시간이 있다면, 내 동아리 포스터에 네 도움이 필요해서.
남 네가 이미 포스터를 끝낸 줄 알았어.
여 아직이야. 동아리 회장이 그게 따분해 보인대. 그녀가 내게 그림을 추가해 보라고 요청했어.
남 알겠어. 그래서 넌 내가 그 포스터에 무언가를 그려 주기를 원하는 거니?
여 ④ 맞아. 나는 정말 그림 그리기를 끔찍하게 못 해.

W   Austin, do you have any _____ time tomorrow?
      여유로운 시간, 한가한 시간

M   Maybe. I have some _____ to do, but I can try to finish them quickly.

W   Okay. Well, if you have time, I need your help _____ _____ _____ _____.

M   I thought you already _____ the poster.

W   Not yet. The club president said it _____ _____.
      She asked me to _____ a drawing.
      ask+목적어+to부정사: (목적어)가 ~하기를 요청하다

M   I see. So, you want me to draw something on the poster? 🎵정답 근거

W   ④ Exactly. I'm really terrible at drawing.

① 나는 그림을 잘 그려.   ② 물론, 내가 그녀를 도울 수 있어.
③ 맞아. 그것은 서랍에 있을 거야.   ⑤ 나는 정말로 학생회장이 되고 싶어.

20 이어질 말 ②

대화를 듣고, 남자의 마지막 말에 이어질 여자의 말로 가장 적절한 것을 고르시오.

Woman: _____

① It is twenty dollars.
② It is a new game title.
③ It closed down last month.
④ I like to play the game, too.
⑤ In fact, the movie was so boring.

여 Kevin, 누구에게 문자 메시지를 보내니?
남 Stephen이요. 우리는 이번 주말에 함께 놀려고 계획을 세우고 있어요.
여 너희 둘이 무엇을 할 거니?
남 아직은 확실하지 않아요. 어쩌면 우리는 영화를 보거나 극장 옆에 있는 게임 센터에 갈 수도 있어요.
여 음, 내 생각에 너는 게임 센터에는 못 갈 거야.
남 왜요?
여 ③ 그곳이 지난달에 문을 닫았거든.

W   Kevin, who _____ _____ _____?

M   Stephen. We are making _____ to _____ out this weekend.
      함께 시간을 보내다

W   What are you two going to do?
      Kevin과 Stephen

M   We're not _____ yet. Maybe we can see a _____ or go to the game center _____ to the _____.
      ~의 옆에

W   Um, I don't think you can go to the game center.

M   Why is that? 🎵정답 근거
      이유를 묻는 표현

W   ③ It closed down last month.

① 20달러야.   ② 새로운 게임 타이틀이야.
④ 나도 게임하는 것을 좋아해.   ⑤ 사실, 그 영화는 너무 따분해.

[VOCABULARY] 실전 모의고사 23회

어휘를 알아야 들린다

모의고사를 먼저 풀고 싶으면 362쪽으로 이동하세요.

🎧 다음 표현을 듣고 모르는 것에 표시하시오.

01 lid 뚜껑	25 talented 재능 있는
02 tasty 맛있는	26 spaghetti 스파게티
03 act 연기하다	27 cafeteria 식당
04 ballet 발레	28 sign up 등록하다, 신청하다
05 drive 태워다 주다	29 nutcracker 호두까기
06 else 그 외에	30 caterpillar 애벌레
07 scarf 목도리, 스카프	31 decorate 장식하다
08 clean 청소하다	32 right away 즉시
09 sunset 일몰	33 magazine 잡지
10 lightly 가볍게	34 grateful 고마워하는
11 serve (음식을) 차려 내다	35 a piece of work 하나의 작품
12 hallway 복도	36 patience 참을성, 인내
13 colorful 화려한	37 get there 거기에 도착하다
14 mushroom 버섯	38 stay home 집에 머무르다
15 forehead 이마	39 volunteer 봉사 활동을 하다
16 guitarist 기타 연주자	40 warm up 준비운동을 하다
17 holiday 휴일, 휴가	41 silver wedding 은혼식
18 section 구역	
19 on foot 도보로	📒 알아두면 유용한 선택지 어휘
20 possible 가능한	
21 straight 직진으로	42 frog 개구리
22 practice 연습하다	43 butterfly 나비
23 random 임의의, 무작위의	44 hedgehog 고슴도치
24 completely 완전히	45 furniture 가구
	46 make it 참석하다, 시간 맞춰 가다

🎧 들으면서 표현을 완성한 다음, 뜻을 고르시오.

표현의 의미를 생각하며 다시 써 보기!

01 sun＿et　☐ 일출　☐ 일몰　→

02 hall＿ay　☐ 복도　☐ 강당　→

03 scar＿　☐ 상처　☐ 목도리　→

04 ran＿om　☐ 무작위의　☐ 순서대로의　→

05 ＿ection　☐ 취소　☐ 구역　→

06 gra＿eful　☐ 고마워하는　☐ 생각하는　→

07 ta＿ented　☐ 재능 있는　☐ 재능 없는　→

08 ma＿azine　☐ 고서적　☐ 잡지　→

09 fore＿ead　☐ 이마　☐ 뒤통수　→

10 guita＿ist　☐ 기타 판매점　☐ 기타 연주자　→

11 ca＿eteria　☐ 식당　☐ 커피　→

12 spa＿hetti　☐ 질주　☐ 스파게티　→

13 volu＿teer　☐ 봉사 활동하다　☐ 공급하다　→

14 war＿ up　☐ 새싹이 나다　☐ 준비 운동하다　→

15 si＿n up　☐ 장식하다　☐ 등록하다, 신청하다　→

16 cater＿illar　☐ 애벌레　☐ 고슴도치　→

17 com＿letely　☐ 왕성하게　☐ 완전히　→

18 mush＿oom　☐ 버섯　☐ 약초　→

실전 모의고사 23회 →
모의고사 보통 속도
모의고사 빠른 속도

✎ 들으면서 주요 표현 메모하기!

01 다음을 듣고, 'I'가 무엇인지 가장 적절한 것을 고르시오.

① ② ③ ④ ⑤

02 대화를 듣고, 남자가 그린 상자로 가장 적절한 것을 고르시오.

① ② ③ ④ ⑤

03 다음을 듣고, 오늘 일몰 전의 날씨로 가장 적절한 것을 고르시오.

① ② ③ ④ ⑤

04 대화를 듣고, 남자가 한 마지막 말의 의도로 가장 적절한 것을 고르시오.

① 위로 ② 충고 ③ 감사 ④ 거절 ⑤ 놀림

고난도 선택지 하나씩 체크하며 풀기

05 다음을 듣고, 여자가 자원봉사 활동에 대해 언급하지 않은 것을 고르시오.

① 장소 ② 인원 ③ 요일
④ 신청 방법 ⑤ 봉사 내용

06 대화를 듣고, 경기가 시작할 시각을 고르시오.

① 6:00 p.m.　　　② 6:30 p.m.　　　③ 7:00 p.m.
④ 7:30 p.m.　　　⑤ 8:00 p.m.

07 대화를 듣고, 여자의 장래 희망으로 가장 적절한 것을 고르시오.

① 배우　　　　　② 대통령　　　　③ 농구 선수
④ 변호사　　　　⑤ 영화감독

08 대화를 듣고, 새로운 식당에 대한 내용으로 일치하지 <u>않는</u> 것을 고르시오.

① 학교 옆에 위치한다.　　　　② 이탈리아 식당이다.
③ 주말에도 문을 연다.　　　　④ 버섯 피자는 나오지 않는다.
⑤ 가격이 조금 비싸다.

09 대화를 듣고, 남자가 대화 직후에 할 일로 가장 적절한 것을 고르시오.

① 표 예매하기　　　② 장 보러 가기　　　③ 카드 구입하기
④ 발레 감상하기　　⑤ 영화관에 방문하기

10 대화를 듣고, 무엇에 관한 내용인지 가장 적절한 것을 고르시오.

① 미술 작품　　　② 일상용품　　　③ 입학 선물
④ 쇼핑 목록　　　⑤ 방학 숙제

틀린 문제는 Dictation에서
완벽하게 이해하세요.

실전 모의고사 [23]회

들으면서 주요 표현 메모하기!

11 대화를 듣고, 남자가 이용할 교통수단으로 가장 적절한 것을 고르시오.
① 도보　　　　　② 택시　　　　　③ 버스
④ 자전거　　　　⑤ 지하철

12 대화를 듣고, 여자가 꽃을 들고 있는 이유로 가장 적절한 것을 고르시오.
① 부케를 받아서　　　　　② 선생님이 주셔서
③ 생일 선물로 주려고　　　④ 삼촌에게 받은 것이라서
⑤ 기념일 선물로 드리려고

13 대화를 듣고, 두 사람이 대화하는 장소로 가장 적절한 곳을 고르시오.
① 식당　　　　　② 강당　　　　　③ 공연장
④ 가구점　　　　⑤ 놀이 공원

고난도 핵심 표현 메모하며 풀기

14 대화를 듣고, Millstone Mall의 위치로 가장 알맞은 것을 고르시오.

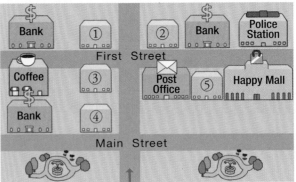

15 대화를 듣고, 여자가 남자에게 부탁한 일로 가장 적절한 것을 고르시오.
① 마트 다녀오기　　　② 목도리 가져오기　　　③ 장갑 가져오기
④ 양말 가져오기　　　⑤ 옷장 달아 주기

고난도 핵심 표현 메모하며 풀기

16 대화를 듣고, 여자가 남자에게 제안한 것으로 가장 적절한 것을 고르시오.

① 스노보드 타기　　② 역사 강의 듣기　　③ 예술 영화 보기
④ 박물관 방문하기　　⑤ 스케이트보드 타기

✎ 들으면서 주요 표현 메모하기!

17 대화를 듣고, 여자가 휴일에 한 일로 가장 적절한 것을 고르시오.

① 영화 보기　　② 청소하기　　③ 비디오 게임하기
④ PC 게임하기　　⑤ 엄마와 쇼핑하기

18 대화를 듣고, 남자의 직업으로 가장 적절한 것을 고르시오.

① 가수　　② 배우　　③ 드럼 연주자
④ 음악 교사　　⑤ 경호원

[19-20] 대화를 듣고, 여자의 마지막 말에 이어질 남자의 말로 가장 적절한 것을 고르시오.

여자의 마지막 말에 집중하기

19 Man: _____

① I can read it.　　② No, it wasn't.
③ Yes, very hot.　　④ It is a hot day.
⑤ Maybe next time.

20 Man: _____

① I forgot what I said.
② Singing is my favorite thing.
③ I actually don't like to swim.
④ I have to ask my mom first if it's okay.
⑤ Let me know by Friday if you can make it.

틀린 문제는 Dictation에서 완벽하게 이해하세요.

01 그림 지칭

*들을 때마다 체크

다음을 듣고, 'I'가 무엇인지 가장 적절한 것을 고르시오.

① ② ③

④ ⑤

M I'm usually colorful, and many people think I'm beautiful. People can see _____ _____ and _____ on my _____ as I fly around. But I didn't have _____ when I was _____. I used to be a caterpillar, but my _____ _____. What am I?

~할 때 이리저리 날아다니다 👉정답 근거

예전에는[과거 한때] ~이었다

남 나는 주로 색이 화려하고, 많은 사람들이 내가 아름답다고 생각합니다. 내가 이리저리 날아다닐 때, 사람들은 내 날개 위에 있는 다양한 색깔과 모양을 볼 수 있습니다. 하지만 내가 더 어렸을 때는 날개가 없었습니다. 나는 한때 애벌레였지만 내 몸은 달라졌습니다. 나는 무엇일까요?

🔑 Sound Tip **used to be**
used to be는 [유스트 비], 빠르게 읽으면 [유 슽비]처럼 발음된다.

02 그림 묘사

대화를 듣고, 남자가 그린 상자로 가장 적절한 것을 고르시오.

① ② ③

④ ⑤

W Adam, _____ is your dad's Christmas gift?

M It's right here. I _____ the box.
바로

W You drew Christmas _____ _____ the box. They look very nice!
👉정답 근거
look+형용사: ~처럼 보이다

M Thanks. And I drew one _____ _____ _____ _____, _____.

W Oh, now I see. And you wrote "M.C.D." _____ _____ _____. What does that mean?
M.C.D.를 가리킴

M It means "Merry Christmas, Dad."

W How creative! Your dad will really like it.

여 Adam, 아빠의 크리스마스 선물은 어디에 있니?
남 바로 여기 있어요. 제가 상자를 장식했어요.
여 상자에 크리스마스트리들을 그렸구나. 매우 멋져 보인다.
남 고마워요. 그리고 뚜껑에 별 하나를 그렸어요.
여 오, 이제 알겠다. 그리고 넌 그 별 밑에 M.C.D.라고 적었구나. 그게 무슨 의미니?
남 그것은 "즐거운 성탄절 되세요, 아빠."라는 의미예요.
여 창의적이구나! 아빠가 정말로 좋아하실 거야.

Dictation 23회 →
전체 듣기
문항별 듣기

Dictation의 효과적인 활용법
STEP1 들으면서 대본의 빈칸 채우기
STEP2 축쇄 문제를 보며 다시 풀어보기
STEP3 해석을 보며 영어로 말하거나 영작해 보기

공부한 날   월   일

03 날씨

다음을 듣고, 오늘 일몰 전의 날씨로 가장 적절한 것을 고르시오.

① 　② 　③

④ 　⑤

W　Good morning, everyone. Here's the weather forecast for today. It's _____ now, but it will start _____ lightly around lunchtime. The rain will only last a few
　　　　　　　　　　　　　점심시간 무렵　　　　　　　　　　지속되다
hours though. We expect the _____ to be completely
그러나
_____ by 3 p.m. After that, we'll have sunny weather
　　　　　～까지　　　　　　　　　　　　　　　　　　　　📍정답 근거
_____ _____ _____ _____ _____.

여　여러분, 좋은 아침입니다. 여기는 오늘의 일기예보입니다. 지금은 구름이 끼어 있지만, 점심시간 무렵에는 약하게 비가 내리기 시작하겠습니다. 하지만 비는 몇 시간 동안만 지속되겠습니다. 비가 오후 3시까지는 완전히 그칠 것이라고 예상됩니다. 그 이후에 7시 전후 일몰까지 해가 비치는 날씨가 되겠습니다.

04 말의 의도

대화를 듣고, 남자가 한 마지막 말의 의도로 가장 적절한 것을 고르시오.

① 위로　② 충고　③ 감사
④ 거절　⑤ 놀림

M　I'm so hungry. I wonder what's for lunch in the
　　　　　　　　　　　나는 ～이 궁금하다
cafeteria.

W　I heard they're serving spaghetti today. I'm not happy about it.

M　Oh, _____ _____ _____ a minute? I need
　　　　　　　　　　　　　잠깐 기다리다
_____ _____ back to our classroom.
　　　～로 돌아가다

W　Did you forget something?

M　I forgot to turn _____ the _____. Our teacher
_____ me to do it.
ask+목적어+to부정사: ～에게 ～하기를 요청하다

W　Hurry and _____ _____ _____ then. I'll wait for you here.

M　I'm _____ for your patience. 📍정답 근거
be grateful for: ～을 고맙게 여기다

남　정말 배고프다. 식당 점심 메뉴가 무엇인지 궁금해.
여　내가 듣기로는 오늘 스파게티를 제공한다고 했어. 나는 그것이 기쁘지 않아.
남　오, 잠시만 기다려 줄래? 난 교실로 되돌아가야 해.
여　무엇이라도 잊은 거니?
남　전등 끄는 것을 잊었어. 선생님이 나더러 그렇게 해달라고 요청하셨거든.
여　서둘러 가서 끄렴. 나는 여기에서 너를 기다릴게.
남　기다려 줘서 고마워.

05 언급하지 않은 것

다음을 듣고, 여자가 자원봉사 활동에 대해 언급하지 않은 것을 고르시오.
① 장소　　② 인원
③ 요일　　④ 신청 방법
⑤ 봉사 내용

여 학생 여러분, 안녕하세요. 어린이 병원에서 자원봉사 활동을 하는 것에 관심이 있는 분이 계실까요? 저희는 이번 토요일에 10명의 학생 자원봉사자가 필요합니다. 자원봉사자들은 오전 9시에 학교에서 만나 함께 지하철을 타고 병원에 갑니다. 두 분의 선생님들이 자원봉사자들과 함께 할 것입니다. 만약 여러분이 자원봉사를 하고 싶으면, 교무실에서 신청해 주세요.

W Hello, students. Is anyone _____ _____ _____ at the children's _____? We _____ ten student _____ for this Saturday. The volunteers will meet at the school at 9 a.m. and then take the _____ together to the hospital. Two teachers will also go with the volunteers. If you want to volunteer, please _____ _____ in the teachers' office.

be interested in: ~에 관심이 있다
지하철을 타다
신청하다, 등록하다

06 시각

대화를 듣고, 경기가 시작할 시각을 고르시오.
① 6:00 p.m.　　② 6:30 p.m.
③ 7:00 p.m.　　④ 7:30 p.m.
⑤ 8:00 p.m.

남 엄마, 제 농구 경기에 오세요?
여 물론이지. 7시 30분에 시작하지?
남 아니요. 그것은 지난번 경기였어요. 오늘은 7시에 시작해요.
여 알았다, 거기에 가마. 내가 거기까지 태워다 줄까?
남 아니요, 괜찮아요. 저는 거기에서 6시까지 준비 운동을 해야 해요.
여 알았어, 그러면 나보다 먼저 가도 좋아. 오늘 밤 행운을 빌게!

M Mom, are you _____ _____ my basketball game?
W Of course. It starts _____ _____: _____, right?
농구 경기를 가리킴
M No. That was the last game. Today, it starts _____ _____.
W Okay, I'll be _____. Do you want me to drive you there?
거기에 갈게
M No, thanks. I need to be there _____ _____ _____ up.
몸을 풀다, 준비 운동을 하다
W Okay, you can go before me then. Good luck tonight!

Solution Tip
시각이 여러 개 나오면 들을 때 헷갈리기 쉽다. 반드시 메모하면서 들어야 한다. 7시 30분은 지난번 경기 시작 시각이었고, 7시는 이번 경기 시작 시각이다. 6시는 아들이 경기장에 도착해야 하는 시각이다.

07 장래 희망

대화를 듣고, 여자의 장래 희망으로 가장 적절한 것을 고르시오.
① 배우 　② 대통령 　③ 농구 선수
④ 변호사 　⑤ 영화감독

남 네가 복도에서 이야기하는 것을 들었어. 누구랑 이야기하고 있었니?

여 아무와도 하지 않았어. 학교 연극 때문에 내 대사를 연습하고 있었어.

남 연극에서 역할을 맡았니?

여 응, 난 연기하는 게 정말 좋아. 사실 나는 미래에 전문적인 배우가 되고 싶어.

남 멋지다! 언젠가 영화에서 네가 연기하는 것을 볼 수 있을까?

여 그러기를 바래!

M I heard you talking in the hallway. _____ _____
　지각동사는 목적격보어로 동사원형이나 현재분사를 취할 수 있다.
you talking to?

W Nobody. I was _____ _____ _____ for the
　practice one's lines: 대사를 연습하다
school play.

M You got a role in the play?

W Yes, I love acting. Actually, I want to be a _____
_____ in the future. 🔑정답 근거

M Cool! _____ _____ _____ you _____ in
movies someday?

W I hope so!

---

08 일치하지 않는 것

대화를 듣고, 새로운 식당에 대한 내용으로 일치하지 <u>않는</u> 것을 고르시오.
① 학교 옆에 위치한다.
② 이탈리아 식당이다.
③ 주말에도 문을 연다.
④ 버섯 피자는 나오지 않는다.
⑤ 가격이 조금 비싸다.

남 우리 학교 옆에 새로운 식당이 있다고 들었어.

여 응. 지난밤에 내가 먹어 봤어. 이탈리아 음식 식당이야.

남 주말에도 여니?

여 응, 일주일에 7일 연대.

남 좋아. 한번 먹어 보고 싶다. 너는 어떤 요리를 추천하니?

여 버섯 피자. 그게 조금 비싸기는 했지만 아주 맛있었어!

M I heard there is a new restaurant _____ to our school.
　　　　　　　　　　　　　　　　　　　　~의 옆에

W Yes. I tried it last night. It's an Italian restaurant.
　　try it: 시도해 보다

M Are they _____ on weekends?

W Yes, they're _____ 7 days a week.

M Great. I want to _____ _____. What _____ do
you _____? 🔑정답 근거

W The mushroom pizza. It was a little _____ but very
　　　　　　　　　　　　　　　　　약간
_____!

09 바로 할 일

대화를 듣고, 남자가 대화 직후에 할 일로 가장 적절한 것을 고르시오.

① 표 예매하기　② 장 보러 가기
③ 카드 구입하기　④ 발레 감상하기
⑤ 영화관에 방문하기

남 Ashley, 오늘 밤에 "호두까기 인형"을 보러 갈래?
여 응, 난 발레 좋아해.
남 좋아! 8시에 극장에서 보자.
여 알았어. 표는 이미 가지고 있니?
남 아니, 내 생각에 거기에서 표를 살 수 있을 거야.
여 그 쇼는 매우 인기가 있어. 내 생각에는 네가 바로 우리 표를 예매하는 게 좋겠어.
남 알았어. 그러면 웹사이트 방문해서 표를 예매할게.

M　Ashley, _____ _____ _____ to go see *The Nutcracker* tonight?

W　Yes, I love _____.

M　Wonderful! Let's meet at the theater at 8.

W　Okay. Do you already have tickets?

M　No, I think we can just _____ them there.

W　The show is very _____. I think you should _____ _____ for us right away. ♪정답 근거
바로, 당장

M　Okay. I'll go to the _____ to _____ _____ then.

10 대화 화제

대화를 듣고, 무엇에 관한 내용인지 가장 적절한 것을 고르시오.

① 미술 작품　② 일상용품
③ 입학 선물　④ 쇼핑 목록
⑤ 방학 숙제

여 그것은 정말로 멋진 작품이야, Tim.
남 고마워요, 엄마. 이것이 무엇에 관한 것인지 아세요?
여 잘 모르겠어. 그림에 많은 임의의 물건들이 보여.
남 맞아요. 축구공들, 자전거, 잡지책들, 휴대 전화가 있어요.
여 흠. 어쩌면 너는 네가 원하는 생일 선물들을 그린 것 같아.
남 맞았어요!

W　That's a really cool _____ _____ _____, Tim. ♪정답 근거
정말 멋진 작품

M　Thanks, Mom. Do you know what it's about?
간접의문문의 어순: 의문사+주어+동사

W　I'm not sure. I see lots of _____ _____ in the picture.
많은

M　Right. There are some soccer balls, a _____, magazines and a cellphone.

W　Hmm. Maybe you _____ the birthday _____ _____.
🔔함정 주의　그림 안에 있는 내용을 말하고 있음

M　You got it!

↩ Solution Tip

대화 전반적으로 아들이 그린 작품에 대해 이야기하고 있는 내용이다. 그림에 물건들이 있는데, 알고 보니 아들이 생일 선물로 받고 싶은 것들이었다. presents라는 함정에 빠지지 않도록 유의한다.

11 교통수단 ▢▢

대화를 듣고, 남자가 이용할 교통수단으로 가장 적절한 것을 고르시오.

① 도보   ② 택시   ③ 버스
④ 자전거   ⑤ 지하철

남 실례합니다. 시청으로 가는 길을 알려 주시겠어요?
여 물론이죠. 그냥 10번 버스를 타세요.
남 거기까지 걸어가는 게 가능할까요?
여 예, 하지만 버스보다는 더 오래 걸릴 거예요.
남 알겠습니다. 거기까지 걸어서 얼마나 걸리나요?
여 이 길로 직진해서 걸어가면 15분이 걸려요.
남 오, 그렇게 멀지는 않네요. 걸어서 갈게요.

M   Excuse me. Can you give me _____ to City Hall?

W   Sure. Just _____ the Number 10 _____.

M   Is it _____ to walk there?

W   Yes, but it will take longer than the _____. 🔖함정 주의
비교급+than

M   I see. How long does it take to _____ there?
얼마나 오래

W   It takes _____ minutes if you _____ _____ on
it takes+시간: (시간)이 걸리다
this road.

M   Oh, that's not too long. I'll go on _____. 🔖정답 근거
도보로, 걸어서

12 이유 ▢▢

대화를 듣고, 여자가 꽃을 들고 있는 이유로 가장 적절한 것을 고르시오.

① 부케를 받아서
② 선생님이 주셔서
③ 생일 선물로 주려고
④ 삼촌에게 받은 것이라서
⑤ 기념일 선물로 드리려고

남 Bethany, 왜 꽃을 들고 있니?
여 삼촌과 숙모에게 드리려고요.
남 왜? 두 분의 생신이니?
여 아니요. 꽃은 두 분의 은혼식 선물이에요.
남 오, 두 분이 은혼식(결혼 25주년)을 기념했는지 몰랐어.
여 예, 지난 주말에요.

M   Why do you have flowers, Bethany?

W   I'm going to give them to _____ _____ and
_____.

M   Why? Is it their birthday?

W   No. The flowers are a _____ _____ _____ for
them. 🔖정답 근거

M   Oh, I didn't know that they _____ their silver
은혼식 기념일(결혼 25주년 기념일)
wedding _____.

W   Yes, last weekend.

13 장소

대화를 듣고, 두 사람이 대화하는 장소로 가장 적절한 곳을 고르시오.
① 식당 ② 강당 ③ 공연장
④ 가구점 ⑤ 놀이 공원

남 어서 오세요. 제가 안내해 드리겠습니다.
여 고맙습니다. 실은 저희가 식탁만 보고 싶어서요.
남 좋습니다. 식탁은 이 구역에 있습니다.
여 여섯 명에게 충분한 식탁을 원해요.
남 이것은 어떤가요? 우리 가게에서 가장 인기 있는 식탁입니다.
여 딱 좋아요. 그것으로 살게요.

M Welcome. Please _____ me to _____ you around.
(실례지만) 제가 ~하겠습니다

W Thanks. Actually, we only want to _____ _____ the tables.

M Okay. The tables are in this _____.

W We want a table that is _____ _____ for six people.

M How about this one? It's the _____ _____ table in
제안하는 표현
our store. 정답 근거

W It's perfect. We'll take it.

14 그림 위치

대화를 듣고, Millstone Mall의 위치로 가장 알맞은 것을 고르시오.

남 Jessica, 여기에서부터 Millstone 쇼핑 센터까지 걸어 가는 게 가능하니?
여 응, 몇 분밖에 안 떨어져 있어.
남 좋아. 거기까지 어떻게 가니?
여 네가 First 가를 볼 때까지 Main 가를 따라 직진해서 걸어 내려가면 돼.
남 좋아. First 가에서 어느 길로 돌아야 해?
여 왼쪽으로 돌아. 그러면 오른쪽에 그 쇼핑 센터를 볼 수 있을 거야. 그것은 은행 옆에 있어.

M Jessica, is it _____ to _____ to Millstone Mall from _____?
여기에서부터

W Yes, it's only a few minutes _____.

M Good. How can I get there?

W Walk straight down Main Street _____ _____ _____ First Street.

M Okay. Which way should I _____ on First Street?
어느 길

W Turn _____. Then you'll see the mall on your
왼쪽으로 돌아.
_____. It's next to the bank. 정답 근거

Solution Tip
그것이 은행 옆에 있다는 여자의 마지막 말만 들으면 헷갈리기 쉽다. 현재 위치에서 걸어 내려가서 First 가에서 왼쪽으로 돌면 오른쪽에 있다고 했으므로 ①이 찾는 위치가 된다.

15 부탁한 일

대화를 듣고, 여자가 남자에게 부탁한 일로 가장 적절한 것을 고르시오.

① 마트 다녀오기
② 목도리 가져오기
③ 장갑 가져오기
④ 양말 가져오기
⑤ 옷장 닫아 주기

남 가게가 곧 문을 닫을 거야.
여 알아. 서둘러서 가자.
남 알았어. 옷장에서 목도리를 꺼낼게.
여 아, 내 장갑도 옷장에 있어. 내게 가져다줄 수 있니?
남 물론이지. 그 밖에 다른 필요한 것 있어?
여 아니, 장갑이면 돼. 내 양말들 아래에 있어. 고마워.

M The store is _____ _____.

W I know. Let's _____ _____ and go.
　　　　　　　　　서두르다

M Okay. I'm going to get my _____ from the _____.

W Oh, my _____ are in the _____, _____. Can you _____ them to me? 🎵정답 근거

M Sure. Do you need anything else?
　　　　　　　　　그 밖에, 또 다른 무엇인가

W No, just the gloves. They are _____ my _____. Thanks.

16 제안한 것

대화를 듣고, 여자가 남자에게 제안한 것으로 가장 적절한 것을 고르시오.

① 스노보드 타기
② 역사 강의 듣기
③ 예술 영화 보기
④ 박물관 방문하기
⑤ 스케이트보드 타기

남 스케이트보드 타러 갈 준비가 되었니?
여 음, 바깥을 봤니? 방금 비가 내리기 시작했어.
남 괜찮아. 그 밖에 다른 것을 할 수 있어.
여 박물관에 가는 것은 어때?
남 좋은 생각이야. 미술관이나 역사 박물관에 가고 싶니?
여 상관없어. 둘 중 어느 것이든 좋아.

M Are you _____ _____ _____ skateboarding?
　　　　　　　　go -ing: ~하러 가다

W Um, didn't you see outside? It just started _____.

M That's okay. We can do something else.

W What about going to a _____? 🎵정답 근거
　　제안하는 표현

M That sounds good. Do you want to go to an _____ _____ _____ _____?

W I don't care. _____ _____ _____ with me.

17 과거에 한 일 ☐☐

대화를 듣고, 여자가 휴일에 한 일로 가장 적절한 것을 고르시오.
① 영화 보기   ② 청소하기
③ 비디오 게임하기   ④ PC 게임하기
⑤ 엄마와 쇼핑하기

여 이봐, Keri. 휴일은 어땠어?
남 좋았어! 집에서 컴퓨터 게임을 했고 음악을 들었어. 너는 어때?
여 나도 집에 있었지만 게임은 하나도 할 수 없었어.
남 그러면 무엇을 했는데?
여 엄마와 함께 하루 종일 집 청소를 했어.
남 하루 종일? 피곤하겠다!

W Hey, Keri. _____ _____ your holiday?

M Great! I played computer games and listened to _____ at home. What about you? 함정 주의
listen to: ~을 듣다

W I stayed home too, but I _____ _____ _____ _____.

M Then what did you do?

W I _____ _____ _____ all day long with my mom. 정답 근거
하루 종일

M All day long? You must be _____!

18 직업 ☐☐

대화를 듣고, 남자의 직업으로 가장 적절한 것을 고르시오.
① 가수   ② 배우
③ 드럼 연주자   ④ 음악 교사
⑤ 경호원

여 Mars 씨, 사랑합니다! 당신의 열성 팬입니다!
남 오, 안녕하세요. 이름이 어떻게 되세요?
여 저는 Taylor입니다. 이 셔츠에 사인해 주시겠어요? 당신의 콘서트에서 산 셔츠예요.
남 물론이죠. 콘서트는 즐거우셨나요?
여 예! 당신은 정말 재능 있는 가수이자 기타 연주자예요.
남 고맙습니다. 제 음악을 즐겨 들으셔서 정말 기쁩니다.

W Mr. Mars, I love you! I'm _____ _____ fan!
big fan: 열성 팬

M Oh, hello. What's your name?

W I'm Taylor. Can you _____ this T-shirt? I _____ _____ at your concert.

M Of course. _____ _____ _____ fun at the concert?
재미있게 보내다

W Yes! You are _____ _____ talented singer and guitarist. 정답 근거
such a+형용사+명사: 너무나 ~한 (명사)

M Thank you. I'm so _____ _____ enjoy my music.

Sound Tip bought it
bought는 [바: 트]나 [보: 트]처럼 발음하는 경향이 있는데, it과 결합 시 [바: 릿] 혹은 [보: 릿]처럼 t소리가 [ㄹ]로 바뀌어 발음되곤 한다.

19 이어질 말 ①

대화를 듣고, 여자의 마지막 말에 이어질 남자의 말로 가장 적절한 것을 고르시오.

Man: _____

① I can read it.
② No, it wasn't.
③ Yes, very hot.
④ It is a hot day.
⑤ Maybe next time.

여 아빠, 저 다녀왔습니다.
남 Sally야, 괜찮니? 오, 네 표정이 좋아 보이지 않아. 아프니?
여 제 생각도 그래요. 아빠, 제가 열이 있는지 체크 좀 해 주실래요?
남 네 이마를 대 볼게.
여 좋아요. 이마가 뜨겁나요?
남 ③ 응, 매우 뜨거워.

W Dad, I'm home.

M Sally, is everything okay? Oh, You don't look well. Are you sick?
감각동사 look+형용사: 여기에서 well은 '건강한'의 의미로 쓰였다.

W I think so. Can you check if I _____ _____ _____, Dad?
~인지 아닌지

M Let me _____ _____ _____.

W Okay. Does it feel _____? 🎵정답 근거
감각동사 feel+형용사

M ③ Yes, very hot.

---

① 내가 그것을 읽을 수 있어.   ② 아니, 그것은 아니었어.
④ 날씨가 덥구나.   ⑤ 다음 기회에.

---

20 이어질 말 ②

대화를 듣고, 여자의 마지막 말에 이어질 남자의 말로 가장 적절한 것을 고르시오.

Man: _____

① I forgot what I said.
② Singing is my favorite thing.
③ I actually don't like to swim.
④ I have to ask my mom first if it's okay.
⑤ Let me know by Friday if you can make it.

여 이봐, Mike. 노래하는 거 좋아하니?
남 응, 좋아해. 왜?
여 이번 토요일에 노래방에 가려고 해. 너도 갈래?
남 나도 가고 싶지만 갈 수 있을지 잘 모르겠어.
여 왜 안 돼?
남 ④ 괜찮은지 먼저 엄마에게 여쭤봐야 해.

W Hey, Mike. Do you _____ _____?

M Yes, I love it. Why?

W I'm going to a _____ _____ this Saturday. Do you _____ _____ _____?

M I want to come, but _____ _____ _____ I can. 🎵정답 근거
남자가 가는 것은 여자의 입장에서 come이므로 I want to come ....이라고 말한 것임

W Why _____?

M ④ I have to ask my mom first if it's okay.

---

① 내가 말한 것을 잊어 버렸어.   ② 노래하는 것은 내가 가장 좋아하는 거야.
③ 나는 사실 수영하는 것을 좋아하지 않아.   ⑤ 네가 올 수 있다면 금요일까지 내게 알려 줘.

모의고사를 먼저 풀고 싶으면 378쪽으로 이동하세요.

🎧 다음 표현을 듣고 모르는 것에 표시하시오.

- [ ] 01 **rub** 문지르다
- [ ] 02 **save** 절약하다
- [ ] 03 **coach** 코치
- [ ] 04 **archery** 양궁
- [ ] 05 **share** 공유하다
- [ ] 06 **awake** 깨어 있는
- [ ] 07 **skill** 기술
- [ ] 08 **below** ~의 밑에
- [ ] 09 **hide** 숨다
- [ ] 10 **later** 나중에
- [ ] 11 **bring** 가져오다
- [ ] 12 **picnic** 소풍
- [ ] 13 **coupon** 쿠폰
- [ ] 14 **dirty** 더러운
- [ ] 15 **slim** 날씬한, 얇은
- [ ] 16 **tank** 수조
- [ ] 17 **whole** 전체의, 모든
- [ ] 18 **field** 운동장
- [ ] 19 **French** 프랑스어
- [ ] 20 **inside** 내부에
- [ ] 21 **kitten** 새끼 고양이
- [ ] 22 **language** 언어
- [ ] 23 **sleepy** 졸린
- [ ] 24 **P.E.** 체육(physical education)

- [ ] 25 **leave for** ~로 떠나다
- [ ] 26 **soft** 부드러운
- [ ] 27 **neither** 둘 다 아닌
- [ ] 28 **unusual** 이상한
- [ ] 29 **helmet** 헬멧
- [ ] 30 **strange** 이상한
- [ ] 31 **clothes closet** 옷장
- [ ] 32 **information** 정보
- [ ] 33 **extremely** 몹시, 극도로
- [ ] 34 **air conditioner** 에어컨
- [ ] 35 **make sure** 반드시 ~하다
- [ ] 36 **make a mistake** 실수하다
- [ ] 37 **dance recital** 춤 공연
- [ ] 38 **temperature** 온도
- [ ] 39 **take care of** 보살피다
- [ ] 40 **because of** ~ 때문에

📝 알아두면 유용한 선택지 **어휘**

- [ ] 41 **meow** 야옹 하고 울다
- [ ] 42 **pilot** 파일럿
- [ ] 43 **diplomat** 외교관
- [ ] 44 **toothbrush** 칫솔
- [ ] 45 **toothpaste** 치약
- [ ] 46 **interpreter** 통역사

🎧 들으면서 표현을 완성한 다음, 뜻을 고르시오.

표현의 의미를 생각하며 다시 써 보기!

01 ☐rchery ☐ 마술 ☐ 양궁 → _____

02 a☐ake ☐ 깨어 있는 ☐ 깊이 잠든 → _____

03 hi☐e ☐ 숨다 ☐ 나오다 → _____

04 ru☐ ☐ 묻다 ☐ 문지르다 → _____

05 fie☐d ☐ 운동장 ☐ 대강당 → _____

06 ☐ring ☐ 고리 ☐ 가져오다 → _____

07 sli☐ ☐ 얇은 ☐ 두꺼운 → _____

08 nei☐her ☐ 둘 다 아닌 ☐ 둘 중 하나 → _____

09 lan☐uage ☐ 미인 ☐ 언어 → _____

10 who☐e ☐ 전체의 ☐ 일부의 → _____

11 ex☐remely ☐ 미세한 ☐ 극도로 → _____

12 tem☐erature ☐ 온도 ☐ 유혹 → _____

13 lea☐e for ☐ 도착하다 ☐ ~로 떠나다 → _____

14 ☐itten ☐ 새끼 고양이 ☐ 작은 돌 → _____

15 ☐nusual ☐ 정상의 ☐ 이상한 → _____

16 air ☐onditioner ☐ 공기 청정기 ☐ 에어컨 → _____

17 clothes clos☐t ☐ 옷장 ☐ 옷 가게 → _____

18 dance ☐ecital ☐ 무용수 ☐ 춤 공연 → _____

어휘 24회

실전 모의고사 24회 →
모의고사 보통 속도
모의고사 빠른 속도

✎ 들으면서 주요 표현 메모하기!

01 다음을 듣고, 'this'가 가리키는 것으로 가장 적절한 것을 고르시오.

①   ②   ③   ④   ⑤

02 대화를 듣고, 여자의 지우개로 가장 적절한 것을 고르시오.

①   ② ③   ④ ⑤

03 다음을 듣고, 서울의 오전 날씨로 가장 적절한 것을 고르시오.

①   ②   ③ ④ ⑤

04 대화를 듣고, 여자가 한 마지막 말의 의도로 가장 적절한 것을 고르시오.

① 감사   ② 위로   ③ 불평   ④ 거절   ⑤ 당부

고난도 선택지 하나씩 체크하며 풀기

05 다음을 듣고, 남자가 동아리에 대해 언급하지 않은 것을 고르시오.

① 이름   ② 모임 장소   ③ 회원 수
④ 모임 시간   ⑤ 준비물

06 대화를 듣고, 여자가 지불할 금액을 고르시오.

① $35   ② $30   ③ $25
④ $20   ⑤ $15

✎ 들으면서 주요 표현 메모하기!

07 대화를 듣고, 남자의 장래 희망으로 가장 적절한 것을 고르시오.

① 교사   ② 외교관   ③ 요리사
④ 통역사   ⑤ 여행 가이드

고난도 선택지 하나씩 체크하며 풀기

08 대화를 듣고, 학급 애완동물에 대한 내용으로 일치하지 <u>않는</u> 것을 고르시오.

① 거북이다.   ② 모든 학생이 키운다.
③ 교실 수조에서 키운다.   ④ 선생님도 도와주신다.
⑤ 모레 아침에 볼 수 있다.

09 대화를 듣고, 남자가 대화 직후에 할 일로 가장 적절한 것을 고르시오.

① 예약하기   ② 식사하기   ③ 셔츠 사기
④ 코트 사기   ⑤ 신발 사기

10 대화를 듣고, 무엇에 관한 내용인지 가장 적절한 것을 고르시오.

① 학교 성적   ② 전학 문제   ③ 체육 대회 신청
④ 양궁부 가입   ⑤ 체력 관리의 중요성

틀린 문제는 **Dictation**에서
완벽하게 이해하세요.

✎ 들으면서 주요 표현 메모하기!

11 대화를 듣고, 두 사람이 이용할 교통수단으로 가장 적절한 것을 고르시오.

① 버스　　　　　② 택시　　　　　③ 지하철
④ 자전거　　　　⑤ 오토바이

12 대화를 듣고, 여자가 필통을 비운 이유로 가장 적절한 것을 고르시오.

① 지저분해서　　　　　② 버리기 위해서
③ 물건을 찾기 위해서　　④ 생일 선물로 주려고
⑤ 새로운 연필을 담기 위해서

13 대화를 듣고, 두 사람의 관계로 가장 적절한 것을 고르시오.

① 기자 – 감독　　　　　② 주장 – 팀원
③ 코치 – 운동선수　　　④ 지도 교사 – 피아노 연주자
⑤ 체육관 관리자 – 이용자

고난도 핵심 표현 메모하며 풀기

14 대화를 듣고, 휴대 전화의 위치로 가장 알맞은 것을 고르시오.

15 대화를 듣고, 여자가 남자에게 부탁한 일로 가장 적절한 것을 고르시오.

① 택시 예약하기　　② 일찍 퇴근하기　　③ 설거지 대신 하기
④ 애완동물 먹이 주기　⑤ 고양이 예방 접종하기

16 대화를 듣고, 남자가 여자에게 제안한 것으로 가장 적절한 것을 고르시오.

✎ 들으면서 주요 표현 메모하기!

① 에어컨 켜기　　　　　　② 공기 청정기 켜기
③ 타이어 공기 넣기　　　　④ 밖에 산책하러 가기
⑤ 창문 열어 환기하기

17 대화를 듣고, 두 사람의 대화가 <u>어색한</u> 것을 고르시오.

①　　　　　②　　　　　③　　　　　④　　　　　⑤

18 대화를 듣고, 남자의 직업으로 가장 적절한 것을 고르시오.

① 기자　　　　　　② 파일럿　　　　　　③ 항해사
④ 승무원　　　　　⑤ 로켓 과학자

[19~20] 대화를 듣고, 남자의 마지막 말에 이어질 여자의 말로 가장 적절한 것을 고르시오.

남자의 마지막 말에
집중하기

19 Woman: _____

① It's already 2 o'clock.
② It was ended on January 21.
③ We will go there on Tuesday.
④ We started the work from yesterday.
⑤ At 7:30, but it's a good idea to get there early.

고난도　핵심 표현 메모하며 풀기

20 Woman: _____

① That's a good choice.
② Yes, we had a good sleep.
③ Yes, she was meowing all night.
④ No, we will cook in the kitchen.
⑤ No, she studied till late at night.

틀린 문제는 **Dictation**에서
완벽하게 이해하세요.

01 그림 지칭
*들을 때마다 체크

다음을 듣고, 'this'가 가리키는 것으로 가장 적절한 것을 고르시오.

① ② ③
④ ⑤

여 이것은 길고 날씬합니다. 모든 사람이 이것을 가지고 있고, 다른 사람들과는 그것을 공유하지 않습니다. 이것의 한쪽 끝은 다른 끝부분보다 더 딱딱합니다. 여러분은 청결함을 위해 이것의 더 부드러운 끝을 여러분의 치아에 문질러야 합니다. 사람들은 식사를 한 후에 이것을 하루에 두 번 혹은 세 번 사용합니다. 이것은 무엇일까요?

W This is long and _____. Every person has this, and they _____ _____ it with others. One end of
share A with ...: A를 …와 공유하다 🎸정답 근거
this is harder than the other end. You should _____ _____ _____ end of this on your _____ for _____. People use this two or three times a day after
하루에(= per day)
_____. What is this?

02 그림 묘사

대화를 듣고, 여자의 지우개로 가장 적절한 것을 고르시오.

① ② ③
④ ⑤

여 Park 선생님, 제가 지우개를 잃어버렸어요.
남 알았다, Sally. 그게 어떻게 생겼니?
여 제 이름이 지우개 위에 적혀 있어요.
남 그게 전부니? 단지 이름만?
여 아니요, 겉에 고양이 그림도 있어요.
남 네 이름이 고양이 위에 혹은 밑에 쓰여 있니?
여 둘 다 아니에요. 제 이름은 고양이 옆에 있어요.

W Mr. Park, I lost my _____.

M Okay, Sally. What does it look like?
~처럼 보이다

W It has my name _____ _____.

M That's all? Only your name?

W No, there's also a picture of a _____ on it.
💚함정 주의

M Is your name _____ _____ or _____ the cat?

W Neither. My name is _____ _____ the cat. 🎸정답 근거
둘 다 부정할 때 사용한다.

Dictation 24회 →
┌ 전체 듣기
└ 문항별 듣기

Dictation의 효과적인 활용법
STEP1 들으면서 대본의 빈칸 채우기
STEP2 축쇄 문제를 보며 다시 풀어보기
STEP3 해석을 보며 영어로 말하거나 영작해 보기

공부한 날   월   일

03 날씨

다음을 듣고, 서울의 오전 날씨로 가장 적절한 것을 고르시오.

①   ②   ③

④   ⑤

여 이제 국제 일기예보 시간입니다. 베이징에는 하루 종일 폭설이 내릴 것입니다. 구름이 낀 날씨는 방콕에서 예상됩니다. 시드니에서는 사람들이 시원하고 화창한 날을 즐길 것입니다. 두바이에서도 화창한 날씨이지만 기온은 몹시 높겠습니다. 서울에서는 아침에 눈이 내릴 것이고 오후에는 비로 내리겠습니다.

W Now it is time for the international weather report. In
（~할 시간이다）
Beijing, _____ _____ will fall all day. _____
（하루 종일）
weather is expected in Bangkok. In Sydney, people will
（be expected: ~이 예상되다）
enjoy a cool, sunny day. Dubai will also have _____
weather, but the temperature will be _____ _____.
In Seoul, it will _____ in the morning and _____
（정답 근거）
in the afternoon.

04 말의 의도

대화를 듣고, 여자가 한 마지막 말의 의도로 가장 적절한 것을 고르시오.
① 감사   ② 위로   ③ 불평
④ 거절   ⑤ 당부

남 엄마, 근처에 자전거 가게 있어요?
여 내 생각에 우체국 옆에 하나가 있는 것 같아.
남 알았어요, 제가 내일 아침에 거기에 가볼게요.
여 왜? 새 자전거가 고장이니?
남 아니요, 헬멧을 사러 자전거 가게에 가 봐야 해요.
여 오, 알겠다. 돈이 좀 필요하니?
남 충분히 있어요. 고마워요.
여 사기 전에 반드시 한번 써 봐야 한다.

M Mom, is there a _____ _____ _____?

W I think there's one by the _____ _____.
（~의 옆에）

M Okay, I'll go there tomorrow morning.

W Why? Is your new _____ _____?

M No. I have to visit the bike shop to get a _____.
（목적을 나타낸 부사적 용법의 to부정사）

W Oh, I see. Do you want some money?

M I have enough. Thanks.

W Make _____ to _____ _____ _____ before
（Make sure+to부정사/that절: '반드시 (~하도록) 하다'라는 의미로 명심할 것이나 당부하는 말을 할 때 사용할 수 있다.）
（try on: ~을 (시험 삼아) 써보다/입어보다）
you buy it. （정답 근거）

24회 | 받아쓰기

05 언급하지 않은 것

다음을 듣고, 남자가 동아리에 대해 언급하지 <u>않은</u> 것을 고르시오.

① 이름　　② 모임 장소　③ 회원 수
④ 모임 시간　⑤ 준비물

남 여러분 벌써 3시입니다. 모임을 시작할 시간입니다. Mason 중학교 수학 동아리에 오신 것을 환영합니다. 우리는 많은 새로운 회원들이 있어서, 여러분께 몇 가지 정보를 드릴까 합니다. 우리 동아리는 매주 금요일에 307호실에서 만납니다. 모임은 3시에 시작해서 4시에 끝납니다. 각 모임마다 종이와 연필을 가지고 오세요. 이 동아리에서 여러분은 즐거운 시간을 보내면서 수학 기술들을 배울 수 있습니다!

M　Everyone, it's already 3 o'clock. It's time to _____
정답 근거
_____ _____. Welcome to the Mason Middle

School Math Club. We have a lot of new members, so

let me _____ you some information. Our club meets
4형식 구문: 수여동사+간접목적어+직접목적어(~에게 ~을 주다)
_____ _____ in Room 307. Our meetings _____

at 3 and _____ _____ 4. Please bring paper and

_____ to each meeting. In this club, you can learn

_____ _____ while _____ _____!

◀ Solution Tip

구체적인 회원의 수는 언급되지 않았다. ① Mason Middle School Math Club, ② Room 307, ④ 3시 ~ 4시, ⑤ 종이와 연필은 언급되어 있다.

06 금액

대화를 듣고, 여자가 지불할 금액을 고르시오.

① $35　　② $30　　③ $25
④ $20　　⑤ $15

여 실례합니다. 이 신발들은 할인 중인가요?
남 아니요, 하지만 그것들은 단 30달러입니다.
여 마음에 들지만 제게는 여전히 조금 비싸네요.
남 음, 제가 드릴 수 있는 쿠폰이 있습니다. 5달러를 할인받으실 수 있습니다.
여 그러면 25달러에 제가 신발을 가질 수 있나요?
남 맞습니다. 아주 쌉니다.
여 완벽해요! 그걸 살게요.

W　Excuse me. Are these shoes on _____?
할인 중인
M　No, but they're only _____ _____.

W　I like them, but they're still a little _____ for me.

M　Well, I have a coupon I can give you. You can get 5
a coupon 뒤에 목적격 관계대명사 that이나 which가 생략되었다.
dollars _____.

W　So I can _____ the shoes for _____ dollars? *정답 근거*

M　That's right. It's a _____ _____.
아주 싸다는 표현
W　Perfect! I'll take them.

07 장래 희망

대화를 듣고, 남자의 장래 희망으로 가장 적절한 것을 고르시오.
① 교사 ② 외교관 ③ 요리사
④ 통역사 ⑤ 여행 가이드

여 프랑스 여행은 어땠니?
남 좋았어! 음식이 맛있더라. 프랑스어도 많이 배웠어.
여 프랑스어를 배우려고 노력하고 있니?
남 응, 난 매일 프랑스어를 공부해. 언젠가는 프랑스어를 가르치고 싶어.
여 와, 너는 프랑스어 선생님이 되고 싶은 거구나? 놀랍다.
남 조금 이상하다는 것은 알지만, 내게는 최고의 직업이 될 거라고 생각해.

W How was your trip to France?
~로의 여행
M Great! The food was _____. I learned a lot of _____, _____.
W Are you trying to _____ _____?
M Yes, I study it every day. I want to _____ the French language someday. 🎸정답 근거
W Wow, you want to be a French _____? I'm surprised.
M I know it's a bit unusual, but I think _____ _____
조금, 약간
_____ _____ job for me.

08 일치하지 않는 것

대화를 듣고, 학급 애완동물에 대한 내용으로 일치하지 않는 것을 고르시오.
① 거북이다.
② 모든 학생이 키운다.
③ 교실 수조에서 키운다.
④ 선생님도 도와주신다.
⑤ 모레 아침에 볼 수 있다.

남 있잖아. 우리가 학급 애완동물을 가질 거야.
여 학급 애완동물? 어떤 종류?
남 거북이. 우리 교실에 있는 수조 안에서 살 거야.
여 굉장해! 누가 보살피니?
남 우리 학급 학생들. 우리 선생님도 도와주실 거야.
여 재미있겠다. 우리가 언제 거북이를 만날 수 있니?
남 내일 아침에. 너무 기대가 돼!

🇬🇧
M Guess what? We're getting a class pet.
W A class pet? What _____?
어떤 종류
M A _____. It's _____ _____ _____ _____ a tank in our classroom.
W Awesome! Who is going to take _____ _____ it?
돌보다, 보살피다
M The students in our class. Our teacher will _____, too.
W Sounds fun. _____ can we _____ the turtle? 🎸정답 근거
M Tomorrow morning. I can't _____!
매우 기대하고 있음을 나타내는 표현

09 바로 할 일

대화를 듣고, 남자가 대화 직후에 할 일로 가장 적절한 것을 고르시오.

① 예약하기 ② 식사하기
③ 셔츠 사기 ④ 코트 사기
⑤ 신발 사기

여 백화점에 많은 사람들이 있어.
남 정말? 이상하다. 그 백화점은 방금 열었는데.
여 백화점이 큰 할인 행사를 하고 있는 중이야. 모든 옷들이 반값이야.
남 내가 새 코트가 필요한데. 나중에 그 백화점에 가서 하나 구해야겠다.
여 아니야, 넌 서둘러야 해. 모든 것들이 금방 팔릴 거야.
남 네 말이 맞아. 지금 가 볼게.

W There are a lot of people in the department store. 백화점

M Really? That's strange. The store just opened.

W The store is _____ _____ _____ _____. All clothes are _____ _____.

M 🎵정답 근거
I need a new coat. I'll go to the department store later and _____ _____.

W No, you should hurry. Everything will _____ 다 팔리다 _____ _____.

M You're right. _____ _____ right now.

10 대화 화제

대화를 듣고, 무엇에 관한 내용인지 가장 적절한 것을 고르시오.

① 학교 성적
② 전학 문제
③ 체육 대회 신청
④ 양궁부 가입
⑤ 체력 관리의 중요성

남 엄마, 전화로 누구와 통화하셨어요?
여 네 체육 선생님이셨어.
남 오, 무슨 이야기를 하셨어요?
여 학교 양궁 팀에 관해 이야기했어.
남 우리 학교에 양궁 팀이 있다고요? 전혀 몰랐어요.
여 응. 네 체육 선생님이 코치신데 네가 그 팀에 들어오기를 원하셔.

M Mom, _____ _____ you talking to on the phone? be on the phone 통화 중이다

W It was your P.E. teacher. physical education 체육

M Oh, what did you talk about? ~에 대해 이야기하다

W We talked about the school _____ team.

M My school has an _____ team? I didn't even know.

W Yes. Your P.E. teacher is the _____ and he _____ _____ _____ _____ the team. 🎵정답 근거

11 교통수단

대화를 듣고, 두 사람이 이용할 교통수단으로 가장 적절한 것을 고르시오.
① 버스   ② 택시   ③ 지하철
④ 자전거   ⑤ 오토바이

남 안내판에 21번 버스가 20분 후에 도착한다고 해.
여 너무 길어. 우리가 그 버스를 타면 지각할 거야.
남 대신에 지하철을 타면 어때?
여 이 근처에 역이 있어?
남 응, 거기까지 걸어서 5분밖에 안 걸려.
여 좋아. 역까지 가자.

M The _____ says Bus 21 arrives in _____ minutes.

W That's too long. _____ _____ _____ if we take the bus.

M Why don't we take the _____ _____?

W Is there a station near here?

M Yes, it only _____ _____ minutes to _____ there.

W Okay, let's go to the station.

12 이유

대화를 듣고, 여자가 필통을 비운 이유로 가장 적절한 것을 고르시오.
① 지저분해서
② 버리기 위해서
③ 물건을 찾기 위해서
④ 생일 선물로 주려고
⑤ 새로운 연필을 담기 위해서

남 탁자 위가 네 연필과 펜들로 엉망이구나.
여 죄송해요, 아빠. 제가 지금 필통에 다시 넣을게요.
남 알았다, 하지만 필통에서 왜 모든 것들을 꺼냈니?
여 필통이 내부가 정말 더러워서요. 제가 깨끗하게 해야 했어요.
남 알았다. 어쩌면 새 필통이 생일 선물로 적당할 것 같구나.
여 괜찮아요. 제가 가지고 있는 것이 좋아요.

M Your pencils and pens are all _____ the table.

W Sorry, Dad. I'll put _____ in my pencil case now.

M Okay, but why did you _____ everything _____ of your pencil case?

W It was really _____ _____. I had to clean it.

M Got it. Maybe a new pencil case would be a good _____ _____.

W That's okay. I like the one I have.

13 관계

대화를 듣고, 두 사람의 관계로 가장 적절한 것을 고르시오.

① 기자 – 감독
② 주장 – 팀원
③ 코치 – 운동선수
④ 지도 교사 – 피아노 연주자
⑤ 체육관 관리자 – 이용자

남 우리가 경기에 이겨서 너무나 행복해요!
여 축하한다! 나는 너와 네 팀 동료들이 자랑스럽구나.
남 고마워요, 코치님. 코치님 도움으로 우리가 이겼을 뿐이에요.
여 천만에. 팀을 이끌고 선수들을 돕는 것은 내 일이야.
남 알아요. 그런데 우리 내일 연습하나요?
여 응. 모든 선수들은 3시까지 운동장으로 와야 해. 거기서 보자.

M I'm so happy we _____ the game!

W Congratulations! I'm _____ _____ you and your teammates.

M Thanks, coach. We only _____ because of _____
~ 때문에
_____. 🎧정답 근거

W Don't mention it. _____ the team and _____ the
고맙다는 말에 대한 정중한 인사
players is my job.

M Okay. By the way, do we have practice tomorrow?
그런데

W Yes. All the players _____ _____ _____ on the
_____ by 3 o'clock. I'll see you there.

14 그림 위치

대화를 듣고, 휴대 전화의 위치로 가장 알맞은 것을 고르시오.

여 오, 이런! 내 휴대 전화를 찾을 수 없어.
남 걱정하지 마. 내가 찾는 것을 도와줄게. 먼저 네 가방을 들여다보렴. 그러고 나서 책상 아래를 찾아보렴.
여 거기에도 보이지 않아. 어디에 있을까?
남 옷장을 살펴보는 게 어때?
여 이미 확인했어. 침대 위에도 없어.
남 그러면 네 재킷 호주머니 안에 있을지도 몰라.
여 그렇게 생각하지 않지만 확인해 볼게. (...) 네 말이 맞았어! 내 호주머니 안에 내내 있었어.

W Oh, no! I _____ _____ my cellphone.

M Don't worry. I'll help you find it. First, look in your bag. And then try looking _____ the desk.
try -ing: 시험 삼아 ~해보다

W I don't see it there. Where could it be?

M How about checking the _____ _____?

W I already checked it. It isn't on the bed, either.

M Then, maybe it's in the _____ of your _____.

W I don't think so, but I'll check. (...) You were right! It was in my _____ the _____ time. 🎧정답 근거

15 부탁한 일

대화를 듣고, 여자가 남자에게 부탁한 일로 가장 적절한 것을 고르시오.
① 택시 예약하기
② 일찍 퇴근하기
③ 설거지 대신 하기
④ 애완동물 먹이 주기
⑤ 고양이 예방 접종하기

여 John, 학교로 언제 떠날 거니?
남 약 30분 후에요.
여 좋아. 나를 위해 무언가를 할 수 있니?
남 물론이죠, 오래 걸리지만 않는다면요.
여 우리 고양이에게 음식과 물을 주기만 하면 돼. 나는 지금 일하러 가야 해.
남 문제없어요. 좋은 하루 보내세요!

W John, _____ are you _____ for school?
  <u>leave for: ~로 떠나다</u>

M _____ _____ 30 minutes.
  <u>~이 지나면</u>

W Okay. Can you do something for me?

M Sure, if it doesn't _____ _____ _____.

W Just _____ our cat some _____ and _____. I
  have to go to _____ now.   🎵정답 근거
  <u>~해야 한다</u>

M No problem. Have a good day!

16 제안한 것

대화를 듣고, 남자가 여자에게 제안한 것으로 가장 적절한 것을 고르시오.
① 에어컨 켜기
② 공기 청정기 켜기
③ 타이어 공기 넣기
④ 밖에 산책하러 가기
⑤ 창문 열어 환기하기

남 Lina, 네 침실이 아주 덥구나.
여 알아요, 하지만 저는 에어컨을 켜고 싶지 않아요.
남 왜 싫어? 고장이 났니?
여 아니요. 저는 전기를 절약하려고 노력하고 있어요.
남 그러면 신선한 공기가 들어오도록 창문을 여는 게 어때?
여 좋은 생각인 것 같아요.

🇬🇧

M Lina, it's so hot in your _____.

W I know, but I don't want to _____ on the air
  <u>~을 켜다</u>
  conditioner.

M Why not? Is it _____?

W No. I'm _____ to _____ electricity.
  <u>try to: ~하려고 노력하다, 애쓰다</u>

M Then how about _____ the window to let some
  <u>~하는 게 어때?</u>   <u>let ... in: ~을 들어오게 하다, 통하게 하다</u>
  _____ _____ _____? 🎵정답 근거

W I think it's a good idea.

17 어색한 대화

대화를 듣고, 두 사람의 대화가 <u>어색한</u> 것을 고르시오.

①   ②   ③   ④   ⑤

① 남 성탄절에 무엇을 했니?
    여 가족을 위해 저녁 식사를 만들었어.
② 남 아이쿠! 내가 다리를 다쳤어.
    여 앉는 게 어때?
③ 남 내가 이 상자들 옮기는 것을 도와줄 수 있니?
    여 나는 책 읽기를 좋아해.
④ 남 공원으로 소풍 가자.
    여 비가 내리고 있어. 좋은 생각이 아니야.
⑤ 남 네 고양이가 어딨니?
    여 모르겠어. 숨어 있나봐.

① M   What _____ you do on Christmas Day?

   W   I _____ _____ for my family.

② M   Ouch! I _____ my foot.

   W   _____ don't you sit down?

③ M   Can you _____ me carry these books? ♪정답 근거

   W   I _____ reading books.

④ M   _____ go to the park for a picnic.

   W   It's raining. It's not a good idea.

⑤ M   _____ is your cat?

   W   I don't know. She is _____.

🔙 **Solution Tip**

③ 도와줄 수 있는지를 물었는데, 독서를 좋아한다고 답한 것은 엉뚱한 대답이라고 할 수 있다.

18 직업

대화를 듣고, 남자의 직업으로 가장 적절한 것을 고르시오.

① 기자   ② 파일럿   ③ 항해사
④ 승무원   ⑤ 로켓 과학자

여 안녕하세요. 만나서 반갑습니다, 선생님.
남 저도 반갑습니다. 제게 몇 가지 질문이 있다고 비행 승무원이 말하더군요.
여 예. 선생님 직업의 가장 좋은 점이 무엇인가요?
남 저는, 하늘 높이 비행하는 동안에 구름들을 보는 것이 가장 좋습니다.
여 그러실 거예요. 그리고 선생님 일 중에서 좋아하지 않는 게 있나요?
남 흠. 오랜 시간 동안 앉아 있어야만 하는 것을 좋아하지 않습니다.
여 제 질문에 답해 주시고 비행기도 안전하게 날게 해 주셔서 감사드립니다.
남 천만에요.

W   Hello. Nice to meet you, sir.

M   You, too. The _____ _____ _____ you have some questions for me.

W   Yes. What's the best thing about your job?

M   For me, seeing the _____ while I'm _____
      주어
    _____ in the sky is the best.
                 동사

W   I bet. And is there anything you _____ _____ about your job?

M   Hmm. I don't like having to sit for a long time.

W   Thanks for answering my questions and for _____
    A and B의 병렬 구문이다. thank for -ing는 '~이 고맙다'라는 의미이다.
    the plane _____, too! ♪정답 근거

M   No problem.

19 이어질 말 ①

대화를 듣고, 남자의 마지막 말에 이어질 여자의 말로 가장 적절한 것을 고르시오.

Woman: _____

① It's already 2 o'clock.
② It was ended on January 21.
③ We will go there on Tuesday.
④ We started the work from yesterday.
⑤ At 7:30, but it's a good idea to get there early.

M I'm _____ _____ to your dance _____ tomorrow.
<u>look forward to: ~을 기대하다</u>

W I don't feel the same. I'm _____ I'll make a _____.
실수하다

M I'm _____ you'll do a great job.

W I hope so. Are you _____ _____ Mom?

M Of course. What time does the _____ start? 🎵정답 근거

W ⑤ At 7:30, but it's a good idea to get there early.
가주어 it   to부정사구가 진주어 역할을 하고 있다.

남 내일 너의 춤 공연을 기대하고 있어.
여 나는 너랑 같은 기분이 아니야. 내가 실수할까봐 긴장 돼.
남 네가 잘할 거라고 확신해.
여 그러기를 바라. 엄마와 함께 올 거니?
남 물론이지. 공연은 몇 시에 시작해?
여 ⑤ 7시 30분에, 하지만 일찍 거기에 가는 게 좋을 거야.

① 벌써 2시야.
② 그것은 1월 21일에 끝났어.
③ 우리는 화요일에 거기에 갈 거야.
④ 우리는 어제부터 그 일을 시작했어.

20 이어질 말 ②

대화를 듣고, 남자의 마지막 말에 이어질 여자의 말로 가장 적절한 것을 고르시오.

Woman: _____

① That's a good choice.
② Yes, we had a good sleep.
③ Yes, she was meowing all night.
④ No, we will cook in the kitchen.
⑤ No, she studied till late at night.

M Nancy, cheer up! We're going to an amusement park today!
격려하는 표현

W I'm so _____ _____.

M I get it. You couldn't sleep because you were _____ _____.

W No, you're wrong. I couldn't sleep _____ _____ my new _____. 🎵정답 근거

M What? Your _____ _____ _____ _____?
<u>a very young cat을 의미함</u>

W ③ Yes, she was meowing all night.
she는 kitten을 의미함(암컷이므로 she)

남 Nancy, 기운 내! 우리 오늘 놀이공원에 갈 거야.
여 하지만 너무 졸려.
남 알았다. 너는 너무 들떠서 잠을 이룰 수 없었어.
여 아니야, 네가 틀렸어. 새로 온 새끼 고양이 때문에 내가 잠을 잘 수 없었어.
남 뭐라고? 네 새끼 고양이가 너를 못 자게 했다고?
여 ③ 응, 고양이가 밤새도록 울었어.

① 좋은 선택이야.
② 응, 우리는 잘 잤어.
④ 아니, 우리는 부엌에서 요리할 거야.
⑤ 아니, 그녀는 밤 늦게까지 공부했어.

24회 받아쓰기

09회

01 walk, swim, hard shell, hide inside my shell
02 new pair of slippers, dots, recommend, with rabbits
03 other cities, will be better, mostly cloudy, windy
04 fell on the ice, A little, out of order, appreciate it
05 thirty years old, volleyball player, tall, humorous, like her
06 drive me to work, I'll be ready, take ten minutes, I'll see you then
07 made it, jewelry designer, skills, I hope so
08 I'd like to, took her four years, as soon as, big hit
09 where our cat is, can't find him, look outside, flashlight
10 interested in magic, new members, after school, three more students
11 leave for the show, we'll be late, get a taxi
12 return these books, spilled something, pay for, five dollars
13 dairy, running out of, some fruit, look so fresh
14 right next to, go straight, go left, miss it
15 wake-up call, What time, anything else
16 tired, busy day, had to, wash, take a nap
17 soccer ball, too big, It's too salty, Congratulations, good idea
18 art museum, That's right, as fast as possible, seat belt
19 help you, How about, don't like the color, medium
20 your trip, full of fun, swam, swimming, Like what

10회

01 at the beach, umbrella, rent this, shade
02 show me, with, design, squares, any striped towels, love it
03 quite cloudy, pleasant sunny, it'll be rainy, bring your umbrella
04 got a call, isn't coming, car accident, feel so sorry
05 Thanks for watching, made from wool, purple, thirty percent off
06 be home, to the airport, flight, should we leave
07 made it, I love drawing, talented, children's books, comes true
08 long face, Of course I do, Sorry to hear that, hang out
09 Chinese food, new Mexican restaurant, next to, I'll call her
10 some rules, do not feed, to protect, warning signs
11 are you ready, too crowded, driving there, only option
12 Pretty good, having a wedding, Don't worry
13 looking for a tent, fits in, any other colors, can't wait to
14 look in your wallet, wasn't there, either, jacket pocket
15 give me a hand, to help, take out the garbage, that's all
16 was exercising, get in shape, How often, cut down on, rest
17 new school, Which animal, Where were you, Who, Good luck
18 driver's license, you were speeding, I'm afraid
19 going on a picnic, some drinks, anything else, don't have one
20 don't think so, stomachache, What did you eat

11회

01 up and down, press the buttons, another floor
02 left my umbrella, flower pattern, Let me check
03 wasn't it, partly cloudy, clear, sunny weather
04 swimming pool, I'm finished, leave, Don't forget to
05 I'm excited to, is open, cool running shoes, drop by
06 baby elephant, chores, free, instead, in front of
07 making music, So do I, changed my mind, you know a lot
08 Do you mean, only child, plays basketball, both English and French
09 bad news, has to stay, must feel, write her a letter
10 my appointment, on Wednesday, would be best, We'll see you
11 I'll be back, by bus, save you, train ticket
12 already, wrong bus, won't happen, never be late
13 empty seat, taking off, fasten, change, off
14 Can you tell me, turn left, you'll see it, the hospital
15 leaving for vacation, For two weeks, water my plants, Thank you so much
16 made a little joke, too easily, take a yoga class, get rid of, When
17 anything special, fireworks, a lot of fun, played board games
18 It was delicious, learn to cook, Isn't it hard, makes me happy
19 why weren't you, That's too bad, Did our team win, Who scored
20 vacation plans, aunt, beach, have a nice trip

12회

01 like a ball, map, the earth, usually fixed
02 wrapping, The rose, with, star, likes both, she'll love it
03 We expect, won't be any clouds, however, strong winds
04 watched it, broke my heart, it's right, feel the same
05 statue, center of, created the statue, take pictures of it
06 Do you want, Let's plan to, meeting a little earlier, That's perfect
07 short movie contest, making movies, movie director, dreams come true
08 open, are closed, library card, you'll have to pay
09 in bed, feel hot, high, cold, buy me some medicine
10 your skin, twice a day, What else, can be harmful
11 I'm excited, taking the train, cheaper, more comfortable
12 talk to you, science camp, fill it out, return it
13 fixed, take a look, repair, will it cost, pick them up
14 used it, can't find it, already looked there, next to the vase
15 can't decide, Didn't you say, give me a ride, car keys
16 packing, didn't even start, before we leave for, make a list
17 something special, doesn't like exercising, getting them tickets, go online
18 say hello to, pleased, won the gold medal, swam for 8 hours
19 full of, trouble you, apartment, kind of you
20 volunteer work, What about you, why don't you, How can I join

13회

01 trees, a bird, mammal, arms, a tail, kinds, insects, tools
02 looking, daughter, old, jacket, sleeves, butterflies, pretty, popular
03 weather there, sunny, warm, raining all, come back, snowy
04 bed, use, phone, minutes, shouldn't do, light, eyes, turn it off, forget
05 dancing, join, looking, perform, Fridays, floor, regret
06 action, tickets, come, When, five, four thirty, tomorrow
07 future, yet, useful, cooking, chef, designer, design
08 Where, near, birth, cousin, only, four boys, believe
09 after, sorry, can't, basketball, ride, meet, 2
10 breaking ship, happen, opposite, saved, danger, thick, broke, way
11 summer, trip, ship, beach, food, enjoyed, seafood, trucks
12 Wake, wake, more, late, bed, Around, search, information
13 move, stage, else, fifteen, performance
14 dance, far, far, walk, straight, left, left, across
15 favor, draw, social studies, draw, market, vegetable
16 remember, like, decide, character, easy, being, teeth
17 what, making, spend, with, cousin, visit, ride, bikes
18 get, museum, dinner, dinner, near, tour
19 ideas, present, case, expensive, reading, popular
20 buy, ticket, children, 70

14회

01 tall, three eyes, follow, directions, turns red, their own way, green
02 cake, parents, chocolate, fresh, recommend, decorations, heart, wedding
03 report, sunny, cloudy, clear up, sunlight, raining
04 late, wake, late, favor, drive, garage, repair
05 native, teaching, taught, elementary, five, free
06 movie, three thirty, half an hour, restroom, walk
07 soccer, sports reporter, who comments, reports, sports reporter
08 hands, wood, get it, older, attic, older, angry
09 scary, shall, visit, eat, hamburger, around
10 newspaper, next to, wait, what if, noise, focus, worried
11 When, forty, theater, blocks, walk, heavy, leave
12 park, lot, isn't, clinic, visitors behind, park
13 license, stopped, fast, limit, per, per, realize, fine
14 lost, sofa, under, fell, whole
15 ask, ahead, shaking, legs, bothersome, shaking, legs, now
16 searching, growing, growing, water, trying, sunlight, sense, front of
17 weekend, restaurants, taste, delicious, else, boat, lake, walk, lake
18 problem, eat, sleep, sick, though, check her, pregnant, spring, care of
19 coughing, cold, sore throat, medicine, nurse, better
20 tickets, which, two, left, other, two

15회

01 river, lake, water, breathe, legs, fins, swim, catch, groups, colors
02 found, cap, cap, front, letter, tiger, must
03 reporter, around, clear, windy, both, heavy
04 have, secret, inside, present, birthday, expect
05 elephants, look, ears, gentle, scary, harm, smart
06 looking forward, at 8, dinner, steak, next, meeting, earlier, wait
07 had to, hospital, sick, health, nervous, nurse
08 pet turtle, got him, gave, birthday, gift, vegetables, worms
09 I'll just stay, dinner, parents, celebrate, alone, alone, trip
10 sad, heard, move, upset, Moving, upset
11 appointment, head to, more convenient, being repaired, taxi
12 cherry, early, blossoms, rain, going on, free
13 wallet, police, right next, entered, Service, right
14 bank, nearest, foot, turn right, next to, across from
15 speak, received, hotel, got, translate
16 annoyed, too quickly, charge, upset, buying, connect, suggestion
17 relaxing, break, traveled, spent time relaxing, photos
18 hard, clothes, clothes, clothes, can't wait to, wearing, support
19 homework, third, bring, bad, too busy
20 fan, little cold, instead, outside, won't, ahead, blanket

16회

01 found, kitchens, brush their teeth, wet, pours
02 buy, long, ruler, various, front, zipper, perfect
03 bring, heavy, expected, clouds, continue
04 minute, wrong, leaving, scared, fear, taking deep breaths
05 what, long, favorite, bands, once, search, want to attend, volunteer, instruments
06 opened, library, 3 p.m., until 4, until, walk, at 4, 15
07 interested, when I grow up, architect, creative, architect
08 wild animal, wolf, quiet, worried, Wolves, dangerous, I'm afraid
09 uniform, cleaned, Saturday, event, wear, call, cleaner's, ready
10 sent, thanking, fruit, scarf, forgot, mention, soft
11 leave, all packed, reserve, borrow, take the bus
12 released, possible, allowance, enough, already sold out, wait
13 until 5, ask for, nervous, extra, help, teaching
14 credit card, desk, checking, drawers, either, pockets, closet, pocket
15 tennis, you're free, mind, drive, airport, pick
16 tour guide, showing, taking a rest, tired, take a shortcut
17 Long, terrific, volunteer work, build, dig, meaningful vacation
18 grew, almost, hairstyle, short, expert, make sure
19 joining me, campsite, river, What, bring, Where, get
20 loud noise, dangerous, animals, strangers

17회

01 four legs, tail, pet, Chasing, mice, clean, tongue

02 cases, diamond, heart, three hearts, too

03 national, cloudy, won't, sunglasses, shine, sunny, Rain, wind

04 right back, dark outside, visit, happened to, seemed, visit her

05 shoppers, announcement, holiday sale, clothes, shoes, 30, half, 50

06 for, sandwiches, seven, total, eight, bill, change

07 making, model airplane, fact, fly, excellent pilot, hard

08 finish, difficult, history, feelings, solve 20 math, tired

09 concerts, weekend, already buy, Not yet, sell out

10 stressed, stressful, relaxed, else, diary, feelings, worries

11 flight, arrived safely, taxi, public, comfortable, too crowded, catch

12 still, didn't, work, miss work, serious situation, bad fever, hospital

13 join, halftime break, tips, ball, often, try, fall down, hurt, leg

14 where, get, walk, one, walking one, left, between, grocery

15 wear, anymore, wear, contact, of, shop, free

16 view, entire, bridges, awesome, remember, forever, take, get

17 tired, over, rest, several, moving, month, move into

18 pharmacy, window, pharmacist, physics, pharmacy, medicines

19 five, theater, hours long, go home, have dinner

20 storm, serious storm, damaged, sorry, way, donate, fix

18회

01 use, eat, sharp, cut, cutting steak, handle, handle

02 plants, both leaves, flowers, flowers, leaves, pot, triangle

03 fantastic, clouds, cloudy, heavy rain, night, heavy, sun, Friday

04 sorry, late, worried, drop, wallet, went, turn it, proud, right

05 message, uniforms, wear, uniforms, store across, cooperation

06 wake up, match, wake up, 8, late, 11, starts, takes 30

07 often, exercise, healthier, future career, Working out, misunderstood, personal trainer, exercise

08 Walking, rest, snacks, packed, peanuts, half, rest

09 can't, black socks, where, pair, socks, black, play, borrow, black, dresser

10 kind, choose, type, play, friends, too, video games

11 raining outside, means, library, ride, bikes, walk, subway, ready

12 jump, sit, watch, to swim, wish, super, scared

13 interview, latest movie, firefighters, tough, meaningful, appear

14 blue, pencil case, bookshelf, leave, here

15 practicing, speech, contest, win, prize, Definitely, speech, tips, ears, ahead

16 ready for, difficult, grade, Why don't we, after

17 tiring, plant, planted, kind, volunteer, garden, forget planting

18 difficulty writing, women's lives, detail, pain, tragedy, fault, tell, truth, novel, touching

19 packing up, company, move, office, fifth floor, stuff, carry, three, help

20 soup, cost, costs, includes, soda, else

19회

01 farm, legs, feathers, lay, hatch, around

02 wallets, sale, kind, wallet, rectangular, square, bird, cute cat

03 sunny, sunny, through, snowstorm, area, gone, sunny, return

04 bother, bad, reading, help, willing, broken, come, fix

05 moved, from, thirteen, hobbies, subject, history, math, hope

06 night, take, place, catch, tickets, 7, over, 6

07 plant, planting, grow, green thumb, keep, gardening, gardener

08 weekend, boring, stayed home, ready, Europe, visited, looking forward

09 upset, received, fight, need to call, get, phone

10 kitchen, bags, Ingredients, how, recipe, teach, special recipe

11 late, doesn't come until, watch, broken, 8, drive, late, get, leave

12 cost, price, take, pay, register, pay, credit, machine, working properly, can't buy

13 open, account, account, savings, bankbook, withdraw

14 nearby, Walk straight two, turn, left, across, post office

15 out, walk, outside, sunny, a cap, lost mine, borrow, of yours, go

16 wearing sandals, shoes, comfortable, protect, wear, boots, change, shoes

17 winter, skiing trip, planned, cancelled, instead, stayed, watched, boring

18 whole, burn, fire, it, relief, coming, come, fire, brave

19 fun, weekend, art, brother, paint, learned, sculptures, clay, difficult

20 sad, sorry, hear, hear, cheer him up

20회

01 find, floor, turn, get brighter, shapes, short, needs, turn on

02 pillow, stripes, three stars, small, large, stars, too

03 tuning, across, rainy, windy, conditions, rain, clear, clouds, though, cloudy

04 guess, seem, won, practiced, gold, about putting, by

05 five, addition, two younger, oldest, taken, India, once, countries

06 pants, got, expensive, regular, paid 80, 50 percent, deal

07 smile, seems, smiles, interested, teeth, strange, dentist, dentist, too, career

08 walking, cousin, around, younger, older than, taller, other girl

09 okay, long, before, cleaned, bedroom, chore, dishes, wash, leave

10 off, final, Did, start, about you, busy, at studying alone

11 flight, expensive, sick, through, tunnel, reserve

12 after, free, friends, play, aren't busy, hurt, leg, while

13 drink, rest, flight, flight lands, dinner, served, passengers, seat, fastened

14 for, water bottle, bottle, it, out, table, counter next to

15 foot, better, walk yet, bored, bring, read, twenty

16 shopping, job, company, check out, website, learn, suggestion

17 call, last, phone, odd, have, allowed, parents, take

18 enjoy, meal, dessert menu, cake, right, cup

19 Quiet, excited, won, free, Who, invite, station, 7

20 pale, nervous, talking, perform, scared, singer, mistake

21회

01 use, turn, on, off, buttons, shape

02 pencils, behind, erasers, out, popular, short, soccer, two

03 weather, snowy, gone, rain, Thursday, Saturday, warm, sunny

04 free, up, rest, shouldn't exercise, while

05 first, president, see, five, meets twice, gym, better

06 hear, check, classes, of, soccer, 6

07 hospital, take, charity, amazing, photographer, no doubt

08 12, tired, Why, owner, lunch, ordered, delivered, healthy

09 excited, packed, leave, depends, sure, exact, call, hotel

10 handed it, schedule, ready, performance, need to, practice

11 exhibition, popular, hard, parking, bus, heavy, either, subway, though

12 recommend, favorite, enjoy, meat, bits, top, eat, case, pumpkin

13 return, three, allowed, borrow, two, no, fee, late

14 flower, far, here, Walk two, pharmacy, near, from, can't

15 together, him, would like, sign, draw, mind, card to

16 left, exhausted, keep, score, idea, break, take a walk

17 brilliant artist, theater, life, work, parents, I'd like, regret

18 calling, son, hear, going on, know, scores, teaching, else, late, few

19 tired, late worrying, worry, help, When

20 toys, don't use, collecting, sell, check, closet, through, clothes

22회

01 fly, sky, wings, tail, another, eat, inside

02 purchase, jacket, way, looking, checkered, look, five

03 emergency, hit, heavy, tomorrow, north, sunny, rainstorm

04 upset, score, great, test, didn't, at, write, bad

05 singing contest, students, required, place, 15th, parents, winner, prize

06 ticket, meet, 7, dinner, play, 7, 30, next, 6, forward

07 typing, report, university, museum, become, professor

08 plans, amusement, ride, ride, why, walk, talk with, strange, all

09 worried, miss, Friday, didn't tell, dance, out, prize, Would you show

10 travel agency, trip, canceled, upsetting, storm coming, safety

11 trip, It'll, fall, get, sold, What, left, buy, sell

12 ahead, vacuum, more expensive, features, inside, turn, how loud, volume

13 find, present, brother, plays volleyball, tennis, kinds, might

14 back, on your bookshelf, earlier, check, under the chair, bed

15 bringing me here, spilled, needs to mop, tell an employee

16 green, best, care, an expert on, raise, I'm doing wrong, join

17 special, went to, library, festival near, kind, artists, artwork, own art

18 here, this form, write, policy, job to manage, safe

19 spare, chores, with our club poster, finished, looks boring, add

20 are you texting, plans, hang, sure, movie, next, theater

23회

01 various colors, designs, wings, wings, younger, body changed

02 where, decorated, trees on, star on the lid, too, under the star

03 cloudy, raining, rain, gone, until sunset at around 7

04 could you wait, to go, off, light, asked, turn it off, grateful

05 interested in volunteering, hospital, need, volunteers, subway, sign up

06 coming to, at 7, 30, at 7, there, by 6 to warm

07 Who were, practicing my lines, professional actor, Will I see, acting

08 next, open, open, try it, dish, recommend, expensive, tasty

09 would you like, ballet, buy, popular, reserve tickets, website, reserve tickets

10 piece of work, random things, bicycle, drew, presents you want

11 directions, catch, Bus, possible, bus, walk, 15, walk straight, foot

12 my uncle, aunt, silver wedding present, celebrated, anniversary

13 allow, show, look at, section, big enough, most popular

14 possible, walk, here, away, until you see, turn, left, right

15 closing soon, hurry up, scarf, closet, gloves, closet, too, bring, under, socks

16 ready to go, raining, museum, art or history museum, Either is fine

17 How was, music, couldn't play any games, cleaned our house, tired

18 your biggest, sign, bought it, Did you have, such a, glad you

19 have a fever, feel your forehead, hot

20 like singing, singing room, want to come, I'm not sure, not

24회

01 slim, don't share, rub the softer, teeth, cleaning, meals

02 eraser, on it, cat, written above, below, next to

03 heavy snow, Cloudy, sunny, extremely high, snow, rain

04 bike shop nearby, post office, bike broken, helmet, sure, try it on

05 start the meeting, give, every Friday, begin, end at, pencils, math skills, having fun

06 sale, 30 dollars, expensive, off, get, 25, great deal

07 delicious, French, too, learn French, teach, teacher, it'll be the best

08 kind, turtle, going to live in, care of, help, When, meet, wait

09 having a big sale, half off, get one, sell out soon, I'll go

10 who were, archery, archery, coach, wants you to join

11 sign, 20, We'll be late, subway instead, takes five, walk

12 over, them back, take, out, dirty inside, birthday present

13 won, proud of, won, your help, Leading, helping, need to be, field

14 can't find, under, clothes closet, pocket, jacket, pocket, whole

15 when, leaving, In about, take too long, give, food, water, work

16 bedroom, turn, broken, trying, save, opening, fresh air in

17 did, cooked dinner, hurt, Why, help, like, Let's, Where, hiding

18 flight attendant said, clouds, flying high, don't like, flying, safely

19 looking forward, recital, nervous, mistake, sure, coming with, recital

20 sleepy though, too excited, because of, kitten, kitten kept you awake